OS ENSAIOS

MICHEL EYQUEM, SEIGNEUR DE MONTAIGNE, nasceu em 1533, filho e herdeiro de Pierre, Seigneur de Montaigne (dois filhos anteriores morreram após o nascimento). Foi educado falando latim como primeira língua, e sempre conservou uma disposição de espírito latina; embora conhecesse o grego, preferia usar traduções. Depois de estudar direito, finalmente tornou-se conselheiro do Parlamento de Bordeaux. Casou-se em 1565. Em 1569, publicou a sua versão francesa de *Theologia naturalis*, de Raymond Sebond; o seu *Apologie* é apenas em parte uma defesa de Sebond, em que estabelece limites céticos para o raciocínio humano sobre Deus, o homem e a natureza. Em 1571, mudou-se para sua terras em Montaigne, dedicando-se à leitura, à reflexão e à composição de seus *Ensaios* (primeira versão, 1580). Montaigne tinha aversão ao fanatismo e às crueldades do período das guerras religiosas, mas apoiava a ortodoxia católica e a instituição monárquica. Duas vezes foi eleito prefeito de Bordeaux (1581 e 1583), cargo que ocupou por quatro anos. Morreu em Montaigne, em 1592, enquanto preparava a edição final, e a mais rica, de seus *Ensaios*.

ROSA FREIRE D'AGUIAR nasceu no Rio de Janeiro. Nos anos 1970 e 1980 foi correspondente em Paris das revistas *Manchete* e *IstoÉ*. Retornou ao Brasil em 1986 e no ano seguinte traduziu seu primeiro livro, para a editora Paz e Terra: *O conde de Gobineau no Brasil*, de Georges Raeders. Em mais de vinte anos de atividade, verteu mais de sessenta títulos nas áreas de literatura e ciências humanas. Além do francês, idioma do qual transpôs para o português, entre outros, Céline, Orsenna, Lévi-Strauss, Debret e Balzac, traduz do espanhol e do italiano, línguas que também aperfeiçoou durante os anos de jornalista na Europa. Sua língua de preferência, no entanto, é mesmo o idioma de Montaigne, autor que ela pretendia traduzir desde os anos 1990, não só pelo conteúdo humanista dos *Ensaios* mas pelo desafio de traduzir um texto de quatro séculos de modo a conquistar o leitor de hoje. Acredita que o tradutor é um ser "obcecado" e "duvidante" e que uma boa tradução depende, também, da empatia entre tradutor e autor. Entre os prêmios que recebeu estão o da União Latina de Tradução Científica e Técnica (2001) por *O universo, os deuses, os homens* (Companhia das Letras), de Jean-Pierre Vernant, e o Jabuti (2009) pela tradução de *A elegância do ouriço* (Companhia das Letras), de Muriel Barbery.

MICHAEL ANDREW SCREECH nasceu em 1926. É membro honorário do Wolfson College e professor emérito do All Souls College, de Oxford (*fellow* e capelão em 2001-3), membro da British Academy, da Royal Society of Literature, da University College, Londres, e membro correspondente do Institut de France. Trabalhou muito tempo no comitê do Warburg Institute como professor de língua e literatura francesa na University College, Londres, até sua eleição para o All Souls, em 1984. É especialista em Renascimento, de renome internacional. Editou e traduziu os *Ensaios* completos de Montaigne para a Penguin Classics e, num volume separado, o ensaio *Apologie de Raymond Sebond*. Seus outros livros incluem *Erasmus: ecstasy and the praise of folly* (Penguin, 1988), *Rabelais*, e *Montaigne and melancholy* (Penguin, 1991) e, mais recentemente, *Laughter at the foot of the cross* (Allen Lane, 1998); todos são reconhecidamente estudos clássicos. Trabalhou com Anne Screech em *Erasmus' annotations on the new testament*. Michael Screech é Cavaleiro da Ordre du Mérite (1982) e Cavaleiro da Légion d'Honneur (1992). Em Oxford, ordenou-se diácono em 1993 e padre em 1994.

ERICH SAMUEL AUERBACH nasceu em 1892 na Alemanha, em uma família burguesa de origem judia. Estudou direito em Heidelberg e, em 1914, ingressou no curso de filologia românica em Berlim. Em 1921, defendeu sua tese de doutorado sobre a técnica da novela no Renascimento francês e italiano.

Em 1923, começou a trabalhar na Biblioteca Estatal Prussiana, em Berlim, e seis anos depois tornou-se professor de filologia românica na Universidade de Marburg. É desse período um de seus estudos mais importantes, *Dante, poeta do mundo secular*. Em 1935, durante o regime nazista na Alemanha, foi demitido do cargo em Marburg. Exilado, passou a lecionar na Universidade de Istambul.

Foi na Turquia, durante a Segunda Guerra Mundial, que escreveu a coletânea de ensaios *Mimesis: a representação da realidade na literatura ocidental* (1946), considerada uma das mais importantes obras de crítica literária do século xx.

Ao final da Segunda Guerra, emigrou para a América. Nos Estados Unidos, foi professor da Universidade da Pensilvânia, pesquisador em Princeton e professor de teoria literária e literatura comparada na Universidade Yale. Faleceu, em New Haven, Connecticut, em outubro de 1957.

MICHEL DE MONTAIGNE

Os ensaios
Uma seleção

Organização de
M. A. SCREECH

Tradução e notas de
ROSA FREIRE D'AGUIAR

5ª reimpressão

COMPANHIA DAS LETRAS

Copyright da introdução © 2000 by Erich Auerbach
Copyright da seleção © M. A. Screech

*Grafia atualizada segundo o Acordo Ortográfico
da Língua Portuguesa de 1990,
que entrou em vigor no Brasil em 2009.*

Penguin and the associated logo and trade dress
are registered and/or unregistered trademarks
of Penguin Books Limited and/or
Penguin Group (USA) Inc. Used with permission.

Published by Companhia das Letras in association
with Penguin Group (USA) Inc.

TÍTULO ORIGINAL
The essays: a selection

CAPA E PROJETO GRÁFICO PENGUIN-COMPANHIA
Raul Loureiro, Claudia Warrak

PREPARAÇÃO
Leny Cordeiro

ÍNDICE REMISSIVO
Luciano Marchiori

REVISÃO
Isabel Jorge Cury
Huendel Viana

Dados Internacionais de Catalogação na Publicação (CIP)
(Câmara Brasileira do Livro, SP, Brasil)

Montaigne, Michel de, 1533-1592.
 Os ensaios: uma seleção / Michel de Montaigne; orga-
nização M. A. Screech; tradução Rosa Freire d'Aguiar. — São
Paulo: Companhia das Letras, 2010.

 ISBN 978-85-63560-06-3

 1. Ensaios franceses 2. Filosofia francesa I. Screech, M. A.
II. Título.
10-10528   CDD-194

Índice para catálogo sistemático:
1. Filosofia francesa 194

[2021]
Todos os direitos desta edição reservados à
EDITORA SCHWARCZ S.A.
Rua Bandeira Paulista, 702, cj. 32
04532-002 — São Paulo — SP
Telefone: (11) 3707-3500
www.penguincompanhia.com.br
www.companhiadasletras.com.br
www.blogdacompanhia.com.br

Sumário

Introdução — Erich Auerbach	9
Nota da tradutora	31
OS ENSAIOS	35
Ao Leitor	37

LIVRO PRIMEIRO

I.	Por meios diversos se chega ao mesmo fim	41
VIII.	Sobre a ociosidade	47
XV.	Sobre a punição da covardia	51
XVII.	Sobre o medo	54
XIX.	Que filosofar é aprender a morrer	59
XXV.	Sobre a educação das crianças	84
XXVI.	É loucura atribuir o verdadeiro e o falso à nossa competência	131
XXX.	Sobre os canibais	139
XXXI.	Que é preciso prudência para se meter a julgar os decretos divinos	158
XXXVIII.	Sobre a solidão	162
LVI.	Sobre as orações	179
LVII.	Sobre a idade	193

LIVRO SEGUNDO

I.	Sobre a inconstância de nossas ações	201
II.	Sobre a embriaguez	212
V.	Sobre a consciência	227
VIII.	Sobre a afeição dos pais pelos filhos	234
XI.	Sobre a crueldade	261
XXXII.	Defesa de Sêneca e de Plutarco	283
XXXV.	Sobre três boas esposas	292
XXXVII.	Sobre a semelhança dos filhos com os pais	303

LIVRO TERCEIRO

II.	Sobre o arrependimento	345
III.	Sobre três relações	364
V.	Sobre versos de Virgílio	381
VI.	Sobre os coches	466
XI.	Sobre os coxos	492
XIII.	Sobre a experiência	508

Cronologia	585
Outras leituras	593
Índice remissivo	595

O escritor Montaigne*

ERICH AUERBACH

Montaigne era filho de pai gascão e mãe judia espanhola. A família era rica e estimada: o avô Eyquem, comerciante de peixes em Bordeaux, comprara o feudo nobiliário de Montaigne, na Guyenne; o pai, soldado e nobre, alcançou o cargo de prefeito de Bordeaux. Michel é seu sucessor em todos os aspectos exteriores: herdeiro do patrimônio, soldado, administrador, viajante, bom pai de família e finalmente *maire* de Bordeaux. Também quanto ao físico é filho de seu pai, de quem herdou a constituição robusta, o temperamento sanguíneo e a predisposição à litíase. Mas os tempos haviam se tornado mais difíceis. O pai viveu na época dourada das campanhas militares na Itália; o filho, em meio à terrível turbulência causada pela crise huguenote, a última a ameaçar a estabilidade nacional da França. A questão religiosa teve início na década de 1550, época em que Montaigne mal atingira a idade adulta, e terminou por volta de 1600, com a vitória de Henrique IV, poucos anos após a morte do escritor. Na segunda metade do século XVI, a era de Filipe da Espanha e Elizabeth da Inglaterra, a França é

---

* Erich Auerbach, *Ensaios de literatura ocidental: filologia e crítica*, organização de Davi Arrigucci Jr. e Samuel Titan Jr., tradução de Samuel Titan Jr. e José Marcos Mariani de Macedo, São Paulo, Editora 34/Duas Cidades, 2007.

palco de um sangrento turbilhão de acontecimentos e de uma inquietante anarquia dos ânimos.

Sobre uma base tão instável como essa, Montaigne levou uma vida cujo equilíbrio jamais foi abalado. Em sua juventude, talvez tenha conhecido a ambição e a ansiedade, talvez a paixão e certamente a amizade em sua expressão mais autêntica. Mas na época em que o conhecemos, isso há muito já é passado. Com 38 anos, ele se recolhe à vida privada, e daí em diante sua atividade externa restringe-se à defesa de seu patrimônio. Administra-o com prudência, sem medo nem rigidez, por vezes cedendo um pouco, com espírito e sem uso da força, mas de modo firme e resoluto.

Qual era o patrimônio que devia resguardar? Primeiro, suas posses, sua família e sua segurança. Mas isso é o de menos: defendia-os de modo sereno e cordial, com alguns gestos hábeis. É divertido ler como consegue desarmar os bandos de saqueadores com sua postura digna e segura, com seu simples modo de agir. Mas se o fardo se fizesse pesado demais, se tais obrigações viessem a lhe exigir muito, estaria disposto a abandoná-las. O verdadeiro objeto de sua defesa é seu cerne interior, o esconderijo de seu espírito, a *arrière-boutique* que soube conservar para si. *Il faut faire comme les animaux, qui effacent la trace à la porte de leur tanière.* [É preciso fazer como os animais, que apagam seu rastro na porta da toca.]

E isso não vale apenas para sua vida exterior. Montaigne era um homem de coração aberto, expansivo e hospitaleiro; não recusava a aventura; não se abandonava, mas prestava-se de bom grado. Estava atento às novidades e chegava mesmo a ser um pouco esnobe; passava-se por mais nobre do que era de fato e sabia fazer notar da maneira mais discreta possível sua elevada posição social. Sua autocrítica e autoironia estão cheias de um

---

* *Essais* I, 38 (I, 39 na edição Bordas, vol. I, p. 322).

INTRODUÇÃO 11

orgulho simpático. Não é de forma alguma um eremita; é apenas um homem reservado, que por vezes gosta de estar em boa companhia. Mas a *arrière-boutique* de seu ser interior é inacessível: aí está sua verdadeira morada, ali se sente em casa; em prol da segurança e do conforto desse refúgio concentra-se toda a atividade do homem mais sagaz de seu tempo.

Montaigne possuía um sentido pronunciado de decoro e lealdade. Tivera um pai bom e inteligente, uma infância feliz e uma juventude livre; não era próprio de seu temperamento ter pensamentos malevolentes ou agir de modo baixo, não esperava que os outros o fizessem e acabava por se enganar, como vira acontecer a seu pai. Fazia parte dessa lealdade servir ao rei, ser agradável aos amigos e proteger a própria família; era preciso ser humano e espontâneo com os inferiores e franco e respeitoso com os superiores. Fazia parte da lealdade respeitar as regras e os costumes, e seria insensatez acreditar que com uma conduta oposta se pudesse causar algo além de desordem. Não era conveniente, e seria mesmo inútil, incômodo e inoportuno, diferenciar-se de modo notável dos outros homens da mesma classe, faltar com os deveres ou mesmo assumir voluntariamente encargos descabidos. Talvez também lhe fosse agradável comprovar como se pode exercer um cargo ou administrar um negócio a que não se pode fugir de forma tão boa ou melhor do que os outros — sem para isso ter que se esforçar ou dedicar-se em excesso. A condição era essa. *Si quelquefois on m'a poussé au maniement d'affaires estrangères, j'ay promis de les prendre en main, non pas au poulmon et au foye.** [Se por vezes me compeliram à administração de negócios alheios, prometi manejá-los com cuidado, mas sem levá-los a peito.] Montaigne agiu desse modo mesmo quando, numa época difícil, foi quase coagido a se tornar *maire* de Bordeaux. Foi um

---

* *Essais* III, 10 (ed. Bordas, vol. 3, p. 280).

bom pai para sua família, um francês leal e um homem versado nas grandes questões de seu tempo; se não veio a ser um personagem de destaque na corte, isso deveu-se tão somente a ele. Não o foi porque não quis. Defendia-se contra tudo que lhe impunha deveres além do necessário: frente ao rei, aos amigos, aos burgueses de Bordeaux, à sua família. Defendia-se contra vínculos coercivos com a mesma obstinação e gentileza com que se defendia contra os inimigos externos.

Montaigne defende sua solidão interior. Mas o que significa isso para ele? O que a torna tão valiosa? A solidão interior é sua própria vida, seu existir em si e consigo mesmo, sua casa, seu jardim e sua câmara de tesouros. Para lá carrega tudo o que conquistou de precioso em suas andanças pelo mundo; lá elabora e impregna tudo com o tempero de seu ser. O que é e a que serve essa solidão? Não se trata de uma fuga do mundo no sentido cristão, e tampouco de ciência ou filosofia. É algo que ainda não tem nome. Montaigne abandona-se a si mesmo. Dá livre curso a suas forças interiores — mas não somente ao espírito: o corpo também deve ter voz, pode interferir em seus pensamentos e até nas palavras que ele se põe a escrever.

Comparados a ele, os grandes espíritos do século XVI — os promotores do Renascimento, do Humanismo, da Reforma e da ciência que criaram a Europa moderna — são todos, sem exceção, especialistas. Teólogos ou filólogos, astrônomos ou matemáticos, artistas ou poetas, diplomatas ou generais, historiadores ou médicos: em sentido lato, são todos especialistas. Alguns se especializaram em várias áreas; Montaigne, em nenhuma. Não é absolutamente um poeta. Estudou ciências jurídicas, mas era um jurista indiferente, e suas declarações sobre os fundamentos do direito, embora significativas de outro ponto de vista, não possuem nenhum valor específico para a matéria. Toda a sua atividade prática não tem nenhuma relação profissional com sua produção intelectual. Muitas vezes aquela fornece o material para seus pensamentos. Mas tais pensamentos não são de grande importância para nenhuma disciplina específica; não têm caráter jurídico, nem militar, nem diplomático, nem filológico, embora retirem de todos esses campos e outros mais sua encantadora concretude. E também não são propriamente filosóficos: falta-lhes todo sistema ou método. Montaigne permanece leigo mesmo onde parece compreender algo do assunto — em pedagogia, por exemplo. É difícil acreditar que ele quisesse aprofundar-se seriamente numa das matérias de que trata casualmente. E, seja como for, suas realizações não dizem respeito a nenhuma delas. Ainda hoje é difícil definir em que consistem, e é quase incompreensível que tenham alcançado repercussão em sua época. Pois toda realização necessita de um destinatário que lhe dê algum valor, todo sucesso necessita de um público. O público dos *Ensaios* de Montaigne não existia, e ele não podia supor que existisse. Não escrevia nem para a corte nem para o povo, nem para os católicos nem para os protestantes, nem para os humanistas nem para alguma outra coletividade já existente. Escrevia para uma coletividade que parecia não existir, para os homens vivos em geral que, como leigos, possuíam uma certa cultura e queriam compreender sua própria existência, isto é, para o grupo que mais tarde veio a se chamar de público culto. Até esse momento, a única coletividade existente — sem considerar as guildas, os estamentos e o Estado — era a comunidade cristã. Montaigne dirige-se a uma nova coletividade e, ao fazê-lo, ele também a cria: é a partir de seu livro que ela cobra existência.

Mas Montaigne não tinha consciência disso; dizia escrever para si mesmo, com a intenção de investigar e conhecer a si mesmo, e para seus amigos, a fim de que dele conservassem uma imagem clara após sua morte.

Por vezes foi mais além, e afirmou que num único indivíduo pode-se encontrar a constituição de todo o gênero humano. Seja como for, ele mesmo é seu único objeto, e seu único fito é aprender a viver e a morrer — isso é o mais importante, pois para ele quem aprendeu a morrer sabe também como viver. A ideia soa algo filosófica, e em alguma instância de fato o é. Mas falar de uma filosofia de Montaigne é um equívoco. Não há sistema algum; ele mesmo afirma, por exemplo, que é inútil aprender a morrer, pois a natureza encarrega-se disso à nossa revelia; e falta-lhe também uma verdadeira vontade de ensinar como a de Sócrates (que de resto bem se pode comparar a ele) e, portanto, uma vontade de alcançar uma validade objetiva. Aquilo que escreve dirige-se a ele e vale apenas para ele; se outros descobrirem aí alguma utilidade e prazer, tanto melhor.

A utilidade e o prazer que se podem auferir dos *Ensaios* têm um aspecto peculiar, antes desconhecido. Não são de um gênero propriamente artístico, pois não se trata de poesia, e o objeto é muito próximo e concreto para que o efeito possa permanecer puramente estético. Mas seu caráter também não é apenas didático, uma vez que conservam sua validade ainda que se tenha uma opinião diversa — melhor dizendo, é difícil encontrar uma doutrina da qual se possa discordar. Na maioria das vezes, seu efeito é semelhante ao de algumas obras da Antiguidade tardia, de caráter histórico-moral, à maneira de Plutarco — um dos autores prediletos de Montaigne. Mas falta-lhe uma orientação racional unitária, até mesmo dentro de cada um dos capítulos. Trata-se de exemplos que são constantemente ponderados, verificados e apreciados. Poucos são os resultados, e estes de qualquer modo não exigem a concordância do leitor. Mas a própria forma como o assunto vem exposto é suficiente para enredá-lo. Montaigne narra como vive, como terá de morrer e como começa a conformar-se com isso; narra também o que viu e ouviu de outros a esse respeito. É preciso escutá-lo, pois ele narra bem. Não se sabe mais o que acabou de dizer, e ele já passa a um assunto totalmente diverso, dando a impressão de que em breve dirá algo absolutamente novo, a propósito de uma palavra qualquer. Sem o perceber, o leitor é envolvido por sua índole mutável e fluida, cheia de nuanças e contudo sempre plácida. Chamá-la de cética seria impor-lhe uma sistematização demasiado ampla. No entanto, ela é forte e nos faz prisioneiros, como faz o mar ao nadador ou o vinho ao bebedor. Muito antes de aprisionar o leitor, cativara o próprio Montaigne e o obrigara a escrever. Pois, a bem da verdade, ele não o desejara, sendo por demais modesto e orgulhoso para reconhecer uma tal ocupação como profissão. *Si j'étais faiseur de livres...*[*] [Se eu fosse fazedor de livros...] — assim ele começa uma frase, igualmente notável sob outros aspectos. E, no entanto, ele foi o primeiro *faiseur de livres* na acepção atual — nem poeta, nem erudito, mas autor de livros: escritor. Num nível inferior, essa figura já havia despontado: autores de literatura popular e narradores na tradição das fábulas, lendas, *exempla*, *fabliaux*, tendo como limites um tanto imprecisos o poeta, de um lado, e o moralista doutrinador, de outro. Mas enquanto não veio a ser uma coisa nem outra, permanecendo a meio caminho entre ambos, esse tipo de homem não conquistou posição social definida nem reconhecimento intelectual. Rabelais já fora um caso-limite e, enquanto tal, um precursor de Montaigne.

Esse homem independente e sem profissão determinada criou assim uma nova profissão e uma nova categoria social: o *homme de lettres* ou *écrivain*, o leigo na condição de escritor. Conhecemos o caminho percorrido por

---

[*] *Essais* I, 19 (I, 20 na ed. Bordas, vol. I, p. 111).

essa profissão, primeiro na França e depois também em outros países de cultura: tais leigos tornaram-se os verdadeiros intelectuais, os representantes e guias da vida intelectual, e gozam hoje em dia de um tal reconhecimento que Julien Benda os chamou de *clercs*, o mesmo nome, portanto, daqueles a quem originalmente se opunham, os *clerici* ou religiosos. Isso equivale ao reconhecimento de que os escritores herdaram destes últimos o legado e o posto, isto é, a hegemonia intelectual na Europa moderna. De Montaigne a Voltaire há uma ascensão contínua; no século XIX, eles ampliam sua posição e alcançam repercussão sobre uma base mais larga, o jornalismo, e apesar de alguns sinais de decadência observados há tempos, é bastante provável que também no século XX eles venham a manter sua função de voz do mundo.

Quais são os traços característicos do escritor, encarnados pela primeira vez por Montaigne?* Duas características negativas já foram assinaladas: falta de especialização e de método científico. Ambas são percebidas apenas pelo fato de que as obras do escritor tratam de objetos do conhecimento que antes costumavam ser analisados de forma metódica exclusivamente por especialistas. A quebra da especialização nos principais

---

* O termo "escritor" é usado aqui, obviamente, num sentido restrito. É certo que em alemão chamamos de escritores também aos autores especializados numa determinada área, e que, além disso, o termo é empregado para designar o poeta de forma modesta ou oficial. Não é isso, porém, a que nos referimos neste contexto, embora em sua maioria os poetas sejam também escritores no sentido estrito que temos em mente aqui. Apesar da imprecisão do uso linguístico e da dificuldade de concebê-lo praticamente, o tipo tornou-se notório e inconfundível. Esse foi um dos méritos da rica polêmica que se desenvolveu sobre e contra o termo, e cujo pai e mestre na Alemanha foi Karl Kraus.

INTRODUÇÃO 17

campos do saber fora preparada pela Reforma; nesses aspectos, as obras reformistas na França, em especial a versão francesa da *Institution de la religion chrétienne*, são precursoras de Montaigne. Os reformadores dirigiam-se aos leigos, pois viam-se obrigados a tanto — os leigos esperavam um esclarecimento que lhes fosse compreensível. Mas os próprios escritores reformistas eram em sua maioria teólogos, portanto especialistas, e seus leitores não eram leigos em geral, mas leigos cristãos. O leigo Montaigne foi o primeiro a escrever de modo leigo sobre temas importantes; muito embora na verdade não escrevesse para ninguém a não ser para si mesmo, formou uma comunidade de leigos, e seu livro tornou-se um livro para leigos. Ele escreveu o primeiro livro da autoconsciência leiga. Mas é apenas gradualmente que sua obra alcança tal posição. No início, era uma espécie de comentário a suas leituras. Lia muitíssimo: os escritores antigos, os italianos, seus contemporâneos — sobretudo historiadores e moralistas. Seu pai, da mesma geração dos defensores do ideal humanista, fizera com que aprendesse o latim antes do francês; era culto, possuía a técnica da leitura e lia com critério e sensibilidade. Veio-lhe a ideia de anotar suas próprias experiências relativas ao que andava lendo, compará-las com o que havia lido, resgatar outras passagens de leituras precedentes. Desse modo surgiu uma espécie de raciocínio multifacetado sobre o objeto, que não teria ido além disso, não fosse o impulso de seu entusiasmo pessoal, que é o segredo e a marca do grande talento. Seu talento é algo à parte. Creio que sua modéstia a respeito é totalmente sincera, e que apenas o sucesso e o próprio prazer com o que escrevia tornaram-no verdadeiramente consciente de seu talento.[*] Este era, de fato, muito diferente do que até então se tinha como

---

[*] Ver Émile Faguet, *Seizième siècle*, pp. 369 ss.

perfeição estilística. Não são apenas o caráter leigo e a ausência de ordem explícita em sua criação que espantam, mas também — e sobretudo — seus aspectos positivos. Ele viveu na época de Tasso (que considerava louco), da *Pléiade* e do esplendor literário espanhol; reinavam nesse tempo o Humanismo e uma espécie de petrarquismo maneirista, uma forte tendência à deliberada artificialidade formal. O talento de Montaigne consiste em sua capacidade de desmascaramento. Ele diz as coisas mais concretas de modo extremamente subjetivo, mas sempre *telles quelles*. Não há eufemismos, raras metáforas desviam a fantasia, os períodos são pouco trabalhados. Na construção de suas frases, o sentido causal, final, consecutivo ou concessivo das partes é manifestado muitas vezes não pelas conjunções, mas pela entonação; com toda razão ele se compara a Tácito. O sentido cria as conexões muito mais que os conectivos sintáticos criam o sentido. É certo que há frases longas, mas não um burilamento consciente dos períodos. E as palavras são correntes e despojadas, ou pelo menos prescindem de qualquer seleção com base em critérios estéticos. Se o francês não basta — diz ele —, recorra-se ao gascão. Não resulta, porém, uma abundância caótica como em Rabelais, pois Montaigne não possui tendências antiestéticas ou estético-revolucionárias,[*] não se gaba de sua riqueza léxica e, nessa ausência de preconceitos linguísticos, não busca nada senão a expressão que faz justiça ao objeto: o resultado é a mais perfeita nudez das coisas. E como ele mesmo é seu objeto, ele próprio aparece perfeitamente nu; não houvesse observado algumas regras de decência — e o fez apenas a contragosto, como confessa no pre-

---

[*] Ao contrário, por vezes ele parece prenunciar Malherbe, ao menos quanto aos termos teóricos. Ver *Essais* III, 5: *Le maniement et employte...* (ed. Bordas, vol. 3, p. 112).

INTRODUÇÃO 19

fácio —, haveria antecipado muito daquilo que ensinaram alguns escritores de nosso século. Sem *páthos*, sem artifícios, com calma e uma certa satisfação, somos apresentados ao que Montaigne foi, sentiu e pensou. Sua transparência é radiante. Mas isso se deu somente aos poucos. Apenas quando se torna consciente de suas forças o escritor desprende-se do texto lido, faz--se mais ousado e rico na expressão, fala de si mesmo com mais minúcia e menos resguardo. Compraz-se em seus próprios pensamentos, estes tornam-se ainda mais variados e, em meio à multiplicidade e confusão, até mais coerentes. Diz tudo que lhe vem à cabeça, certo de que a coesão de sua personalidade será forte o bastante para manter a unidade do todo. Dá-nos um diagrama de seu eu interior — de que faz parte também sua aparência exterior, tal como vista de dentro.

O conteúdo de sua consciência é a existência de Michel de Montaigne com seu fim inevitável, a morte que aguarda o termo dessa existência. Montaigne foi um cristão católico; junto a seu leito de morte achava-se um padre católico. Nutria antipatia pelos huguenotes, pois era inimigo de distúrbios e não acreditava que as revoluções pudessem dar bons frutos. Suas ideias quanto à incerteza de todo conhecimento — posição que seria por demais taxativo e dogmático caracterizar como ceticismo — terminam quase sempre com o apelo à revelação e à fé. Mas temos motivos para supor que não fosse crente. Tão somente para supor, pois não cabe a nós afirmá--lo. Mas possuímos seu livro, e sobre o livro podemos muito bem formar um juízo, como lembrou corretamente Sainte-Beuve. Não é obra de um crente. Nele, a fé tem seu lugar assegurado, mas no restante discute-se a vida e a morte como se a fé não existisse. Montaigne diz coisas profundas e pertinentes sobre o catolicismo, entre as quais certas questões que depois dele foram logo esquecidas ou passaram para segundo plano, a exemplo da relação entre corpo e alma.* Mas dificilmente se encontra nos *Ensaios* um vestígio da esperança ou da redenção. Montaigne escreveu sobre as religiões em geral como se não fossem mais do que usos e costumes, e salientou com veemência suas alterações, sua instabilidade, seu caráter de obra humana. Viu-se nisso uma crítica dissimulada ao cristianismo, e sem dúvida essas passagens célebres contribuíram para tal visão. Mas não podemos ter certeza de que o próprio Montaigne tenha extraído tais consequências; talvez nós, injustamente, infiramos do efeito posterior, que nos é conhecido, o propósito deliberado daquele que o ensejou. Considero perfeitamente possível que Montaigne tenha omitido uma conclusão análoga para a religião cristã não tanto por diplomacia e conservadorismo político, e sim porque jamais o teria feito, porque — obedecendo às formalidades e não tentando nem presumindo-se capaz de negar a revelação — considerava a si mesmo um cristão católico. Chegou mesmo a submeter seu livro à censura romana, que inicialmente o julgou inofensivo, embora com algumas reservas. Seja como for, o espírito dos *Ensaios* é absolutamente não cristão, pois tratam da morte como se não houvesse redenção nem imortalidade.** O autor de um tal livro

---

* *Essais* II, 17 (ed. Bordas, vol. 2, p. 419): *Les Chréstiens ont une particulière instruction...*

** *Essais* III, 9 (ed. Bordas, vol. 3, pp. 238 ss.): *Je me plonge la teste baissée, stupidement dans la mort, sans la considerer et recognoistre, comme dans une profondeur muette et obscure qui m'engloutit d'un saut et accable en un instant d'un puissant sommeil plein d'insipidité et d'indolence* [Mergulho na morte de cabeça baixa, estupidamente, sem a observar ou reconhecer, como se me precipitasse num abismo mudo e obscuro que me engolisse repentinamente e se apossasse de mim num instante com um sono pesado, repleto de insipidez e indolência] — período que André Gide (*Commerce*, XVIII, 1928, p. 43) considerou o mais admirável dos *Ensaios*.

INTRODUÇÃO   21

não conhece o Redentor, e é praticamente impossível imaginá-lo rezando. O que escreve são as observações de um homem honesto e sensível, não de um crente. Sua atitude em relação à morte é comparável à de Sócrates e à da Antiguidade tardia; distingue-se desta última pela completa falta de ênfase, e de ambas pela tangibilidade com que a morte é representada. Montaigne é, mais do que ninguém, um homem desprovido de retórica e implacável contra o palavreado dissimulador. Seu livro trata com espantosa concretude da morte de Montaigne, da própria morte, que ele pressente e aguarda.

Sente-a dentro de si, e é ela o inimigo contra o qual, enfim, toda defesa será inútil. Ela o arrancará de seu astucioso esconderijo, da *arrière-boutique*, e o lançará ao Nada como fez a todos antes dele. Mas ao menos não irá assombrá-lo inutilmente enquanto não chegar a hora. Montaigne é inteligente e corajoso, sabe que de nada serve desviar o olhar e fugir. Tenta fazer o contrário: pensa continuamente na morte, da forma mais concreta possível, e tenta habituar-se a ela do mesmo modo como se conduz um cavalo ao obstáculo diante do qual ele refuga. Montaigne chama isso de *flatter la mort*, lisonjear a morte. E o consegue. Habitua-se tanto a ela que a morte torna-se um pedaço de sua vida; com ela se familiariza, fazendo com que não lhe inspire mais medo; ou melhor, o medo da morte apoderou-se dele de tal forma que já não o sente mais. E então lhe vêm as ideias mais grandiosas, duplamente sinistras em sua rispidez fria e antirromântica: a vida como uma cavalgada; a despedida das pessoas próximas, cerimônia tediosa e irritante; a morte numa hospedaria, entre estranhos a quem se pode pagar pelos últimos serviços em dinheiro, sem outras obrigações, de modo a não perturbar a tranquilidade da morte. Tais coisas povoam sua fantasia, e ele as expõe com a mesma desenvoltura com que fala do efeito da doença em sua urina. Estar em viagem, a caminho —

esse é o sentimento que jamais deve tê-lo abandonado, e desse terreno nascem as palavras que resumem toda a sua obra: *Je ne peinds pas l'estre, je peinds le passage.* [Não pinto o ser, pinto a passagem.]

Mas a familiaridade com a morte não extingue a vida, não diminui a capacidade de instalar-se na *arrière--boutique* de modo aconchegante e confortável. Montaigne pode ser comparado a um homem que desfruta os prazeres da vida, consciente de que lhe resta pouco tempo para gozá-los; com fervor redobrado, com o talento organizativo que só a necessidade é capaz de criar, ele desfruta e saboreia o tempo de sua existência.

Seu desfrute da vida é um desfrute de si mesmo, e no sentido mais imediato, mais animal. É o prazer de respirar, comer, beber e digerir, de morar e viajar, de ser proprietário e ter uma posição social. Tudo o que é sinal de sua própria vida deixa-o satisfeito, e tudo o que lhe pertence deve servir para tornar mais cômoda sua morada interior. Até mesmo sua doença. Montaigne sofre de cálculos renais que lhe causam cólicas terríveis. Mas sabe como adaptar-se à situação: firma um pacto com a doença e a lisonjeia com palavras e pensamentos, a exemplo do que faz com a morte. No final, sente-se à vontade em sua presença; ela passa a ser uma amiga íntima. A doença é uma propriedade, uma parte de si mesmo, e talvez não a pior. Ensina-o a desfrutar a saúde. Que sensação maravilhosa quando a crise termina! Por algum tempo está livre e pode comer, beber e mover-se a seu bel-prazer. Com efeito, não segue as prescrições médicas, não confia na medicina e se recusa a obter a saúde à custa dos prazeres, o único motivo pelo qual vale a pena possuí-la. Outras pessoas de sua idade encontram--se em pior estado. Talvez as dores que sofrem sejam menores, mas em compensação estão continuamente

* *Essais* III, 2 (ed. Bordas, vol. 3, p. 20).

INTRODUÇÃO   23

oprimidas pela doença, ao passo que ele, Montaigne,
sente-se perfeitamente saudável enquanto a crise não
chega. Antes de adoecer, tinha medo da doença; conhecia sua predisposição hereditária e a temia. Agora que a
doença se manifestou, descobre que ela não é tão ruim.
Talvez o mesmo aconteça com a morte.

Mas o aspecto físico é apenas uma parte e um estímulo
ao desfrute de si mesmo. Montaigne sente-se viver, percebe-se, embebe-se de sua própria existência. O perigo sempre iminente de deparar com a morte dá-lhe uma magní-
fica coesão, solda-o internamente, e faz com que se sinta à
vontade em si mesmo. Impede, além disso, que suas forças
se dissipem, e atualiza constantemente suas características
mais pessoais. Aquilo que Montaigne é, ele o é em vista
da morte. Se deseja possuir a si mesmo a cada instante, é
porque este pode ser o último. A calma e a coragem de seu
temperamento impedem que o prazer se torne espasmódi-
co. Encontra-se, porém, sempre concentrado e aguerrido,
não para fazer ou obter alguma coisa, mas para existir.
Os *Ensaios* são apenas um dos sintomas de sua existência.

A existência de Montaigne consiste naquilo que lhe
foi dado viver. Não tenta melhorá-la ou modificá-la,
apenas aceita-a, suporta-a como ela é. Os costumes,
as instituições, os ordenamentos dos homens são todos
igualmente tolos e extravagantes. Mudam conforme
suas opiniões e não são estáveis nem verdadeiramente legítimos. Não possuem outro fundamento senão o
próprio fato de sua vigência naquele dado momento, ou
seja, o hábito. Quem tem consciência disso não se torna revolucionário, assim como não são revolucionárias
as pessoas obtusas e sem discernimento, que aceitam
os dados da realidade por pura contumácia, e às quais
Montaigne deseja por vezes assemelhar-se. Os revolu-
cionários e os agitadores estão no meio: são os medío-
cres, que percebem a tolice e a injustiça do presente,
mas não se dão conta de que toda situação nova seria

igualmente injusta e tola, e de que os distúrbios do processo de transformação, com suas lutas e desordens, não provocam, num primeiro momento, nada além de uma perda incontestável. Ele, Montaigne, mantém-se calmo e amolda-se ao presente, por força de seu bom-senso e de seu sentimento de lealdade; admira Sócrates, que se submeteu a seus juízes e às leis de Atenas, embora estas lhe fossem injustas. Para Montaigne isso é fácil; sua posição é cômoda, se pensarmos como são desfavoráveis os tempos. Ele não busca o martírio, e tentaria esquivar-se com todos os seus meios de um mal evitável. Mas não temos motivos para duvidar de que teria permanecido fiel a sua opinião mesmo se esta se voltasse contra ele. Assim como se encontra, sua existência parece-lhe bastante aceitável. Quando não está em seu aposento na Torre de Montaigne, viaja pela França, Itália e Alemanha, sempre a cavalo, sem se preocupar com as cólicas. Grandes senhores e reis desejam seus serviços; ele os recusa de modo cortês ou consente com reservas. Tem uma mulher honrada e uma filha, que não lhe dão trabalho. Tem alguns vizinhos agradáveis e outros tantos amigos. As pessoas gostam de ler o que lhe dá vontade de escrever, e desde quando se decidiu a imprimir suas ideias, foram sempre necessárias novas edições. *Si j'étais faiseur de livres...* Em Paris, encontra por fim uma amiga, uma jovem mulher, a senhorita de Gournay, que o ama e o admira; ela se torna *sa fille d'alliance* e, depois da morte de Étienne de la Boétie, passa a ser a pessoa que lhe é mais próxima. Ela porá ordem nos papéis e nos textos que um dia ele deixará como seu legado. O escritor sente-se satisfeito. Tudo deverá permanecer como está, o máximo que for possível. Cada hora vivida é uma hora conquistada.

Montaigne não escreve muito, cerca de mil páginas em vinte anos. Revê o que escreve, acrescenta, risca e corrige. Diz jamais ter corrigido nada, embora o manuscrito conservado em Bordeaux — na verdade, não um manuscrito, mas um exemplar da edição de 1588 anotado e revisado por ele próprio — deixe claro que faz também correções de natureza estilística. Examina-se, deixa que as diferentes partes de seu espírito atuem livremente, apresenta-se a si mesmo. Sobre todos os temas formula suas próprias ideias, e estas são muitas vezes dubitativas e hesitantes. Mas o caminho que o leva à dubiedade e à hesitação foi aberto por ele mesmo; foi ele que formulou pela primeira vez o problema ou a combinação de problemas de tal ou qual modo. Sua independência despida de preconceitos é quase assustadora, e tão mais eficaz na medida em que não é objeto de sua vanglória. Diz o que lhe vem à cabeça, e então o põe de lado. Mas o estímulo alcança o leitor e pode então facilmente condensar-se num complexo de ideias muito mais tosco, sistemático e ativo do que a substância sutil, quase inefável de Montaigne. Em seus discursos moderados, por vezes um pouco prolixos, esconde-se um estimulante, um elixir da vida ou da morte, como se preferir. É o veneno da liberdade, do afastamento de toda realidade concreta, da autonomia humana. Em sociedade, junto aos outros, Montaigne é comedido e observa os costumes; sozinho consigo mesmo, ele é diferente. Usos, costumes, leis e religiões desaparecem. Estou sozinho, a morte é certa. Não estou em casa, estou em viagem — não sei de onde venho nem para onde vou. O que possuo, o que me resta? Eu mesmo.

Começa então a destacar-se uma palavra singular, motivo de várias interpretações equivocadas e superficiais: *virtus*, *la vertu*, a virilidade ou virtude. Naturalmente, ele retoma a palavra e a ideia da Antiguidade tardia, de Sêneca e Plutarco, da tradição, estoica com tudo que lhe é próprio: o elogio comparativo das mortes de Sócrates e Catão, a massa de exemplos patéticos dos encômios antigos, que ele expõe e avalia com uma seriedade bastante ingênua. Montaigne, pelo menos num primeiro momento, faz o culto humanista da virtude, e alguns críticos nada criteriosos, incapazes de harmonizar a rigidez estoica com a nudez indiscreta e quase indecente de seu autorretrato, inventaram uma evolução das ideias do escritor, que o levaria do estoicismo ao ceticismo. É bem verdade que o desdobramento de sua personalidade deu-se apenas gradualmente, mas ambos os termos adaptam-se mal a Montaigne: "cético" é insuficiente e "estoico" é errôneo.* Ele é um soldado e um homem dotado de força física, apesar da doença; quando necessário, é corajoso e indiferente às privações. Mas não há nele o menor vestígio do rigor estoico, da autonomia da razão, da identidade entre natureza e razão ou da ascese moral. Ele lembra com saudade de sua juventude e recusa-se a apreciar a sabedoria da velhice. Rebaixar-se tão miseravelmente a ponto de preferir a lamurienta sabedoria e virtude dos anciãos, nascidas da impotência, à força viva e impetuosa da juventude — isso ele espera que jamais lhe aconteça. Sem dúvida ele renova, num certo aspecto, o antigo ideal do sábio solitário; mas o faz sem um programa definido — pelo contrário, é hospitaleiro, interessa-se por tudo, e tem paixão por viagens. Sua solidão é apenas interior, e mesmo aí não o é por princípio. Ela é seu elemento vital. Montaigne sente-se tão feliz em sua solidão — e isso sem qualquer ferida romântica ou sentimental — que ela mais se assemelha a um vício do que a uma virtude. Não é, porém, nem uma coisa nem outra. Ela é como a água para o peixe.

Vejamos de que consta essa célebre virtude.

---

* Ver Gustave Lanson, *Les essais de Montaigne*, Paris, Mellottée, 1930, pp. 122 ss. Só vim a conhecer esse livro muito depois da redação deste ensaio (1929).

INTRODUÇÃO   27

*Quoy qu'ils dient, en la vertu mesme, le dernier but de
nostre visée, c'est la volupté. Il me plaist de battre leurs
oreilles de ce mot, qui leur est si fort à contrecoeur: et
s'il signifie quelque supresme plaisir, et excessif conten-
tement, il est mieux deu à l'assistance de la vertu qu'à
nulle autre assistance. Cette volupté, pour estre plus
gaillarde, nerveuse, robuste, virile, n'en est que plus sé-
rieusement voluptueuse. Et luy deuions donner le nom
du plaisir, plus fauorable, plus doux et naturel; et non
celuy de la vigueur, duquel nous l'auons dénommée.
Cette autre volupté plus basse, si elle méritoit ce beau
nom: ce deuoit estre en concurrence, non par priuilège.
Je la trouve moins pure d'incommoditez de trauerses
que n'est la vertu. Outre que son goût est plus momen-
tané, fluide et caduque, elle a ses veilles, ses jeusnes et
ses travaux et la sueur et le sang [...] et à son costé une
satiété si lourde [...].**

[Digam o que disserem, na própria virtude o objetivo último que visamos é a volúpia. Agrada-me martelar
os ouvidos das pessoas com essa palavra que as contraria tão fortemente: e se ela significa um deleite supremo
e extremo contentamento, é um melhor acompanhante para a virtude do que qualquer outra coisa. Por ser
mais viva, nervosa, robusta, viril, essa volúpia é mais
seriamente voluptuosa. E devíamos lhe dar o nome de
prazer, mais favorável, mais suave e natural, e não o de
vigor, a partir do qual o denominamos. Aquela outra

---

* *Essais* i, 19 (i, 20 na ed. Bordas, vol. i, p. 101). E ainda nou-
tra ocasião (i, 25 — ou i, 26 na ed. Bordas, vol. i, p. 209) diz
ele: *que les Dieux ont mis plutost la sueur aux advenues des
cabinets de Vénus que de Pallas...* [que os Deuses puseram
maiores obstáculos no caminho de Vênus que no de Palas...]
Dentre todos os autores antigos, essa passagem lembra mais
Lucrécio. Acredito, porém, que mesmo ela é um simples artifício retórico. Montaigne quer outra coisa.

volúpia, mais baixa, se merecesse esse belo nome, não seria o resultado de um privilégio, mas de uma concorrência. Acho-a menos isenta de inconvenientes e dificuldades do que a virtude. Além de ter um gosto mais momentâneo, fluido e frágil, tem suas vigílias, seus jejuns e seus trabalhos, e o suor e o sangue [...] e ao mesmo tempo uma saciedade tão pesada que equivale à penitência [...].]

A virtude como volúpia: isso não consta nem do estoicismo, nem do epicurismo, nem do ceticismo. Trata-se de algo mais vivo do que as formas da ética individual da Antiguidade tardia e em geral do que qualquer atitude fundada apenas no pensamento. Talvez a página de que tiramos essa citação possa ainda deixar alguma dúvida; muito nela tem coloração antiga. Somente aqueles que conhecem bem Montaigne perceberão que ele não confere à virtude um valor maior que ao amor, antes confronta esses dois segundo a medida de prazer que proporcionam; numa tal comparação, os parâmetros não podem ser senão sensíveis ou vinculados à existência. Desse modo, essa página harmoniza-se com a totalidade de seu temperamento. A vida, o dado histórico ou natural não são rejeitados nem menosprezados; pelo contrário, Montaigne, para quem a virtude é volúpia, mergulha a fundo na sensualidade da vida, pois somente na sensualidade vital do mundo ele pode cingir e desfrutar a si mesmo. Isso, por estranho que pareça, é um legado cristão; trata-se do aristotelismo prático amoldado ao cristianismo, com seu fundamento na história de Cristo e suas raízes, tão pouco clássicas ou teóricas, nos sofrimentos do mundo sensível; uma representação fiel à realidade que o Renascimento herdou do "outono da Idade Média", da concepção do homem vivo como prisioneiro da natureza terrestre, noção indissoluvelmente ligada à esperança na eternidade. Uma herança, em suma, do realismo cristão

INTRODUÇÃO   29

da Idade Média. Em Montaigne, porém, esta não é mais
uma prisão forçada, nem propriamente uma coerção,
mas antes a plenitude da liberdade. Pois de fato, o mundo
em que nasceu e que abandonará a contragosto, mas sem
medo, dá-lhe, com a plenitude da vida, a plenitude da
liberdade. A vida oferece-lhe inúmeras possibilidades de
examinar a si mesmo, mas não lhe impõe leis. A virtude
de que desfruta não é uma lei, não é de modo algum "a
lei moral em mim". Ela não serve nem a Deus nem aos
homens, mas à própria pessoa que a detém. Não obriga a
nada e a ninguém. Deixa o homem livre, mas só.*

Esse, portanto, é o eu que constitui o objeto dos *Ensaios*, livro que encontrou ao final do século XVI um público composto necessariamente de leigos. Talvez isso se
deva em parte ao cansaço geral com as disputas religiosas. Os *Ensaios* pareciam imparciais, superiores; o con-
senso não se forma em torno desta ou daquela ideia de
Montaigne, mas abrange a totalidade da sua pessoa. A
pessoa de Montaigne prestava-se a criar um novo tipo de
homem: em lugar do cristão crente, cético ou rebelde, o
honnête homme que observa todos os preceitos e abandona as coisas a si mesmas. O *honnête homme* dos séculos XVII e XVIII foi logo impelido por outras influências
em outras direções, e tornou-se por fim mais ativo, mais
burguês e mais mesquinho. Em Montaigne, todavia, estamos longe da burguesia e do Iluminismo. Nele também há algo de diverso da astuciosa reserva do *honnête
homme* que, em meio ao palavrório mundano e ao fluxo
de seus afazeres, esquece rapidamente a nudez de sua
própria existência; que num átimo inventa para a morte
formas e palavras capazes de retratá-la como uma fun-

---

* Percebe-se assim a razão pela qual Pascal pôde partir dele,
e o quanto os iluministas lhe são distantes, embora tenham
aproveitado muitas de suas ideias. Em Montaigne, a ideia cristã de *condition de l'homme* é ainda bastante clara.

ção social, e com isso não mais a encara de frente. Com Montaigne — o leigo, o primeiro escritor — isso não ocorre. Ainda é cristão o bastante para lembrar sempre da *condition de l'homme*. Mergulha a fundo, cheio de volúpia, na ideia da morte. Mas não treme e espera não fazê-lo. Conduz seu cavalo à beira do abismo, até que ele não sinta mais medo — não violentamente, com esporas e chicote, mas, suave e persistente, com a pressão de suas coxas. Assim, seduz a liberdade com lisonjas, sem se esquecer de sua condição de escravo; mantendo sempre presente essa lembrança, desfruta com mais gosto da liberdade. Nisso ele está só, em si e consigo mesmo, no meio do mundo — e em perfeita solidão.

Os *ensaios*, de Montaigne

ROSA FREIRE D'AGUIAR

O texto de *Os ensaios* aqui traduzido é o da edição póstuma de 1595, a mesma que serviu de base para a edição publicada em 2007 pela editora Gallimard na coleção Pléiade. Não existe uma edição definitiva da obra de Montaigne. A importância e o caráter dos acréscimos que ele foi incorporando ao texto, desde que escreveu o primeiro ensaio, por volta de 1571, até morrer, em 1592, mostram que seu projeto não parou de evoluir e se adensar ao fio das edições. A primeira, de 1580, traz apenas os livros I e II. Dela já consta um dos mais famosos ensaios da obra, "Sobre os canibais", que reconstitui o encontro de Montaigne com três índios brasileiros tupinambás, em Rouen, em outubro de 1562. Em 1588 sai a quinta edição, trazendo o Livro III, cerca de quinhentas novas citações e outras tantas adições e modificações. É a última edição publicada com o autor em vida. Um dos exemplares dessa edição de 1588, copiosamente anotado por Montaigne, está conservado na Biblioteca Municipal de Bordeaux: é o Exemplar de Bordeaux. Outro, com as últimas intervenções de Montaigne e guardado pela família, serviu de base à edição de 1595, organizada por Marie de Gournay, a jovem literata e admiradora de Montaigne, que a considerava uma filha adotiva. O trabalho minucioso de Gournay consistiu em fazer alterações de grafia e incorporar centenas de correções e acréscimos feitos nas margens e entrelinhas pelo autor. A edição de 1595 conheceu sucesso imediato e serviu para várias outras edições, algumas clandestinas, outras expurgadas, durante pelo menos dois séculos, pois só no início do século XIX publicou-se o texto conforme o Exemplar de Bordeaux. Foi a edição póstuma que leram os contemporâneos de Montaigne, assim como Pascal, Voltaire, Rousseau, e tantos outros intelectuais que contribuíram para difundir o monumento literário de Montaigne. Marie de Gournay também fez inúmeras anotações ao texto, tendo rastreado e traduzido as fontes das citações. Desde então, os especialistas sucessivos acrescentaram notas próprias às das edições anteriores.

As notas introdutórias de cada ensaio e as notas de rodapé desta edição foram feitas pela tradutora a partir da edição da Pléiade de 2007, organizada por Jean Balsamo, Michel Magnien e Catherine Magnien-Simonin, da Seleção dos *Ensaios* publicada em 2004 pela Penguin Classics, com organização e tradução de M. A. Screech, e da edição virtual feita por Guy de Pernon em 2008, apresentando a obra de Montaigne em francês contemporâneo.

A numeração seguida no sumário corresponde aos números de cada ensaio dos três livros que formam o conjunto da obra. Quando não comprometido o entendimento do texto, manteve-se a pontuação adotada por Montaigne, que se reconhecia "pouco especialista" na matéria e recorria abundantemente aos dois-pontos e pontos e vírgulas como forma de cadenciar o texto. Também foi respeitada a disposição original do texto, sem parágrafos, ou melhor, com um só parágrafo por ensaio.

Montaigne aprendeu a falar em latim, a língua da elite culta, e só aos seis anos iniciou-se no francês. A influência do latim se faz presente tanto na profusão de citações de autores da Antiguidade como na própria estrutura da frase, muito próxima da sintaxe latina. *Os ensaios* são escritos em linguagem recheada de incisos,

NOTA DA TRADUTORA

digressões, arcaísmos, trocadilhos, às vezes em detrimento da clareza. Acrescente-se que muitas anotações marginais feitas pelo autor de modo elíptico tinham um significado que provavelmente só era claro para ele. Esta tradução procura conciliar o respeito ao original com a legibilidade para um leitor de hoje, apresentando-lhe uma versão cuja fluência, longe de banalizar a obra, o leve ao prazer da leitura de Os ensaios.

Os ensaios

DE MICHEL SENHOR DE MONTAIGNE

Edição nova, encontrada depois da morte
do Autor, revista e ampliada por ele
em um terço em relação às precedentes impressões

Em Paris,
Abel L'Angelier, no primeiro pilar
da grande sala do Palácio

MDXVCV

Com privilégio

Ao Leitor

Aqui está um livro de boa-fé, Leitor. Ele te adverte, desde o início, que não me propus outro fim além do doméstico e privado. Nele não tive nenhuma consideração por servir-te nem por minha glória: minhas forças não são capazes de tal desígnio. Dediquei-o ao uso particular de meus parentes e amigos, a fim de que, tendo-me perdido (o que breve terão de fazer), possam aqui encontrar alguns traços de minhas atitudes e humores, e que por esse meio nutram, mais completo e mais vivo, o conhecimento que têm de mim. Se fosse para buscar os favores do mundo, teria me enfeitado de belezas emprestadas. Quero que me vejam aqui em meu modo simples, natural e corrente, sem pose nem artifício: pois é a mim que retrato. Meus defeitos, minhas imperfeições e minha forma natural de ser hão de se ler ao vivo, tanto quanto a decência pública me permitiu. Pois se eu estivesse entre essas nações que se diz ainda viverem sob a doce liberdade das leis primitivas da natureza, asseguro-te que teria com muito gosto me pintado por inteiro e totalmente nu. Assim, Leitor, sou eu mesmo a matéria de meu livro: não é razão para que empregues teu vagar em assunto tão frívolo e vão. Portanto, adeus. De Montaigne, neste primeiro de março de mil quinhentos e oitenta.

LIVRO PRIMEIRO

Por meios diversos
se chega ao mesmo fim

Capítulo 1

O primeiro capítulo trata da guerra e da história, assuntos apropriados para um nobre. Montaigne introduz em suas reflexões o irracional (a surpresa, o êxtase e a fúria da batalha) e mostra como são imprevisíveis as reações perante esses sentimentos, até mesmo em homens virtuosos, grandes e corajosos. As explicações dos motivos são mera conjectura. Cita o exemplo de Conrado III, a partir da introdução do livro Methodus, de Jean Bodin, que estava lendo por volta de 1578. Provavelmente este primeiro capítulo não foi o primeiro a ser escrito, mas sua composição — histórias de diversas fontes em torno de um mesmo tema e seguidas de curtos comentários — dá um dos tons da obra. Dedicado à compaixão e ao perdão, o capítulo terminava, na edição de 1580, com uma oposição entre a clemência de Pompeu e a dureza de Sila. Os dois acréscimos seguintes, que exploram a lenda negra de Alexandre, acentuam o caráter insondável do comportamento humano.

O modo mais comum de amolecer os corações daqueles a quem ofendemos, quando, tendo em mãos a vingança, eles nos mantêm à sua mercê, é por nossa submissão movê-los à comiseração e à piedade. Contudo, a bravura, a constância e a resolução, meios totalmente contrários, às vezes tiveram esse mesmo efeito. Eduardo, príncipe de Gales, aquele que por tanto tempo reinou sobre nossa Guyenne,* personagem cujas condições e fortuna têm feitos muitos notáveis de grandeza, tendo sido fortemente ofendido pelos limusinos, tomou-lhes a cidade à força. Os gritos do povo, e das mulheres e crianças abandonadas à carnificina, suplicando-lhe misericórdia e prostrando-se a seus pés, não conseguiram detê-lo; até que, prosseguindo a investida pela cidade, avistou três fidalgos franceses que com inacreditável intrepidez resistiam, sozinhos, ao esforço de seu exército vitorioso. A consideração e o respeito por virtude tão notável embotaram, primeiramente, a ponta de sua cólera: e ele começou por esses três a conceder misericórdia a todos os outros habitantes da cidade. Scanderberch, príncipe do Épiro, perseguiu um de seus soldados para matá-lo, e

---

* Região onde Montaigne nasceu e morou, no sudoeste da França, e cujas fronteiras variaram ao longo do tempo. Bordeaux era a capital.

esse soldado, depois de tentar acalmá-lo por toda espécie de humildade e súplicas, decidiu-se pelo recurso extremo de esperá-lo de espada em punho; essa sua resolução sustou de chofre a fúria de seu senhor que, por tê-lo visto tomar tão honroso partido, lhe concedeu seu perdão. O exemplo poderá prestar-se a outra interpretação por parte daqueles que não tiverem lido sobre a prodigiosa força e valentia desse príncipe. O imperador Conrado III sitiou Guelfo, duque da Baviera, e não quis aceitar condições mais suaves, por mais vis e covardes fossem as reparações que lhe ofereciam, a não ser permitir que as senhoras que estavam sitiadas junto com o duque saíssem com sua honra salva, a pé, levando consigo o que pudessem. Com coração magnânimo, elas tiveram a ideia de carregar nos ombros seus maridos, filhos, e até o duque. O imperador teve tanto prazer em ver a gentileza dessa nobreza de coração que chorou de contentamento e abrandou todo aquele azedume da inimizade mortal e capital que votara contra o duque; e daí em diante tratou humanamente a ele e aos seus. Um ou outro desses dois meios me arrebataria facilmente, pois tenho um fraco espantoso pela misericórdia e pela clemência. Tanto assim que, a meu ver, eu tenderia a me render mais naturalmente à compaixão do que à estima. No entanto, para os estoicos a piedade é paixão viciosa: querem que socorramos os aflitos, mas não que nos enterneçamos e compadeçamos deles. Ora, esses exemplos parecem-me mais a propósito por vermos essas almas acometidas e postas à prova pelos dois métodos resistirem a um, inabaláveis, e se curvarem ao outro. Pode-se dizer que partir o coração com a compaixão é efeito da afabilidade, da complacência e da frouxidão, donde resulta que estão mais sujeitas a isso as naturezas mais fracas, como as das mulheres, das crianças e do vulgo. Mas (tendo demonstrado desprezo pelas lágrimas e pelos prantos) render-se somente à reverência da imagem santa da virtude é ato de uma alma forte e inquebrantável, que aprecia e honra o vigor másculo e obstinado. Todavia, em almas menos generosas o espanto e a admiração podem produzir efeito parecido. Prova disso é o povo tebano, que, tendo chamado a juízo seus comandantes sob a acusação capital de terem prosseguido o mandato além do tempo que lhes fora prescrito e preordenado, a muito custo absolveu Pelópidas, que vergava sob o fardo de tais objeções e para defender-se só recorria a petições e súplicas; e, ao contrário, quando Epaminondas veio a contar magnificamente os atos por ele realizados e com eles exprobou o povo orgulhosa e arrogantemente, o povo tebano não teve ânimo de pegar em mãos as fichas de votação e a assembleia se dissolveu, louvando grandemente o nível de coragem daquele personagem. Dionísio, o Velho, que depois de delongas e dificuldades extremas tomara a cidade de Rege, e nesta o comandante Fíton, grande homem de bem que a defendera com tanta obstinação, quis disso tirar um trágico exemplo de vingança. Primeiramente disse-lhe que, na véspera, mandara afogar seu filho e todos os de sua parentela. Ao que Fíton respondeu apenas que eram, por um dia, mais felizes que ele. Depois mandou que o despissem e entregou-o aos carrascos para que fosse arrastado pela cidade, açoitando-o muito ignominiosa e cruelmente; e, ademais, acusando-o com palavras pérfidas, malvadas e injuriosas. Mas ele manteve a coragem sempre constante, sem desistir. E, com rosto firme, ia, ao contrário, rememorando em voz alta a honrosa e gloriosa causa de sua morte, por não ter desejado entregar seu país nas mãos de um tirano; e ameaçando-o com uma pronta punição dos deuses. Lendo isso nos olhos de sua soldadesca, que, em vez de se irritar com as bravatas desse inimigo vencido e com o desprezo que mostrava pelo chefe e seu triunfo, se enternecia de espanto diante de uma virtude tão rara e deliberava em vista de se amotinar, e até de arrancar Fíton das mãos de seus guardas, Dionísio mandou parar esse martírio e às escondidas ordenou que o afogassem no mar. Na verdade, o homem é um sujeito maravilhosamente vão, diverso e ondulante: é árduo estabelecer sobre ele um julgamento constante e uniforme. Eis Pompeu, que perdoou a toda a cidade dos mamertinos, contra a qual andava muito irritado, em consideração à virtude e à magnanimidade de Zenão, um cidadão que assumiu sozinho o erro público e não requereu outra graça além de suportar sozinho a punição por este. E o anfitrião de Sila, tendo demonstrado na cidade de Perúgia bravura semelhante, nada ganhou, nem para si nem para os outros. E diretamente contra meus primeiros exemplos, Alexandre, o mais intrépido dos homens e tão bondoso com os vencidos, ao tomar pela força a cidade de Gaza, depois de grandes dificuldades, encontrou Bétis, que ali comandava e de cujo valor tivera, durante esse cerco, provas maravilhosas; agora Bétis estava só, abandonado pelos seus, com as armas estraçalhadas, todo coberto de sangue e chagas, ainda combatendo no meio de vários macedônios que o atormentavam de todos os lados; e Alexandre, muito irritado com uma vitória tão cara (pois, entre outros danos, recebera duas feridas recentes em seu corpo), disse-lhe: "Não morrerás como quiseste, Bétis; sabe que tens de sofrer todos os tipos de tormentos que poderão ser inventados contra um cativo". O outro, com semblante não só firme mas desdenhoso e altivo, ficou sem dizer uma palavra diante dessas ameaças. Então, vendo sua obstinação e mutismo, disse: "Ele dobrou um joelho? Escapou-lhe alguma palavra suplicante? Realmente, vencerei esse silêncio, e se dele não puder arrancar uma palavra, arrancarei no mínimo um gemido". E, sua cólera transformando-se em furor, mandou que lhe perfurassem os calcanhares, e assim vivo o fez dilacerar e desmembrar, e se arrastar preso a uma carroça. Seria porque a força da coragem lhe fosse tão natural e comum que, por não mais admirá-la, a respeitava menos? Ou porque a considerasse tão propriamente sua que, em tal grau, não conseguiu suportar vê-la em outro sem o despeito de uma paixão invejosa? Ou porque a impetuosidade natural de sua cólera fosse incapaz de aceitar uma oposição? Na verdade, se sua cólera tivesse sido freada, é de crer que teria feito o mesmo durante o saque e a devastação da cidade de Tebas, ao ver cruelmente passar pelo fio da espada tantos homens valentes, perdidos e sem mais nenhum meio de defesa pública. Pois ali foram mortos bem 6 mil, dos quais nenhum foi visto fugindo nem pedindo misericórdia. Ao contrário, procurando, uns aqui outros ali, pelas ruas enfrentar os inimigos vitoriosos, provocando-os para fazê-los morrer de morte honrosa. Nenhum foi visto que não tentasse se vingar ainda em seu último suspiro, e com as armas do desespero consolar-se de sua morte com a morte de algum inimigo. A coragem aflita de todos eles não suscitou a menor piedade, e a duração de um dia não bastou a Alexandre para saciar sua vingança. Essa carnificina durou até a última gota de sangue a derramar e só se deteve nas pessoas desarmadas, os velhos, mulheres e crianças, para transformá-los em 30 mil escravos.

Sobre a ociosidade

Capítulo VIII

O *projeto de* Os ensaios *foi pensado por Montaigne para que controlasse as desilusões melancólicas provocadas por sua reclusão, quando seus pensamentos galoparam para longe, levando-o de roldão. É o que Milton descreverá mais tarde, em* Il Penseroso, *em que diz que isso era algo típico do melancólico em sua torre solitária. O capítulo sofreu poucas modificações pois talvez tenha sido o início do prefácio de um projeto literário ainda vago. Fazia pouco tempo que Montaigne se retirara da vida pública. Ali, recluso na torre de seu castelo, ele pensa, como outrora Cícero, em praticar o otium (o lazer letrado). Neste texto se encontra o esboço de um de seus objetivos iniciais: fazer um registro do fruto de suas "imaginações", o que, com o tempo, se transformará em "ensaios", e, depois, em* Os ensaios.

Assim como em terras de alqueive, se são ricas e férteis, vemos proliferar 100 mil espécies de ervas silvestres e inúteis, e que para mantê-las é preciso trabalhá-las e empregá-las com certas sementes, para nosso serviço; e assim como vemos que as mulheres produzem sozinhas massas e pedaços de carne disformes,* mas que para produzir uma geração boa e natural é preciso enchê-las com outro sêmen, assim também ocorre com os espíritos. Se não os ocupamos em certo assunto que os refreie e contenha, atiram-se desregrados, para cá e para lá, no vago campo das imaginações.

Sicut aquae tremulum labris ubi lumen ahenis
Sole repercussum, aut radiantis imagine Lunae,
Omnia pervolitat late loca, iamque sub auras
*Erigitur summique ferit laquearia tecti.***
[Assim, quando em um vaso de bronze a superfície trêmula da água reverbera a luz do sol ou os raios da lua, esse reflexo volteia de todos os lados, eleva-se nos ares e vai atingir os painés do teto.]

---

* O óvulo humano ainda não tinha sido descoberto, e muitos acreditavam que as crianças eram produzidas por uma mistura de um sêmen feminino mais fraco com o masculino. O feminino, sozinho, poderia eventualmente produzir uma massa disforme.
** Virgílio, *Eneida*, VIII, 22-5.

SOBRE A OCIOSIDADE 49

E não há loucura nem devaneio que não se produzam
nessa agitação,

> *velut aegri somnia, vanae*
> *Finguntur species.**
> [parecidos com os sonhos de um doente, forjam-se ima-
> gens inconsistentes.]

A alma que não tem objetivo estabelecido se perde,
pois, como se diz, estar em toda parte é não estar em
lugar nenhum.

> *Quisquis ubique habitat, Maxime, nusquam habitat.***
> [Quem mora por todo lado, Máximo, não mora em lu-
> gar nenhum.]

Ultimamente, que me recolhi em casa decidido tanto
quanto puder a não me meter em outra coisa e passar
em repouso, e à parte, este pouco de vida que me resta,
pareceu-me não poder fazer maior favor a meu espírito
do que deixá-lo em plena ociosidade, a entreter-se consigo
mesmo, parar e sossegar: o que esperava que ele pudesse
doravante fazer mais facilmente, tendo se tornado com o
tempo mais ponderado e mais maduro. Mas descubro que,

> *variam semper dant otia mentem,****
> [a ociosidade sempre torna o espírito inconstante,]

ao contrário, agindo como um cavalo fugido, ele dá cem
vezes mais livre curso a si mesmo do que daria a outros,
e engendra-me tantas quimeras e monstros fantásticos,
uns sobre os outros, sem ordem e sem propósito, que

---

* Horácio, *Arte poética*, 7-8.
** Marcial, VII, LXXIII, 6.
*** Lucano, IV, 704.

para contemplar à vontade sua inépcia e sua estranheza comecei a assentá-los num rol, esperando, com o tempo, que ele se envergonhe de si mesmo.

Sobre a punição da covardia

Capítulo XV*

Jurisconsultos do Renascimento, como Tiraquelo, estavam preocupados em temperar a severidade da lei, partindo do exame dos motivos e das limitações humanas. É o que Montaigne faz aqui, sendo esse um assunto que muito preocupava os fidalgos em tempos de guerra como aqueles em que ele vivia. O capítulo mostra um paradoxo em que a extrema bravura é punida com a morte, enquanto a covardia é apenas amaldiçoada. O texto termina com uma reviravolta: a extrema covardia não seria indício de uma malícia, afinal, nociva?

---

* Este capítulo é o de número XVI nas edições de 1580, de 1588 e no Exemplar de Bordeaux.

Ouvi outrora um príncipe e muito grande comandante afirmar que um soldado não podia ser condenado à morte por covardia; estando ele à mesa, fez o relato do processo do senhor de Vervins, que foi condenado à morte por ter entregado Boulogne. Na verdade, é justo que se faça grande diferença entre os erros que vêm de nossa fraqueza e os que vêm de nossa maldade. Pois nestes inclinamo--nos cientemente contra as regras da razão que a natureza imprimiu em nós; e naqueles parece que podemos invocar como desculpa essa mesma natureza por nos ter deixado de tal modo imperfeitos e falhos. De maneira que muitas pessoas pensaram que só podíamos ser criticados pelo que fazemos contra nossa consciência; e é sobre essa regra que se assentam em parte a opinião dos que condenam as punições capitais para os hereges e descrentes, e a que estabelece que um advogado e um juiz não podem ser incriminados se, por ignorância, falharem em sua tarefa. Mas quanto à covardia, é certo que o modo mais comum é castigá-la pela vergonha e pela ignomínia. E pensa-se que essa regra foi primeiramente posta em prática pelo legislador Carondas, e que antes dele as leis da Grécia castigavam com a morte os que tinham fugido de uma batalha, ao passo que ele ordenou apenas que ficassem sentados no meio da praça pública, vestidos com roupa de mulher, esperando que, tendo-os feito recuperar a coragem por essa vergonha, ainda pudesse se servir deles. *Suffundere malis hominis sanguinem quam effundere.* [Fazer antes subir o sangue às faces do acusado do que derramá-lo.] Parece também que antigamente as leis romanas puniam com a morte os que tinham desertado. Pois Amiano Marcelino conta que o imperador Juliano condenou dez de seus soldados, que viraram as costas a um ataque contra os partos, a ser degradados e depois a sofrerem morte, seguindo, diz ele, as leis antigas. Todavia, em outro lugar, por falta semelhante ele somente condenou outros a permanecer entre os prisioneiros sob a insígnia dos carregadores de bagagem. O severo castigo do povo romano contra os soldados que escaparam de Canas, e, nessa mesma guerra, contra os que acompanharam Cneu Fúlvio em sua derrota, não chegou à morte. Assim, é de temer que a vergonha os desespere e os torne não só frios amigos mas inimigos. No tempo de nossos pais, o senhor de Franget, outrora lugar--tenente da companhia do senhor marechal de Châtillon, tendo sido nomeado pelo senhor marechal de Chabannes governador de Fuenterrabia no lugar do senhor du Lude, e tendo-a entregado aos espanhóis, foi condenado a ser degradado da nobreza, e tanto ele como sua posteridade, declarados plebeus, sujeitos ao imposto da talha e incapacitados para portar armas: e foi essa dura sentença executada em Lyon. Desde então sofreram punição similar todos os fidalgos que estavam em Guise quando o conde de Nassau lá entrou, e mais outros depois. Entretanto, quando houvesse um caso de ignorância ou covardia tão grosseiro e aparente que superasse todas as normas, seria justo considerá-lo prova suficiente de maldade e malícia, e castigá-lo como tal.

---

* Tertuliano, *Apologética*, IV, 9.

Sobre o medo

Capítulo XVII*

Montaigne discute o medo, em parte à luz de sua própria experiência na guerra, em parte estudando os exempla. *Ele o encara como um sentimento que costuma levar a um comportamento alucinado e extático: de fato, poderia ser classificado como um caso de êxtase ou de loucura o homem apavorado que se encontrava, em certas circunstâncias, fora de seu estado normal. Individual ou coletivo, o medo alucina, paralisa ou dinamiza, ou seja, produz os mesmos efeitos da valentia. Esboça-se, assim, uma crítica aos valores heroicos, à qual será parcialmente dedicado o Livro II. Aqui encontramos a continuação do discurso bélico: todos os exemplos de horror, acumulados de edição em edição, referem-se aos soldados ou à guerra, com exceção do último, acrescentado depois de 1588, e que fecha o capítulo com a inquietante etiologia do terror pânico.*

* Este capítulo é o de número XVIII nas edições de 1580, de 1588 e no Exemplar de Bordeaux.

Obstupui, steteruntque comae, et vox faucibus haesit.[*]
[Fiquei estupefato, meus cabelos se arrepiaram e minha
voz parou em minha garganta.]

Não sou bom especialista na natureza (como se diz) e
não sei por quais mecanismos o medo age em nós, mas
seja como for é uma estranha emoção, e dizem os médicos que não há nenhuma que deixe mais depressa nosso julgamento fora de seu estado normal. Na verdade,
vi muitas pessoas que ficaram enlouquecidas de medo,
e até no mais sensato ele engendra terríveis miragens
enquanto dura seu acesso. Deixo à parte o vulgo, para
quem o medo representa ora os bisavós saídos do tú-
mulo, envoltos em seu sudário, ora os lobisomens, os
duendes e as quimeras. Mas entre os próprios soldados,
em quem deveria encontrar menos espaço, quantas vezes transformou um rebanho de ovelhas em esquadrão
de couraceiros? Juncos e caniços em homens de armas e
lanceiros? Nossos amigos em nossos inimigos? E a cruz
branca na vermelha? Quando o senhor de Bourbon tomou Roma, um porta-estandarte que estava de guarda
no burgo São Pedro foi invadido por tamanho pavor ao
primeiro alarme que, pelo buraco de uma ruína, de es-

---

[*] Virgílio, *Eneida*, ii, 774.

tandarte em punho, se lançou para fora da cidade, direto sobre os inimigos, pensando dirigir-se para dentro da cidade; e foi só quando viu a tropa do senhor de Bourbon enfileirar-se para detê-lo, considerando que era uma investida que os da cidade estivessem fazendo, a muito custo reconheceu o erro e, dando meia-volta, entrou por aquele mesmo buraco do qual havia se afastado mais de trezentos passos no campo. Mas o estandarte do capitão Julles não foi tão feliz quando Saint-Pol foi tomada de nós pelo conde de Bures e o senhor du Reu. Pois, estando tão desvairado de pavor a ponto de lançar-se com o estandarte para fora da cidade, por uma seteira, ele foi estraçalhado pelos atacantes. E no mesmo cerco foi memorável o medo que apertou, invadiu e paralisou com tanta força o coração de um fidalgo que ele caiu duro, morto, no chão, numa brecha, sem nenhum ferimento. Fúria semelhante por vezes impele toda uma multidão. Num dos combates de Germânico contra os alemães, duas grandes tropas tomaram, de tanto pavor, dois caminhos opostos, uma fugindo de onde a outra partia. Ora ele nos dá asas aos pés, como aos dois primeiros; ora nos prega os pés e os entrava, como se lê a respeito do imperador Teófilo, que, numa batalha que perdeu contra os agarenos, ficou tão perturbado e tão transido que não conseguiu decidir-se a fugir: *adeo pauor etiam auxilia formidat*,* [de tal modo receia o pavor, mesmo nos socorros,] até que Manuel, um dos principais chefes de seu exército, tendo o agarrado e sacudido como para despertá-lo de um sono profundo, lhe disse: "Se não me seguirdes hei de matar-vos, pois mais vale perderdes a vida do que, estando prisioneiro, virdes a perder o Império". E então ele exprime sua última força quando, para seu próprio serviço, nos devolve a valentia que subtraiu de nosso dever e de nossa honra. Na primeira batalha

* Quinto Cúrcio, III, XI, 12.

campal que os romanos perderam contra Aníbal, na época do cônsul Semprônio, uma tropa de bem 10 mil homens de pé tomados de pavor, não vendo outro lugar por onde dar passagem à covardia, foi jogar-se no meio do grosso dos inimigos, atravessando entre eles num esforço maravilhoso e provocando grande matança dos cartagineses, pagando por sua vergonhosa fuga o mesmo preço que pagaria por uma gloriosa vitória. É disso que tenho mais medo que do medo. É que ele supera em violência todos os outros infortúnios. Que emoção pode ser mais dura e mais justa que a dos amigos de Pompeu que estavam em seu navio, espectadores daquele horrível massacre? E no entanto, o medo das velas egípcias que começavam a se aproximar a sufocou, de maneira que se observou que eles só se preocuparam em exortar os marinheiros a se apressarem e se salvarem com a força dos remos; até que, chegando a Tiro, livres do medo, conseguiram voltar o pensamento para a perda que acabavam de sofrer e dar rédea solta às lamentações e às lágrimas que aquela outra emoção mais forte suspendera.

Tum pavor sapientiam omnem mihi ex animo expectorat.[*]
[Então o medo arranca toda a razão de meu coração.]

Os que foram bem maltratados em alguma batalha de guerra são levados no dia seguinte ao ataque, todos ainda feridos e ensanguentados. Mas os que sentiram um grande medo dos inimigos, não os faríeis nem sequer olhá-los de frente. Os que estão com o opressivo medo de perder seus bens, de ser exilados, de ser subjugados, vivem em contínua angústia, perdendo a vontade de beber, comer, descansar, enquanto os pobres, os banidos, os servos vivem amiúde tão alegremente como qualquer outro. E tantas pessoas, não conseguindo suportar as estocadas do medo,

---

[*] Ênio, citado por Cícero, *Tusculanas*, IV, VIII, 19.

se enforcaram, se afogaram, se precipitaram, nos ensinaram que o medo é ainda mais importuno e mais insuportável que a morte! Os gregos reconhecem uma outra espécie de medo, que não se explica nem mesmo por um extravagante raciocínio nosso: vindo, dizem eles, de um impulso celeste, e sem causa aparente. Volta e meia povos inteiros e exércitos inteiros veem-se atingidos por ele. Assim foi o que levou a Cartago uma terrível desolação. Ali só se ouviam gritos e vozes apavoradas; viam-se os habitantes saírem de suas casas, como se tivesse soado o alarme; atacarem-se, ferirem e matarem uns aos outros, como se fossem inimigos que tivessem vindo ocupar sua cidade. Tudo ficou em desordem e tumulto, até que, por orações e sacrifícios, aplacaram a ira dos deuses. A isso chamam de terrores pânicos.

Que filosofar é aprender a morrer

Capítulo XIX*

Este é um dos capítulos mais conhecidos da obra, e desenvolve uma das preocupações maiores de Montaigne, que é "morrer bem". Trata-se de um mosaico de exemplos e argumentos que lembram o caráter inevitável e imprevisível da morte e justificam, assim, o fato de que ela seja "premeditada", isto é, meditada com antecedência. Montaigne parece chegar a um acordo com sua melancolia, agora, de certa forma, minimizada. Continua preocupado com o medo da morte — medo do lancinante ato de morrer. O tratamento que dá ao tema é retórico mas não impessoal. Os pressupostos filosóficos deste capítulo são amplamente derrubados no final de Os ensaios (em Livro III, XIII, "Sobre a experiência"). Montaigne está no caminho de descobrir qualidades admiráveis nos homens e mulheres comuns. Os acréscimos da edição póstuma provam, pelo exemplo pessoal de Montaigne, o sucesso do exercício espiritual das meditações sobre a morte, que é sobretudo um aprendizado do "viver bem".

---

* Este capítulo é o de número XX nas edições de 1580, de 1588 e no Exemplar de Bordeaux.

Diz Cícero que filosofar não é outra coisa senão preparar-se para a morte. É assim porque, de certo modo, o estudo e a contemplação retiram nossa alma de nós e a ocupam separada do corpo, o que constitui certo aprendizado da morte e tem semelhança com ela; ou então, é porque toda a sabedoria e a razão do mundo se concentram, afinal, nesse ponto de nos ensinar a não ter medo de morrer. Na verdade, ou a razão está escarnecendo de nós ou seu objetivo deve ser apenas o nosso contentamento, e todo o seu trabalho deve tender, em suma, a fazer-nos viver bem e a nosso gosto, como dizem as Sagradas Escrituras. Todas as opiniões do mundo chegam à conclusão de que o prazer é nosso objetivo, conquanto adotem meios diversos, do contrário as rejeitaríamos de início. Pois quem escutaria aquele que estabelecesse como objetivo nosso pesar e sofrimento? As dissensões das escolas filosóficas, nesse caso, são verbais. *Transcurramus solertissimas nugas.* [Passemos sobre essas bagatelas tão solertes.] Há aí mais teimosia e pirraça do que convém a uma nobre profissão. Mas, seja qual for o personagem que o homem adote, ele sempre representa, de permeio, o seu. Digam o que disserem, na própria virtude o objetivo último que visamos é a volúpia. Agrada-me martelar os ouvidos das pessoas

---

* Sêneca, *Cartas a Lucílio*, CXVII, 30.

com essa palavra que as contraria tão fortemente: e se ela significa um deleite supremo e extremo contentamento, é um melhor acompanhante para a virtude do que qualquer outra coisa. Por ser mais viva, nervosa, robusta, viril, essa volúpia é mais seriamente voluptuosa. E devíamos lhe dar o nome de prazer, mais favorável, mais suave e natural, e não o de vigor, a partir do qual o denominamos.* Aquela outra volúpia, mais baixa, se merecesse esse belo nome, não seria o resultado de um privilégio, mas de uma concorrência. Acho-a menos isenta de inconvenientes e dificuldades do que a virtude. Além de ter um gosto mais momentâneo, fluido e frágil, tem suas vigílias, seus jejuns e seus trabalhos, e o suor e o sangue. E ademais, especialmente, seus sofrimentos pungentes de tantas espécies, e ao mesmo tempo uma saciedade tão pesada que equivale à penitência. Cometemos grande erro ao pensar que seus obstáculos servem de incentivo e condimento à doçura desse prazer, assim como na natureza os contrários se vivificam por seus contrários; e ao dizer, quando falamos da virtude, que as mesmas consequências e dificuldades a oprimem, tornando-a austera e inacessível. Pois no caso da virtude, bem mais propriamente que na volúpia, elas enobrecem, aguçam e realçam o prazer divino e perfeito que ela nos propicia. Quem opõe o custo ao fruto da virtude, este é, decerto, bem indigno de sua companhia e não conhece suas graças nem seu bom uso. Esses que vão nos ensinando que sua busca é laboriosa e penosa, e que sua fruição é agradável, o que nos dizem com isso a não ser que ela é sempre desagradável? Pois por qual meio humano já se chegou à sua fruição? Os mais perfeitos contentaram-se em aspirar a ela e dela se aproximar sem possuí-la. Mas enganam-se, visto que a própria busca de

---

* O termo "virtude", *virtus* em latim, deriva, segundo Cícero (*Tusculanas*, II, XVIII, 43) de *vir* (varão), e não de *vis* (vigor, forte). A verdadeira virtude, nesse sentido, seria a virilidade.

todos os prazeres que conhecemos é aprazível. A tarefa impregna-se da qualidade do objeto a que visa, pois isso é uma boa parcela dele e é da mesma natureza. A felicidade e a beatitude que reluzem na virtude preenchem todas as suas dependências e avenidas, da primeira entrada até sua última barreira. Ora, um dos principais benefícios da virtude é o desprezo pela morte, o que fornece à nossa vida a mansa tranquilidade, dá-nos seu gosto puro e benfazejo sem o qual todo outro prazer está extinto. Eis por que todas as regras se encontram e convêm a esse item. E embora todas também nos levem, de comum acordo, a desprezar a dor, a pobreza e outros infortúnios a que a vida humana está sujeita, não é uma preocupação do mesmo tipo, tanto porque esses infortúnios não são necessários (a maioria dos homens passa a vida sem experimentar a pobreza, e ainda outros sem sentimento de dor e de doença, como Xenófilo, o Músico, que viveu 106 anos em perfeita saúde) como também, no pior dos casos, a morte pode pôr fim e atalhar, quando nos aprouver, todos os outros infortúnios. Mas, quanto à morte, é inevitável.

Omnes eodem cogimur, omnium
Versatur urna, serius ocius
Sors exitura, et nos in aeter-
*Num exitium impositura cymbae.**
[Todos nós somos empurrados para um mesmo ponto, a urna de todos nós é agitada, cedo ou tarde dali sairá a sorte que nos fará subir na barca para nosso fim eterno.]

E, por conseguinte, se ela nos amedronta, é um contínuo motivo de tormento que nada consegue aliviar. Não há lugar de onde ela não nos venha. Podemos virar incessantemente a cabeça para cá e para lá, como em terra

* Horácio, *Odes*, II, iii, 25.

QUE FILOSOFAR É APRENDER A MORRER   63

suspeita: *quae quase saxum Tantalo Semper impendet.**
[ela é como o rochedo sempre suspenso sobre Tântalo.]
Frequentemente nossos tribunais mandam executar os
criminosos no local onde o crime foi cometido: ao longo
do caminho, passeai-os por belas casas, dai-lhes tantos
banquetes quanto vos aprouver,

> *Non Siculae dapes*
> *Dulcem elaborabunt saporem,*
> *Non avium, cytharaeque cantus*
> *Somnum reducent.***
> [Os festins da Sicília não mais oferecerão seu doce sa-
> bor, o canto dos pássaros ou da cítara não mais lhe de-
> volverão o sono.]

Pensais que podem se regozijar com isso? E que a intenção final de sua viagem, estando constantemente diante
de seus olhos, não lhes tenha alterado e tornado insípido
o gosto por todos esses confortos?

> *Audit iter, numeratque dies, spatioque viarum*
> *Metitur vitam, torquetur peste futura.****
> [Ele indaga o trajeto, conta os dias e mede sua vida pelo
> comprimento da estrada, está atormentado diante do
> mal que o espera.]

A morte é o fim de nossa caminhada, é o objeto necessário de nossa mira; se nos apavora, como é possível
dar um passo à frente sem ser tomado pela ansiedade?
O remédio do vulgo é não pensar nela. Mas de que
estupidez brutal pode vir cegueira tão grosseira? É pôr
a brida na cauda do burro,

* Cícero, *De finibus*, I, XVIII, 60.
** Horácio, *Odes*, III, I, 18-21.
*** Claudiano, *Contra Rufino*, II, 137-8.

*Qui capite ipse suo instituit vestigia retro.**
[Ele, que decidiu andar com a cabeça virada para trás.]

Não espanta que tão amiúde as pessoas caiam na arma-dilha. Amedrontamos nossa gente só em mencionar a morte, e a maioria se persigna, como diante do nome do diabo. E porque a ela é feita menção nos testamentos não espereis que aí ponham a mão antes que o médico tenha comunicado a sentença final. E, então, Deus sabe com que bom julgamento, entre a dor e o pavor, as pessoas hão de prepará-lo. Porque essas sílabas atingiam muito rudemente seus ouvidos, e porque essa palavra lhes pare-cia de mau agouro, os romanos aprenderam a suavizá-la ou diluí-la em perífrases. Em vez de dizer "ele morreu", dizem "ele parou de viver", ou "ele viveu". Consolam-se, contanto que seja vida, ainda que passada. Daí tiramos nosso "finado fulano de tal". Talvez seja, como se diz, que "pagar com atraso significa dinheiro na mão". Nasci entre onze horas e meio-dia do último dia de fevereiro de 1533, como contamos agora, começando o ano em janeiro.** Justamente, faz apenas quinze dias que passei dos 39 anos. E faltam-me pelo menos outros tantos. E enquanto isso seria loucura pensar em coisa tão distante. Mas qual! Jovens e velhos abandonam a vida da mesma maneira. Dela ninguém sai de outro jeito senão como se tivesse entrado naquele instante, acrescentando-se a isso que não há homem tão decrépito que não pense ainda ter vinte anos no corpo enquanto enxergar Matusalém diante de si. E ademais, pobre louco que és, quem te fi-xou os prazos de tua vida? Tu te baseias nas histórias

---

* Lucrécio, IV, 474.
** Até 1564 o ano na França começava na Páscoa. Em 1565, um decreto de Carlos IX, adiado pelo Parlamento até 1567, fixou o início do ano em 1º de janeiro, segundo a prática romana.

QUE FILOSOFAR É APRENDER A MORRER   65

dos médicos. Observa, antes, a realidade e a experiência. Pelo andar comum das coisas, vives há muito tempo por favor extraordinário. Ultrapassaste os prazos
costumeiros de viver: e a prova é que, faz a conta entre
teus conhecidos, quantos morreram antes de tua idade,
mais numerosos que os que a alcançaram? E mesmo entre aqueles que enobreceram suas vidas pela fama, faz o
registro e apostarei que encontrarás mais que morreram
antes do que depois dos 35 anos. É plenamente razoável
e piedoso tomar como exemplo a própria vida humana
de Jesus Cristo. Ora, ele terminou sua vida aos 33 anos.
O maior homem, simplesmente homem, Alexandre, também morreu nessa idade. Quantos modos de surpreender
tem a morte?

Quid quisque vitet, nunquam homini satis
Cautum est in horas.*
[Jamais o homem se protege o suficiente, de hora em hora,
do perigo a evitar.]

Deixo à parte as febres e as pleurisias. Quem jamais
pensou que um duque de Bretanha devesse ser sufoca-
do pela multidão, como foi aquele na entrada do papa
Clemente, meu vizinho, em Lyon?** Não viste um de
nossos reis morto em um jogo? E um de seus ancestrais não morreu derrubado por um porquinho?*** De
nada adiantou Ésquilo, ameaçado pela queda de uma
casa, ficar em alerta, pois ei-lo abatido por uma ca-

---

* Horácio, Odes, III, XIII, 13-4.
** O papa Clemente V (1305-14) era Bertrand de Got, arcebis-
po de Bordeaux.
*** Henrique II, morto em 10 de julho de 1559, depois de se
ferir num torneio. Seu ancestral Filipe, filho de Luís VI, o Gor-
do (1081-1137), morreu quando um porquinho atropelou seu
cavalo numa rua de Paris.

rapaça de tartaruga, que escapou das patas de uma águia no ar; o outro morreu com um caroço de uva; um imperador, do arranhão de um pente ao pentear-se; Emílio Lépido, por ter batido o pé na soleira de sua porta; e Aufídio, por ter se chocado, ao entrar, contra a porta da Câmara do Conselho. E entre as coxas das mulheres, Cornélio Galo, pretor; Tigelino, comandante da Guarda de Roma; Ludovico, filho de Guy de Gonzaga, marquês de Mântua. E, exemplo ainda pior, Espêusipo, filósofo platônico, e um de nossos papas.* O pobre Bébio, juiz, enquanto dá prazo de oito dias a um dos litigantes, ei-lo agarrado e seu prazo de vida expirado. E com Caio Júlio, médico que passava unguento nos olhos de um paciente, eis que a morte fecha os seus. E se devo me intrometer, um irmão meu, o capitão Saint-Martin, que já dera excelentes provas de seu valor, ao jogar pela recebeu, na idade de 23 anos, uma bolada que o acertou um pouco acima da orelha direita, sem nenhuma aparência de contusão ou ferimento; nem se sentou nem repousou, mas cinco ou seis horas depois morreu de uma apoplexia causada por esse golpe. Com esses exemplos tão frequentes e tão triviais nos passando diante dos olhos, como é possível conseguirmos nos desfazer do pensamento da morte, e que a cada instante não nos pareça que ela nos agarra pela gola? "Que importa como ela é", me direis, "contanto que não nos preocupemos com isso." Sou dessa opinião, e, seja qual for a maneira de nos protegermos dos golpes, ainda que sob a pele de um bezerro, não sou homem de recuar, pois basta-me passar meus dias como me apraz, e adoto o melhor jogo que posso, por menos glorioso e pouco exemplar que vos pareça:

---

* O papa João xxii era de Cahors, perto de Bordeaux.

QUE FILOSOFAR É APRENDER A MORRER 67

Praetulerim delirus inersque videri,
Dum mea delectent mala me, vel denique fallant,
Quam sapere et ringi.*
[Eu preferiria passar por louco ou por insensato, con-
tanto que meus males me agradem ou ao menos que eu
não os veja, a ser sensato e enraivecer-me.]

Mas é loucura pensar em ser bem-sucedido dessa forma.
Uns vão, outros vêm, trotam, dançam, e sobre a morte
nenhuma palavra. Tudo isso é muito bonito, mas quando ela chega, para eles ou para suas mulheres, filhos e
amigos, surpreendendo-os de improviso e sem defesa,
que tormentos, que gritos, que fúria e que desespero os
dominam? Já vistes um dia alguém tão cabisbaixo, tão
mudado, tão confuso? É preciso preparar-se para ela
mais cedo. E mesmo se essa despreocupação digna dos
animais pudesse se instalar na cabeça de um homem
inteligente (o que acho totalmente impossível), ela nos
venderia muito caras suas mercadorias. Se a morte fosse
um inimigo que se pode evitar, eu aconselharia empregar as armas da covardia: mas já que não se pode, já
que ela vos agarra, tanto ao fugitivo e ao poltrão como
ao homem de honra,

Nempe et fugacem persequitur virum
    Nec parcit imbellis juventae
    Poplitibus, timidoque tergo;**
[E, decerto, ela também persegue o fujão e não poupa
os jarretes nem o dorso medroso de uma juventude
sem valentia;]

e que nenhuma couraça de aço temperado vos cobre,

---

* Horácio, *Epístolas*, II, ii, 126-8.
** Horácio, *Odes*, III, ii, 14-6.

Ille licet ferro cautus se condat in aere,
Mors tamen inclusum protrablet inde caput;[*]
[Nada adianta a este proteger-se do ferro cobrindo-se
de aço, pois a morte, porém, descobrirá sua cabeça
com capacete;]

aprendamos a arrostá-la de pé firme e a combatê-la. E
para começar a tirar-lhe sua grande vantagem sobre nós,
tomemos um caminho totalmente oposto ao comum.
Tiremos-lhe a estranheza, frequentemo-la, acostumemo-
-nos com ela, não tenhamos nada de tão presente na cabeça como a morte: a todo instante a representemos em
nossa imaginação e em todos os aspectos. No tropeção
do cavalo, na queda de uma telha, na menor picada de
alfinete, repisemos subitamente: pois bem, e se fosse a
própria morte? E diante disso nos enrijeçamos e nos for-
taleçamos. Entre as festas e a alegria, tenhamos sempre
esse refrão da lembrança de nossa condição, e não nos
deixemos arrastar tão fortemente pelo prazer que por vezes não nos volte à memória de quantos modos essa nossa alegria está na mira da morte, e por quantos golpes ela
nos ameaça. Assim faziam os egípcios, que no meio de
seus festins e entre seus melhores banquetes mandavam
vir a anatomia seca[**] de um homem para servir de advertência aos convivas.

Omnem crede diem tibi diluxisse supremum,
Grata superveniet, quae non sperabitur hora.[***]
[Considera como teu último dia aquele que brilha para
ti; a hora que não esperas mais virá para ti como uma
graça.]

[*] Propércio, III, XVIII, 25-6.
[**] A múmia.
[***] Horácio, *Epístolas*, I, IV, 13-14.

É incerto onde a morte nos espera, aguardemo-la em toda parte. Meditar previamente sobre a morte é meditar previamente sobre a liberdade. Quem aprendeu a morrer desaprendeu a se subjugar. Não há nenhum mal na vida para aquele que bem compreendeu que a privação da vida não é um mal. Saber morrer liberta-nos de toda sujeição e imposição. Ao mensageiro que o miserável rei da Macedônia, seu prisioneiro, lhe enviou para pedir que não o levasse em seu triunfo,* Paulo Emílio respondeu: "Que ele faça o pedido a si mesmo". Na verdade, em qualquer coisa, se a natureza não ajuda um pouco é difícil que a arte e o engenho avancem muito. Por mim mesmo, não sou melancólico mas sonhador: não há nada de que me haja ocupado desde sempre como dos pensamentos sobre a morte, e até na época mais licenciosa de minha vida,

*Jucundum cum aetas florida ver ageret.***
[Quando minha idade em flor vivia sua doce primavera.]

Entre as damas e os jogos, julgavam-me ocupado em digerir comigo mesmo algum ciúme ou a incerteza de uma esperança, enquanto eu pensava em não sei quem que fora surpreendido dias antes por uma febre alta, e em seu fim ao sair de uma festa parecida, com a cabeça cheia de ócio, amor e bons momentos, como eu: e eu mesmo martelava em meus ouvidos:

*Jam fuerit, nec post unquam revocare licebit.****
[O presente já terá passado e nunca mais poderemos chamá-lo de volta.]

---

* O triunfo era, na Antiguidade romana, a marcha de um general vitorioso entrando na cidade, quando os chefes inimigos eram exibidos acorrentados.
** Catulo, LXVIII, 16.
*** Lucrécio, III, 915.

Não franzia mais a fronte com esse pensamento do que com outro. É impossível não sentirmos desde o início as ferroadas dessas imaginações, mas manejando-as e repassando-as, pelo longo caminho, sem dúvida as domesticamos. Do contrário, de minha parte estaria em contínuo pavor e frenesi, pois nunca um homem desconfiou tanto de sua vida, nunca um homem se iludiu menos com sua duração. Nem a saúde, da qual gozei até o presente muito vigorosa e raramente interrompida, me prolonga sua esperança, nem as doenças a encurtam. A cada minuto parece-me que escapo de mim. E repito sem cessar: tudo o que pode ser feito um outro dia pode ser feito hoje. Na verdade, os acasos e perigos nos aproximam pouco ou nada de nosso fim; e se pensarmos, afora esse infortúnio que mais parece nos ameaçar, em quantos milhões de outros permanecem sobre nossas cabeças, descobriremos que o fim está igualmente perto de nós quando estamos vigorosos ou febris, no mar e em nossas casas, na batalha e em repouso. *Nemo altero fragilior est: nemo in crastinum sui certior.** [Nenhum é mais frágil que outro: nenhum tem o amanhã mais garantido.] Para acabar o que tenho a fazer antes de morrer, todo o tempo vago me parece curto, ainda que seja trabalho de uma hora. Outro dia, alguém folheava meus apontamentos e encontrou uma nota sobre alguma coisa que eu queria que fosse feita depois de minha morte: eu lhe disse, como era verdade, que, estando a apenas uma légua de casa, e saudável e vigoroso, me apressara em escrever aquilo ali por não ter certeza de chegar à minha casa. Como sou homem que continuamente está incubando seus pensamentos e guardando-os dentro de si, a qualquer momento estou preparado, tanto quanto possa estar, e nada de novo me anunciará a chegada inesperada da morte. Devemos estar sempre com as botas calçadas

---

* Sêneca, *Cartas a Lucílio*, XCI, 16.

e prontos para partir, tanto quanto de nós dependa, e sobretudo nos precavermos para que então só tenhamos de tratar conosco mesmos.

Quid brevi fortes jaculamur aevo
*Multa?** *
[Por que bravamente visar tantos objetivos quando a vida é tão curta?]

Pois teremos bastante trabalho sem outra sobrecarga. Um se queixa, mais que da morte, de que ela lhe interrompe o curso de uma bela vitória; outro, que deve partir antes de ter casado a filha, ou controlado a educação dos filhos; um sente falta da companhia da mulher, outro, do filho, que eram os principais confortos de sua existência. Por ora estou em tal situação, graças a Deus, que posso me ir quando Lhe aprouver, sem me lamentar de coisa nenhuma. Desligo-me de tudo: minhas despedidas de cada um estão quase feitas, exceto de mim. Nunca um homem se preparou para deixar o mundo mais pura e plenamente, e desapegou-se mais completamente do que eu tento fazer. As mortes mais mortas são as mais saudáveis.

Miser o miser (aiunt) omnia ademit
*Uma dies infesta mihi tot praemia vitae.*** **
[Infeliz que sou, ó infeliz, dizem eles, um só dia funesto me tira todos os bens da vida.]

E o construtor diz:

Manent opera interrupta, minaeque
*Murorum ingentes.*** ***

* Horácio, *Odes*, II, xvi, 17-8.
** Lucrécio, iii, 898-9.
*** Virgílio, *Eneida*, iv, 88.

[Restam trabalhos interrompidos e imensas muralhas que ameaçam.]

Nada se deve prever de tão longo fôlego, ou pelo menos com a intenção de se empolgar pensando em ver seu fim. Nascemos para agir:

*Cum moriar, medium soluar et inter opus.**
[Quando eu morrer, que parta no meio de meu trabalho.]

Quero que se aja, que se prolonguem as atividades da vida, tanto quanto possível; e que a morte me encontre plantando minhas couves, mas despreocupado com ela e ainda mais com minha horta inacabada. Vi morrer um que, estando nas últimas, queixava-se incessantemente de que seu destino cortava o fio da história que ele tinha em mãos sobre o 15º ou 16º de nossos reis.

*Illud in his rebus non addunt, nec tibi earum
Jam desiderium rerum super insidet una.***
[Mas nesse ponto, eles não acrescentam isto: "E o pesar por esses bens não permanecerá junto com teus restos".]

É preciso se livrar dessas crenças vulgares e nocivas. Assim como fincaram nossos cemitérios ao lado das igrejas e dos lugares mais frequentados da cidade, para acostumar, dizia Licurgo, o baixo povo, as mulheres e as crianças a não se assustarem ao ver um homem morto, e a fim de que esse espetáculo contínuo de ossuários, túmulos e funerais nos advirta sobre nossa condição,

---

* Ovídio, *Amores*, II, x, 36.
** Lucrécio, III, 900-1.

QUE FILOSOFAR É APRENDER A MORRER

Quin etiam exhilarare viris convivia caede
Mos olim, et miscere epulis spectacula dira
Certatum ferro, saepe et super ipsa cadentum
Pocula, respersis non parco sanguine mensis;*
[E mais: outrora era costume alegrar os festins com
uma morte e misturar os banquetes com os espetáculos
cruéis de combatentes, que, frequentemente atingidos
pelo gládio, tombavam sobre as próprias taças, espalhando copiosamente seu sangue sobre as mesas;]

e assim como os egípcios, depois de seus festins, apresentavam aos convivas uma grande imagem da morte, segura por alguém que lhes gritava: "Bebe e alegra-te, pois
morto serás como este", assim peguei o costume de ter a
morte não apenas na imaginação mas continuamente na
boca. E não há nada de que me informe com tanto gosto
como da morte dos homens: que palavra, que rosto, que
atitude tiveram; nem trecho de histórias que observe com
tanta atenção. Pela quantidade de meus exemplos, parece
que tenho afeição particular por essa matéria. Fosse eu
um fazedor de livros e faria um registro comentando as
mortes diversas. Quem ensinasse os homens a morrer os
ensinaria a viver. Dicáiarcos** fez um com título parecido,
mas com outro e menos útil alcance. Hão de me dizer que
a realidade da morte ultrapassa de tão longe o pensamento que não há esgrima, por mais bela, que não se perca
quando lá se chega: deixai-os falar; a meditação prévia
proporciona, sem dúvida, grande vantagem. E depois,
já não significa bastante chegar lá sem vacilação e sem
inquietação? Há mais: a própria natureza nos estende a

---

* Sílio Itálico, XI, 51-4, citado em Justo Lipse, *Saturnalium*
libri, I, VI.
** Dicáiarcos de Messina, discípulo de Aristóteles, geógrafo
e historiador, autor de um tratado sobre a vida na Grécia:
Bios Hellados.

mão e nos dá coragem. Se é uma morte curta e violenta, não temos tempo de temê-la; se é outra, percebo que à medida que me afundo na doença caio naturalmente em certo desdém pela vida. Creio que tenho bem mais dificuldade em digerir essa aceitação de morrer quando estou com saúde do que quando estou com febre, mais ainda porque já não me apego tanto às comodidades da vida, e desde que começo a perder seu uso e seu prazer tenho da morte uma visão de muito menos horror. Isso me faz esperar que, quanto mais me afastar daquela e me aproximar desta, mais facilmente estarei de acordo para trocar uma pela outra. Assim como experimentei em várias outras ocasiões o que diz César, que as coisas costumam nos parecer maiores de longe que de perto, verifiquei que, saudável, tinha muito mais horror às doenças do que quando as senti. A alegria em que estou, o prazer e a força me fazem achar o outro estado tão desproporcional a este que, pela imaginação, aumento em metade aqueles dissabores e considero-os mais pesados do que quando os carrego nas costas. Espero que o mesmo há de me ocorrer com a morte. Observamos, por essas mudanças e declínios habituais que sofremos, como a natureza nos dissimula a visão de nossa perda e decadência. O que resta a um velho do vigor de sua juventude, de sua vida passada?

Heu senibus vitae portio quanta manet![*]
[Ai, que parcela de vida resta aos velhos!]

A um soldado de sua guarda, exausto e alquebrado, que veio pela rua pedir-lhe permissão para se matar, César respondeu gracejando ao notar sua aparência decrépita: "Pensas então que estás vivo?".[**] Se caíssemos de repente

---

[*] Pseudo-Galo ou Maximiano, I, 16.
[**] Sêneca, *Epístolas*, LXXVII, 19. O imperador era Caio César (Calígula), não Júlio César.

nesse estado, não creio que seríamos capazes de suportar tal mudança. Mas conduzidos pela mão da natureza, por uma suave ladeira e como que insensível, pouco a pouco, de degrau em degrau nos envolvemos nesse estado miserável a que nos acostumamos, assim como não sentimos nenhum abalo quando a juventude morre dentro de nós, o que, no fundo e na verdade, é morte mais dura que a morte completa de uma vida languescente e que a morte de velhice. Tanto mais que o salto do mal existir para o não existir não é tão árduo como aquele de uma existência suave e florescente para uma existência penosa e dolorosa. O corpo encurvado e dobrado tem menos força para suportar um fardo, nossa alma também. É preciso treiná-la e educá-la contra o esforço desse adversário. Pois, como é impossível que encontre o descanso enquanto o temer, caso se fortaleça pode se vangloriar (o que é coisa que ultrapassa a condição humana) de ser impossível que nela se alojem a inquietação, o tormento e o medo, e até a mínima insatisfação.

> *Non vultus instantis tyranni*
> *Mente quatit solida, neque Auster*
> *Dux inquieti turbidus Adriae,*
> *Nec fulminantis magna Jouis manus.*[*]
> [O rosto de um tirano que ameaça não abala a firmeza de sua alma, nem o austro que reina furioso sobre o Adriático agitado, nem a grande mão de Júpiter fulminando.]

Tornou-se senhora de suas paixões e concupiscências; senhora da indigência, da vergonha, da pobreza e de todas as outras injúrias do destino. Ganhe essa vantagem quem puder: esta é a verdadeira e soberana liberdade que nos dá com que fazer figas à força e à injustiça, e zombar das prisões e dos grilhões,

---

* Horácio, *Odes*, III, iii, 3-6.

in manicis, et
Compedibus, saevo te sub custode tenebo.
Ipse Deus simul atque volam, me solvet: opinor,
Hoc sentit, moriar mors ultima linea rerum est. *
[montarei em torno de ti, entrevado, com os ferros nas
mãos e nos pés, uma guarda severa. "É um Deus que me
libertará assim que eu quiser." Penso que ele quer dizer:
"Morrerei". A morte é o último limite das coisas.]

Nossa religião não teve fundamento humano mais seguro que o desprezo pela vida. Não só o argumento da
razão nos convida a isso, pois por que temeríamos perder uma coisa que, perdida, não pode ser lamentada?
Mas, ademais, já que estamos ameaçados por tantas
maneiras de morte, não é melhor enfrentar uma do que
temê-las todas? Que importa quando será, já que é inevitável? Àquele que dizia a Sócrates: "Os trinta tiranos
te condenaram à morte", ele respondeu: "E a natureza
a eles". Que tolice nos atormentarmos no momento em
que se dá a passagem à isenção de todo tormento! Assim como nosso nascimento nos trouxe o nascimento
de todas as coisas, assim nossa morte trará a morte de
todas as coisas. Por isso é igualmente loucura chorar
porque daqui a cem anos não viveremos mais, assim
como chorar porque não vivíamos há cem anos. A morte é a origem de outra vida: custou-nos entrar nesta
aqui, e choramos; da mesma forma, ao entrarmos nos
despojamos de nosso antigo véu. Nada pode ser importante se o é só uma vez. É razoável temer por tanto
tempo coisa de tão curta duração? Viver uma vida longa e viver uma vida curta tornam-se iguais pela morte,
pois não há curto e longo nas coisas que não existem
mais. Diz Aristóteles que no rio Hípanis há pequenos
animais que só vivem um dia. Aquele que morre às oito

* Horácio, *Epístolas*, I, XVI, 76-9.

QUE FILOSOFAR É APRENDER A MORRER   77

horas da manhã morre na mocidade; o que morre às
cinco horas da tarde morre em sua decrepitude. Quem
de nós não riria ao ver considerar-se ventura ou desventura esse momento de tão curta duração? O mais e o
menos em nossa vida, se compararmos com a eternidade, ou ainda com a duração das montanhas, dos rios,
das estrelas, das árvores, e até de certos animais, não
são menos ridículos. Mas a natureza nos força a isso.[*]
Saí, diz ela, deste mundo como nele entrastes. A mesma
passagem que fizestes da morte à vida, sem paixão e
sem temor, refazei-a da vida à morte. Vossa morte é
uma das peças da ordem do universo, é uma peça da
vida do mundo,

> *inter se mortales mutua viuunt,*
> *Et quase cursores vitai lampada tradunt.*[**]
> [os mortais partilham a vida assim como os corredores
> se repassam sua tocha.]

Mudarei por vós esta bela organização das coisas? É a
condição de vossa criação; a morte é uma parte de vós:
fugis de vós mesmos. A existência de que desfrutais é
igualmente dividida entre a morte e a vida. O primeiro
dia de vosso nascimento vos encaminha para morrer
como para viver.

> *Prima, quae vitam dedit, hora, carpsit.*[***]
> [A primeira hora que nos deu a vida tomou-a de nós.]
> *Nascentes morimur, finisque ab origine pendet.*[****]
> [Ao nascermos, morremos, e o fim decorre da origem.]

---

[*] A fonte principal no solilóquio da Natureza, em Lucrécio, III.
[**] Lucrécio, II, 76 e 79.
[***] Sêneca, *Hércules furioso*, III, 874.
[****] Manílio, IV, 16.

Tudo o que viveis estais roubando da vida: e às expensas dela. A contínua obra de vossa vida é construir a morte. Estais na morte enquanto estais em vida, pois estais depois da morte quando não mais estais em vida. Ou, se assim o preferis, estais morto depois da vida, mas durante a vida estais morrendo, e a morte toca bem mais brutalmente o moribundo que o morto, e mais viva e mais essencialmente. Se da vida tirastes proveito, estais saciado; ide-vos satisfeito.

> *Cur non ut plenus vitae conviva recedis?**
> [Por que não te retiras da vida qual um conviva saciado?]

Se não soubestes usá-la, se ela vos foi inútil, que vos importa tê-la perdido? Para que ainda a quereis?

> *Cur amplius addere quaeris*
> *Rursum quod pereat male, et ingratum occidat omne?***
> [Por que procuras lhe acrescentar um prazo que por sua vez se perderá miseravelmente e desaparecerá inteiro sem fruto?]

A vida não é em si nem bem nem mal: nela o bem e o mal têm o lugar que lhes dais. E se vivestes um dia, vistes tudo: um dia é igual a todos os dias. Não há outra luz nem outra noite. Esse Sol, essa Lua, essas Estrelas, essa disposição é esta mesma que vossos antepassados desfrutaram e que há de entreter vossos tataranetos.

> *Non alium videre patres: aliumve nepotes*
> *Aspicient.****

---

* Lucrécio, ii, 938.
** Lucrécio, iii, 941-2.
*** Manílio, i, 522-3.

[Vossos pais não verão outras e vossos tataranetos não verão outras.]

E, na pior hipótese, a distribuição e a variedade de todos os atos de minha comédia se completam em um ano. Se tivestes prestado atenção no movimento de minhas quatro estações, tereis visto que abrangem a infância, a adolescência, a idade madura e a velhice do mundo. Ele jogou seu jogo: não conhece outro ardil senão recomeçar; sempre será assim.

Versamur ibidem, atque insumus usque,[*]
[Giramos no mesmo lugar onde estamos encarcerados,]
Atque in se sua per uestigia volvitur annus.[**]
[E o ano gira sobre si, repassando sobre seus próprios rastros.]

Não pretendo forjar-vos outros novos passatempos.

Nam tibi praeterea quod machiner, inveniamque
Quod placeat, nihil et, eadem sunt omnia semper.[***]
[Pois não há nada que eu ainda possa fabricar e inventar que te agrade; são sempre as mesmas coisas.]

Cedei lugar aos outros, como outros vos cederam. A igualdade é a primeira peça da equidade. Quem pode se queixar de ser incluído quando todos são incluídos? Assim, por mais que viverdes, não suprimireis nada do tempo durante o qual estareis morto: nada adianta; estareis naquele estado que temeis por tanto tempo como se tivésseis morrido ainda bebê:

[*] Lucrécio, III, 944-5.
[**] Virgílio, *Geórgicas*, II, 402.
[***] Lucrécio, III, 944-5.

Licet, quod vis, vivendo vincere secla,
Mors aeterna tamen, nibilominus illa manebit. *
[Por mais que venceres os séculos vivendo o que queres,
a morte é eterna e permanecerá como tal.]

E ainda hei de vos pôr em tal situação que não tereis nenhum descontentamento.

In vera nescis nullum fore morte alium te,
Qui possit vivus tibi te lugere peremptum,
Stansque jacentem. **
[Não sabes que não haverá na verdadeira morte um
outro tu mesmo que, vivo e em pé, te possa chorar
morto e jacente?]

Nem desejareis a vida que tanto lamentais.

Nec sibi enim quisquam tum se vitamque requirit,
Nec desiderium nostri nos afficit ullum. ***
[E então ninguém reclama a vida para si, e nenhuma
saudade de nós mesmos nos toca.]

A morte é menos temível que nada, se houvesse alguma
coisa menos que nada,

multo mortem minus ad nos esse putandum,
Si minus esse potest quam quod nihil esse videmus. ****
[temos de pensar que a morte é bem menos ainda, se o
que consideramos como nada pode ser ainda menos.]

---

* Lucrécio, III, 1090-1.
** Lucrécio, III, 885-7.
*** Lucrécio, III, 919 e 922.
**** Lucrécio, III, 926-7.

QUE FILOSOFAR É APRENDER A MORRER 81

Ela não vos diz respeito nem morto nem vivo. Vivo, porque existis: morto, porque não mais existis. Ademais, ninguém morre antes de sua hora. O tempo que abandonais não era mais vosso que o tempo que se passou antes de vosso nascimento: e tampouco vos toca.

Respice enim quam nil ad nos ante acta vetustas
*Temporis aeterni fuerit.**
[Olhai na verdade o quanto não é nada para nós a duração eterna do tempo que houve antes de nós.]

Onde quer que vossa vida acabe, ela está toda aí. A utilidade do viver não está na duração: está no uso que dele fizemos. Uma pessoa viveu muito tempo e pouco viveu. Atentai para isso enquanto estais aqui. Ter vivido bastante está em vossa vontade, não no número dos anos. Pensáveis nunca chegar ali aonde íeis incessantemente? Não há caminho que não tenha seu fim. E se a companhia pode consolar-vos, sabei que o mundo vai na mesma marcha que vós.

*Omnia te vita perfuncta sequentur.***
[Todas as coisas te seguirão na morte.]

Tudo não se mexe como vos mexeis? Há coisa que não envelheça convosco? Mil homens, mil animais e mil outras criaturas morrem neste mesmo instante em que morreis.

Nam nox nulla diem, neque noctem aurora sequuta est,
Quae non audierit mistos vagitibus aegris
*Ploratus mortis comites et funeris atri.****

* Lucrécio, III, 972-3.
** Lucrécio, III, 968.
*** Lucrécio, II, 578-80.

[Pois nenhuma noite sucedeu ao dia, nenhuma aurora
à noite em que não se ouviram, misturadas aos tristes
vagidos, as lágrimas acompanhando a morte e os ne-
gros funerais.]

Para que recuais se não podeis retroceder? Vistes muitos
que se deram bem em morrer, evitando com isso grandes
infortúnios. Mas vistes alguém que se tenha dado mal? É
grande tolice condenar coisa que não experimentastes em
vós nem em outro. Por que vos queixais de mim e de vosso destino? Causamos-vos mal? Cabe a vós governar-nos
ou nós a vós? Ainda que vosso tempo não esteja concluí-
do, vossa vida está. Um homem pequeno é um homem
completo, assim como um grande. Nem os homens nem
suas vidas se medem em varas. Quíron, informado das
condições da imortalidade pelo próprio Deus do tempo e
da duração, Saturno, seu pai, a recusou: com efeito, imaginai como uma vida perpétua seria menos suportável
para o homem e mais sofrida do que é a vida que vos dei.
Se não tivésseis a morte, me amaldiçoaríeis sem cessar
por dela vos ter privado. Cientemente a ela mesclei um
pouco de amargura para vos dissuadir de, ao verdes a
comodidade de seu uso, adotá-la com demasiada avidez e
sem discernimento; para alojar-vos nessa moderação que
vos peço, nem fugindo da vida nem recuando diante da
morte, temperei uma e outra entre a doçura e a amargura. Ensinei a Tales, o primeiro de vossos sábios, que o
viver e o morrer eram indiferentes: por isso, àquele que
então lhe perguntou por que não morria, ele respondeu
com muita sensatez: porque é indiferente. A água, a terra, o ar e o fogo, e outros elementos deste meu edifício,
são tanto os instrumentos de vossa vida quanto os instrumentos de vossa morte. Por que temeis vosso último
dia? Ele não conduz à vossa morte mais que cada um dos
outros. O último passo não vos traz a lassidão: revela-
-a. Todos os dias levam à morte: o último a alcança. Eis

as boas advertências de nossa mãe Natureza. Ora, muitas vezes pensei por que o rosto da morte, se o vemos seja em nós seja em outro, nos parece sem comparação menos assustador nas guerras do que em nossas casas, do contrário seria um exército de médicos e chorões; e por que, sendo ela sempre a mesma, há todavia muito mais resignação entre as pessoas das aldeias e de baixa condição do que entre as outras. Na verdade, creio que são esses semblantes e as cerimônias assustadoras de que nos cercamos que nos amedrontam, mais que ela: uma forma totalmente nova de viver; os gritos das mães, das mulheres e das crianças, a visita de pessoas emocionadas e transidas, a presença numerosa de criados pálidos e chorosos, um quarto sem luz, velas acesas, nossa cabeceira invadida por médicos e pregadores, em suma, todo o horror e o pavor em torno de nós. Eis-nos já sepultados e enterrados. As crianças têm medo até de seus amigos quando os veem mascarados; nós também. É preciso tirar a máscara tanto das coisas como das pessoas. Quando for retirada, só encontraremos embaixo essa mesma morte pela qual um criado ou uma camareira passaram ultimamente sem medo. Feliz a morte que não deixa tempo para os aprestos de tal viagem.

Sobre a educação das crianças

À senhora Diane de Foix, condessa de Gurson

Capítulo XXV*

Trata-se do capítulo mais longo e mais conhecido do Livro I. Muito cedo este ensaio teve uma divulgação à parte, contemporânea da edição póstuma: foi traduzido para o inglês em 1598, cinco anos antes da publicação da versão completa de Os ensaios. *O desenvolvimento do capítulo se inscreve num duplo debate, aquele que opõe as armas e as letras, verdadeiro fio condutor de Os* ensaios, *e o debate pedagógico sobre a educação da nobreza. Propõe um plano de educação aristocrática, que tem como objetivo a formação da* virtude, *junto com a* civilidade. *Montaigne toma posição contra a formação meramente escolar, ministrada no colégio, que então recebiam os filhos da nobreza. Encorajado a escrever mais detidamente sobre como educar os meninos, fala de sua própria educação. Ao pensar nos métodos delicados com que seu pai o educou, baseados em estimular o amor e o entusiasmo das crianças pelo aprendizado, faz uma digressão sobre reis e magistrados, que são os pais do povo, portanto devem usar métodos similares. Demonstra seu crescente respeito por Platão, para quem os livros eram os "filhos" preferidos das mentes superiores.*

---

* Este capítulo é o de número XXVI nas edições de 1580, de 1588 e no Exemplar de Bordeaux.

Nunca vi um pai que, por mais corcunda ou tinhoso que fosse seu filho, deixasse de reconhecê-lo como seu, não sem porém perceber seu defeito, a menos que esteja totalmente inebriado por esse afeto; mas, seja como for, é o seu. O mesmo se aplica a mim: vejo melhor que qualquer outro que estes meus escritos não passam de devaneios de homem que das ciências provou apenas a primeira casca, na infância, e delas só reteve uma ideia geral e disforme: de cada coisa um pouco, de profundo, nada, à francesa. Pois, em suma, sei que há uma medicina, uma jurisprudência, quatro partes na matemática,* e grosseiramente a que elas visam. E possivelmente também conheço a ambição das ciências em geral a serviço de nossa vida; mas embrenhar-me mais adiante, ter roído as unhas no estudo de Aristóteles, monarca da doutrina moderna, ou me obstinado em alguma ciência, isso nunca fiz, nem isso é arte de que eu pudesse pintar sequer os primeiros lineamentos. E não há aluno dos cursos médios que não possa se dizer mais sábio que eu, que não tenho sequer como interrogá-lo sobre sua primeira lição. E se a isso me forçam, sou obrigado, um tanto ineptamente, a dela derivar algum assunto de cunho universal, com o qual examino seu discer-

---

* A aritmética, a música, a astronomia e a geometria, de acordo com a classificação então em vigor.

nimento natural: lição que lhe é tão desconhecida como para mim a dele. Não travei relações com nenhum livro sólido, a não ser Plutarco e Sêneca, em que me abasteço como as Danaides, enchendo-me deles e os despejando sem parar. Deles fixo alguma coisa neste papel, em mim, quase nada. A história é minha caça em matéria de livros, ou a poesia, que amo com especial pendor, pois, como dizia Cleanto, assim como o som comprimido no tubo estreito de uma trombeta sai mais agudo e mais forte, assim me parece que a frase, comprimida pelo número de pés da poesia, se lança bem mais abruptamente e golpeia-me com mais vivo abalo. Quanto às faculdades naturais que existem em mim, de que faço aqui a prova, sinto-as vergar sob a carga: minhas concepções e meu julgamento andam sempre às apalpadelas, cambaleando, tropeçando e dando passos em falso; e quando fui o mais longe que pude, não fiquei, porém, nem um pouco satisfeito. Ainda avisto terra mais além, que com meus olhos turvos e nublados não consigo decifrar. E empreendendo falar indiferentemente de tudo o que se apresente à minha imaginação, e só empregando meus meios próprios e naturais, se me acontece, como costuma acontecer, de porventura encontrar nos bons autores esses mesmos temas que decidi tratar, como agora mesmo acabo de ver em Plutarco seu discurso sobre a força da imaginação, e nesse caso, ao reconhecer que sou tão fraco e irrisório, tão lerdo e tão indolente, comparado com essas pessoas, sinto pena ou desprezo de mim mesmo. Assim, felicito-me por minhas opiniões terem a honra de quase sempre coincidir com as deles, e de, embora de longe, pelo menos segui-las e aprová-las. E também tenho isso que nem todos têm, que é conhecer a extrema diferença entre mim e eles: e deixo, entretanto, correr minhas ideias fracas e modestas tal como as produzi, sem rebocá-las nem remendar os defeitos que essa comparação me fez descobrir. É preciso ter costados bem firmes para decidir andar ombro a ombro com essas pessoas. Os escritores insensatos de nosso século, que entre suas obras nulas vão semeando trechos inteiros dos autores antigos para honrar a si próprios, fazem o contrário. Pois essa infinita dessemelhança de brilho dá ao que é deles um semblante tão pálido, tão apagado e tão feio que com isso perdem muito mais do que ganham. Houve duas concepções opostas: o filósofo Crísipo misturava em seus livros não só passagens mas obras inteiras de outros autores, e, num deles, a *Medeia* de Eurípides. Dizia Apolodoro que caso se suprimisse o que ele tinha de alheio, seu papel ficaria em branco. Epicuro, ao contrário, em trezentos volumes que deixou não pôs uma só citação. Aconteceu-me, outro dia, cair num desses trechos; eu me arrastara languidamente atrás de palavras francesas, tão exangues, tão descarnadas e tão vazias de matéria e de sentido que realmente não eram senão palavras francesas; ao fim de um longo e tedioso caminho, vim a encontrar um trecho superior, rico e elevado até as nuvens. Se eu tivesse achado a ladeira suave e a subida um pouco longa, ainda teria sido desculpável, mas era um precipício tão abrupto e tão escarpado que desde as seis primeiras palavras compreendi que me alçava a um outro mundo; de lá descobria o atoleiro de onde vinha, tão baixo e tão profundo, que nunca mais tive coragem de descer ali de novo. Se eu estofasse com esses ricos despojos um de meus discursos, ele iluminaria demais a tolice dos outros. Repreender em outro meus próprios erros parece-me tão pouco incompatível quanto repreender, como costumo fazer, os dos outros em mim. É preciso condená-los em qualquer lugar e tirar-lhes toda ocasião de ficar impunes. Assim, bem sei com que atrevimento eu mesmo me empenho, todas as vezes, em igualar-me às minhas pilhagens, ir par a par com elas, não sem uma temerária esperança de que consiga enganar os olhos dos juízes que as discernem. Mas é mais por minha maneira de utilizá-las do que pelo modo de descobri-las ou por alguma força minha. E depois, não enfrento abertamente e no corpo a corpo esses velhos campeões: é por ataques miúdos e leves, repetidos. Não me choco com eles, apenas os apalpo e jamais vou tão longe quanto me disponho a ir. Se pudesse jogar de igual para igual com eles, seria homem hábil, pois só os enfrento por onde são os mais fortes. Fazer o que apontei em alguns, que é proteger-se sob as armas de outro a ponto de não mostrar nem mesmo a ponta dos dedos, levar adiante seu plano (como é fácil para os eruditos, em assunto corrente) à sombra dos temas tratados pelos antigos, remendados aqui e ali, querendo escondê-los e apropriar-se deles, digo que isso é, primeiramente, injustiça e covardia, pois, não tendo nada de seu com que possam se mostrar, procuram apresentar-se com valores totalmente alheios; e depois, isso é uma grande tolice, pois contentam-se, por trapaça, em conquistar a ignorante aprovação do vulgo, desacreditando-se junto às pessoas cultas, as únicas cujo elogio tem peso e que torcem o nariz para essa incrustação de empréstimo. De minha parte, não há nada que queira menos fazer. Só falo dos outros para melhor falar de mim. Isso não diz respeito aos centões,* que são publicados como centões, e de que vi, no meu tempo, alguns muito engenhosos, entre outros um com o nome de Capilupo, além dos antigos. São autores que se fazem notar tanto por outros modos como por este, a exemplo de Justo Lipsio nessa douta e laboriosa tessitura de suas *Políticas*. Seja como for, quero dizer, e quaisquer que sejam estas inépcias,** que decidi não escondê-las, como tampouco esconderia um retrato meu calvo e grisalho em que o pintor tivesse posto não um rosto perfeito mas o meu. Pois bem, aqui estão meus humores e opiniões: escrevo-os por serem aquilo em que creio, não por serem

---

* O centão era um poema literário feito inteiramente de versos de outros autores, e muito em voga na época de Montaigne.
** *Os ensaios*, do autor.

SOBRE A EDUCAÇÃO DAS CRIANÇAS

aquilo em que se deva crer. Aqui só tenciono descobrir a mim mesmo, que amanhã porventura será outro se nova aprendizagem me mudar. Não tenho nenhuma autoridade para que creiam em mim, nem o desejo, sentindo-me muito mal instruído para instruir os outros. Alguém, pois, tendo visto o ensaio precedente,* dizia-me em minha casa, outro dia, que eu deveria ter me estendido um pouco sobre o discurso da educação das crianças. Ora, minha senhora, tivesse eu alguma competência nesse assunto e não poderia melhor empregá-la senão oferecendo-a a este que ameaça fazer, breve, uma bela irrupção dentro de vós (sois muito nobre para começar de outra forma que não por um varão). Pois tendo tido tão grande participação na conclusão de vosso casamento, tenho algum direito e interesse pela grandeza e prosperidade de tudo o que dele vier; além do que, a velha possessão que tendes de meu serviço** obriga-me bastante a desejar honra, bens e êxito a tudo o que vos toca. Mas na verdade, do assunto só entendo isto: a maior e mais importante dificuldade da ciência humana parece estar nesse ponto em que se trata da criação e da educação dos filhos. Assim como na agricultura as operações anteriores ao plantio são precisas e fáceis, e até mesmo o plantio, mas, desde que a planta começa a tomar vida, são grandes a variedade de modos de cultivá-la e as dificuldades, assim também com os homens há pouca arte para plantá-los, mas desde que nascem encarregamo-nos de cuidados diferentes, cheios de preocupações e temor para criá-los e educá-los. As manifestações de suas tendên-

---

* O capítulo "Sobre o pedantismo", de número XXV nas edições publicadas ainda em vida de Montaigne, não incluído nesta edição.
** Montaigne era cliente e protegido da família de Foix. Charlotte-Diane de Foix, a quem dedica este ensaio, se casou em 1579 com o primo Louis de Foix, conde de Gurson. No ano seguinte nasceu Frédéric de Foix, futuro conselheiro do rei.

cias são tão delicadas e tão obscuras nessa tenra idade, as promessas são tão incertas e falsas, que é difícil estabelecer um julgamento sólido. Veja-se Címon, vejam-se Temístocles e mil outros, como se revelaram diferentes do que prometiam. Os filhotes dos ursos e dos cães mostram sua propensão natural; mas os homens, apegando-se incontinente a costumes, opiniões, leis, mudam ou se dissimulam facilmente. Assim, é difícil forçar as propensões naturais; e disso decorre que, por falta de bem ter escolhido seu caminho, frequentemente se trabalha para nada e perde-se muito tempo em criar as crianças para coisas em que não conseguem tomar pé. Todavia, sobre essa dificuldade minha opinião é que sejam sempre encaminhadas para as coisas melhores e mais proveitosas, e que se deve dar pouco crédito a esses presságios levianos e prognósticos que formamos do comportamento da infância. Platão, em sua *República*, parece-me dar-lhe demasiada importância. Minha senhora, o conhecimento é um grande ornamento e um instrumento de maravilhosa utilidade, em especial para as pessoas criadas em tão alto grau de fortuna, como vós. Na realidade, ele não encontra seu verdadeiro uso em mãos ignóbeis e baixas. É bem mais orgulhoso ao emprestar seus recursos para se conduzir uma guerra, comandar um povo, granjear a amizade de um príncipe ou de uma nação estrangeira, do que para compor um argumento dialético ou para pleitear num tribunal de recursos ou prescrever um amontoado de pílulas. Assim, senhora, porque creio que não havereis de esquecer essa parte na educação dos vossos, vós, que saboreastes sua doçura e que sois de uma família letrada (pois ainda possuímos os escritos dos antigos condes de Foix, de quem o senhor conde, vosso marido, e a senhora descendeis; e François, senhor de Candale, vosso tio, na verdade faz surgirem outros todos os dias, que estenderão a vários séculos o conhecimento dessa qualidade de vossa família), quero dizer-vos a esse respeito uma só concep-

SOBRE A EDUCAÇÃO DAS CRIANÇAS

ção que tenho, contrária à regra comum: é tudo o que posso oferecer a vosso serviço nessa matéria. A missão do preceptor que dareis a vosso filho, de cuja escolha depende todo o resultado de sua educação, tem vários outros elementos mas neles não toco por não saber mostrar-vos nada que valha; e quanto ao ponto em que me intrometo e vos dou uma opinião, ele há de me acreditar na medida em que lhe for convincente. Para uma criança de família nobre que procura as letras, não pelo ganho (pois um objetivo tão abjeto é indigno da graça e do favor das Musas, e além disso diz respeito a outros, de quem depende) e nem tanto pelas vantagens externas, mas pelas suas próprias, e para se enriquecer e ornar-se por dentro, tendo mais vontade de tornar-se homem hábil do que homem erudito, gostaria também que se tivesse o cuidado de lhe escolher um preceptor com a cabeça mais benfeita do que bem recheada; e que dele se exigissem essas duas coisas, porém mais os costumes e a inteligência do que o conhecimento, e que em seu cargo ele se conduzisse de uma nova maneira. Os professores não param de gritar em nossos ouvidos, como quem entornasse o conhecimento num funil: nossa tarefa seria apenas repetir o que nos disseram. Gostaria que ele corrigisse essa prática e que desde o início, segundo a capacidade do espírito que tem em mãos, começasse a pô-lo na raia, fazendo-o provar, escolher e discernir as coisas por si mesmo. Ora abrindo-lhe o caminho, ora deixando-o abrir. Não quero que só o preceptor invente e fale: quero que, quando chegar a vez de seu discípulo, o escute falar. Sócrates e mais tarde Arcesilau mandavam primeiramente seus discípulos falarem, e só depois lhes falavam. *Obest plerumque iis, qui discere volunt, auctoritas eorum, qui docent.** [A autoridade dos que querem ensinar é, no mais das vezes, nociva para os que querem aprender.] É bom que o faça trotar à sua fren-

---

* Cícero, *De natura deorum*, I, v, 10.

te para julgar sua andadura e avaliar até que ponto deve se pôr em seu nível para adaptá-lo à sua força. Se não respeitamos esse equilíbrio, estragamos tudo. E saber escolhê-lo e conduzir-se comedidamente é uma das mais árduas tarefas que conheço; e é ato de uma alma muito elevada e forte saber condescender com esses passos pueris e guiá-los. Meu passo é mais firme e mais seguro subindo que descendo. Para aqueles que, como é nosso costume, empreendem com a mesma lição e o mesmo grau de comando ensinar a vários espíritos de formas e capacidades tão diversas, não é espantoso se em toda uma população de crianças encontrem apenas duas ou três que tiram algum merecido fruto do ensino. Que ele não lhe peça contas somente das palavras de sua lição mas do sentido e da substância. E que julgue o proveito que a criança terá tirado, não pelo testemunho de sua memória mas pelo de sua vida. Que a faça mostrar com cem feições diferentes o que tiver acabado de aprender, adaptando-o a outros tantos diversos assuntos para ver se aprendeu realmente e assimilou, avaliando sua progressão por meio dos pedagogismos de Platão. Regurgitar a comida tal como a engolimos é sinal de sua crueza e de indigestão: o estômago não fez seu trabalho se não mudou o estado e a forma do que lhe foi dado a digerir. Nosso espírito só se move sob a influência de outro, ligado e vinculado ao bom prazer das fantasias alheias, servo e escravizado à autoridade da lição de quem lhe ensinou. Tanto nos submeteram às andadeiras que já não temos os passos soltos: nosso vigor e nossa liberdade se extinguiram. *Numquam tutelae suae fiunt.*[*] [Nunca eles se tornam seus próprios tutores.] Vi pessoalmente (em privado) em Pisa um homem honrado, mas tão aristotélico que o mais básico de seus dogmas é: a pedra de toque e a regra de todos os pensamentos sólidos e de qualquer verdade são a conformidade à doutrina

---

[*] Sêneca, *Epístolas*, xxxiii.

SOBRE A EDUCAÇÃO DAS CRIANÇAS 93

de Aristóteles, que tudo viu e tudo disse, e fora daí há apenas quimeras e inanidade. Essa sua proposição, por ter sido interpretada de forma iníqua e um tanto ampla demais, o pôs outrora em grande perigo diante da Inquisição em Roma.* Que o preceptor faça o menino tudo passar pelo próprio crivo e que nada aloje em sua cabeça por simples autoridade ou confiança. Que os princípios de Aristóteles não lhe sejam princípios, não mais que os dos estoicos ou dos epicuristas; que lhe proponham essa diversidade de julgamentos e ele escolherá, se puder, do contrário permanecerá na dúvida.

*Che non men che saper dubbiar m'aggrada.***
[E, não menos que saber, duvidar me agrada.]

Pois se adotar as opiniões de Xenofonte e Platão por seu próprio raciocínio, não serão mais as deles, serão as suas. Quem segue um outro não segue nada; não encontra nada: quiçá, não procure nada. *Non sumus sub rege, sibi quisque se vindicet.**** [Não estamos sob um rei, que cada um disponha livremente de si mesmo.] Que ele saiba, ao menos, que sabe. Precisa impregnar-se de seus humores, e não aprender seus preceitos; e que esqueça ousadamente, se quiser, onde os obtém, mas que deles saiba se apropriar. A verdade e a razão são comuns a toda a gente e pertencem tanto a quem as disse primeiro como a quem as disse depois. E uma coisa não é mais segundo Platão do que segundo eu mesmo: pois ele e eu compreendemos e vemos da mesma forma. As abelhas libam as flores aqui

---

* Trata-se de Girolamo Borro, professor de filosofia da universidade de Roma, libertado da prisão da Inquisição por decisão papal. Já citado por Montaigne em seu *Diário de viagem à Itália.*
** Dante, *Inferno*, XI, 93.
*** Sêneca, *Cartas a Lucílio*, XXXIII, 10.

e ali mas depois fazem o mel, que é todo delas; não é mais tomilho nem manjerona. Assim, ele transformará os elementos emprestados de outro e os fundirá para fazer uma obra toda sua, a saber, seu julgamento, sua educação, seu trabalho e seu estudo, que só visam a formá-lo. Que esconda tudo a que recorreu e só exiba aquilo que fez. Os que pilham e tomam emprestado fazem praça de suas construções e de suas aquisições, e não do que tiraram dos outros. Não se veem as "propinas" dadas a um membro do Parlamento: veem-se os casamentos que fizeram e as honrarias feitas a seus filhos. Ninguém lança em conta pública a própria receita, mas todos exibem o que adquiriram. O ganho de nosso estudo é termo-nos tornado melhores e mais sábios. É a inteligência (dizia Epicarmo) que vê e ouve; é a inteligência que tudo aproveita, que tudo arruma, que age, que domina e que reina: todas as outras coisas são cegas, surdas e sem alma. Decerto nós a tornamos servil e covarde não lhe deixando a liberdade de fazer algo por si só. Quem jamais pergunta a seu discípulo o que pensa da retórica e da gramática, desta ou daquela frase de Cícero? Elas são plantadas em nossa memória com todas as suas plumas, como oráculos em que as letras e as sílabas constituem a substância da coisa. Saber não é saber de cor: é manter o que se entregou à guarda da memória. Quem sabe corretamente dispõe do que sabe, sem olhar para o modelo, sem voltar os olhos para seu livro. Incômoda competência, a competência puramente livresca! Espero que ela sirva de ornamento, não de fundamento, seguindo a opinião de Platão, que diz: a firmeza, a fé, a sinceridade são a verdadeira filosofia; as outras ciências, e que visam a outros elementos, são apenas artifício. Gostaria que o Paluel e Pompeu,*

---

* Ludovico Palvallo, chamado O Paluel, era mestre de dança em Milão. Ele e Pompeu Diabono trabalharam na corte de Henrique II.

SOBRE A EDUCAÇÃO DAS CRIANÇAS

esses belos bailarinos de meu tempo, ensinassem cambalhotas somente as mostrando a nós, sem que saíssemos do lugar, como esses que querem instruir nossa inteligência sem pô-la em movimento; ou que nos ensinassem a manejar um cavalo, ou uma lança, ou um alaúde, ou a voz sem nos exercitarmos; como esses que querem ensinar a bem julgar e a bem falar sem nos exercitarem a falar nem a julgar. Ora, para essa aprendizagem tudo o que se apresenta aos nossos olhos serve de livro: a astúcia de um pajem, a estupidez de um criado, uma conversa à mesa, são todas matérias novas. Para isso o convívio com os homens é admiravelmente favorável, assim como a visita aos países estrangeiros: não apenas para de lá trazer, à moda de nossa nobreza francesa, conhecimento a respeito de quantos passos há em *Santa Rotonda*,* ou da riqueza dos calções da *Signora Livia*, ou, como outros, de como o rosto de Nero é mais comprido ou mais largo em uma velha ruína do que em certa medalha parecida. Mas para trazer principalmente os humores dessas nações e seus costumes; e para esfregar e polir nossos miolos contra os dos outros. Eu gostaria que se começasse a passear com nosso pupilo desde sua tenra infância; e primeiramente, para matar dois coelhos de uma cajadada, pelas nações vizinhas, onde a língua é mais afastada da nossa, e com a qual, se não o formarmos desde cedo, nossa língua pode não se adaptar. Assim, é opinião aceita por todos que não é bom criar um filho no regaço dos pais. Esse amor natural os enternece demais, relaxa-os, mesmo o dos pais mais ajuizados: não são capazes de castigar seus erros nem de vê-lo criado duramente, como convém, e correndo riscos. Não seriam capazes de supor-

---

* Trata-se do antigo Panteon, em Roma, construído no ano 27, no reinado de Augusto. Em 609 foi transformado em Igreja de Santa Maria dos Mártires, e no Renascimento era considerado uma das maravilhas do mundo.

tar que ele voltasse do exercício suando e empoeirado, que bebesse isso quente, que bebesse aquilo frio, nem de vê-lo sobre um cavalo recalcitrante, nem em face de um rude atirador com o florete em punho, nem manipulando seu primeiro arcabuz. Pois não há outro remédio: quem quer torná-lo um homem de bem, sem a menor dúvida não deve poupá-lo durante a mocidade, e amiúde deve ir contra as regras da medicina:

> *vitamque sub dio et trepidis agat*
> *in rebus.**
> [que ele passe sua vida ao relento e na ação.]

Não basta fortalecer-lhe a alma, também é preciso endurecer-lhe os músculos. A alma é pressionada demais se não for amparada; e já tem muito a fazer para acudir, sozinha, a duas tarefas. Sei quanto labuta a minha em companhia de um corpo tão tenro, tão sensível, que se deixa abandonar tão fortemente sobre ela. E muitas vezes percebo em minha leitura que meus mestres celebram em seus escritos, como exemplos de magnanimidade da alma e força de coragem, o que decorre mais da espessura da pele e da dureza dos ossos. Vi homens, mulheres e crianças assim nascidos para quem uma paulada é menos que um piparote em mim; que não mexem a língua nem o cenho sob as pancadas que recebem. Quando os atletas igualam os filósofos em resistência, isso é mais vigor dos músculos que do ânimo. Ora, o hábito de aguentar o trabalho é hábito de aguentar a dor: *labor callum obducit dolori.*** [o trabalho caleja contra a dor.] É preciso acostumá-lo ao sofrimento e à dureza dos exercícios, a fim de treiná-lo para o sofrimento e a dureza da luxação, da cólica, do cautério: e também da prisão, e da tortu-

* Horácio, *Odes*, III, ii, 5-6.
** Cícero, *Tusculanas*, II, xv, 36.

SOBRE A EDUCAÇÃO DAS CRIANÇAS   97

ra. Pois ele pode ser exposto a estas últimas, que nestes
tempos atingem os bons como os maus. É o que estamos
sofrendo:* quem combate as leis ameaça as pessoas de
bem com o azorrague e a corda. E depois, a autoridade
do preceptor, que deve ser soberana sobre ele, é interrompida e entravada pela presença dos pais. Acresce que o
respeito que a família manifesta pelo menino, o conhecimento dos recursos e grandezas de sua casa, não são, em
minha opinião, inconvenientes pequenos para essa idade.
Nessa escola de comércio com os homens, volta e meia
reparei nessa perversão de que, em vez de aprendermos
sobre os outros, só nos empenhamos em ensinar-lhes coisas sobre nós, e preocupamo-nos bem mais em vender
nossa mercadoria do que em adquirir novas. O silêncio
e a modéstia são qualidades muito úteis na conversação.
Essa criança será educada para poupar e moderar seu saber, quando o adquirir, para não se melindrar com as
tolices e fábulas que serão ditas em sua presença; pois é
descortês e inoportuno criticar tudo o que não é de nosso
gosto. Que se contente em corrigir a si mesmo. E não
aparente recriminar o outro por tudo o que se nega a
fazer, nem se oponha aos costumes públicos. *Licet sapere sine pompa, sine invidia.*** [Pode-se ser sábio sem
pompa nem arrogância.] Que fuja dessas maneiras ma-
gistrais e indelicadas; e dessa ambição pueril de querer
parecer mais arguto para ser diferente; e como se críticas
e novidades fossem mercadoria delicada, querer usá-las
para criar um nome de valor singular. Assim como só aos
grandes poetas convém usar as licenças da arte, assim só
nas grandes e ilustres almas é suportável dar-se privilégios acima dos costumes. *Siquid Socrates et Aristippus
contra morem et consuetudinem fecerunt, idem sibi ne
arbitretur licere: Magnis enim illi et divinis bonis hanc*

* Em decorrência das guerras de religião.
** Sêneca, *Cartas a Lucílio*, CIII, 5.

*licentiam assequebantur.** [Se Sócrates e Aristipo agiram contra os costumes e o uso, que ele não creia que a mesma coisa lhe seja permitida: essa licença era-lhes permitida em razão de suas grandes qualidades, de certa forma divinas.] Que lhe ensinem a só entrar em discussão e em contestação onde vir um campeão digno de sua luta; e, mesmo ali, não empregará todas as manhas que lhe possam servir, mas somente aquelas que lhe possam mais servir. Que lhe ensinem certo refinamento na escolha e seleção de seus argumentos, e que goste da pertinência e, por conseguinte, da brevidade. Que o instruam sobretudo para render-se e depor as armas diante da verdade, sem demora, assim que a perceber, quer ela surja das mãos de seu adversário, quer surja nele mesmo por alguma reconsideração. Pois ele não sentará numa cátedra para exercer um papel prescrito, e não está comprometido com nenhuma causa a não ser por aprová-la. Nem praticará esse ofício em que se vende, por dinheiro de contado, a liberdade de poder se arrepender e reconhecer. *Neque ut omnia, quae praescripta et imperata sint, defendat, necessitate ulla cogitur.*** [E ele não é forçado por nenhuma necessidade a defender tudo o que foi prescrito e ordenado.] Se seu preceptor tiver meu temperamento, há de formar sua vontade de ser servidor muito leal a seu príncipe, e muito zeloso e muito corajoso; mas há de esfriar-lhe a vontade de prender-se a ele que não por um dever público. Além de vários outros inconvenientes que ferem nossa liberdade, o julgamento de um homem remunerado e comprado por essas obrigações particulares é menos imparcial e menos livre ou é tachado de imprudência e ingratidão. Um cortesão só pode ter o direito de falar e pensar sobre seu amo de forma favorável, pois este o escolheu, entre tantos milhares de outros súditos,

---

* Cícero, *De officiis*, I, xli, 148.
** Cícero, *Acadêmicas*, ii, 3.

SOBRE A EDUCAÇÃO DAS CRIANÇAS 99

para sustentá-lo e enobrecê-lo por sua mão. Não sem alguma razão, esse favor e essa vantagem corrompem sua liberdade e o deslumbram. Por isso vê-se costumeiramente que a linguagem dessa gente é diferente de qualquer outra linguagem de um Estado, e pouco fidedigna em tal matéria. Que sua consciência e sua virtude reluzam em suas palavras, e tenham apenas a razão como guia. Que o façam compreender que confessar o erro que descobrir em seu próprio argumento, ainda que só seja notado por ele mesmo, é consequência de um julgamento e de uma sinceridade que são as principais qualidades; a teimosia e o gosto da contestação são qualidades vulgares, mais aparentes nas almas mais baixas. Que reconsiderar e corrigir-se, abandonar uma posição errada, em pleno ardor, são qualidades raras, fortes e filosóficas. Que seja aconselhado a ter os olhos em toda parte quando estiver em sociedade, pois creio que os primeiros assentos são ocupados comumente por homens menos capazes, e que as grandezas de fortuna pouco são associadas às capacidades. Tenho visto, enquanto na cabeceira da mesa se conversava sobre a beleza de uma tapeçaria, ou sobre o sabor da malvasia,* perderem-se belos pensamentos na outra ponta. Ele sondará o alcance de cada um: um vaqueiro, um pedreiro, um passante. É preciso tudo explorar e comprar de cada um segundo sua mercadoria, pois em casa tudo serve; e até a tolice e a fraqueza alheia o instruirão. Ao avaliar as atitudes e as maneiras de cada um, ele gerará em si mesmo desejo pelas boas e desprezo pelas más. Que lhe inculquem na mente uma curiosidade honesta de indagar sobre todas as coisas; verá tudo o que houver de singular ao seu redor: uma construção, uma fonte, um homem, o lugar de uma batalha antiga, a passagem de César ou de Carlos Magno.

---

* Vinho grego licoroso.

Quae tellus sit lenta gelu, quae putris ab aestu,
*Ventus in Italiam quis bene vela ferat.**
[Que terra está entorpecida pelo gelo, qual está corrompida pelo calor, qual vento sopra favoravelmente as velas para a Itália.]

Ele se informará sobre os costumes, os meios e as alianças desse e daquele príncipe. São coisas muito agradáveis de aprender e muito úteis de saber. Nessa frequentação dos homens entendo incluir, e principalmente, os que vivem apenas na memória dos livros. Ele frequentará, por meio das histórias, essas grandes almas dos melhores séculos. É um estudo inútil, se quisermos, mas também é, se assim quisermos, um estudo de fruto inestimável; e o único estudo, como diz Platão, que os lacedemônios teriam conservado para si. Que proveito não tirará da leitura das *Vidas* de nosso Plutarco? Mas que meu guia se lembre do que visa sua tarefa; e que inculque em seu discípulo menos a data da ruína de Cartago do que os costumes de Aníbal e de Cipião; nem tanto onde morreu Marcelo como por que foi indigno de seu dever e lá morreu. Que lhe ensine não tanto as histórias como a julgá-las. A meu ver, é, entre todas, a matéria a que nossos espíritos se aplicam de modo mais diverso. Li em Tito Lívio cem coisas que outro não leu. Plutarco leu cem outras além das que eu soube ler, e talvez além do que o autor ali colocou. Para uns é um mero estudo gramatical; para outros, é anatomia da filosofia, penetrando nas partes mais abstrusas de nossa natureza. Há em Plutarco muitos discursos extensos digníssimos de ser conhecidos, pois a meu ver é ele o mestre artífice de tal labor; mas há mil outros que ele simplesmente aflorou: sinaliza só com o dedo por onde iremos, se isso nos agrada, e por vezes se contenta em dar apenas um toque

---

* Propércio, IV, III, 39.

SOBRE A EDUCAÇÃO DAS CRIANÇAS

no ponto mais vivo de um assunto. Precisamos arrancá-los dali e pô-los na vitrine. Como essa sua afirmação de que "os habitantes da Ásia eram escravos de um único senhor porque não sabiam pronunciar uma só palavra, que é *não*", e que talvez tenha fornecido a matéria e a ocasião para La Boétie escrever seu *Discurso sobre a servidão voluntária*. O próprio fato de ver Plutarco observar uma ação menor na vida de um homem, ou uma palavra, é uma reflexão. É pena que as pessoas cultas amem tanto a brevidade: sem dúvida é melhor para sua reputação, mas para nós é pior. Plutarco preferia que o elogiássemos mais por seu julgamento que por seu saber; preferiria nos deixar mais desejosos que saciados. Sabia que até sobre as coisas boas pode-se dizer demais, e que Alexandridas criticou corretamente o orador que fazia aos éforos boas declarações, mas longas demais: "Ó estrangeiro, dizes o que se deve mas não como se deve". Os que têm o corpo delgado o engordam com enchimentos; os que têm a matéria mirrada, enchem-na com palavras. Da frequentação do mundo tira-se uma luz maravilhosa para o juízo humano. Todos nós estamos fechados e encolhidos em nós mesmos e temos a visão limitada ao comprimento de nosso nariz. Perguntava-se a Sócrates de onde era, e ele não respondia "de Atenas", mas "do mundo". Ele, que tinha a imaginação mais plena e mais extensa, abarcava o universo como sendo sua cidade, estendia seus conhecimentos, sua sociedade e seus afetos a todo o gênero humano: não como nós, que só olhamos ao nosso redor. Quando gelam os vinhedos em minha aldeia, meu pároco argumenta com a ira de Deus sobre a raça humana e julga que a singamose* já tenha atacado os canibais.** Ao ver nossas guerras ci-

---

* Verminose que prejudica a respiração das aves domésticas e as impede de beber, o que provoca sede intensa.
** Os índios brasileiros.

vis, quem não exclama que esta máquina terrestre está se desarranjando e que o dia do juízo nos agarra pela gola, sem perceber que várias coisas bem piores se passaram e que em 10 mil partes do mundo ainda se leva, porém, uma vida boa? Admiro-me que nossas guerras sejam tão suaves e tão indulgentes, tendo em vista sua licenciosidade impune. Para aquele em cuja cabeça cai o granizo, todo o hemisfério parece estar sob a tempestade e a tormenta. E, como dizia aquele camponês da Savoia, "se esse tolo rei da França tivesse sabido usar direito sua sorte, seria homem para se tornar mordomo de seu duque".* Sua imaginação não concebia grandeza mais elevada que a de um duque, seu próprio senhor. Todos nós cometemos, insensivelmente, esse erro: erro de grande consequência e prejuízo. Mas quem sabe representar, como num quadro, essa grande imagem de nossa mãe natureza em toda a sua majestade; quem lê em seu semblante uma variedade tão geral e constante; quem ali dentro vê não a si mesmo mas todo um reino, como o traço de uma ponta muito fina, só este avalia as coisas em sua justa dimensão. Este grande mundo, que uns ainda dividem em múltiplas espécies de um só gênero, é o espelho em que devemos nos mirar para nos conhecermos de um bom ângulo. Em suma, quero que seja este o livro de meu aluno. Tantos temperamentos, escolas de pensamento, opiniões, leis e costumes nos ensinam a julgar saudavelmente os nossos, e ensinam a reconhecer a imperfeição e a natural fraqueza de nosso juízo: isto não é um aprendizado leve. Tantas reviravoltas, tantas mudanças na fortuna de um Estado nos ensinam a não nos espantarmos demais com a nossa. Tantos nomes, tantas vitórias e conquistas soterradas no esquecimento tornam ridícula a espe-

* Extraído de Henri Estienne, *Apologie pour Hérodote*, "Aviso ao leitor", de 1566.

SOBRE A EDUCAÇÃO DAS CRIANÇAS

rança de eternizar nosso nome com a captura de dez arqueiros e o assalto a uma praça mal fortificada, que só é conhecida porque caiu. O orgulho e a vaidade de tantas pompas estrangeiras, a majestade tão enfunada de tantas cortes e grandezas dão firmeza e segurança à nossa vista para suportar, sem piscar, o brilho das nossas. Tantos milhões de homens enterrados antes de nós encorajam-nos a não temer ir ao encontro de tão boa companhia no outro mundo: e assim por diante. Nossa vida, dizia Pitágoras, assemelha-se à grande e populosa assembleia dos jogos olímpicos. Uns exercitam seus corpos para conquistar a glória nos jogos; outros levam mercadorias para vender, pelo ganho. Há (e não são os piores) os que ali não procurem outro fruto além de olhar como e por que cada coisa se faz; são espectadores da vida dos outros homens, pelas quais hão de julgar e dirigir as deles. Todos os mais proveitosos discursos da filosofia, pedra de toque e regra das ações humanas, poderão ser reduzidos a esses exemplos. Dirão ao menino:

> *quid faz optare, quid asper*
> *Utile nummus habet, patriae charisque propinquis*
> *Quantum elargire deceat, quem te Deus esse*
> *Jussit, et humana qua parte locatus es in re*
> *Quid summus, aut quidnam victuri gignimur;*[*]
> [o que é permitido desejar, para que serve o dinheiro novo, o que convém devotar à sua pátria e aos próximos queridos, o que Deus te mandou ser, e que lugar te designou no mundo, o que nós somos, ou para que vida fomos gerados;]

o que é saber e ignorar, qual deve ser o objetivo do estudo; o que é coragem, temperança e justiça; qual a

---

* Pérsio, III, 69-72 e 67.

diferença entre ambição e avareza, servidão e sujeição, licença e liberdade; por quais sinais se conhece o verdadeiro e sólido contentamento; até onde se devem temer a morte, a dor e a vergonha,

> *Et quo quemque modo fugiatque feratque laborem,**
> [E como evitar ou suportar cada sofrimento,]

que engrenagens nos movem, e por que meio tantos movimentos diversos nos agitam. Pois parece-me que as primeiras lições que devemos dar de beber à inteligência devem ser as que regulam seus costumes e seu julgamento, que lhe ensinam a se conhecer e a saber bem morrer e bem viver. Entre as artes liberais, comecemos pela arte que nos faz livres. Na verdade, todas servem, de certa maneira, para a formação e o comportamento de nossa vida, como também servem, de certa maneira, todas as outras coisas. Mas escolhamos aquela que serve direta e expressamente. Se soubéssemos restringir o campo de nossa vida a seus limites corretos e naturais, descobriríamos que a melhor parte das ciências que estão em prática está fora de nossa prática. E, mesmo nessas que o estão, há extensões e recantos inúteis, que melhor faríamos deixar onde estão; e seguindo o ensinamento de Sócrates, delimitaríamos em nosso estudo o curso daquelas sem utilidade:

> *sapere aude,*
> *Incipe: vivendi qui recte prorogat horam,*
> *Rusticus expectat dum defluat amnis, at ille*
> *Labitur, et labetur in omne volubilis aevum.***
> [ousa ser sábio, começa: quem adia o momento de levar uma vida justa espera como um camponês que o rio cesse de correr, mas este corre e correrá o tempo todo.]

---

* Virgílio, *Eneida*, III, 459.
** Horácio, *Epístolas*, I, II, 40-3.

SOBRE A EDUCAÇÃO DAS CRIANÇAS

É grande tolice ensinar aos nossos filhos

> *Quid moveant pisces, animosaque signa leonis,*
> *Lotus et Esperia quid capricornus aqua,**
> [Qual é a influência dos Peixes, e a do signo do Leão
> furioso, e a do Capricórnio que se banha nas águas do
> Hespéria,]

a ciência dos astros e os movimentos da oitava esfera,** antes que os seus próprios:

> *Τί Πλειάδεσσι χάμοί;*
> *Τί δ'άστράσι βοωτεω.****
> [Que me importam as Plêiades, as estrelas do vaqueiro?]

Escrevendo a Pitágoras, Anaxímenes perguntou: "Com que propósito posso divertir-me com os segredos das estrelas, tendo a morte ou a servidão sempre presentes diante dos olhos?". Pois nesse momento os reis da Pérsia preparavam a guerra contra seu país. E cada um deve perguntar assim: "Estando assaltado pela emoção, avareza, temeridade, superstição, e tendo dentro de mim tais inimigos da vida, irei sonhar com o movimento do mundo?". Depois que tiverem ensinado ao menino de que lhe serve tornar-se mais sábio e melhor, que lhe exponham o que é a lógica, a física, a geometria, a retórica; e já tendo formado o julgamento, breve dominará a ciência que escolher. Sua lição se fará ora por uma discussão, ora por livros; ora seu preceptor lhe fornecerá trechos do próprio autor adaptados a essa finalidade de sua educação, ora lhe dará a medula e a substância mastigada. E se ele mes-

---

* Propércio, IV, 1, 89.
** Na antiga cosmografia, era na oitava esfera celeste (das nove) que estavam presas as estrelas.
*** Anacreonte, *Odes*, IV [XVII], 10-1.

mo não for bastante familiar dos livros para encontrar tantos belos discursos que servirão à realização de seu objetivo, será possível a ele juntar um letrado que lhe forneça, a cada necessidade, as munições necessárias para distribuí-las e dispensá-las a sua cria. E que essa lição seja mais fácil e natural que a de Gaza,* quem pode ter dúvida? Na deste, os preceitos são espinhosos e pouco divertidos, as palavras inúteis e descarnadas, em que não há por onde pegar, nada que desperte o espírito; nesta aqui a alma encontra onde morder, onde se nutrir. E esse fruto é incomparavelmente maior e por isso terá amadurecido mais cedo. É espantoso que as coisas tenham chegado, em nosso século, ao ponto de a filosofia ser até para as pessoas inteligentes algo vão e fantástico, considerado de nenhuma utilidade e de nenhum valor tanto para a opinião geral como para a prática. Creio que a causa disso são essas sutilezas que ocuparam suas avenidas. É grande erro pintá-la como inacessível às crianças, e de semblante carrancudo, austero e terrível: quem a mascarou com esse falso rosto pálido e medonho? Não há nada mais alegre, mais jovial, divertido, e por pouco não digo galhofeiro. Ela não prega senão a festa e os bons momentos. Um semblante triste e abatido mostra que não é esta a sua morada. Demétrio, o gramático, ao encontrar no templo de Delfos um grupo de filósofos sentados, disse-lhes: "Ou me engano ou, ao vê-los com a fisionomia tão tranquila e tão alegre, não estais em grande discussão entre vós". Ao que um deles, Heráclio de Mégara, respondeu: "São os que investigam se o futuro do verbo $\beta\alpha\lambda\lambda\omega$ tem duplo λ ou os que investigam a derivação dos comparativos $\chi\varepsilon\iota\rho\upsilon$ e $\beta\varepsilon\lambda\tau\iota\omega$ e dos superlativos

---

* Teodoro Gaza, erudito grego nascido em Tessalônica em 1398, foi para a Itália em 1444 e aprendeu latim. Autor de uma gramática grega, que provavelmente é a obra em que pensa Montaigne.

SOBRE A EDUCAÇÃO DAS CRIANÇAS

χειριστον e βελτιστον que franzem o cenho quando discutem sua ciência; mas quanto aos discursos da filosofia, eles costumam alegrar e divertir os que os praticam, e não enrugá-los e contristá-los".*

> Deprendas animi tormenta latentis in aegro
> Corpore, deprendas et gaudia, sumit utrumque
> Inde habitum facies.**
> [Podes surpreender os tormentos da alma no fundo de um corpo doente, podes surpreender também as alegrias, e o rosto assume essa ou outra expressão.]

A alma que aloja a filosofia deve, por sua própria saúde, tornar saudável o corpo também; sua tranquilidade e seu bem-estar devem reluzir até mesmo fora de si; ela deve formar por seu molde a aparência externa e, por conseguinte, muni-la com uma graciosa altivez, uma atitude ativa e alegre, e um semblante contente e ameno. A marca mais expressiva da sabedoria é um constante regozijo; seu estado é como o das coisas acima da Lua, sempre sereno. São *Baroco* e *Baralipton**** que tornam seus devotos tão encardidos e enfumaçados; não é a sabedoria, que eles só conhecem por ouvir dizer. Como? Ela se gaba de serenar as tempestades da alma, ensina a rir da fome e das febres; não por alguns epiciclos**** imaginários, mas por argumentos naturais e palpáveis. Seu objetivo é a virtude, que não está, como diz a escolásti-

---

* Respectivamente: verbo *ballo*: eu lanço; comparativo *keíron*: pior; comparativo *béltion*: melhor; superlativo *keíriston*: o pior; superlativo *béltiston*: o melhor.
** Juvenal, IX, 18-20.
*** Termos de dialética, usados na Idade Média, para designar duas formas de silogismos.
**** Termo da antiga astronomia para designar as irregularidades aparentes do movimento dos astros.

ca, plantada no alto de um monte abrupto, escarpado e inacessível. Os que dela se aproximaram sabem que está, ao contrário, alojada numa bela planície fértil e florescente: de onde vê bem abaixo de si todas as coisas; mas quem conhece o endereço pode lá chegar por caminhos sombreados, relvosos e suavemente floridos; agradavelmente, e por uma encosta fácil e lisa, como é a das abóbadas celestes. Por não terem frequentado essa virtude suprema, bela, triunfante, amorosa, igualmente deliciosa e corajosa, inimiga professa e irreconciliável do azedume, do desprazer, do temor e da coação, e que tem por guia a natureza, e por companheiras a ventura e a volúpia, eles se puseram, por fraqueza, a fantasiar essa tola imagem, triste, briguenta, rabugenta, ameaçadora, carrancuda, e a colocá-la sobre um rochedo ermo, no meio dos espinheiros: um fantasma para espantar as pessoas. Meu preceptor, que sabe que deve preencher a vontade de seu discípulo com tanto ou mais afeto quanto com reverência diante da virtude, saberá lhe dizer que os poetas seguem os sentimentos comuns; e fazê-lo ver com clareza que os deuses puseram o suor mais nos caminhos das alcovas de Vênus que nos que levam a Palas. E quando ele começar a despertar, apresente-lhe Bradamante ou Angélica* como amantes de prazer; a primeira, de uma beleza natural, ativa, generosa, não masculinizada mas viril, por oposição a uma beleza branda, afetada, delicada, artificial; uma, fantasiada de rapaz, trajando um morrião reluzente; a outra, vestida como moça, levando à cabeça uma coifa de pérolas. E então seu amor será considerado másculo se ele escolher de modo totalmente diverso daquele efeminado pastor da

---

* Bradamante e Angélica são heroínas de *Orlando Furioso*, de Ariosto. A primeira simboliza a beleza viril; a segunda, a beleza caprichosa e suave, que despreza as homenagens dos maiores heróis.

SOBRE A EDUCAÇÃO DAS CRIANÇAS

Frígia.* O preceptor lhe dará essa nova lição, de que o preço e a grandeza da verdadeira virtude estão na facilidade, na utilidade e no prazer de seu exercício; tão longe de ser difícil que tanto as crianças como os homens a alcançam, tanto os simples como os espertos. Seu instrumento é a moderação, não a força. Sócrates, seu primeiro favorito, abandona deliberadamente o esforço para deslizar na ingenuidade de sua fácil progressão. Ela é a mãe nutriz dos prazeres humanos. Tornando-os justos, torna-os seguros e puros. Moderando-os, mantém-lhes o alento e o apetite. Suprimindo-nos aqueles que recusa, aguça-nos para aqueles que nos deixa; e deixa-nos em abundância todos os que a natureza nos prodigaliza; e até a saciedade, se não até a lassidão, maternalmente, se porventura não quisermos dizer que sua regra é inimiga de nossos prazeres, pois detém o beberrão antes da bebedeira, o guloso antes da indigestão, o libertino antes da sífilis. Se falta à virtude o prazer comum, ela se evade ou o dispensa, e forja para si um outro, todo seu, não mais flutuante nem mutável. Sabe ser rica e poderosa, e sábia, e dormir em colchões almiscarados. Ama a vida, ama a beleza, a glória e a saúde. Mas seu ofício próprio e particular é saber usar esses bens com moderação e sabê-los perder com firmeza: ofício bem mais nobre que árduo, sem o qual todo o curso da vida é desnaturado, turbulento e deformado; e então é de fato possível amarrar a ele aqueles escolhos, aqueles matagais espinhosos e aqueles monstros. Se esse discípulo se revelar em tão estranha condição que prefira ouvir uma fábula à narração de uma bela viagem ou um sábio propósito, quando o compreender; se ao som do tambor conclamando o jovem ardor de seus companheiros ele se desviar para outro que o chama para o jogo dos saltimbancos; se por

---

* O pastor Páris, que preferiu Afrodite a Hera e a Atena. Montaigne opta por Bradamante.

acaso não achar mais prazeroso e agradável voltar, empoeirado e vitorioso, de um combate do que, depois de ganhar um prêmio, do jogo da pela ou de um baile, não vejo outro remédio a não ser o estabelecerem como pasteleiro em alguma boa cidade, mesmo sendo filho de um duque, seguindo o preceito de Platão de que é preciso conseguir uma colocação para os filhos não conforme os recursos do pai mas conforme os recursos da alma deles. Já que a filosofia é a arte que nos ensina a viver, e que a infância, assim como as outras idades, nela aprende sua lição, por que não a transmitirmos?

Udum et molle lutum est, nunc nunc properandus, et acri Fingendus sine fine rota.*
[A argila é úmida e mole, é agora que é preciso apressar-se em moldá-la na roda que gira sem fim.]

Ensinam-nos a viver quando a vida já passou. Cem estudantes contraíram sífilis antes de terem chegado à lição de Aristóteles sobre a temperança. Cícero dizia que mesmo que vivesse a vida de dois homens não perderia tempo estudando os poetas líricos. E considero essas sutilezas ainda mais tristemente inúteis. Nossa criança é bem mais apressada: só deve à instrução escolar os primeiros quinze ou dezesseis anos de sua vida; o resto se deve à ação. Empreguemos esse tempo tão curto nos ensinamentos necessários. Livrai-vos de todas essas minudências espinhosas da dialética: são abusos com que nossa vida não pode melhorar; pegai os simples discursos da filosofia, sabei escolhê-los e tratá-los como se deve, são mais fáceis de compreender do que um conto de Boccaccio. Uma criança é capaz disso assim que largar a ama de leite; é muito mais fácil do que aprender a ler ou escrever. A filosofia tem argumentos tanto para o nascimento

* Pérsio, III, 23-4.

SOBRE A EDUCAÇÃO DAS CRIANÇAS   111

dos homens como para sua decrepitude. Sou da opinião
de Plutarco, de que Aristóteles nunca ocupou muito seu
grande discípulo* com o artifício de compor silogismos
ou com os princípios de geometria, e sim ensinando-lhe
os bons preceitos sobre valentia, bravura, magnanimidade e temperança, e a segurança de nada temer: e com essa
munição o mandou, ainda criança,** subjugar o Império
do mundo com 30 mil homens de infantaria, 4 mil cavalos e apenas 42 mil escudos. As outras artes e ciências,
dizia Plutarco, Alexandre as honrava e louvava-lhes a
excelência e a engenhosidade, mas apesar do prazer que
nelas encontrava não se deixava surpreender facilmente
pelo desejo de praticá-las.

  Petite hinc juvenesque senesque
  *Finem animo certum, miserisque viatica canis.****
  [Fixai-vos, jovens e velhos, uma regra firme para vosso
  espírito, um viático para as misérias da idade dos cabelos brancos.]

É o que dizia Epicuro no começo de sua carta a Me-
niceu: "Nem o mais moço se recusa a filosofar, nem o
mais velho se cansa com isso. Quem age de outra forma
parece dizer que ainda não é época de viver com felicidade, ou que já não é mais época". Por tudo isso não quero
que aprisionem esse rapaz, não quero que o abandonem
à raiva e ao humor melancólico de um furioso mestre-
-escola; não quero corromper seu espírito mantendo-o
na tortura e no trabalho, à moda dos outros, catorze
ou quinze horas por dia, como um carregador. Quando

* Alexandre, o Grande.
** No original: *enfant*, que na época designava quem ainda
não fosse um homem maduro. Alexandre partiu à conquista
da Ásia aos 22 anos.
*** Pérsio, v, 64-5.

o virem demasiadamente aplicado ao estudo dos livros, devido a um temperamento solitário e melancólico, não me parece bom alimentar essa tendência: os meninos tornam-se ineptos para a convivência social e são desviados de ocupações melhores. E, no meu tempo, quantos homens vi embrutecidos por temerária avidez de ciência? Carnéades ficou tão alucinado que não teve mais tempo de cortar a barba nem as unhas! Nem quero estragar a nobreza de seu comportamento com a incivilidade e barbárie dos outros. Antigamente se dizia que a sabedoria francesa era proverbial por ser uma sabedoria boa no início mas, em seguida, sem constância.* Na verdade, ainda vemos que não há nada tão cavalheiresco como as crianças pequenas na França, mas geralmente elas decepcionam a esperança suscitada, não demonstrando nenhuma excelência quando homens-feitos. Ouvi dizer por pessoas inteligentes que esses colégios, de que existe uma profusão e para onde as enviam, embrutecem-nas assim. Para o nosso menino, um gabinete, um jardim, a mesa e a cama, a solidão, a companhia, de manhã ou à tarde, todas as horas lhe serão equivalentes, todos os lugares lhe serão de estudo: pois a filosofia, que como formadora de julgamentos e costumes será sua principal lição, tem esse privilégio de se imiscuir em tudo. Quando Isócrates, o orador, foi instado a falar de sua arte numa festa, todos acharam que tinha razão ao responder: "Agora não é o momento para o que sei fazer, e aquilo de que é o momento agora, eu não sei fazer". Pois apresentar arengas ou debates de retórica a um grupo de pessoas reunidas para rir e comer seria uma boa mistura de péssima harmonia. E o mesmo se poderia dizer de todas as outras ciências; mas quanto à filosofia, na parte em que trata do homem e de seus deveres e ofícios, foi

* Era o que diziam os romanos sobre os gauleses, com respeito à sua capacidade de lutar.

opinião comum de todos os sábios que, pela suavidade de sua conversação, não devia ser recusada nos festins nem nos jogos. E tendo sido convidada por Platão para seu banquete, vemos como ela entretém a plateia de forma agradável e de acordo com a hora e o lugar, embora seus temas sejam dos mais sublimes e mais salutares.

Aeque pauperibus prodest, locupletibus aeque,
Et neglecta aeque pueris senibusque nocebit.*
[Ela é útil igualmente aos pobres e aos ricos, e, se a negligenciarem, prejudicará igualmente crianças e velhos.]

Portanto, ele terá, sem dúvida, menos folga que os outros. Mas assim como os passos que damos ao caminhar por uma galeria, embora sejam três vezes mais, não nos cansam como os que damos em um trajeto estipulado, assim também nossa lição, passando-se como por acaso, sem obrigação de tempo e lugar, e misturando-se a todas as nossas ações, decorrerá sem se fazer sentir. Os próprios jogos e exercícios serão uma boa parte do estudo: a corrida, a luta, a música, a dança, a caça, o manejo dos cavalos e das armas. Quero que a boa conduta física e a civilidade social, e a disposição de seu temperamento se moldem passo a passo com o espírito. Não é uma alma que se forma, não é um corpo que se forma, é um homem. Não se deve separá-los. E, como diz Platão, não devemos adestrar um sem o outro, mas conduzi-los juntos, como uma parelha de cavalos atrelados no mesmo timão. E ao ouvi-lo, ele não parece conferir mais tempo e solicitude aos exercícios do corpo, considerando que o espírito se exercita ao mesmo tempo, e não o contrário? No mais, essa educação deve ser conduzida por uma severa doçura e não como se faz. Em vez de convidar as crianças às letras, na verdade a elas só se apresentam o

* Horácio, *Epístolas*, I, 1, 25-6.

horror e a crueldade; suprimam-se a violência e a força: não há nada, a meu ver, que abastardize e embruteça tão fortemente uma natureza bem-nascida. Se pretendeis que ele tema a vergonha e o castigo, não o calejais para isso: calejai-o contra o suor e o frio, o vento, o sol e os perigos que ele deve desprezar; tirai-lhe toda a moleza e a delicadeza no vestir e no deitar-se, no comer e no beber. Acostumai-o a tudo: que não seja um belo rapaz e adamado, mas um rapaz viçoso e vigoroso. Criança, homem, velho, sempre acreditei e julguei da mesma maneira. Mas, entre outras coisas, essa organização da maioria de nossos colégios sempre me desagradou. Talvez falhassem menos prejudicialmente caso se inclinassem para a indulgência. São verdadeiras prisões da juventude cativa. Tornam-na depravada punindo-a por isso antes que ela o seja. Chegai lá no momento em que eles estudam: não ouvireis mais que gritos, os das crianças supliciadas e os dos mestres inebriados em sua cólera. É maneira de despertar o apetite pela lição nessas almas tenras e temerosas guiá-las com uma carantonha assustadora, as mãos armadas de chicotes? Iníqua e perniciosa forma. Além do mais, o que Quintiliano notou muito bem, essa autoridade imperiosa tem consequências perigosas, e especialmente quanto à nossa maneira de castigar. Como seriam mais apropriadas essas aulas se juncadas de flores e folhas do que de pedaços de varas ensanguentadas! Ali eu mandaria pôr retratos da alegria, do júbilo, de Flora e das Graças, como fez em sua escola o filósofo Espeusipo. Ali onde as crianças encontram seu proveito, que encontrem também seu prazer. Devemos adoçar os alimentos saudáveis para as crianças: e pôr fel nos que lhes são nocivos. É maravilhoso como Platão se mostra, em suas *Leis*, cuidadoso com a alegria e os passatempos da juventude de sua cidade; e como se detém em suas corridas, jogos, canções, saltos e danças, cujo comando e patrocínio, diz, foi dado pela Antiguidade a seus pró-

SOBRE A EDUCAÇÃO DAS CRIANÇAS

prios deuses, como Apolo, as Musas, Minerva. Ele se estende em mil preceitos para seus ginásios. Pelas ciências letradas muito pouco se interessa, e parece só recomendar a poesia para, especificamente, a música. Toda bizarrice e particularidade em nossos costumes e modos de ser devem ser evitadas, por serem inimigas de sociedade. Quem não se espantaria com a compleição de Demofonte, mordomo de Alexandre, que suava à sombra e tremia ao sol? Vi outros fugirem do odor das maçãs mais que dos tiros de arcabuzes; outros se apavorarem com um camundongo; outros vomitarem ao ver creme; outros ao verem sacudir-se um colchão de plumas, assim como Germânico não conseguia suportar a visão nem o canto dos galos. Pode haver nisso, quem sabe, alguma causa oculta, mas a meu ver quem disso se ocupasse bem cedo conseguiria extingui-la. Em mim a educação resultou, é verdade que não sem algum cuidado, em que o apetite se acomoda indiferentemente com todas as coisas de que nos nutrimos, salvo a cerveja. Quando o corpo ainda é maleável devemos dobrá-lo a todas as maneiras e hábitos; e desde que se possam manter as rédeas do apetite e da vontade, tornemos atrevidamente o rapaz apto a se adaptar a todas as nações e companhias, e até ao desregramento e aos excessos, se necessário for. Que sua conduta siga o costume. Que ele possa fazer todas as coisas e só goste de fazer as boas. Os próprios filósofos não consideram louvável em Calístenes o fato de ter perdido as boas graças do grande Alexandre, seu senhor, por não desejar beber tanto quanto ele. Ele há de rir, galhofar, farrear com seu príncipe. Quero que na própria bebedeira supere em vigor e em firmeza os companheiros, e que renuncie a fazer o mal, não por falta de força nem de conhecimento, mas por falta de vontade. *Multum interest, utrum peccare quis nolit, aut nesciat.** [Há

* Sêneca, *Cartas a Lucílio*, XC, 46.

uma distância entre não querer e não saber fazer o mal.] Pensei estar honrando a um senhor, um dos mais distantes desses excessos que existem na França, ao indagar dele, quando estávamos em boa companhia, quantas vezes na vida tinha se embriagado por necessidade, para os negócios do rei na Alemanha. Ele entendeu bem a coisa e respondeu-me que tinham sido três vezes, as quais nos contou. Sei de outros que, por falta dessa habilidade, viram-se em grande embaraço quando frequentavam essa nação. Muitas vezes reparei com grande admiração a maravilhosa natureza de Alcibíades para se adaptar tão facilmente, sem prejuízo de sua saúde, a formas tão diversas, superando ora a suntuosidade e a pompa persas, ora a austeridade e a frugalidade lacedemônias, tão austero em Esparta como voluptuoso na Jônia:

Omnis Aristippum decuit color, et status et res.[*]
[Toda forma de vida convinha a Aristipo, toda condição, toda fortuna.]

Assim eu gostaria de formar meu discípulo,

quem Duplici panno patienta velat,
Mirabor, vitae via si conversa decebit,
Personamque feret non inconcinnus utramque.[**]
[admirarei aquele cuja resistência está coberta com dois trapos de um andrajo, se essa mudança de vida lhe convier e se ele assumir sem discordância esses dois papéis.]

Essas são minhas lições: melhor as aproveita quem as aplica do que quem as sabe. Vê-las é compreendê-las; compreendê-las é vê-las. "Não permita Deus", diz alguém em Platão, "que filosofar seja aprender várias coisas

---

* Horácio, *Epístolas*, I, xvii, 23.
** Horácio, *Epístolas*, I, xvii, 25-6 e 29.

SOBRE A EDUCAÇÃO DAS CRIANÇAS

e tratar das artes." *Hanc amplissimam omnium artium bene vivendi disciplinam, vita magis quam literis persequuti sunt.** [Saber viver bem, a mais importante de todas as artes, eles aprenderam mais por sua vida que pelos livros.] Leão, príncipe dos fliásios, perguntou a Heráclides do Ponto que ciência e que arte professava, e ele respondeu: "Não sei arte nem ciência, mas sou filósofo". Criticava-se Diógenes por, sendo ignorante, meter-se na filosofia. "Eu me meto", ele dizia, "e mais ainda por isso mesmo." Hegésias pediu-lhe que lhe lesse certo livro: "És engraçado", respondeu, "escolhes os figos de verdade e naturais, e não pintados; por que não escolhes também as ações naturais, verdadeiras, e não escritas?". O aluno não recitará tanto sua lição como a praticará. Há de ensaiá-las em seus atos. Veremos se há prudência em seus empreendimentos; se há bondade, justiça em seu comportamento; se tem discernimento e graça em sua linguagem, vigor em suas doenças, modéstia em seus jogos, temperança em suas volúpias, ordem na gestão de seus bens, indiferença em seu gosto, seja carne, peixe, vinho ou água. *Qui disciplinam suam non ostentationem scientiae, sed legem vitae putet: quique obtemperet ipse sibi, et decretis pareat.*** [Quem considera seu saber não como exibição de uma ciência mas como regra de vida, que portanto se submeta a si mesmo e obedeça aos próprios princípios.] O verdadeiro espelho de nossos discursos é o curso de nossas vidas. A alguém que lhe perguntou por que os lacedemônios não redigiam por escrito as regras de bravura e davam para seus jovens ler, Zeuxidamo respondeu que era porque queriam acostumá-los aos fatos, não às palavras. Ao cabo de quinze ou dezesseis anos, compare-se com ele um desses latinizadores de colégio, que terá levado todo esse tempo apenas para aprender a

* Cícero, *Tusculanas*, IV, III, 5.
** Cícero, *Tusculanas*, II, IV, 11.

falar! O mundo não passa de tagarelice, e nunca vi homem que não diga mais, e não menos, do que deve; no entanto, a metade de nossa vida vai-se nisso. Mantêm-nos por quatro ou cinco anos ensinando-nos a compreender as palavras e a costurá-las em frases, mais outros tantos para arrumá-las de modo proporcional numa grande composição organizada em quatro ou cinco partes, outros cinco, pelo menos, para aprender a misturá-las e entrelaçá-las rapidamente de forma sutil. Deixemos tudo isso para os que o professam expressamente. Indo um dia a Orléans, encontrei naquela planície, antes de Cléry, a cerca de cinquenta passos um do outro, dois mestres que vinham a Bordeaux; mais longe, atrás deles, vi um grupo tendo à frente um chefe, que era o finado senhor conde de La Rochefoucauld. Um de meus homens perguntou ao primeiro desses mestres quem era aquele fidalgo que vinha atrás dele; o mestre, que não tinha visto o cortejo e pensava que lhe falassem de seu companheiro, respondeu gracejando: "Ele não é fidalgo, é um gramático, e eu sou um lógico". Ora, nós que aqui procuramos, ao contrário, formar não um gramático ou um lógico mas um fidalgo, deixemo-los abusar de seu tempo livre: temos o que fazer em outro lugar. Mas que nosso discípulo esteja bem provido de coisas, e as palavras virão, mais que suficientes; e se não quiserem vir facilmente, puxará por elas. Ouço uns que se desculpam por não conseguir se expressar; e fazem de conta que têm a cabeça cheia de várias belas coisas, mas por falta de eloquência não conseguem pô-las em evidência: é uma bobagem. Sabeis, a meu ver, o que é isso? São ilusões, que lhes vêm de certos conceitos disformes que eles não conseguem desemaranhar e esclarecer dentro de suas cabeças, nem, por conseguinte, produzir externamente. Eles mesmos ainda não se compreendem: vede-os gaguejando um pouco no momento de dar à luz e compreendereis que o trabalho deles não está no parto mas na concepção, e que não fazem mais que lamber essa

SOBRE A EDUCAÇÃO DAS CRIANÇAS 119

matéria imperfeita. De minha parte afirmo, e Sócrates ordena, que quem tem no espírito uma ideia viva e clara há de expressá-la, seja em bergamasco seja por mímicas, se for mudo:

Verbaque praevisam rem non invita sequentur.*
[E as palavras seguirão sem dificuldade a coisa bem concebida.]

E como dizia um outro em sua prosa, tão poeticamente, *cum res animum occupavere, verba ambiunt.*** [as palavras estão ali quando a coisa está presente no espírito.] E mais este: *ipsae res verba rapiunt.**** [as próprias coisas arrastam as palavras.] "Mas ele não sabe o que é ablativo, conjuntivo, nem substantivo, nem gramática." Seu lacaio tampouco, e muito menos uma vendedora de arenques do Petit Pont; e no entanto vos entreterão até fartar, se quiserdes, e sem dúvida vão se embrulhar tão pouco nas regras de sua linguagem quanto o melhor Mestre de Artes da França. "Mas ele não sabe retórica, nem no seu prólogo sabe captar a benevolência do cândido leitor." Nem precisa sabê-lo. Na verdade, toda essa bela pintura se ofusca facilmente com o brilho de uma verdade simples e ingênua: essas delicadezas só servem para divertir o vulgo, incapaz de consumir a carne mais sólida e mais firme, como Afer mostra bem claramente em Tácito: os embaixadores de Samos foram ver Cleômenes, rei de Esparta, tendo preparado uma bela e longa oração para incitá-lo à guerra contra o tirano Polícrates; ele os deixou falar bastante e depois respondeu: "Quanto a vosso preâmbulo e exórdio, não me lembro mais dele, nem, por conse-

---

* Horácio, *Arte poética*, 311.
** Sêneca, o Retórico, *Controvérsias*, iii, *proemium*.
*** Cícero, *De finibus*, III, v, 19.

guinte, do meio; e quanto à vossa conclusão, não quero fazer nada disso". Eis uma bela resposta, parece-me, e arengadores bem atrapalhados. E que tal este outro? Os atenienses estavam a escolher entre dois arquitetos para dirigir uma grande construção; o primeiro, mais afetado, apresentou-se com um belo discurso preparado sobre o trabalho a ser feito, e ia puxando a seu favor o julgamento do povo; mas o outro só retrucou com umas três palavras: "Senhores atenienses, o que ele disse eu farei". No auge da eloquência de Cícero, várias pessoas punham-se a admirá-lo, mas Catão só fazia rir: "Temos", dizia, "um cônsul divertido". Que venha antes ou depois, uma frase útil, uma bela tirada é sempre bem-vinda. Se não combinar com o que vem antes nem com o que vem depois, é boa em si mesma. Não sou desses que pensam que a boa rima faz o bom poema: deixai o poeta alongar uma sílaba curta, se quiser, isso pouco importa; se as invenções sorriem, se o espírito e o julgamento fizeram bem sua tarefa, eis um bom poeta, direi, mas um mau versejador,

> *Emunctae naris, durus componere versus.*[*]
> [Compor versos duros mas tendo um bom faro.]

Que se faça, diz Horácio, sua obra perder todas as costuras e medidas,

> *Tempora certa modosque, et quod prius ordine*
> *verbum est,*
> *Posterius facias, praeponens ultima primis,*
> *Invenias etiam disjecti membra poetae;*[**]
> [As medidas precisas e os ritmos; e que se ponha no fim a palavra colocada antes, trocando as últimas pelas

[*] Horácio, *Sátiras*, I, iv, 8.
[**] Horácio, *Sátiras*, I, iv, 58-9 e 62.

SOBRE A EDUCAÇÃO DAS CRIANÇAS

primeiras; encontrar-se-ão ainda os membros separados do poeta;]

nem por isso ela perderá o valor: os próprios fragmentos serão belos. Foi o que respondeu Menandro quando, aproximando-se o dia para o qual prometera uma comédia em que ainda não tinha posto a mão, o criticaram: "Ela está composta e pronta, basta acrescentar os versos". Com o tema e a matéria arrumados na alma, ele tinha o restante em pouca conta. Desde que Ronsard e Du Bellay deram credibilidade à nossa poesia francesa, não vejo aprendiz, por pequeno que seja, que não empole as palavras, que não alinhe as cadências mais ou menos como eles. *Plus sonat quam valet.** [Ele faz mais barulho do que vale.] Para o vulgo, nunca houve tantos poetas, mas assim como para estes foi bem fácil imitar os ritmos daqueles, assim também são incapazes de imitar as ricas descrições de um e as delicadas invenções do outro. Que seja, mas o que fará o aluno se o pressionarem com a sutileza sofisticada de um silogismo: presunto faz beber, beber mata a sede, portanto presunto mata a sede? Que ele ria. É mais inteligente rir do que responder a isso. Que tome de Aristipo esta réplica jocosa: "Por que desatar o que, atado, já é intrincado?". A alguém que desafiava Cleanto com minudências dialéticas, Crisipo declarou: "Vai brincar de passes de mágica com as crianças, e não desvies para isso os pensamentos sérios de um homem maduro". Se essas tolas argúcias, *contorna et aculeata sophismata,*** [sofismas tortuosos e espinhosos] devem persuadi-lo a aceitar uma mentira, isso é perigoso: mas se permanecem sem efeito e só lhe dão vontade de rir, não vejo por que deve precaver-se. Há uns tão bobos que se desviam do caminho um quarto de

* Sêneca, *Epístolas*, 40.
** Cícero, *Acadêmicas*, II, xxiv.

légua para correr atrás de uma bonita frase: *aut qui non verba rebus aptant, sed res extrisecus arcessunt, quibus verba conveniant.** [ou que não adaptam as palavras aos assuntos, mas que procuram assuntos aos quais suas palavras possam convir.] E outro: *Qui alicujus verbi decore placentis vocentur ad id quod non proposuerant scribere.*** [Que para colocar uma palavra bonita são atraídos para o que não tinham previsto escrever.] Com muito mais gosto torço uma bela sentença para costurá--la em mim do que destorço o fio de meu argumento para ir procurá-la. Ao contrário, cabem às palavras servir e seguir, e se o francês não conseguir chegar lá, que o gascão consiga. Quero que as coisas dominem e encham a imaginação de quem escuta, de tal modo que o ouvinte não tenha nenhuma lembrança das palavras. A linguagem que amo é uma linguagem simples e natural, tanto no papel como na boca: uma linguagem suculenta e nervosa, curta e concisa, não tanto delicada e penteada como veemente e brusca.

Haec demum sapiet dictio, quae feriet.***
[A expressão que fere é a certa.]

Antes difícil que tediosa, afastada da afetação, sem regra, descosida e ousada: que cada trecho forme uma unidade; não pedantesca, não padresca, não legalesca, mas antes soldadesca, como Suetônio chama a de Júlio César. E não percebo muito bem por que a chama assim. De bom grado imitei esse desleixo que se vê em nossa juventude no trajar de suas roupas. Um manto que parece um xale, a capa sobre um ombro, uma meia mal esticada, o

* Quintiliano, *Instituição oratória*, VIII, III, 30.
** Sêneca, *Cartas a Lucílio*, LIX, 5.
*** Epitáfio de Lucano, em *Vita Lucani*, recolhido nas edições do poeta publicadas no século XVI.

que representa uma altivez desdenhosa em face desses ornamentos externos e uma negligência em face dos artifícios; mas acho-o ainda mais bem empregado na forma de falar. Toda afetação, em especial na alegria e na liberdade francesas, é mal vinda no cortesão. E em uma monarquia, todo fidalgo deve ser formado para ter a postura de um cortesão. Por isso bem fazemos ao nos desviarmos um pouco para o natural e para o desprezo das conveniências. Não gosto de texturas em que as junções e as costuras aparecem, assim como num belo corpo não devemos conseguir contar os ossos e as veias. *Quae veritati operam dat oratio, incomposita sit et simplex.** [O discurso que se prende à verdade deve ser simples e sem requinte.] *Quis accurate loquitur, nisi qui vult putide loqui?*** [Quem cuida de seu discurso senão aquele que quer falar com afetação?] Quando a eloquência nos desvia para si mesma, é prejudicial às coisas. Assim como nos vestuários é infantilidade querer se distinguir de alguma maneira particular e inusitada, assim também na linguagem a procura de frases novas e palavras pouco conhecidas decorre de uma ambição escolar e pueril. Possa eu me servir apenas daquelas empregadas nos mercados de Paris! Aristófanes, o gramático, nada compreendia quando criticava em Epicuro a simplicidade de suas palavras e a finalidade de sua arte oratória, que era apenas clareza de linguagem. Por sua facilidade, a imitação do falar ganha incontinente todo um povo. A imitação do julgar, do inventar, não vai tão depressa. A maioria dos leitores, quando encontra uma roupa igual, pensa muito falsamente possuir um corpo igual. Mas a força e os nervos não se emprestam: os adornos e o manto emprestam-se. A maioria dos que me frequentam fala da mesma maneira que estes *Ensaios*; mas não sei se pensa da mesma ma-

---

* Sêneca, *Cartas a Lucílio*, XI, 4.
** Sêneca, *Cartas a Lucílio*, LXXV, 1.

neira. Os atenienses (diz Platão) têm, por seu lado, preocupação com a abundância e a elegância do falar, os espartanos, com a brevidade, e os de Creta, com a fecundidade das ideias mais que da linguagem: estes são os melhores. Zenão dizia possuir dois tipos de discípulos: uns, a que chamava φιλολογουξ, curiosos de aprender as coisas, eram seus favoritos; os outros, λογοφιλουξ,* que só cuidavam da linguagem. Não significa isso que falar bem não seja uma bela e boa coisa, mas não tão boa como se pretende, e irrita-me que toda a nossa vida seja ocupada nisso. Gostaria de, primeiramente, saber bem minha língua, e a de meus vizinhos com quem mantenho contato mais habitual. Não há dúvida de que o grego e o latim são um belo e grande ornamento, mas por eles paga-se muito caro. Contarei aqui uma maneira de pagar mais barato que de costume e que foi testada em mim mesmo: há de utilizá-la quem quiser. Meu finado pai, tendo feito todas as buscas que um homem pode fazer entre pessoas sábias e cultivadas a respeito de uma forma excelente de educação, foi advertido do inconveniente do sistema tradicional na época. E diziam-lhe que essa demora que levávamos para aprender as línguas, que para os antigos gregos e romanos não custavam nada, era o único motivo de não conseguirmos chegar à grandeza de alma e de conhecimento deles; não creio que essa seja a única causa. O fato é que o expediente encontrado por meu pai foi, quando eu ainda estava com a ama de leite e antes que minha língua se soltasse, confiar-me a um alemão,** que depois morreu na França como famoso médico, ignorando totalmente nossa língua mas muito bem versado na latina. Este, que meu pai mandara buscar especialmente e que era muito bem remunerado, me tinha

---

* Respectivamente, "filólogos" e "logófilos".
** Horstanus, que depois ensinou no Colégio de Guyenne, em Bordeaux, onde Montaigne estudou de 1539 a 1546.

SOBRE A EDUCAÇÃO DAS CRIANÇAS

continuamente nos braços. Meu pai também contratou, ao lado dele, dois outros, de menor saber, para me seguir e aliviar o primeiro: estes só conversavam comigo em latim. Quanto ao resto da casa, era uma regra inviolável que nem ele nem minha mãe, nem criado nem camareira falassem em minha presença a não ser com palavras em latim, que todos aprenderam para conversar comigo. Foi uma maravilha o fruto que cada um tirou disso: meu pai e minha mãe aprenderam latim o bastante para compreendê-lo e adquiriram o suficiente para o falarem se necessário, como também fizeram os outros domésticos mais ligados ao meu serviço. Em suma, nós nos latinizamos tanto que transbordou latim até para as nossas aldeias ao redor, onde criaram raízes e onde ainda há vários nomes latinos para artesãos e ferramentas. Quanto a mim, eu tinha seis anos antes de compreender o francês mais que o perigordino ou o árabe; e sem método, sem livro, sem gramática ou preceito, sem chicote e sem lágrimas, tinha aprendido o latim, tão puro como o que sabia meu mestre-escola, pois eu não tinha como misturá-lo ou alterá-lo. Se à guisa de exercício queriam me dar um tema, à moda dos colégios, davam aos outros em francês mas a mim deviam dar em mau latim para que eu passasse para o bom. E Nicholas Grouchy, que escreveu *De comitiis romanorum*, Guillaume Guérente, que comentou Aristóteles, Georges Buchanan, esse grande poeta escocês, Marc Antoine Muret (que a França e a Itália reconhecem como o melhor orador da época), meus preceptores domésticos, disseram-me muitas vezes que em minha infância eu tinha essa linguagem tão pronta e tão à mão que temiam me abordar. Buchanan, que depois vi no séquito do falecido senhor marechal de Brissac, disse-me que estava ocupado em escrever sobre a educação das crianças e que tomava a minha como exemplo, pois era então encarregado desse conde de Brissac que mais tarde vimos tão valoroso e tão bravo. Quanto ao grego, de que não tenho quase nenhum conhecimento, meu pai tencionou que eu o aprendesse metodicamente. Mas de um jeito novo, em forma de brincadeira e exercício: pelotávamos* nossas declinações, como os que, por certos jogos de tabuleiro, aprendem aritmética e geometria. Pois entre outras coisas, ele fora aconselhado a me fazer apreciar a ciência e o dever, sem forçar minha vontade e por meu próprio desejo; e a educar minha alma em absoluta doçura e liberdade, sem rigor nem coação. E porque alguns pretendem que acordar as crianças de manhã aos sobressaltos e arrancá-las de repente do sono (em que estão mergulhadas muito mais que nós), e com violência, perturba seu tenro miolo, ele chegou, digo eu, a tal superstição que mandava me acordar ao som de um instrumento, e nunca fiquei sem alguém que me prestasse esse serviço. Esse exemplo bastará para julgar o resto e também para valorizar a sabedoria e a afeição de um pai tão bom, a quem não se deve culpar se não recolheu nenhum fruto correspondente a cultura tão requintada. Duas foram as causas disso: primeiro, um terreno estéril e desfavorável. Pois embora eu tivesse a saúde firme e intacta, e ao mesmo tempo uma natureza suave e afável, era ao mesmo tempo tão lerdo, mole e sonolento que não conseguiam me arrancar da ociosidade, salvo para me fazer brincar. O que eu via, via bem; e sob essa compleição pesada, nutria ideias ousadas e opiniões acima de minha idade. O espírito era preguiçoso e só avançava até onde o levavam; a compreensão, tardia; a imaginação, frouxa, e além de tudo havia uma incrível falta de memória. Não espanta se de tudo isso ele não tenha sabido tirar nada que valesse. Em segundo lugar, assim como os apressados que têm um desejo frenético de encontrar a cura se deixam levar por todo tipo de conselho, o bom homem, tendo um medo extremo de falhar numa coisa que tanto tomara a

* Jogar a bola de um para outro, como no jogo de pela.

SOBRE A EDUCAÇÃO DAS CRIANÇAS

peito, deixou-se enfim levar pela opinião comum, que sempre segue os que vão na frente, como os grous, e submeteu-se ao costume, já não tendo ao seu redor aqueles que lhe tinham dado as primeiras ideias sobre educação que ele trouxera da Itália; e enviou-me, quando eu tinha cerca de seis anos, para o Colégio de Guyenne, muito florescente nesse tempo e o melhor da França. E lá também nada é possível acrescentar ao cuidado que teve ao me escolher preceptores particulares competentes, e em relação a todos os outros detalhes de minha educação, preservando várias práticas particulares contrárias ao costume dos colégios; mas, de qualquer maneira, mesmo assim era um colégio. Meu latim degenerou de imediato e, por falta de prática, dele perdi todo o uso. E essa minha educação inabitual só serviu para me fazer pular, logo ao chegar, as primeiras turmas; pois aos treze anos, quando saí do colégio, tinha completado meu curso (como o chamam) e, na verdade, sem nenhum fruto que agora eu possa levar em conta. O primeiro gosto que tive pelos livros veio-me do prazer com as fábulas da *Metamorfose* de Ovídio. Pois por volta dos sete ou oito anos eu me furtava de qualquer outro prazer para lê-las, tanto mais que o latim era minha língua materna e que era o livro mais fácil que eu conhecia e o mais adaptado à minha pouca idade, devido ao assunto; pois dos *Lancelot du Lac, Amadis, Huon de Bordeaux*, e de tais mixórdias de livros com que a infância se distrai, eu não conhecia nem sequer os nomes e ainda nem conheço o conteúdo, de tão exata era minha disciplina. Com isso, tornava-me mais displicente para o estudo de meus outros livros prescritos. Foi quando me veio singularmente a propósito o contato com um homem inteligente, um preceptor que soube com habilidade tolerar esse desregramento e outros parecidos. Pois graças a ele li de enfiada a *Eneida*, de Virgílio, e depois Terêncio, e depois Plauto, e as comédias italianas, sempre seduzido pela doçura do tema. Se ele tivesse sido tão louco para romper esse ritmo, estimo que eu só teria trazido do colégio o ódio pelos livros, como faz quase toda a nossa nobreza. Agiu com perspicácia, fazendo de conta que nada via; aguçava minha fome, só me deixando saborear aqueles livros furtivamente, mantendo-me com suavidade no bom caminho para os outros estudos regulamentares. Pois as principais qualidades que meu pai buscava naqueles a quem me confiava eram a benevolência e o temperamento fácil. Assim, o meu próprio não tinha outro defeito além da morosidade e da preguiça. O perigo não era que eu fizesse mal, mas que não fizesse nada. Ninguém prognosticava que eu devesse me tornar mau, e sim inútil: previa-se vadiação, não maldade. Sinto que foi isso mesmo que aconteceu. As queixas que zunem em meus ouvidos são estas: "Ele é preguiçoso, frio nos deveres da amizade e de parentesco; e para as funções públicas, muito pessoal, muito desdenhoso". Mesmo os mais insultantes não dizem "Por que tomou? Por que não pagou?", mas "Por que não perdoa a dívida? Por que não dá?". Eu consideraria um favor se só desejassem de mim tais atitudes que excedem minhas obrigações. Mas são injustos ao exigir o que não devo, com muito mais rigor do que exigem de si mesmos o que devem. Condenando-me, suprimem o caráter desinteressado da ação e a gratidão que me seria devida, ao passo que a boa ação deveria pesar mais por ser de minha mão, considerando-se que nada tenho no passivo. Posso tanto mais dispor livremente de minha fortuna na medida em que é inteiramente minha; e dispor de mim quanto mais sou eu. Todavia, se eu desse grande lustre às minhas ações, talvez refutasse bastante essas críticas; e a alguns ensinaria que não estão ofendidos porque não faço o suficiente por eles mas sim porque poderia fazer muito mais do que faço. Porém, ao mesmo tempo minha alma não deixava de ter em si emoções fortes e julgamentos seguros e abertos sobre os objetos que conhecia;

SOBRE A EDUCAÇÃO DAS CRIANÇAS

e digeria-os sozinha, sem comunicar a ninguém. E entre outras coisas creio, de verdade, que ela teria sido totalmente incapaz de se render à força e à violência. Deverei demonstrar essa faculdade de minha infância, uma segurança no semblante, uma maleabilidade de voz e gesto, aplicando-me aos papéis que interpretava? Pois, antes da idade,

*Alter ab undecimo tum me vix ceperat annus,**
[Eu tinha apenas chegado ao décimo segundo ano,]

representei os principais personagens em tragédias latinas de Buchanan, Guérente e Muret, que foram encenadas dignamente no nosso Colégio de Guyenne. Nisso, assim como em todos os outros aspectos de seu cargo, Andreas Goveanus,** nosso diretor, foi sem comparação o maior diretor da França; e consideravam-me seu operário-mestre. O teatro é um exercício que não desaconselho aos meninos de boas famílias; e vi depois nossos príncipes se entregarem pessoalmente a ele, a exemplo de certos antigos, de forma honrosa e louvável. Na Grécia, era permitido até mesmo às pessoas nobres fazer disso sua profissão, *Aristoni tragico actori rem aperit: huic et genus et fortuna honesta erant: nec ars quia nihil tale apud Graecos pudori est, ea deformabat.**** [Abriu-se ao ator de tragédia Ariston; este era de um nascimento e de uma fortuna eminentes, que não tinham rebaixado sua arte, considerada entre os gregos como nada menos que desonrosa.] Pois sempre acusei de despropósito os que condenam esses divertimentos, e de

* Virgílio, *Bucólicas*, VIII, 39.
** Nome latinizado de André de Gouveia, famoso humanista português (1497-1548) naturalizado francês, diretor do Colégio de Guyenne. Em 1547 voltou para Portugal e fundou um colégio em Coimbra.
*** Tito Lívio, XXIV, XXIV.

injustiça os que recusam a entrada dos comediantes de valor em nossas boas cidades e negam ao povo esses prazeres públicos. Os bons governos tratam de unir os cidadãos e juntá-los nos exercícios e nos jogos, como nos ofícios sérios da devoção; a sociabilidade e a amizade aumentam e, além disso, não seria possível conceder passatempos mais regrados que os que acontecem em presença de todos, e mesmo à vista do magistrado; e acharia razoável que o príncipe, às suas expensas, gratificasse certas vezes a população com uma afeição e bondade como que paternal; e que nas cidades populosas houvesse lugares destinados e preparados para esses espetáculos: algo para desviar das ações piores e ocultas. Para voltar ao meu propósito, não há nada como aliciar o apetite e o amor do menino pelo estudo, do contrário apenas produzimos burros carregados de livros: dão-lhes para guardar, a chicotadas, uma maleta cheia de ciência. A qual, para fazer algum bem, não deve somente ser guardada em casa; é preciso desposá-la.

É loucura atribuir o verdadeiro e o falso à nossa competência

Capítulo XXVI*

Quando aplicada a acontecimentos estranhos ou milagrosos, a curiosidade é a um só tempo vã e arrogante. Os homens tendem a julgar por sua própria experiência paroquial o que é milagroso e o que não é. Mas só a autoridade da Igreja católica romana pode reconhecer milagres. Montaigne evoca dois erros de julgamento: a credulidade, e seu contrário, a presunção, que consiste em condenar como falso o que não nos parece verossímil. Este capítulo curto, que parece confirmar a ordem aleatória de Os ensaios, tem uma importância especial que dá coerência ao livro, pois é o primeiro capítulo apologético. Aqui Montaigne utiliza pela primeira vez, de forma sistemática, a referência ao De natura rerum, de Lucrécio, lido em 1564. Revela que ele mesmo conheceu a tentação do protestantismo, na juventude; afirma sua submissão à ortodoxia religiosa e deplora as concessões feitas pelos católicos, preocupados com a conciliação, em matéria de dogmas.

---

* Este capítulo é o de número XXVII nas edições de 1580, de 1588 e no Exemplar de Bordeaux.

Não é talvez sem razão que atribuímos à ingenuidade e à ignorância a facilidade de crer e de se deixar convencer, pois me parece que aprendi outrora que a crença era como uma impressão gravada em nossa alma; e à medida que ela estava mais mole e com menor resistência, mais fácil era imprimir-lhe alguma coisa. *Ut necesse est lancem in libra ponderibus impositis deprimi: sic animum perspicuis cedere.** [Assim como o prato da balança pende necessariamente quando foi carregado, assim o espírito cede às coisas evidentes.] Quanto mais vazia a alma, e sem contrapeso, mais facilmente se verga sob a carga da primeira persuasão. Eis por que as crianças, o vulgo, as mulheres e os doentes são mais sujeitos a ser levados pelo beiço. Mas também, por outro lado, é uma tola presunção ir desdenhando e condenando como falso o que não nos parece verossímil: o que é um vício habitual dos que pensam ter alguma competência além da comum. Assim eu fazia antigamente, e se ouvia falar dos espíritos que voltam ou do prognóstico das coisas futuras, dos encantamentos, das feitiçarias, ou contar uma outra história em que não conseguia acreditar,

---

* Cícero, *Academica priora*, II, xii, 38.

Somnia, terrores magicos, miracula, sagas,
Nocturnos lemures, portentaque Thessala,*
[Sonhos, terrores mágicos, milagres, feiticeiras, espec-
tros noturnos, prodígios da Tessália,]

vinha-me compaixão pelo pobre povo iludido por essas
loucuras. E atualmente acho que eu mesmo era, no mínimo, igualmente digno de pena. Não que a experiência
tenha desde então me feito ver alguma coisa acima de
minhas primeiras crenças; e no entanto não foi por falta
de curiosidade; mas a razão ensinou-me que condenar
assim, resolutamente, uma coisa por ser falsa e impossível é pretender ter na cabeça as fronteiras e os limites
da vontade de Deus e do poder de nossa mãe natureza;
e que não há no mundo loucura mais notável do que re-
duzi-los à medida de nossa capacidade e competência. Se
chamamos de monstros ou milagres coisas a que nossa
razão não consegue chegar, quantos deles se apresentam
continuamente aos nossos olhos? Consideremos como é
em meio de brumas e às apalpadelas que somos levados
ao conhecimento da maioria das coisas que temos em
mãos: sem dúvida, descobriremos que é mais o hábito do
que a ciência que nos retira a estranheza delas,

iam nemo fessus saturusque videndi,
Suspicere in caeli dignatur lucida templa,**
[e ninguém agora, cansado e farto de ver, se digna a
levantar os olhos para os templos luminosos do céu,]

e que essas coisas, se nos fossem apresentadas pela primeira vez, as acharíamos tão ou mais inacreditáveis
que quaisquer outras,

---

* Horácio, *Epístolas*, II, ii, 208-9.
** Lucrécio, ii, 1038-9.

si nunc primium mortalibus adsint
Ex improviso, ceu sint objecta repente,
Nil magis his rebus poterat mirabile dici,
Aut minus ante quod auderent fore credere gentes.*

[se esses objetos se apresentassem agora pela primeira vez aos mortais, ou se aparecessem subitamente, não se poderia dizer mais nada de admirável ou antes de vê-los os homens não teriam acreditado que isso pudesse existir.]

Quem nunca viu um rio, o primeiro que encontrou pensou que fosse o oceano; e as coisas que para nosso conhecimento são as maiores, julgamo-las serem os limites do que a natureza faz nesse gênero.

Scilicet et fluvius qui non est maxima, ei est
Qui non ante aliquem majorem vidit, et ingens
Arbor homoque videtur, et omnia de genere omni
Maxima quae vidit quisque, haec ingentia fingit.**

[Da mesma maneira, um rio que não é muito grande o é para quem não viu maior antes, e uma árvore ou um homem parecem imensos, e pensamos que são imensas todas as coisas que vemos muito grandes, de todo gênero.]

Consuetudine oculorum assuescunt animi, neque admirantur, neque requirunt rationes earum rerum, quas semper vident.*** [É por hábito dos olhos que os espíritos se habituam e não se espantam com as coisas que veem sempre, nem procuram suas razões.] A novidade das coisas, mais que sua grandiosidade, incita-nos a procurar-lhes as causas. É preciso julgar esse infinito

---

* Lucrécio, II, 1033-6.
** Lucrécio, VI, 647-77.
*** Cícero, *De natura decorum*, II, XXXVIII, 96.

poder da natureza* com mais reverência e mais reconhecimento de nossa ignorância e fraqueza. Quantas coisas pouco verossímeis existem, testemunhadas por pessoas dignas de fé; se não podemos convencer-nos, ao menos devemos deixá-las em suspenso; pois condená-las como impossíveis é pretender conhecer, por uma temerária presunção, até onde vai a possibilidade. Se compreendêssemos bem a diferença que há entre o impossível e o inusitado, e entre o que é contra a ordem do curso da natureza e contra a opinião comum dos homens, não acreditando temerariamente nem descrendo facilmente, observaríamos a regra do "Nada em excesso", de Quílon. Quando lemos em Froissart que o conde de Foix soube no Béarn da derrota do rei João de Castela em Aljubarrota, no dia seguinte em que ela aconteceu, e os meios que alega ter usado para saber, podemos rir;** e igualmente do que dizem nossos Anais, que no mesmo dia em que o rei Filipe Augusto morreu em Mantes o papa Honório lhe fez funerais públicos e proclamou-os em toda a Itália. Pois a autoridade desses testemunhos talvez não tenha alcance suficiente para impor-se a nós. Mas o que mais? Se Plutarco, além de vários exemplos que tira da Antiguidade, diz saber de ciência certa que,

---

* Em todas as edições publicadas ainda em vida de Montaigne, lê-se "esse infinito poder de Deus". Mas no Exemplar de Bordeaux ele riscou "Deus" e escreveu "natureza".
** Em 1385 o conde de Foix anunciou que houvera em Portugal uma matança de soldados do Béarn, o que a população só soube dez dias depois. Em seguida, o conde ficou três dias trancado em seus aposentos. Tinha fama de saber tudo antes dos outros, o que imputava a um fantasma chamado Orthon ou a outro do mesmo gênero, que teria servido ao senhor de Corasse e que agora lhe contava todas as novidades contadas ao antigo amo. Orthon seria um fantasma que percorria o mundo, andava mais rápido que o vento e trazia notícias com extrema rapidez.

na época de Domiciano, a notícia da batalha perdida por Antônio na Alemanha, a vários dias de lá, foi publicada em Roma e espalhada pelo mundo inteiro no mesmo dia em que foi perdida; e se César pretende que várias vezes aconteceu de a notícia preceder o fato, diremos que essas pessoas são ingênuas e deixaram-se enganar como o vulgo, por não serem clarividentes como nós? Existe algo mais delicado, mais claro e mais vivo do que o julgamento de Plínio quando lhe apraz exercitá-lo? Algo mais afastado da trivialidade? Deixo de lado a excelência de seu saber, que levo menos em conta: em qual dessas duas qualidades o superamos? Todavia, qualquer pequeno estudante o convence de mentira e pode lhe dar uma lição sobre a marcha das obras da natureza. Quando lemos em Bouchet os milagres das relíquias de santo Hilário, ainda passa: seu crédito não é grande o suficiente para tirar-nos a liberdade de contradizê-lo; mas condenar de um só golpe todas as histórias semelhantes me parece singular impudência. Esse grande santo Agostinho testemunha ter visto nas relíquias de são Gervásio e são Protásio, em Milão, uma criança cega recuperar a vista; uma mulher em Cartago ser curada de um câncer pelo sinal da cruz feito por uma mulher recém-batizada; Hespério, um íntimo seu, expulsar com um pouco de terra do Sepulcro de Nosso Senhor os espíritos que infestavam sua casa; e essa terra, depois transportada à Igreja, ter subitamente curado um paralítico; uma mulher, numa procissão, tendo tocado o relicário de santo Estêvão com um ramalhete, e com esse ramalhete tendo esfregado os olhos, ter recuperado a vista perdida há muito tempo; e vários outros milagres a que diz ter assistido pessoalmente. De que o acusaremos, a ele e a dois santos bispos, Aurélio e Maximino, que ele cita como testemunhas? Será ignorância, ingenuidade, condescendência, ou malícia e impostura? Existe homem em nosso século tão impudente que pense ser comparável a eles, seja em virtude e piedade, seja em saber, juízo e competência? *Qui ut rationem nullam afferent, ipsa autoritate me frangerent.*[*] [Que, mesmo se não fornecessem nenhuma explicação racional, quebrariam meus argumentos por sua simples autoridade.] Além da absurda temeridade que isso supõe, é uma ousadia perigosa de grande consequência desprezar o que não compreendemos. Pois, quando segundo vosso belo entendimento tiverdes estabelecido os limites da verdade e da mentira, e quando deveis necessariamente acreditar em coisas em que há ainda mais estranheza que naquelas que negais, já estais obrigado a abandoná-los. Ora, o que me parece trazer tanta desordem a nossas consciências nesses distúrbios de religião em que estamos é esse abandono que os católicos fazem de sua fé. Pensam agir como moderados e hábeis quando cedem aos adversários certos artigos de fé que estão em disputa. Mas, além do fato de que não veem que vantagem representa para quem vos ataca começar a lhe ceder e a recuar, e o quanto isso o anima a prosseguir sua investida, esses artigos que escolhem por ser os de menor peso são às vezes muito importantes. Precisamos nos submeter totalmente à autoridade de nossa lei eclesiástica ou dispensá-la totalmente: não nos cabe estabelecer o grau de obediência que lhe devemos. E ademais, posso dizê-lo por ter experimentado, tendo outrora usado essa liberdade de escolha e de seleção pessoais para negligenciar certos pontos na observância de nossa Igreja que me parecem mais vazios ou mais estranhos, e vindo a discutir a respeito com homens sábios, descobri que essas coisas têm um fundamento maciço e muito sólido, e que são apenas a besteira e a ignorância que nos levam a acatá-las com menos reverência que o resto. Por que não nos lembramos das contradições que sentimos em nosso

* Cícero, *Tusculanas*, I, XXI, 49.

próprio julgamento? Quantas coisas ontem nos serviam de artigos de fé e hoje nos parecem fábulas? A vanglória e a curiosidade são os flagelos de nossa alma. Esta nos leva a pôr o nariz em tudo, e aquela nos proíbe de nada deixar sem solução nem decisão.

Sobre os canibais

Capítulo XXX[*]

Os canibais do título são os índios do Brasil. Montaigne leu muitos relatos da conquista do Novo Mundo, inclusive o de Girolamo Benzoni, Historia del mondo nuovo *(Veneza, 1565), na tradução francesa de 1579, obra cujo subtítulo enfatizava o terrível tratamento dado aos nativos pelos conquistadores. Ele pretende se apoiar em testemunhos diretos, recolhidos junto aos atores do episódio da França Antártica, a colônia que os franceses tentaram implantar na baía de Guanabara a partir de 1555; junto a marinheiros e até mesmo a alguns índios que estavam no porto de Rouen em 1562. O "primitivismo" de Montaigne tem pouco a ver com o "bom selvagem" dos séculos seguintes. Seus índios são sanguinários e cruéis, antropófagos e polígamos. Estes dois últimos traços, longamente analisados, levam a pensar no caráter paradoxal e provocador do ensaio, muito trabalhado em sua eloquência. Se aqueles povos são de fato cruéis, nós também somos. Mas seus métodos simples têm muito a nos ensinar: podem servir de padrão para julgarmos a* República *de Platão, o mito da Idade de Ouro, a crueldade, a corrupção e a cultura da Europa. O que seduz Montaigne nos habitantes da costa brasileira é sua co-*

[*] Este capítulo é o de número XXX na edição de 1580 e XXXI nas de 1582, de 1588 e no Exemplar de Bordeaux.

ragem, sua virtude, seu ascetismo espartano: cidadãos ideais de uma Grécia onírica que uniria Esparta e Atenas. Com seu título chamativo, este capítulo seduzirá Shakespeare (que o ecoa em A tempestade) *e Rousseau.*

Quando o rei Pirro passou pela Itália, depois de ter reconhecido a organização do exército que os romanos enviavam contra ele, declarou: "Não sei que bárbaros são estes", pois os gregos assim chamavam a todas as nações estrangeiras, "mas o ordenamento deste exército que vejo não tem nada de bárbaro." O mesmo disseram os gregos a respeito daquele que Flamínio fez passar pelo país deles; e Filipe, ao ver de um outeiro de seu reino a ordem e a disposição do campo romano, na época de Públio Sulpício Galba. Eis como devemos evitar nos ater às opiniões correntes e como devemos julgá-las pela razão, não pela voz do povo. Tive por muito tempo comigo um homem que morara dez ou doze anos nesse outro mundo que foi descoberto em nosso século, no lugar onde Villegaignon veio a terra e que batizou de França Antártica.* Essa descoberta de um país infinito parece de grande importância. Não sei se posso garantir que se faça no futuro alguma outra, já que tantos foram os personagens maiores que nós a se enganarem sobre esta. Receio que tenhamos os olhos maiores que a barriga, e mais curiosidade que capacidade. Tudo abraçamos, mas só vento agarramos. Platão mostra-nos Sólon contando ter aprendido com os sacerdotes da cidade de Sais, no Egito, que antigamente, antes do dilú-

* França Antártica é o Brasil.

vio, havia uma grande ilha chamada Atlântida, bem na boca do estreito de Gibraltar, e que tinha mais terras do que a África e a Ásia juntas; e que os reis dessas paragens, que não possuíam só essa ilha mas tinham avançado tão longe em terra firme que reinavam numa extensão da largura da África, até o Egito, e do comprimento da Europa, até a Toscana, empreenderam ir até a Ásia e subjugar todas as nações que margeiam o mar Mediterrâneo, até o golfo do mar Negro; e que para isso atravessaram a Espanha, a Gália, a Itália, até a Grécia, onde os atenienses sustaram sua investida; mas que algum tempo depois tanto os atenienses como eles e sua ilha foram engolidos pelo dilúvio. É bem provável que essa vasta inundação tenha produzido mudanças estranhas nas áreas habitadas da Terra, assim como se diz que o mar separou a Sicília da Itália,

> *Haec loca vi quondam, et vasta convulsa ruina*
> *Dissiluisse ferunt, cum protinus utraque tellus*
> *Uma foret,**
> [Essas duas regiões, outrora uma só e mesma terra, um dia, dizem, se separaram violentamente nas convulsões de um vasto desmoronamento,]

Chipre da Síria, a ilha de Negroponto da terra firme da Beócia; e em outros lugares se juntaram terras que estavam divididas, enchendo de lodo e areia os fossos entre elas:

> *sterilisque diu palus aptaque remis*
> *Vicinas urbes alit, et grave sentit aratrum.***
> [um pântano, por muito tempo estéril e percorrido a remo, alimenta as cidades ao redor e ressente-se do peso do arado.]

* Virgílio, *Eneida*, III, 414 e 416-7.
** Horácio, *Arte poética*, 65-6.

SOBRE OS CANIBAIS

Mas não há grandes indícios de que essa ilha seja esse novo mundo que acabamos de descobrir, pois ela quase tocava a Espanha e seria um efeito inacreditável da inundação tê-la recuado, como está, mais de 1200 léguas; além disso, as navegações modernas praticamente já verificaram que não é uma ilha, mas terra firme e continente, contígua à Índia Oriental, de um lado, e com terras que estão sob os dois polos, de outro; ou que, se está separada, é por um estreito tão pequeno que não merece ser chamada de ilha. Parece que há nesses grandes corpos movimentos como nos nossos, uns naturais, outros febris. Quando considero a erosão que meu rio, o Dordogne, sofreu, em meu tempo, em direção à margem direita de seu curso; e que em vinte anos se alastrou tanto a ponto de escavar os alicerces de várias construções, bem vejo que se trata de um abalo extraordinário, pois se tivesse ido sempre nesse ritmo, ou se devesse ir no futuro, a face do mundo estaria às avessas. Mas os rios sofrem mudanças: ora se espraiam de um lado, ora de outro, ora se contêm. Não falo das súbitas inundações cujas causas compreendemos. No Medoc, ao longo do mar, meu irmão, o senhor de Arsac, viu umas terras suas soterradas sob as areias que o mar vomita bem em frente. A cumeeira de algumas de suas construções ainda aparece, mas suas terras de arrendamento e seus domínios transformaram-se em pastagens bem magras. Os moradores dizem que há algum tempo o mar avança tão fortemente para cima deles, que perderam quatro léguas de terra: essas areias são precursoras. E vemos grandes dunas de areia movediça que andam meia légua à frente do mar e ganham terreno. O outro testemunho da Antiguidade com que se deseja relacionar essa descoberta está em Aristóteles, pelo menos se for dele esse livrinho intitulado *Maravilhas inauditas*. Aí ele conta que certos cartagineses, tendo se jogado no mar Atlântico, mais além do estreito de Gibraltar, e navegado muito tempo, haviam descoberto enfim uma grande ilha fértil, toda coberta de bosques e regada por rios grandes e profundos, muito afastada de todas as terras firmes; e que eles, e depois outros, atraídos pela beleza e fertilidade do terreno, para lá foram com mulheres e filhos e começaram a habitá-la. Os senhores de Cartago, vendo que seu país pouco a pouco se despovoava, proibiram expressamente, sob pena de morte, que mais alguém fosse para lá, de onde expulsaram os novos habitantes, temerosos, ao que se diz, de que com o passar do tempo viessem a multiplicar-se tanto que suplantassem a eles mesmos e arruinassem seu Estado. Essa narração de Aristóteles também não corresponde a nossas terras novas. Esse homem que eu tinha era homem simples e rústico, o que é condição própria a tornar verdadeiro o testemunho, pois as pessoas finas observam com bem mais curiosidade, e mais coisas, mas glosam-nas; e para fazerem valer sua interpretação e convencer não conseguem deixar de alterar um pouco a história: nunca nos relatam as coisas puras; curvam-nas e mascaram-nas para adequá-las aos próprios pontos de vista; e para dar crédito a seu julgamento e atrair-nos, gostam de aumentar sua própria participação no assunto, ampliando-a e estendendo-a. Precisa-se de um homem muito fiável ou tão simples que não tenha com que construir e tornar plausíveis invenções falsas, e que nada tenha a defender. O meu era assim, e, além disso, várias vezes me mostrou diversos marinheiros e comerciantes que conhecera naquela viagem. Assim, contento-me com essa informação, sem indagar o que dizem os cosmógrafos. Precisaríamos de topógrafos que nos fizessem um relato particular dos lugares onde estiveram. Mas, por terem sobre nós a vantagem de ter visto a Palestina, querem gozar do privilégio de nos dar notícias de todo o resto do mundo. Eu gostaria que cada um escrevesse o que sabe e o tanto que sabe, não só sobre isso mas sobre todos os outros assuntos. Pois um homem pode ter certo conhecimento especial ou experiência da natureza de um rio, ou de uma fonte, e só saber do resto o que cada um sabe. Todavia, para discorrer sobre seu pequeno domínio tentará escrever toda a física. Desse vício surgem vários e grandes inconvenientes. Ora, para voltar a meu assunto, e pelo que dela me contaram, acho que não há nada de bárbaro e de selvagem nessa nação, a não ser que cada um chama de barbárie o que não é seu costume. Assim como, de fato, não temos outro critério de verdade e de razão além do exemplo e da forma das opiniões e usos do país em que estamos. Nele sempre está a religião perfeita, o governo perfeito, o uso perfeito e consumado de todas as coisas. Eles são selvagens assim como chamamos selvagens os frutos que a natureza produziu por si mesma e por seu avanço habitual; quando na verdade os que alteramos por nossa técnica e desviamos da ordem comum é que deveríamos chamar de selvagens. Naqueles são vivas e vigorosas, e mais úteis e naturais, as virtudes e propriedades verdadeiras, e, nestes, nós as abastardamos adaptando-os ao prazer de nosso gosto corrompido. E por conseguinte, o próprio sabor e a delicadeza de diversos frutos daquelas paragens que não são cultivados são excelentes até para nosso próprio gosto, se comparados com os nossos: não é razão para que o artifício seja mais reverenciado que nossa grande e poderosa mãe natureza. Sobrecarregamos tanto a beleza e a riqueza de suas obras com nossas invenções que a sufocamos totalmente. Seja como for, em qualquer lugar onde sua pureza reluz ela envergonha esplendidamente nossos vãos e frívolos empreendimentos:

> *Et veniunt bederae sponte sua melius,*
> *Surgit et in solis formosior arbutus antris,*
> *Et volucres nulla dulcius arte canunt.**

* Propércio, I, II, 10-1 e 14.

[A hera cresce melhor por si só nas grutas solitárias; o medronheiro cresce mais bonito e os pássaros têm um canto mais melodioso sem trabalho.]

Todos os nossos esforços não conseguem sequer reproduzir o ninho do menor passarinho, sua contextura, sua beleza e sua utilidade; tampouco a teia da miserável aranha. Todas as coisas, diz Platão, são produzidas pela natureza ou pela fortuna ou pela arte. As maiores e mais belas, por uma ou outra das duas primeiras; as menores e imperfeitas, pela última. Portanto, essas nações parecem assim bárbaras por terem sido bem pouco moldadas pelo espírito humano e ainda estarem muito próximas de sua ingenuidade original. As leis naturais ainda as comandam, muito pouco abastardadas pelas nossas; mas a pureza delas é tamanha que, por vezes, me dá desgosto que não tenham sido descobertas mais cedo, na época em que havia homens que, melhor que nós, teriam sabido julgar. Desagrada-me que Licurgo e Platão não as tenham conhecido, pois parece-me que o que vemos por experiência naquelas nações ultrapassa não somente todas as pinturas com que a poesia embelezou a Idade de Ouro, e todas as suas invenções para imaginar uma feliz condição humana, como também a concepção e o próprio desejo de filosofia. Eles não conseguiram imaginar uma ingenuidade tão pura e simples como a que vemos por experiência e nem conseguiram acreditar que nossa sociedade conseguisse manter-se com tão pouco artifício e solda humana. É uma nação, eu diria a Platão, em que não há nenhuma espécie de comércio, nenhum conhecimento das letras, nenhuma ciência dos números, nenhum termo para magistrado nem para superior político, nenhuma prática de subordinação, de riqueza, ou de pobreza, nem contratos nem sucessões, nem partilhas, nem ocupações além do ócio, nenhum respeito ao parentesco exceto o respeito mútuo, nem vestimentas, nem agricultura, nem metal, nem uso de vinho ou de trigo. As próprias palavras que significam mentira, traição, dissimulação, avareza, inveja, difamação, perdão são desconhecidas. Como ele consideraria distante dessa perfeição a república que imaginou!

Hos natura modos primum dedit.*
[Eis as primeiras leis que oferece a natureza.]

Ademais, vivem num país muito agradável e de clima ameno, de modo que pelo que me disseram minhas testemunhas é raro ver ali um homem doente; e garantiram-me não ter visto nenhum trêmulo, remelento, desdentado, ou curvado de velhice. Estão instalados ao longo do mar e cercados do lado da terra por grandes e altas montanhas, tendo entre os dois uma extensão de cerca de cem léguas de largura. Têm grande abundância de peixe e carnes, sem nenhuma semelhança com os nossos; e os comem sem outro artifício além de cozinhá-los. O primeiro que para lá levou um cavalo, embora já os tivesse encontrado em várias outras viagens, causou-lhes tanto horror naquela posição que o mataram a flechadas antes de chegarem a reconhecê-lo. Suas construções são muito compridas e com capacidade para duzentas ou trezentas almas; são cobertas de casca de grandes árvores, presas à terra por uma ponta e sustentando-se e apoiando-se uma na outra pela cumeeira, à moda de algumas de nossas granjas, cuja cobertura pende até o chão e serve de muro. Têm madeiras tão duras que as usam para cortar, e com elas fazem suas espadas e espetos para grelhar os alimentos. Seus leitos são de um tecido de algodão, suspensos no teto, como os de nossos navios, cada um com o seu, pois as mulheres dormem separadas dos maridos. Levantam-se com o sol e comem logo depois de se levantarem, para

* Virgílio, *Geórgicas*, II, 20.

o dia todo, pois não fazem outra refeição além dessa. Não bebem nesse momento, como Suídas* conta sobre alguns outros povos do Oriente, que só bebem fora da refeição; bebem várias vezes ao dia, em profusão. Sua bebida é feita de certa raiz e é da cor de nossos vinhos claretes. Só a tomam morna: essa beberagem se conserva apenas dois ou três dias, tem um gosto um pouco picante, nada inebriante, é salutar para o estômago e laxativa para os que não estão acostumados; é uma bebida muito agradável para quem está habituado. Em vez do pão comem uma substância branca, parecida com coriandro em conserva. Provei-a, o gosto é doce e um pouco insosso. Passam o dia dançando. Os mais moços vão à caça dos bichos, com arcos. Enquanto isso, uma parte das mulheres se ocupa de aquecer a bebida, o que é sua principal função. Há um dos velhos que, de manhã, antes de começarem a comer, prega ao mesmo tempo para todos os moradores, passeando de uma ponta à outra e repetindo a mesma frase várias vezes, até que tenha completado a volta (pois são construções que têm bem uns cem passos de comprimento), e só lhes recomenda duas coisas, a valentia contra os inimigos e a amizade por suas mulheres. E jamais deixam de salientar essa obrigação, como um refrão, de que são elas que lhes mantêm a bebida morna e temperada. Vê-se em vários lugares, e entre outros em minha casa, a forma de seus leitos, cordões, espadas, e pulseiras de madeira com que cobrem os punhos nos combates, e grandes caniços abertos numa ponta, cujo som marca a cadência de sua dança. São inteiramente raspados e barbeiam-se muito mais rente que nós, sem outra navalha que não de madeira ou pedra. Creem que as almas são eternas e aquelas que bem mereceram dos deuses estão alojadas no lugar do céu onde o sol se levanta: as malditas, do lado do poente. Têm não sei que sacerdotes e

* Grande lexicógrafo do final do século x.

profetas, que aparecem raramente ao povo e moram nas montanhas. Ao chegarem, faz-se uma grande festa e uma assembleia solene de várias tabas (cada granja, como descrevi, constitui uma taba, e distam uma da outra cerca de uma légua francesa). Esse profeta lhes fala em público, exortando-os à virtude e ao dever, mas toda a moral deles só contém estes dois artigos: coragem na guerra e afeição por suas mulheres. Prognostica-lhes as coisas vindouras e os resultados que devem esperar de seus empreendimentos: encaminha-os ou os dissuade da guerra, mas com a condição de que, caso se engane em suas previsões e lhes aconteça diferentemente do que lhes predisse, ele é picado em mil pedaços, se o agarrarem, e condenado como falso profeta. Por isso, quem uma vez se enganou não é mais visto. A adivinhação é dom de Deus: eis por que abusar dela deveria ser uma impostura punível. Entre os citas, quando os adivinhos falhavam eram deitados com ferros nos pés e nas mãos em cima de carroças cheias de urze, puxadas por bois, onde eram queimados. Aqueles que manipulam as coisas sujeitas ao governo da competência humana são desculpáveis se fizeram o que podiam. Mas esses outros, que vêm nos embair com garantias de uma faculdade extraordinária, que está fora de nosso conhecimento, não devemos puni-los por não manterem suas promessas e pela temeridade de sua impostura? Eles têm suas guerras contra as nações que ficam além das montanhas, mais adiante na terra firme, para as quais vão inteiramente nus, não tendo outras armas além dos arcos ou de espadas de madeira, afiadas numa ponta, à moda das ponteiras de nossas lanças. É admirável a firmeza de seus combates, que sempre terminam em morte e efusão de sangue, pois eles não sabem o que é fuga e pavor. Cada um traz como troféu a cabeça do inimigo trucidado e a pendura à entrada de sua casa. Depois de tratar bem por muito tempo seus prisioneiros, e com todas as comodidades que podem imaginar, quem for o dono deles faz uma grande assembleia com seus conhecidos. Prende uma corda num dos braços do prisioneiro, por cuja ponta o segura, afastado alguns passos, temendo ser ferido por ele, e dá ao mais querido amigo o outro braço para que o segure da mesma forma; e os dois, em presença de toda a assembleia, o matam a golpes de espada. Feito isso, assam-no e o devoram juntos, e mandam pedaços aos amigos ausentes. Não é, como se pensa, para se alimentarem, assim como faziam antigamente os citas, mas para simbolizar uma vingança extrema. E, como prova, tendo visto que os portugueses, aliados de seus inimigos, usavam contra eles, quando os agarravam, outro tipo de morte, que consistia em enterrá-los até a cintura e darem no restante do corpo muitas flechadas e enforcá-los depois, pensaram que os homens desse outro mundo (pessoas que tinham espalhado pela vizinhança o conhecimento de muitos vícios e que eram mestres muito maiores que eles em toda espécie de maldade) não empregavam sem motivo esse método de vingança, que devia ser mais cruel que o deles, tanto assim que começaram a abandonar sua maneira antiga para seguirem essa outra. Não fico triste por observarmos o horror barbaresco que há em tal ato, mas sim por, ao julgarmos corretamente os erros deles, sermos tão cegos para os nossos. Penso que há mais barbárie em comer um homem vivo do que em comê-lo morto, em dilacerar por tormentos e suplícios um corpo ainda cheio de sensações, fazê-lo assar pouco a pouco, fazê-lo ser mordido e esmagado pelos cães e pelos porcos (como não apenas lemos mas vimos de fresca memória, não entre inimigos antigos, mas entre vizinhos e compatriotas, e, o que é pior, a pretexto de piedade e religião) do que em assá-lo e comê-lo depois que está morto. Crísipo e Zenão, chefes da escola estoica, pensaram que não havia nenhum mal em usar nosso cadáver, no que fosse para nossa necessidade, e dele tirar alimento, assim como nossos ancestrais, estando sitiados por César na cidade

SOBRE OS CANIBAIS 151

de Alésia, decidiram enfrentar a fome desse cerco com os corpos dos velhos, das mulheres, das crianças e de outras pessoas inúteis ao combate.

Vascones (fama est) alimentis talibus usi
Produxere animas.*
[Os gascões, dizem, prolongaram sua vida com alimentos semelhantes.]

E os médicos não temem servir-se dele para todo tipo de uso, para nossa saúde; para aplicá-lo seja interna, seja externamente.** Mas nunca se encontrou nenhuma opinião tão desregrada que desculpasse a traição, a deslealdade, a tirania, a crueldade, que são nossos erros habituais. Portanto, podemos muito bem chamá-los de bárbaros com relação às regras da razão, mas não com relação a nós, que os ultrapassamos em toda espécie de barbárie. A guerra deles é toda nobre e generosa e tem tanta desculpa e beleza quanto possa permitir essa doença humana; não tem outro fundamento entre eles além da busca da virtude. Não estão em luta pela conquista de novas terras, pois ainda desfrutam dessa fertilidade natural que os abastece, sem trabalho e sem pena, de todas as coisas necessárias, em tal abundância que não têm motivo para aumentar seus limites. Ainda estão nesse ponto feliz de só desejar tanto quanto suas necessidades naturais lhes ordenam: tudo o que vai além é, para eles, supérfluo. Em geral, os da mesma idade chamam-se mutuamente de "irmãos"; de "filhos", os que são mais moços; e os velhos são "pais" para todos os outros. Estes deixam para os herdeiros a plena posse dos bens, indivisa, sem outra titulação além daquela muito pura que a

---

* Juvenal, xv, 93-4.
** Nessa época se importavam múmias para usá-las em remédios.

natureza dá às suas criaturas ao pô-las no mundo. Se seus vizinhos cruzam as montanhas para ir atacá-los e arrebatam-lhes a vitória, a recompensa do vitorioso é a glória e o privilégio de ter sido mestre em valentia e virtude, pois do contrário não ligam para os bens dos vencidos e voltam para seu país onde não lhes falta nenhuma coisa necessária, tampouco falta essa grande qualidade de saber desfrutar de sua condição com felicidade e de se contentar com ela. Os daqui, por sua vez, fazem o mesmo. Não pedem a seus prisioneiros outro resgate além da confissão e do reconhecimento de estarem vencidos; mas não se encontra um, em todo um século, que não prefira a morte a abrir mão, por atitude ou por palavra, de um só ponto da grandeza de uma invencível coragem. Não se vê nenhum que não prefira ser morto e comido a apenas pedir que não o seja. Eles os tratam em total liberdade a fim de que a vida lhes seja ainda mais valiosa, e habitualmente os entretêm com as ameaças de sua morte futura, com os tormentos que terão de sofrer, com os preparativos que se fazem para esse fim, com o destroncamento de seus membros e com o banquete que farão à sua custa. Faz-se tudo isso com a única finalidade de arrancar de sua boca uma palavra covarde ou vil, ou dar-lhes vontade de fugir, de modo a ganhar o privilégio de tê-los apavorado e vencido sua firmeza. Pois, bem considerado, é neste único ponto que consiste a verdadeira vitória:

> *victoria nulla est*
> *Quam quae confessos animo quoque subjugat hostes.**
> [só há vitória quando se obriga o inimigo a confessar-se vencido também em sua alma e consciência.]

---

* Claudiano, *De sexto consulatu honorii*, v. 248.

SOBRE OS CANIBAIS 153

Os húngaros, combatentes muito belicosos, não prosseguiam outrora sua vantagem além de ter rendido o inimigo à sua mercê. Pois, tendo arrancado essa confissão, deixavam-nos ir sem maus-tratos, sem resgate; salvo, no máximo, para arrancar-lhes a promessa de, dali em diante, não se armarem contra eles. Muitas das vantagens que ganhamos de nossos inimigos são vantagens emprestadas, não nossas: é qualidade de um carregador ter braços e pernas mais rijos, não valentia; a boa constituição física é qualidade imutável e corporal; fazer nosso inimigo tropeçar e ofuscar-lhe os olhos pela luz do sol é um golpe de sorte; ser hábil na esgrima, o que pode acontecer a uma pessoa insignificante e covarde, é um golpe de arte e do saber. O valor e o preço de um homem residem no seu coração e na sua vontade: é aí que está sua verdadeira honra; a valentia é a firmeza, não das pernas e dos braços, mas do coração e da alma, não consiste no valor de nosso cavalo nem de nossas armas, mas no nosso. Aquele que cai, obstinado em sua coragem, *si succiderit, de genu pugnat.** [se cair, luta de joelhos.] Quem, por algum perigo de morte próxima, não relaxa nenhum grau de sua convicção, quem ainda olha, ao render a alma, para o inimigo com olhar firme e desdenhoso é derrotado, não por nós, mas pela sorte; é morto, mas não vencido: os mais valentes são por vezes os mais desafortunados. Assim, há derrotas triunfantes, comparáveis a vitórias. Nem essas quatro vitórias irmãs, as mais belas que o sol já viu com seus olhos, as de Salamina, Plateia, Micala e Sicília, jamais ousariam comparar toda a sua glória com a derrocada do rei Leônidas e dos seus no passo das Termópilas. Quem jamais correu com mais gloriosa e mais ambiciosa vontade de ganhar no combate do que o capitão Íscolas o fez para perdê-lo?

---

* Sêneca, *De providentia*, II, vi. As edições modernas trazem *cecidit*.

Quem mais engenhosa e cuidadosamente se assegurou de sua salvação quanto ele de sua ruína? Estava encarregado de defender certa passagem do Peloponeso contra os arcadianos; para fazê-lo se achava totalmente incapaz, dadas a natureza do lugar e a desigualdade de forças, e considerando que todo homem que enfrentasse os inimigos ali necessariamente morreria; por outro lado, estimando indigno tanto de sua própria valentia como de sua magnanimidade e do nome lacedemônio falhar em sua missão, tomou, entre esses dois extremos, um partido intermediário, de tal sorte que manteve para a proteção e serviço de seu país os mais jovens e bem-dispostos de sua tropa e mandou-os de volta, e com aqueles cuja perda pesava menos deliberou defender o desfiladeiro, e pela morte deles cobrar dos inimigos a entrada mais cara que lhe fosse possível, conforme aconteceu. Pois estando agora cercado de todos os lados pelos arcadianos, depois de ter feito deles uma grande carnificina, ele e os seus foram todos submetidos ao fio da espada. Existe algum troféu atribuído aos vencedores que não seja mais devido a esses vencidos? A verdadeira vitória reside no combate, não na salvação, e a honra da virtude consiste em combater, não em abater. Para voltar à nossa história, aqueles prisioneiros estão tão longe de se renderem, apesar de tudo o que lhes fazem; ao contrário, durante esses dois ou três meses em que ali são mantidos mostram um semblante alegre, pressionam seus donos para se apressarem e submetê-los a essa prova, desafiam-nos, insultam-nos, criticam-lhes a covardia e o número de batalhas perdidas contra os seus. Tenho uma canção composta por um prisioneiro, em que há essa ironia: "que eles venham intrepidamente, todos sem exceção, e se reúnam para jantá-lo, pois comerão ao mesmo tempo seus pais e seus ancestrais, que serviram de alimento e sustento a seu corpo; esses músculos", diz a canção, "essa carne e essas veias são os vossos, pobres loucos que sois; não reconheceis que a substância dos membros de vossos ancestrais ainda se mantém aí: saboreai-os bem, encontrareis o gosto de vossa própria carne". Isso não cheira a barbárie de jeito nenhum. Aqueles que os pintam morrendo e representam essa ação quando são executados, pintam o prisioneiro cuspindo no rosto dos que os matam e fazendo-lhes careta. Na verdade, até o último suspiro não cessam de enfrentá-los e desafiá-los com palavras e gestos. Não é mentir dizer que, em comparação conosco, esses homens são bem selvagens: pois ou é preciso que o sejam verdadeiramente, ou que o sejamos; há uma incrível distância entre o comportamento deles e o nosso. Lá, os homens têm várias mulheres, e em número tanto maior quanto maior for sua reputação de valentia. É uma beleza digna de nota que, em seus casamentos, o mesmo ciúme que nossas mulheres têm para impedir-nos o amor e a benevolência de outras mulheres, as deles o têm semelhante a fim de obtê-las para eles. Sendo mais cuidadosas com a honra dos maridos do que com qualquer outra coisa, buscam e empregam sua solicitude para que tenham o máximo de companheiras que puderem, pois isso é prova da virtude do marido. Os nossos gritarão que é milagre: não é. É uma virtude propriamente matrimonial, do mais alto quilate. E na Bíblia, Lea, Raquel, Sara e as mulheres de Jacó forneceram suas belas servas aos maridos, e Lívia facilitou as luxúrias de Augusto, em detrimento de si mesma; e Estratonice, mulher do rei Dejótaro, não só emprestou para uso do marido uma jovem camareira muito bonita que a servia como criou cuidadosamente os filhos deles e ajudou-os a suceder o pai na posição que ocupava. E a fim de que não se pense que tudo isso se faz por uma simples e servil sujeição à prática dos homens, e pela pressão da autoridade de seus antigos costumes, sem reflexão nem julgamento, e por terem a alma estúpida e não poderem tomar outro partido, é preciso mostrar alguns traços de capacidade deles. Além do que acabo de relatar sobre uma de suas canções guerreiras, tenho outra, de amor, que começa desta forma: "Cobra, para, para, cobra, a fim de que minha irmã tire do molde da tua pintura a forma e o feitio de um rico cordão que darei à minha amada; assim, sejam para sempre tua beleza e teu porte preferidos aos de todas as outras serpentes". Essa primeira estrofe é o refrão da canção. Ora, tenho bastante trato com a poesia para julgar: não só não há nada de barbárie nessa imaginação como ela é totalmente anacreôntica. A linguagem deles, de resto, é uma linguagem doce e de som agradável, parecendo as terminações gregas. Três dentre eles, ignorando quanto custará um dia ao seu repouso e à sua felicidade o conhecimento das corrupções daqui, e que desse comércio nascerá sua ruína, como pressuponho que já esteja avançada (por terem miseravelmente se deixado embair pelo desejo da novidade e terem largado a suavidade de seu céu para virem ver o nosso), estiveram em Rouen na época em que o finado rei Carlos ix lá estava. O rei falou com eles por muito tempo, fizeram-nos ver nossos modos, nossa pompa, a forma de uma bela cidade; depois disso, alguém lhes pediu sua opinião e quis saber o que tinham achado de mais admirável. Responderam três coisas, e estou muito aborrecido por ter esquecido a terceira, mas ainda tenho duas na memória. Disseram que em primeiro lugar achavam muito estranho que tantos homens grandes usando barba, fortes e armados, que estavam em volta do rei (é provável que falassem dos suíços de sua guarda), se sujeitassem a obedecer a uma criança, e que não escolhessem, de preferência, alguém entre eles para comandar. Em segundo (eles têm uma tal maneira de se expressar na sua linguagem que chamam os homens de "metade" uns dos outros) que tinham visto que havia entre nós homens repletos e abarrotados de toda espécie de comodidades, e que suas metades eram mendigos às suas portas, descarnados de fome e pobreza; e achavam estranho como essas metades daqui, necessitadas, podiam suportar tal injustiça, que não pegassem os outros pela goela ou ateassem fogo em suas casas. Falei com um deles por muito tempo, mas eu tinha um intérprete que me seguia tão mal, e cuja estupidez tanto o impedia de entender minhas ideias, que não pude tirar dessa conversa nada que prestasse. Quando lhe perguntei que proveito tirava da superioridade que tinha entre os seus (pois era um capitão, e nossos marinheiros o chamavam de rei), disse-me que era estar à frente dos que marchavam para a guerra; quando perguntei de quantos homens era seguido, mostrou-me um espaço aberto para significar que era de tantos quantos caberiam em tal espaço, podiam ser 4 mil ou 5 mil homens; quando perguntei se fora da guerra toda a sua autoridade estava extinta, disse que lhe restava o fato de que, quando visitava as aldeias que dependiam dele, abriam-lhe picadas através das moitas de seus bosques por onde pudesse passar bem confortavelmente. Tudo isso não é tão mau assim: mas ora! eles não usam calças.

Que é preciso prudência para se meter a julgar os decretos divinos

Capítulo XXXI*

Escrito pouco depois da batalha de Lepanto, em 1572, este ensaio é a continuação de uma reflexão iniciada, a partir de Santo Agostinho, no Livro I, XXVI, sobre a impostura ou a vã curiosidade dos homens que pretendem penetrar os desígnios de Deus. Como católico "fideísta", Montaigne recomenda um abandono confiante à Providência, recusando qualquer racionalização, qualquer vaticinação, sejam elas recebidas como tais (a astrologia e a quiromancia), ou reputadas científicas, como a alquimia, a astronomia e a medicina. O tema de que os conselhos de Deus são um segredo que o homem não deve tentar desvendar era comum no Renascimento. Montaigne aplica esse dogma aos altos e baixos das guerras de religião: não podemos dizer que Deus está do lado de um dos vitoriosos nos campos de batalha. Montaigne assevera que até mesmo os índios pagãos do Novo Mundo conhecem isso melhor do que os soldados cristãos.

---

* Este capítulo é o de número XXXII nas edições de 1580, de 1588 e no Exemplar de Bordeaux.

O verdadeiro campo e assunto da impostura são as coisas desconhecidas, tanto mais que, em primeiro lugar, a própria estranheza lhes dá crédito, e, além disso, não estando mais sujeitas a nossos raciocínios habituais, nos retiram o meio de combatê-las. Por isso, diz Platão, é bem mais fácil satisfazer as pessoas ao falar da natureza dos deuses que da natureza dos homens, pois a ignorância dos ouvintes permite ao manejo de tais matérias secretas uma bela e longa carreira, em absoluta liberdade. Daí resulta que em nada se crê tão firmemente como naquilo que menos se sabe, e que não há pessoas tão seguras quanto as que nos contam fábulas, como alquimistas, especialistas em prognósticos, astrólogos, quiromantes, médicos, *id genus omne.** [todos os dessa espécie.] A eles, de bom grado eu acrescentaria, se me atrevesse, uma profusão de pessoas, intérpretes e controladores comuns dos desígnios de Deus, que pretendem encontrar as causas de cada acontecimento e ver nos segredos da vontade divina os motivos incompreensíveis de suas obras. E embora a variedade e a discordância contínuas dos acontecimentos os relegue de um canto a outro, e do Ocidente ao Oriente, não param de correr, porém, atrás de sua bola e, com o mesmo lápis, de pintar o branco e o preto. Numa

* Horácio, *Sátiras*, i, 2.

nação indígena há a louvável observância de que, quando malsucedidos em um confronto ou numa batalha, eles pedem publicamente perdão ao Sol, que é o deus deles, como se fosse uma ação injusta, atribuindo sua ventura ou desventura à razão divina e submetendo-lhe seu julgamento e suas reflexões. Basta a um cristão crer que todas as coisas vêm de Deus para recebê-las com o reconhecimento de Sua divina e inescrutável sapiência; por conseguinte, aceitá-las com gosto, sob qualquer aspecto que lhe sejam enviadas. Mas acho errado o que vejo em prática, de procurar firmar e apoiar nossa religião na prosperidade de nossos empreendimentos. Nossa fé tem muitos outros fundamentos sem ser necessário legitimá--la pelos acontecimentos; pois estando o povo acostumado com esses argumentos plausíveis e propriamente a seu gosto, há o perigo de que isso abale sua fé quando os acontecimentos, por sua vez, se apresentam contrários e desvantajosos, assim como nas guerras de religião em que estamos os que levaram vantagem na batalha de La Rochelabeille fizeram grande festa desse acontecimento e serviram-se dessa boa fortuna para uma aprovação irrefutável de seu partido; mas quando depois vêm a desculpar seus infortúnios de Montcontour e de Jarnac,* como se fossem varas e castigos paternos, se não tiverem um povo totalmente à sua mercê o fazem muito facilmente sentir que é pegar duas farinhas num mesmo saco, e com a mesma boca soprar o quente e o frio. Seria melhor falar ao povo sobre os verdadeiros fundamentos da verdade. Foi uma bela batalha naval que se ganhou nestes últimos meses contra os turcos, sob o comando de dom João da Áustria; mas Deus também quis, outras vezes, fazer

---

* Os protestantes venceram em La Rochelabeille, em 1562, e perderam em Jarnac e Moncontour, em 1569. Os dois lados atribuíram suas derrotas aos castigos "paternais" de Deus.

outras tantas à nossa custa.* Em suma, é difícil trazer as coisas divinas para a nossa balança sem que sofram depreciação. E quem quisesse dar razão ao fato de que Ário e seu papa Leão, chefes principais dessa heresia, morreram em momentos diferentes de mortes tão parecidas e tão estranhas (pois, afastados de um debate para ir à privada por causa de uma dor de barriga, lá os dois renderam subitamente a alma) e exagerar essa vingança divina pela circunstância do lugar, bem poderia acrescentar ainda a morte de Heliogábalo, que também foi morto numa latrina. Pois é! Irineu foi vítima do mesmo infortúnio. Deus quer ensinar-nos que os bons têm outra coisa a esperar e os maus outra coisa a temer além das fortunas e dos infortúnios deste mundo, e maneja-os e aplica-os segundo suas intenções ocultas; e retira-nos o meio de, tolamente, tirarmos proveito deles. E enganam-se os que querem prevalecer-se disso pela razão humana. Pois jamais dão uma estocada sem que recebam duas. Santo Agostinho dá uma bela prova disso contra seus adversários. É um conflito que se decide pelas armas da memória, mais que pelas da razão. Devemos nos contentar com a luz que o sol se apraz de nos comunicar por seus raios, e quem erguer os olhos para receber uma luz maior em seu próprio corpo, que não ache estranho se, como castigo de sua petulância, perder a visão. *Quis hominum potest scire consilium Dei? aut quis poterit cogitare, quid velit Dominus?*** [Qual é o homem que pode conhecer os desígnios de Deus? Ou quem poderá penetrar o querer de Deus?]

* Vitória de Lepanto, obtida contra os turcos de Selim ii em 7 de outubro de 1571 pela armada da Liga Cristã, comandada pelo católico dom João da Áustria. Mas a Invencível Armada espanhola foi derrotada em 1588, o que os protestantes atribuíram a uma intervenção de Deus em favor da religião verdadeira, a deles.

** Livro da sabedoria, 9, 13.

Sobre a solidão

Capítulo XXXVIII*

Como muitos filósofos da Antiguidade, Montaigne re-
tirou-se do mundo e, na solidão de suas propriedades,
teve tempo de ir em busca da sabedoria, da bondade e
da tranquilidade de espírito. Sua opinião de que deveríamos ter uma arrière-boutique (um cantinho) para nos
isolarmos é um lembrete de que a verdadeira solidão é retirar-se espiritualmente do mundo. Viver na solidão não
significa viver como um eremita mas viver com distan-
ciamento — se possível longe das cortes e da agitação do
mundo. Montaigne faz uma nítida distinção entre a solidão do santos, que chegam ao êxtase, e a dos homens comuns. A reflexão sobre a solidão inscrevia-se num debate
entre a vida ativa e a vida contemplativa, ilustrado por
uma rica tradição filosófica e retórica que data de Aristóteles e Platão. A edição póstuma traz, além de certas
máximas e exemplos tirados em especial de Antístenes,
um desenvolvimento pessoal em forma de exortação,
quando Montaigne fala da própria velhice como sendo
uma verdadeira arte de estar sozinho consigo mesmo.

* Este capítulo é o de número XXXIX nas edições de 1580, de
1588 e no Exemplar de Bordeaux.

Deixemos de lado essa longa comparação entre a vida solitária e a ativa; e quanto ao belo adágio sob o qual se encobrem a ambição e a cupidez, que "não nascemos para nosso interesse particular, mas para o público", invoquemos ousadamente os que estão na dança; e que, com a mão na consciência, eles digam se, ao contrário, não procuram as situações, os cargos e esse alvoroço mundano, antes, para tirar do público seu proveito particular. Os meios errados pelos quais avançamos em nosso século bem mostram que seus objetivos não valem muito. E respondamos à ambição que é ela mesma que nos dá o gosto pela solidão. Pois do que ela foge tanto quanto da sociedade? Que procura tanto senão sua liberdade de agir? Pode-se fazer o bem e o mal em qualquer lugar; no entanto, se é verdadeiro o dito de Bias, que "a pior parte é a maior", ou o que diz o Eclesiástico, que "entre mil não há um bom",

> *Rari quippe boni numero vix sunt totidem, quot*
> *Thebarum portae vel divitis ostia Nili,*[*]
> [Na verdade raros são os homens bons, o número deles é apenas o das portas de Tebas ou das embocaduras do Nilo próspero,]

---

[*] Juvenal, XIII, 26-7.

então, o contágio é muito perigoso na multidão. É preciso imitar ou odiar os viciosos: as duas coisas são perigosas, tanto parecer-se com eles, porque são muitos, como odiar muitos deles, porque não se parecem. E os mercadores que vão para o mar têm razão de zelar para que os que se metem na mesma nau não sejam dissolutos, blasfemadores, perversos, estimando que tal sociedade é mal-aventurada. Por isso Bias disse, divertidamente, aos que passavam com ele o perigo de uma grande tormenta e apelavam para o socorro de Deus: "Calai-vos, que eles não sintam que estais aqui comigo". E, exemplo mais impressionante: Albuquerque, vice-rei na Índia para o rei Manuel de Portugal, num extremo perigo de tempestade marítima pegou em seus ombros um rapazinho com o único objetivo de que, associado o perigo de ambos, sua inocência lhe servisse de garantia e recomendação junto ao favor divino, para que o pusesse a salvo. Não é que o sábio não possa viver feliz em qualquer lugar, e nem mesmo sozinho na multidão de um palácio; mas, se puder escolher, dela fugirá, até da vista, diz Bias. Suportará aquilo, se for preciso, mas, se puder, escolherá isto. Não lhe parece ter se separado o suficiente dos vícios se ainda tiver de lutar com os de outro. Carondas castigava por serem maus aqueles que frequentavam as más companhias. Não há nada tão insociável como o homem, e nada mais sociável: um por vício, o outro por natureza. E Antístenes não me parece ter bem respondido àquele que o censurava por seu convívio com os maus, ao dizer que os médicos vivem bem entre os doentes. Pois se os médicos servem à saúde dos doentes, deterioram a própria, pelo contágio, pela visão contínua e contato com as doenças. Ora, o objetivo, creio eu, é um só: viver mais à vontade e a gosto. Mas nem sempre procuramos bem o caminho: volta e meia pensamos ter abandonado os negócios e apenas os mudamos. Não há menos tormento no governo de uma família que no de um Estado inteiro; onde quer que a alma esteja ocupada, ali está por inteiro; e por

SOBRE A SOLIDÃO

serem os afazeres domésticos menos importantes, nem por isso são menos importunos. E mais, por termos nos livrado da Corte e do mercado, não nos livramos dos principais tormentos de nossa vida:

> *ratio et prudentia curas,*
> *Non locus effusi late maris arbiter aufert.**
> [são a razão e a prudência que eliminam as preocupações, não um lugar aberto sobre a vasta extensão do mar.]

A ambição, a cupidez, a indecisão, o medo e as concupiscências não nos abandonam só por termos mudado de paisagem:

> *Et post equitem sedet atra cura.***
> [E a negra tristeza está sentada na garupa do cavaleiro.]

Muitas vezes nos seguem até nos claustros e nas escolas de filosofia. Nem os desertos nem as covas nos rochedos, nem o cilício nem os jejuns nos libertam deles:

> *haeret lateri lethalis arundo.****
> [a flecha mortal está plantada no flanco.]

Diziam a Sócrates que alguém não tinha se emendado durante uma viagem: "Bem creio", disse, "levou a si mesmo junto consigo".

> *Quid terras alio calentes*
> *Sole mutamus? patria quis exul*
> *Se quoque fugit?*****

* Horácio, *Epístolas*, I, XI, 25-6.
** Horácio, *Odes*, III, I, 40.
*** Virgílio, *Eneida*, IV, 73.
**** Horácio, *Odes*, II, XVI, 18-20.

[Por que mudamos para terras queimadas por um outro sol? Quem deixa sua pátria foge também de si mesmo?]

Se primeiramente não nos aliviamos, a nós e a nossa alma, do peso que a oprime, movê-la a esmagará mais ainda, assim como num navio as cargas estorvam menos quando estão bem calçadas. Causa-se mais mal do que bem ao doente fazendo-o mudar de lugar. O mal penetra quando ele é mexido, assim como as estacas se cravam mais fundo e firmam-se ao serem balançadas e sacudidas. Por isso não basta mudar de lugar, é preciso remover os atributos do povo que existem em nós, é preciso sequestrar a si mesmo e reaver a si mesmo:

> *rupi iam vincula, dicas*
> *Nam luctata canis nodum arripit, attamen illa*
> *Cum fugit, a collo trahitur pars longa catenae.**
> [rompi meus laços, dirás, como com um longo esforço o cão arrancou o nó que o amarra, e no entanto, enquanto foge, ele arrasta pelo pescoço um longo pedaço da corrente.]

Levamos nossos grilhões junto conosco. Nossa liberdade não é total, ainda viramos os olhos para aquilo que abandonamos e que ainda enche nossa imaginação:

> *Nisi purgatum est pectus, quae praelia nobis*
> *Atque pericula tunc ingratis insinuandum?*
> *Quantae conscidunt hominem cuppedinis acres*
> *Sollicitum curae, quantique perinde timores?*
> *Quidve superbia, spurcitia, ac petulantia, quantas*
> *Efficiunt clades, quid luxus desidiesque?***

---

* Pérsio, v, 158-60.
** Lucrécio, v, 43-8.

[Se nosso coração não é purificado, quais combates, quais perigos teremos de enfrentar sem proveito? Quantas ásperas preocupações dilaceram o homem agitado pelas paixões, quantos temores? E o orgulho, a luxúria, a impudência, quantos desastres não causam, e o luxo e a preguiça?]

Nosso mal está em nossa alma; ora, ela não pode escapar de si mesma,

*In culpa est animus, qui se non effugit unquam.**

Assim, é preciso trazê-la de volta e refugiá-la em si: essa é a verdadeira solidão, e que pode ser desfrutada no meio das cidades e das cortes dos reis; mas a desfrutamos mais convenientemente à parte. Ora, já que decidimos viver sós e dispensar companhia, façamos com que nosso contentamento dependa de nós: libertemo-nos de todos os laços que nos prendem aos outros, conquistemos de nós mesmos o poder de viver sós, em conhecimento de causa, e assim vivermos a nosso gosto. Tendo Estílpon escapado do incêndio de sua cidade, em que perdera mulher, filhos e bens, Demétrio Poliorcetes, ao vê-lo em meio a tamanha destruição de sua pátria, e com o rosto nada assustado, perguntou-lhe se não tinha sofrido prejuízo; ele respondeu que não e que graças a Deus não perdera nada de seu. É o que dizia, brincando, o filósofo Antístenes: que o homem devia munir-se de provisões que boiassem na água e pudessem, a nado com ele, escapar do naufrágio. Sem dúvida, o homem de bom entendimento nada perdeu se tiver a si mesmo. Quando a cidade de Nola foi destruída pelos bárbaros, Paulino, que era seu bispo, tendo tudo perdido e sendo prisioneiro deles, rezava assim a

* Verso traduzido por Montaigne na frase anterior. Horácio, *Epístolas*, I, XIV, 13.

Deus: "Livrai-me, Senhor, de sentir essa perda, pois sabeis que eles ainda não tocaram em nada do que é meu". As riquezas que o faziam rico e os bens que o tornavam bom ainda estavam por inteiro. Eis o que é escolher direito os tesouros que podem escapar do estrago e escondê-los em lugar aonde ninguém vá e que só possa ser revelado por nós mesmos. É preciso ter mulheres, filhos, bens e sobretudo saúde, se possível, mas não se apegar a eles de maneira que nossa felicidade disso dependa. É preciso reservar um canto todo nosso, todo livre, e lá estabelecer nossa verdadeira liberdade e nosso principal retiro e solidão. Aí devemos praticar nossa conversa habitual, de nós para nós mesmos, e tão privada que nenhum convívio ou comunicação com as coisas externas encontre espaço: discorrer e rir, como se sem mulher, sem filhos e sem bens, sem séquito, sem criados, a fim de que, quando chegar o momento de sua perda, não nos seja novidade dispensá-los. Temos uma alma capaz de recolher-se em si mesma; ela pode se fazer companhia, tem com que atacar e com que se defender, com que receber e com que dar: não temamos nessa solidão embotar-nos em uma penosa ociosidade,

In solis sis tibi turba locis.[*]
[Nesses locais solitários sê para ti mesmo a multidão.]

A virtude contenta-se consigo mesma: sem disciplina, sem palavras, sem ações. Em nossas ações costumeiras, de mil não há uma só que nos diga respeito. Este que vês escalando o alto das ruínas daquele muro, furioso e fora de si, alvo de tantos arcabuzes; e aquele outro todo coberto de cicatrizes, transido e pálido de fome, decidido a morrer mais que a abrir-lhe a porta, pensas que aí estão para si mesmos? Para um outro talvez, que jamais

---

[*] Tibulo, IV, xiii, 12.

viram, e que, mergulhado enquanto isso na ociosidade e nas delícias, pouco se importa com o que fazem. E este aqui, todo pituitoso, remelento e imundo, que vês sair depois da meia-noite de um gabinete de trabalho, pensas que procura entre os livros como se tornar um homem de bem, mais feliz e mais sábio? De jeito nenhum. Ali morrerá, ou ensinará à posteridade a medida dos versos de Plauto e a verdadeira grafia de uma palavra latina. Quem não troca de bom grado a saúde, o repouso e a vida pela reputação e pela glória? A mais inútil, vã e falsa moeda que há em circulação entre nós? Nossa morte não nos amedrontava o suficiente, encarreguemo-nos ainda da de nossas mulheres, de nossos filhos e de nossos serviçais. Nossos negócios não nos davam trabalho suficiente, cuidemos também, para nos atormentarmos e quebrarmos a cabeça, dos de nossos vizinhos e amigos.

Vah! quemquamne hominem in animum instituere, aut Parare, quod sit charius, quam ipse est sibi?*
[Ora essa! Um homem poria no espírito ou acolheria alguma coisa que lhe fosse mais estimada do que si mesmo?]

Parece-me que a solidão é mais verossímil e mais razoável para os que dedicaram ao mundo seus anos mais ativos e florescentes, a exemplo de Tales. Já vivemos bastante para o outro, vivamos para nós ao menos neste fim de vida, voltemos para nós e para nosso bem--estar nossos pensamentos e intenções: não é jogada fácil organizar a própria retirada com segurança; ela já nos é bastante pesada sem lhe misturarmos outros projetos. Visto que Deus nos dá tempo para cuidar de nossa partida, preparemo-nos para ela; arrumemos as malas, façamos logo as despedidas da companhia;

* Terêncio, *Adelfos*, I, I, 38-9.

desvencilhemo-nos desses laços violentos que nos arrastam alhures e afastam-nos de nós. Há que desatar essas obrigações tão fortes, e doravante amar isto ou aquilo mas só desposar a si mesmo; isto é, que o restante seja nosso, mas não unido e colado de modo que não possamos soltá-lo sem nos esfolarmos e arrancar um pedaço de nós mesmos. A maior coisa do mundo é saber ser de si mesmo. É tempo de desligarmo-nos da sociedade, posto que nada podemos lhe conceder. E quem não pode emprestar, que se livre de pedir emprestado. Nossas forças estão nos faltando: retiremo-las e estreitemo-las dentro de nós. Quem puder inverter e reunir em si os papéis da amizade e da companhia, que o faça. Nesse declínio, que torna o homem inútil, pesado e importuno para os outros, que ele evite ser importuno, pesado e inútil para si mesmo. Que se louve e se afague, e sobretudo se governe, respeitando e temendo sua razão e sua consciência, de tal modo que não possa dar um passo em falso na presença dos outros sem se envergonhar. *Rarum est enim, ut satis se quisque vereatur.** [De fato é raro quem respeita a si mesmo o suficiente.] Sócrates diz que os jovens devem se instruir; os homens, exercitar-se para bem agir; os velhos, retirar-se de toda ocupação civil e militar, vivendo como bem quiserem, sem obrigações específicas. Há índoles mais aptas que outras para esses preceitos do retiro. As que têm a compreensão frouxa e fraca, e sensibilidade e vontade delicadas, e que não se sujeitam nem se deixam explorar facilmente, entre as quais me encontro, tanto por condição natural como por reflexão, hão de se curvar melhor a esse conselho do que as almas ativas e ocupadas, que tudo abarcam e empenham-se por todo lado, que se apaixonam por todas as coisas, que se oferecem, se apresentam e se dão em todas as oca-

* Quintiliano, *Instituição oratória*, X, VII, 24.

SOBRE A SOLIDÃO

siões. Devemos servir-nos dessas vantagens acidentais e externas a nós na medida em que nos são agradáveis; mas sem torná-las nosso principal fundamento, pois não o são, nem a razão nem a natureza assim querem. Por que, indo contra suas leis, vamos fazer de nossa felicidade uma escrava do poder dos outros? Também é atitude de excessiva virtude antecipar os golpes da fortuna, privar-se das comodidades que temos à mão, como vários fizeram por devoção e alguns filósofos por convicção, servir a si mesmo, dormir no chão, furar os próprios olhos, jogar suas riquezas no meio do rio, procurar a dor (aqueles, para ganharem a beatitude na outra vida, pelo tormento desta; estes, instalando-se no degrau mais baixo para evitar nova queda). Que as naturezas mais rijas e mais fortes tornem até mesmo seu próprio retiro glorioso e exemplar:

tuta et parvula laudo,
Cum res deficiunt, satis inter vilia fortis:
Verum ubi quid melius contingit et unctius, idem
Hos sapere, et solos aio bene vivere, quorum
Conspicitur nitidis fundata pecunia villis.[*]
[louvo a segurança de beneficiar-me de bens modestos, quando a fortuna me falta, bastante corajoso para me contentar com pouco: mas quando a situação é melhor e mais próspera, proclamo que só são sábios e felizes aqueles que vemos com uma riqueza baseada em opulentas propriedades.]

Quanto a mim, há muito que fazer sem ir tão longe. Basta-me, sob os favores da fortuna, preparar-me para seu desfavor, e, estando bem a meu gosto, retratar o mal por vir, tanto quanto a imaginação consiga alcançá-lo, assim como nos acostumamos a simular guerras

* Horácio, *Epístolas*, I, XV, 42-6.

em plena paz com as justas e os torneios. Não considero o filósofo Arcesilau menos austero por saber que usou utensílios de ouro e prata, segundo lhe permitia a condição de sua fortuna, e estimo-o mais por usá-los moderada e generosamente do que se tivesse se privado disso. Vejo até que limites vão as necessidades naturais, e, considerando o pobre mendigo à minha porta, frequentemente mais alegre e mais sadio que eu, coloco-me em seu lugar: tento adequar minha alma a seu ponto de vista. E percorrendo assim outros exemplos, e embora pensando que a morte, a pobreza, o desprezo e a doença estejam em meus calcanhares, decido-me facilmente a não me aterrorizar com aquilo que um inferior a mim suporta com tamanha paciência. E não quero crer que uma inteligência debilitada possa mais que uma vigorosa, ou que a razão não consiga produzir os mesmos efeitos do hábito. E sabendo o quanto essas comodidades acessórias são precárias, não deixo, nem mesmo em pleno desfrute delas, de suplicar a Deus meu pedido mais importante, isto é, que ele me faça contente comigo mesmo e com os bens que nascem de mim. Vejo jovens saudáveis que, não obstante, carregam em seus baús uma profusão de pílulas para tomá-las quando o resfriado os atacar, o qual temem tanto menos porque pensam ter o remédio à mão. Assim é preciso fazer. E mais: se nos sentirmos sujeitos a uma doença mais grave, munir-se desses medicamentos que acalmam e adormecem a parte doente. A ocupação que se deve escolher para uma vida como essa deve ser uma ocupação não penosa nem aborrecida, do contrário inutilmente pretenderíamos ter ido em busca de repouso. Isso depende do gosto particular de cada um: o meu não se acomoda de jeito nenhum aos afazeres domésticos. Os que os apreciam devem dedicar-se a eles com moderação,

SOBRE A SOLIDÃO

Contentur sibi res, non se submittere rebus.[*]
[Que eles se esforcem para submeter as coisas, e não a
elas se submeterem.]

Pois, do contrário, a administração doméstica torna-
-se um ofício servil, como a denomina Salústio. Tem
aspectos mais suportáveis, como o cuidado com a jar-
dinagem, que Xenofonte atribui a Ciro; e pode-se encontrar um meio-termo entre esse cuidado degradante
e vil, tenso e cheio de solicitude, que se vê nos homens
que nele mergulham por inteiro, e essa profunda e extrema negligência que deixa tudo ao abandono, que se
vê em outros:

Democriti pecus edit agellos
Cultaque, dum peregre est animus sine corpore velox.[**]
[O gado devasta o pequeno campo e as culturas de Demócrito, enquanto o espírito deste, libertado do corpo,
vagueia no espaço.]

Mas escutemos o conselho que Plínio, o Moço, dá a
Cornélio Rufo, seu amigo, sobre esse tema da solidão:
"Aconselho-te, nesse pleno e farto retiro em que estás,
a passar a teus criados o baixo e abjeto cuidado doméstico, e a dedicar-te ao estudo das letras para daí tirar
alguma coisa que seja toda tua". Refere-se à reputação,
assim como Cícero, que diz querer empregar sua solidão
e seu afastamento dos negócios públicos na conquista de
uma vida imortal graças a seus escritos:

usque adeo ne
Scire tuum nihil est, nisi te scire hoc sciat alter?[***]

[*] Adaptado de Horácio, *Epístolas*, I, 1, 19.
[**] Horácio, *Epístolas*, I, XII, 12.
[***] Pérsio, 1, 23-4.

[estás nesse ponto que teu saber não é nada, se um outro não sabe que sabes?]

Já que falamos em nos retirarmos do mundo, parece razoável olhar para fora dele. Estes dois só o fazem pela metade. Preparam bem seus papéis para quando não estiverem mais aqui, mas, por uma ridícula contradição, ainda pretendem colher o fruto de seu projeto no mundo do qual estarão ausentes. A ideia dos que, por devoção, procuram a solidão, enchendo seu coração com a certeza das promessas divinas na outra vida, é bem mais saudavelmente corrente. A finalidade deles é Deus, objeto infinito em beleza e poder. A alma tem com que saciar seus desejos, em total liberdade. As aflições, as dores, resultam-lhes proveitosas, sendo usadas na aquisição de uma saúde e de um regozijo eternos. A morte é desejada: passagem a um estado tão perfeito. A severidade de suas regras é, incontinente, aplainada pelo hábito; e os apetites carnais, reprimidos e adormecidos pela privação, pois nada os entretém tanto como o uso e a prática. Só essa finalidade de uma outra vida feliz na imortalidade merece lealmente que abandonemos as comodidades e doçuras desta nossa vida. E quem consegue incendiar a alma com o ardor dessa viva fé e esperança, na realidade e com constância, constrói em sua solidão uma vida prazerosa e deliciosa, mais que toda outra forma de vida. Portanto, nem a finalidade nem os meios desse conselho de Plínio, o Moço, me contentam: continuamos caindo da febre para um mal mais agudo. A ocupação com os livros é tão penosa como qualquer outra; e igualmente inimiga da saúde, que deve ser considerada acima de tudo. E não devemos nos deixar adormecer no prazer que ela nos dá, esse mesmo prazer que é a perdição de quem se ocupa demais de seus bens, do avarento, do voluptuoso e do ambicioso. Os sábios ensinam-nos bastante a evitar a traição de nossos apetites e a diferenciar os prazeres verdadeiros e integrais dos prazeres variegados e misturados com mais trabalho. Pois a maioria dos prazeres, dizem, nos afagam e nos abraçam para nos estrangular, como faziam os ladrões que os egípcios chamavam de Filistas; e se a dor de cabeça nos viesse antes da embriaguez, evitaríamos beber demais; mas, para nos enganar, a volúpia vai na frente e esconde-nos seu séquito. Os livros são agradáveis, mas se por frequentá-los perdermos, por fim, a alegria e a saúde, nossas melhores qualidades, abandonemo-los: sou dos que pensam que seus frutos não podem compensar essa perda. Assim como os homens que se sentem há muito enfraquecidos por alguma indisposição entregam-se enfim à mercê da medicina e fazem-se prescrever por essa arte certas regras de vida para não mais transgredi-las, assim quem se retira da vida pública entediado e desgostoso deve conformar a sua com as regras da razão, ordená-la e arrumá-la com premeditação e reflexão. Deve dar adeus a toda espécie de trabalho, qualquer que seja sua aparência, e fugir em geral das paixões que impedem a tranquilidade do corpo e da alma, e escolher o caminho mais consoante a seu temperamento:

Vnusquisque sua noverit ire via.[*]
[Que cada um escolha o caminho que escolheu para si.]

Nos negócios do lar, no estudo, na caça e em qualquer outro exercício, é preciso ir até os extremos limites do prazer, e evitar aventurar-se mais adiante, quando o sofrimento começa a se pôr de permeio. Devemos reservar à nossa atividade e ocupação apenas tanto quanto for necessário para nos mantermos em forma e para nos preservar dos inconvenientes que arrasta consigo o outro extremo, o de uma ociosidade indolente e inerte. Há co-

---

* Propércio, II, xxv, 38.

nhecimentos estéreis e espinhosos, e na maioria forjados para a turba: há que deixá-los para os que estão a serviço da sociedade. Quanto a mim, só gosto dos livros agradáveis ou fáceis, que me estimulam, ou dos que me consolam e aconselham a controlar minha vida e minha morte:

tacitum syvas inter reptare salubres,
*Curantem quidquid dignum sapiente bonoque est.**
[vagar em silêncio no bom ar das florestas, ocupado com tudo o que é digno de um sábio e de um homem de bem.]

As pessoas mais sábias, tendo a alma forte e vigorosa, podem imaginar um repouso todo espiritual: eu, que a tenho comum, preciso ajudá-la a me suster pelos confortos corporais; e tendo-me agora a idade roubado os que melhor convinham a meu gosto, educo e aguço meu apetite para os que permanecem mais adaptados a essa outra estação. É preciso agarrar com unhas e dentes o uso dos prazeres da vida que nossos anos nos arrancam das mãos, uns depois dos outros:

carpamus dulcia, nostrum est
*Quod vivis, cinis et manes et fabula fies.***
[colhamos os prazeres pois só nos pertence o que vivemos, antes de nos tornarmos cinza, espírito, palavra vã.]

Ora, quanto ao objetivo que Plínio e Cícero nos propõem, o da glória, está bem longe de minha conta: o humor mais contrário ao retiro é a ambição, a glória e o repouso não podem morar sob o mesmo teto. Pelo que vejo, esses autores só têm os braços e as pernas fora da sociedade; sua alma, suas intenções, aí permanecem mais que nunca embrenhadas.

* Propércio, II, 25.
** Pérsio, V, 151-2.

Tun'vetule auriculis alienis colligis escas?*
[Então, velho, acumulas para apenas satisfazer os ouvidos dos outros?]

Eles apenas recuaram para melhor saltar, e para, num movimento mais forte, fazer uma investida mais profunda entre a multidão. Quereis ver como erram seu alvo por um triz? Ponhamos na balança a opinião de dois filósofos e de duas escolas muito diferentes, escrevendo um a Idomeneu, o outro a Lucílio, seus amigos,** para que abandonassem o manejo dos negócios e das grandezas e se retirassem na solidão. "Vivestes", dizem eles, "até agora nadando e flutuando, vinde morrer no porto. Destes vossa vida à luz, dai esta à sombra. É impossível abandonar vossas ocupações se não abandonardes seus frutos. Por isso desfazei-vos de toda preocupação com o nome e a glória. Há o perigo de que o clarão de vossas ações passadas vos ilumine demais e vos siga até em vossa toca. Abandonai junto com as outras volúpias essa que vem da aprovação de outrem. E quanto a vossa ciência e competência, não vos preocupeis, elas não perderão seu efeito se vós mesmos estais valendo mais por causa delas. Lembrai-vos daquele a quem se perguntava com que finalidade se esforçava tanto numa arte que só podia chegar ao conhecimento de poucas pessoas: 'Bastam-me poucos', respondeu, 'basta-me um, basta-me nenhum'. Ele disse a verdade: vós e um companheiro sois teatro suficiente um para o outro, ou vós para vós mesmos. Que o público vos seja um, e um vos seja todo o público. É vil ambição querer tirar glória da própria ociosidade e do próprio esconderijo. É preciso fazer como os animais,

---

* Pérsio, I, 22.
**Epicuro escreve a Idomeneu, que foi seu aluno; Sêneca escreve a Lucílio, em *Cartas a Lucílio*. Os conselhos que se seguem são quase todos extraídos das várias epístolas de Sêneca.

que apagam seu rastro na porta da toca. O que deveis procurar não é mais o que o mundo fala de vós mas como deveis falar a vós mesmos. Retirai-vos em vós, mas preparai-vos primeiramente para vos receber. Seria loucura fiar-vos em vós mesmos se não sabeis vos governar. Há maneira de falhar na solidão, como em sociedade, até que tenhais vos tornado alguém diante de quem não ousaríeis claudicar, e até que tenhais vergonha e respeito por vós mesmos, *obversentur species honestae animo*:* [que se apresentem a vosso espírito nobres imagens:] representai-vos sempre na imaginação Catão, Fócio e Aristides, em cuja presença até mesmo os loucos esconderiam seus erros, e instituí-os como os controladores de todas as vossas intenções; se elas se extraviarem, a reverência por eles há de repô-las no rumo certo: eles vos conservarão nessa via de vos contentardes convosco, de nada tomar emprestado senão de vós, de reter e fortalecer vossa alma em cogitações precisas e limitadas em que ela possa se comprazer; e, tendo ouvido os verdadeiros bens de que gozamos à medida que os compreendemos, contentar-vos com eles, sem desejar prolongar a vida nem o nome." Eis o conselho da verdadeira e pura filosofia, e não de uma filosofia ostentatória e palavrosa, como é a daqueles dois primeiros.

* Cícero, *Tusculanas*, II, XXII, 52.

Sobre as orações

Capítulo LVI

Para tratar desse assunto delicado, na fronteira do sagrado e do profano, Montaigne retrabalhou muito o texto, tornando o capítulo três vezes maior desde a primeira edição da obra, em 1580. A clareza se ressente um pouco desses sucessivos acréscimos, mas sua profissão de fé católica é claríssima. Temos aqui um enfoque mais aprofundado da austeridade e do rigor do catolicismo de Montaigne. Os numerosos acréscimos foram em parte uma resposta às críticas do Vaticano sobre a asserção de Montaigne de que quando um homem reza deve estar purgado de seus pecados, sem hipocrisia, e em lugar e circunstâncias próprios a essa prática. Os censores do Vaticano examinaram particularmente este capítulo, e finalmente recomendaram algumas correções. Tanto quanto em "Sobre o arrependimento" (*III*, *II*), vemos que o catolicismo de Montaigne era exigente. Ele condena, assim como Rabelais e, claro, Calvino, a oração mecânica que se faz sem um recolhimento especial. Sua ortodoxia rejeita toda tentativa de tradução dos textos sagrados, para ele fonte de erros e de heresia.

Proponho noções disformes e inconclusas, como fazem os que publicam questões duvidosas, para serem debatidas nas escolas: não para estabelecer a verdade, mas para procurá-la. E submeto-as ao julgamento daqueles a quem cabe julgar não só minhas ações e meus escritos mas também meus pensamentos. Ser-me-ão igualmente aceitáveis e úteis sua condenação como sua aprovação, considerando absurdo e ímpio se nessa rapsódia se encontrar algo escrito que seja contrário, por ignorância ou inadvertência, às santas resoluções e prescrições da Igreja Católica, Apostólica e Romana, na qual morro e na qual nasci. E no entanto, entregando-me sempre à autoridade de sua censura, que tudo pode sobre mim, intrometo-me assim, temerariamente, e como faço aqui, em propósitos de todo tipo. Não sei se me engano mas, já que por um favor particular da bondade divina certo tipo de oração nos foi prescrita e ditada, palavra por palavra, pela boca de Deus, sempre me pareceu que devíamos fazer dela uso mais corrente do que fazemos; e se acreditassem em mim, no início e no fim de nossas refeições, em nosso levantar e deitar, e em todas as ações particulares em que nos acostumamos a incluir orações, gostaria que fosse o padre-nosso que os cristãos usassem, se não somente, pelo menos sempre. A Igreja pode estender e diversificar as orações segundo sua necessida-

SOBRE AS ORAÇÕES

de de nos instruir, pois bem sei que é sempre a mesma substância e a mesma coisa. Mas àquela deveria se dar este privilégio: que o povo a tivesse continuamente na boca, pois é certo que diz tudo o que é preciso, e que é muito adequada a todas as ocasiões. É a única oração da qual me sirvo para tudo, e repito-a em vez de trocá-la. Disso resulta que não tenho outra tão bem na memória como aquela. Estava recentemente pensando de onde nos vinha esse erro de recorrer a Deus em todos os nossos projetos e empreendimentos, e de chamá-Lo em toda sorte de necessidade, e em qualquer lugar em que nossa fraqueza deseja ajuda, sem considerar se a ocasião é justa ou injusta; e de invocar Seu nome e Seu poder em qualquer situação e ação que pratiquemos, por mais pecadora que seja. Ele é de fato nosso só e único protetor, e para ajudar-nos pode todas as coisas, mas, conquanto se digne a honrar-nos com essa doce aliança paterna, é, porém, tão justo como bom e poderoso. Mas usa bem mais frequentemente Sua justiça do que Seu poder, e favorece-nos de acordo com essa justiça e não segundo nossos pedidos. Em suas *Leis*, Platão distingue três tipos de crença injuriosa com relação aos deuses: que eles não existem, que não se metem nos nossos assuntos, que nada recusam a nossos votos, oferendas e sacrifícios. O primeiro erro, em sua opinião, jamais perdurou, imutável, em um homem da infância à velhice. Os dois seguintes podem ser constantes. A justiça e o poder de Deus são inseparáveis, em vão imploramos Sua força em uma causa má: precisamos estar com a alma limpa, ao menos naquele momento em que rezamos a Ele, e esvaziada de paixões viciosas, do contrário nós mesmos Lhe apresentamos as varas com que nos castigar. Em vez de repararmos nossa falta, nós a redobramos, apresentando àquele a quem devemos pedir perdão um sentimento cheio de irreverência e ódio. Eis por que não me agrada louvar os que vejo rezar a Deus mais frequente e constantemente, se os atos próximos da oração não me demonstram nenhuma emenda ou correção,

> *si nocturnus adulter*
> *Tempora sanctonico velas adoperta cucullo.**
> [se para cometer teus adultérios noturnos tu te escondes
> e envolves tuas têmporas num capuz santônico.]

E a posição de um homem que mistura a devoção com uma vida execrável parece ser bem mais condenável que a de um homem coerente consigo mesmo e inteiramente dissoluto. Por isso, nossa Igreja recusa todos os dias aos que se obstinam em fazer alguma insigne maldade o favor de admiti-los em sua comunidade. Rezamos por hábito e por costume, ou melhor, lemos ou pronunciamos nossas preces: não é, enfim, mais que uma mímica. E desagrada-me ver fazerem três sinais da cruz no *Benedicite*, outros tantos nas *Graças*** (e desagrada-me mais por ser um sinal que reverencio e utilizo constantemente, mesmo quando bocejo) e, no entanto, todas as outras horas do dia vê-los dedicados ao ódio, à avareza, à injustiça. Hora para os vícios, hora para Deus, como por compensação e arranjo. É um milagre ver sucederem-se ações tão incompatíveis, de teor tão parecido, a ponto de não se sentir interrupção e hesitação nem mesmo nas fronteiras e na passagem de uma à outra. Que monstruosa consciência pode encontrar descanso enquanto nutre num mesmo lugar, em convívio tão harmonioso e tão pacífico, o crime e o juiz? Um homem cuja licenciosidade governa incessantemente sua cabeça, e que a julga muito odiosa aos olhos divinos, que diz ele a Deus quando lhe fala disso? Recupera-se, mas subitamente torna a cair.

* Juvenal, VIII, 144-5.
** As duas orações ditas respectivamente antes e depois da refeição.

SOBRE AS ORAÇÕES

Se, como diz, o conceito de justiça divina e sua presença golpearam e castigaram sua alma, por mais curta que fosse a penitência o simples temor volveria seu pensamento para ela, tão amiúde que, de imediato, ele dominaria esses vícios que lhe são habituais e lhe estão incrustados. Mas qual! E os que fundam uma vida inteira nos frutos e nos lucros do pecado que sabem ser mortal? Quantos ofícios e profissões socialmente reconhecidas temos cuja essência é viciosa? E aquele que, confiando-se a mim, recitava-me ter toda a sua vida professado e praticado o ritual de uma religião condenável, segundo ele mesmo, e contraditória com a que tinha no coração, para não perder seu crédito e a honra de seus cargos, como conciliava esses pensamentos em seu coração?[*] Com que linguagem conversam com a justiça divina a respeito desse assunto? Como seu arrependimento requer uma reparação visível e tangível, perdem o direito de evocá-lo, tanto perante Deus como perante nós. São tão ousados para pedir perdão sem satisfação[**] e sem arrependimento? Penso que é o caso daqueles primeiros[***]

[*] Esse acréscimo feito por Montaigne no Exemplar de Bordeaux pode se referir ao jurista Arnaud du Ferrier (1508-1585), embaixador do rei no Concílio de Trento. Ferrier tornou-se chanceler de Henrique de Navarra depois de sua conversão ao protestantismo. Montaigne o conhecia bem quando foi intermediário entre Henrique de Navarra e o marechal de Matignon, tendo sido recebido por ele em Veneza duas vezes. Ver *Les essais*, de Michel de Montaigne, Paris, Gallimard, 2007, p. 1493.
[**] Termo de teologia definido pelo catecismo do Concílio de Trento. A "satisfação" constitui uma parte do sacramento de penitência, e é a "reparação voluntária que o pecador faz a Deus pelas obras penosas da penitência para a injúria que Lhe foi feita por seus pecados" (*Dictionnaire théologique portatif*, Paris, Didot, 1756, p. 587).
[***] Aqueles referidos acima, "cuja devassidão governa incessantemente a cabeça".

como destes, mas daqueles não é tão fácil mostrar a obstinação. Essa contradição e essa volubilidade tão súbitas, tão violentas, que fingem diante de nós me cheiram a milagre. Revelam o estado de um indigerível conflito. E como me parecia fantástica a concepção daqueles que, nesses últimos anos, tinham o costume de criticar qualquer um em quem reluzisse certa clareza de espírito e que professasse a religião católica, dizendo que era fingimento! E até afirmavam, para honrá-lo, que pouco importava o que dissesse externamente, pois não podia deixar de ter, internamente, sua fé reformada pelos padrões deles. Fastidiosa enfermidade, a de se crer tão forte a ponto de persuadir-se de que não é possível acreditar no contrário, e mais fastidiosa ainda quando a pessoa se convence de que um espírito assim prefere não sei qual melhora de sua sorte atual às esperanças e ameaças da vida eterna! Eles podem crer em mim: se algo tivesse me tentado na juventude, boa parte disso teria sido o gosto pelos riscos e as dificuldades que acompanhavam esse recente empreendimento.* Não é sem boa razão, parece-me, que a Igreja proíbe o uso promíscuo, temerário e leviano dos salmos sagrados e divinos que o Espírito Santo ditou a Davi.** Não devemos misturar Deus às nossas ações a não ser com reverência e atenção plena de dignidade e respeito. Essa palavra é divina demais e deve ter outro uso que não exercitar os pulmões e agradar a nossos ouvidos. É na consciência que deve ser produzida e não na língua. Não é correto permitir que um caixeiro de armazém se entretenha e brinque com ela, entre seus pensamentos vãos e frívolos. Nem decerto é correto ver

*A Reforma protestante.
** Cantar salmos, frequentemente na tradução feita pelo poeta francês Clément Marot, tornou-se uma prática da corte de Margarida de Navarra, e para muitos passou a ser um sinal da Igreja protestante.

SOBRE AS ORAÇÕES

largado na sala ou na cozinha o Livro Sagrado dos mistérios de nossa fé. Outrora eram mistérios, agora são divertimentos e passatempos. Não é de passagem, nem de forma tumultuada que devemos manipular um estudo tão sério e venerável. Deve ser uma ação premeditada e séria, à qual sempre há que acrescentar este prefácio do nosso ofício, *sursum corda*, [elevemos os corações,] e tendo o próprio corpo disposto em atitude que ateste uma particular atenção e reverência. Não é estudo para todo mundo: é estudo para pessoas que a isso se dedicaram, que Deus chama para tal; os maus, os ignorantes tornam-se piores com isso. Não é uma história para contar; é uma história para reverenciar, temer e adorar. Engraçadas essas pessoas que pensam tê-la tornado manejável pelo povo, por tê-la posto em linguagem popular.* Quando não entendem tudo o que encontram por escrito a culpa seria só das palavras? Direi mais? Quando trazem para um pouco mais perto deles essa história, na verdade a afastam. A mera ignorância, que se entrega inteiramente a outrem, era bem mais salutar e mais sábia do que é essa ciência verbal e vã e que nutre presunção e temeridade. Creio também que a liberdade de cada um de difundir uma palavra tão religiosa e importante em tantos tipos de idiomas apresenta muito mais perigo que utilidade. Os judeus, os maometanos e quase todos os outros desposaram e reverenciam a língua em que originalmente seus mistérios foram concebidos, e são proibidas sua alteração e mudança: não sem razão.

* Montaigne dá mais uma estocada nos protestantes e nas traduções que faziam em língua vernacular dos textos sagrados. Esse era o centro dos debates teológicos da época entre protestantes e católicos, os primeiros desejando um acesso direto de todos os fiéis aos textos sacros em sua língua materna, os segundos sendo contra, pois a palavra de Deus corria o risco de ser alterada com as interpretações dos tradutores.

Sabemos se há de fato no País Basco e na Bretanha juízes suficientes para estabalecer uma tradução feita em suas línguas? A Igreja universal não tem decisão mais árdua e solene a tomar, pois pregada e falada a interpretação é vaga, livre, variável e fragmentada, mas quando escrita não é a mesma coisa. Um de nossos historiadores gregos acusa justamente seu século de ter espalhado na praça os segredos da religião cristã, em mãos dos artesãos menores: cada um podia debater e falar segundo sua interpretação. E que deveria ser grande vergonha para nós, nós que pela graça de Deus desfrutamos dos puros mistérios da piedade, deixá-los ser profanados na boca de pessoas ignorantes e populares, visto que os pagãos proibiam Sócrates, Platão e os mais sábios de inquirir e falar das coisas confiadas aos sacerdotes de Delfos. Diz também que as facções dos príncipes, em matéria de teologia, são armadas não de zelo mas de cólera; que o zelo decorre da razão divina e da justiça, quando se conduz moderada e ordenadamente, mas que se torna ódio e inveja e produz, em vez de trigo e uva, joio e urtigas quando conduzido por uma paixão humana. E também, justamente, há esse outro, conselheiro do imperador Teodósio, que dizia que as disputas não acalmam tanto os cismas da Igreja mas os despertam e animam as heresias. Que por isso era preciso fugir de todas as controvérsias e argumentações dialéticas e reportar-se meramente às prescrições e fórmulas da fé estabelecidas pelos Antigos. E o imperador Andrônico, tendo encontrado em seu palácio dois homens importantes às voltas com palavras contra Lopádio, sobre um de nossos pontos de maior importância, repreendeu-os até ameaçar jogá-los no rio se continuassem. Em nossos dias, crianças e mulheres ensinam aos homens mais velhos e experientes as leis eclesiásticas, enquanto a primeira das leis de Platão as proíbe de simplesmente indagar a razão das leis civis, que devem fazer as vezes de decretos divinos. E permitindo que os velhos discutissem entre si sobre isso, e também com o magistrado, acrescenta: "contanto que não seja em presença dos jovens e de pessoas profanas". Um bispo deixou por escrito que, no outro lado do mundo, há uma ilha que os antigos chamavam de Dioscórida,* apreciável em fertilidade, com todos os tipos de árvores e frutas, e em salubridade do ar; seu povo é cristão, tendo igrejas e altares que só são paramentados de cruzes, sem outras imagens; grandes observadores de jejuns e de festas, pagadores perfeitos dos dízimos aos sacerdotes, e tão castos que nenhum deles pode conhecer mais de uma mulher em sua vida. Aliás, tão contentes com sua fortuna, no meio do mar, ignoram o uso de navios; e tão simples que da religião que observam com tanto cuidado não entendem uma só palavra. Coisa inacreditável, para quem não soubesse, os pagãos, idólatras tão devotos, só conhecem de seus deuses, simplesmente, o nome e a estátua. O começo original de *Melanipe*, tragédia de Eurípides, era assim:

O *Juppiter, car de toy rien sinon*
*Je ne cognois seulement que le nom.***
[Ó Júpiter! Porque de ti nada sei além do nome.]

Também vi em minha época reclamarem de certos textos porque são meramente humanos e filosóficos, sem mistura de teologia. Quem dissesse o contrário não estaria, porém, sem alguma razão: que a doutrina divina preserva melhor sua posição se colocada à parte, como rainha

---

* O relato foi feito pelo bispo Jerônimo Osório da Fonseca, autor de uma história do rei Manuel de Portugal chamada *De rebus Emmanuelis Lusitaniae Regis gestis*, Colônia, 1581. A ilha é a de Socotra, entre a Somália e a Arábia Saudita.
** Eurípides, *Melanipe, a sábia*.

e governadora; que deve ser a principal em tudo, e não sufragânea e subsidiária. E que talvez a gramática, a retórica e a lógica tirassem exemplos mais adequados de outro lugar que de tão santa matéria, assim como os argumentos dos teatros, jogos e espetáculos públicos. Que as razões divinas são consideradas com mais veneração e reverência se expostas isoladamente e em seu estilo do que emparelhadas com os discursos humanos. Que é falta mais frequente ver teólogos que escrevem humanamente demais do que humanistas que escrevem pouco teologicamente: a filosofia, diz são Crisóstomo, está há muito tempo banida da escola sacra, como serva inútil, e é considerada indigna de avistar, ainda que de passagem e da entrada, o sacrário dos tesouros santos da doutrina celeste. Que a linguagem humana tem suas formas mais baixas e não deve servir-se da dignidade, da majestade, da supremacia do verbo divino. Quanto a mim, deixo-a dizer, *verbis indisciplinatis*,* [em termos não aprovados,] fortuna, destino, acidente, ventura e desventura, e os deuses, e outras expressões, à sua moda. Proponho meus pensamentos humanos como simples pensamentos humanos, e considerados separadamente: não como decretados e regulados por mandamento divino, incapaz de dúvida e controvérsia. Matéria de opinião, não matéria de fé. O que penso segundo eu mesmo, não o que creio segundo Deus, e de um modo laico, não clerical, mas sempre muito religioso. Como os meninos leem seus ensaios para ser instruídos e não para instruir. E também não se poderia dizer, aparentemente com razão, que o decreto proibindo a todos de escrever sobre religião (senão bem reservadamente), exceto aos que disso fazem profissão específica, não deixaria de ter certo

---

* Expressão de Santo Agostinho que designa o vocabulário usado pelos filósofos quando falam de questões metafísicas. Ver Santo Agostinho, *Cidade de Deus*, X, xxix.

SOBRE AS ORAÇÕES

semblante de utilidade e justiça? E que eu, junto com eles, talvez devesse me calar? Disseram-me que aqueles mesmos que não são dos nossos proíbem porém, entre eles, o uso do nome de Deus em suas conversas comuns: não querem que seja empregado como interjeição ou exclamação, nem como testemunho nem como comparação, no que creio têm razão. E, seja qual for a maneira como invocamos Deus para nossa companhia e convívio, é preciso ser séria e devotamente. Parece-me que há em Xenofonte um discurso assim, em que ele mostra que devemos rezar a Deus mais raramente, tanto mais que não é fácil conseguirmos tão amiúde pôr nossa alma nessa atitude correta, compungida e devota em que precisa estar para fazê-lo: do contrário, nossas orações não são apenas vãs e inúteis, mas viciosas. "Perdoa-nos", dizemos, "como perdoamos aos que nos ofenderam." O que dizemos com isso, senão que Lhe oferecemos nossa alma isenta de vingança e rancor? Todavia, invocamos Deus e Sua ajuda para ser cúmplice de nossos erros, e O convidamos à injustiça.

*Quae nisi seductis nequeas committere divis.**
[O que só poderíamos confessar aos deuses à parte.]

O avarento reza a Deus pela conservação vã e supérflua de seus tesouros; o ambicioso, por suas vitórias e pela condução de seu destino; o ladrão recorre à Sua ajuda para vencer o perigo e as dificuldades que se opõem à execução de seus atos nefandos, ou agradece-Lhe pela facilidade que encontrou em degolar um passante. Ao pé da casa que vão escalar ou explodir os homens fazem suas orações, enquanto suas intenções e esperanças estão cheias de crueldade, luxúria e cupidez.

* Pérsio, II, 4.

Hoc ipsum quo tu Jovis aurem impellere tentas,
Dic agedum, Staio, proh Juppiter, o bone, clamet,
Juppiter, at sese non clamet Juppiter ipse?*
[O mesmo que queres confiar ao ouvido de Júpiter diz, afinal, a Staio: "Por Júpiter, ó bom Júpiter!", ele invocaria; e Júpiter não se invocaria por si mesmo?]

A rainha de Navarra, Margarida, evoca um jovem príncipe (e, embora não diga seu nome, sua grandeza o tornou bastante reconhecível) que, indo a um encontro amoroso para dormir com a mulher de um advogado de Paris, e havendo em seu caminho uma igreja, ele nunca passava por esse lugar santo, ao ir e ao voltar de sua escapada, sem fazer suas preces e orações. Deixo-vos julgar em que ele empregava, com a alma repleta desse belo pensamento, o favor divino. Todavia, ela cita isso como prova de singular devoção. Mas não é apenas por essa prova que poderíamos verificar que as mulheres não são muito aptas a tratar das matérias de teologia. Uma verdadeira oração e uma reconciliação religiosa entre nós e Deus não podem cair numa alma impura e submissa, no mesmo momento, à dominação de Satã. Quem invoca Deus em seu auxílio enquanto está no caminho do vício faz como o gatuno de bolsas que invocaria a justiça em seu auxílio; ou como os que apelam para o nome de Deus como testemunha de uma mentira;

tacito mala vuta susurro,
Concipimus.**
[em voz baixa, formulamos nossos votos criminosos.]

Há poucos homens que ousariam trazer a público as súplicas secretas que fazem a Deus.

* Pérsio, *Sátiras*, ii, 21-3.
** Lucano, v, 104-5.

SOBRE AS ORAÇÕES   191

Haud cuivis promptum est, murmurque humilesque
                                            susurros
*Tollere de templis, et aperto vivere voto.**
[Não é permitido a qualquer um expulsar dos templos
os murmúrios e os cochichos furtivos e proferir a descoberto seus votos.]

Eis por que os pitagorianos queriam que elas fossem públicas e ouvidas por todos, a fim de que não Lhe pedis-
sem coisa indecente e injusta, como fez este:

        clare cum dixit Apolo,
Labra movet metuens audiri:pulchra Laverna
Da mihi fallere, da justum sanctumque videre.
*Noctem peccatis, et fraudibus obiice nubem.***
[ele diz em voz alta: "Apolo", e depois, temendo ser ouvido, sopra baixinho: "Bela Laverna, concede-me que
eu engane, concede-me parecer justo e piedoso, faz noite sobre meus pecados e minhas falcatruas, oculta-as
com uma nuvem!]

Os deuses puniram cruelmente os iníquos votos de Édipo, ao acatá-los. Ele pedira que seus filhos decidissem
entre si, pelas armas, a disputa da sucessão de seu trono,
e foi bastante infeliz ao ser atendido ao pé da letra. Não
devemos pedir que todas as coisas sigam nossa vontade, mas que esta siga a sensatez. Na verdade, parece que
nos servimos de nossas orações como de um jargão, e
como os que empregam as palavras sacras e divinas em
feitiçarias e efeitos mágicos; e que esperamos que o efeito dependa do arranjo entre elas, ou de seu som, ou da
sequência das palavras, ou de nossa atitude. Pois, tendo
a alma repleta de concupiscência, não tocada pelo arre-

* Pérsio, II, 6-7.
** Horácio, *Epístolas*, I, XVI, 59-62.

pendimento nem por nenhuma nova reconciliação com Deus, vamos apresentar-Lhe essas palavras que a memória empresta à nossa língua: e delas esperamos obter a expiação para nossas faltas. Não há nada tão fácil, tão doce e tão favorável como a lei divina: chama-nos a si, por mais culpados e detestáveis que formos, estende-nos os braços e recebe-nos em seu colo, por mais vis, sujos e enlameados que estejamos e que estaremos no futuro. Mas também, em contrapartida, é preciso enxergá-la com o olhar certo; também é preciso receber esse perdão com uma ação de graças, e pelo menos, nesse instante em que nos dirigimos a ela, ter a alma contrita de suas faltas, e inimiga das paixões que nos levaram a ofendê--la: nem os deuses nem as pessoas de bem, diz Platão, aceitam o presente de um mau.

> *Immunis aram si tetigit manus,*
> *Non sumptuosa blandior hostia*
> *Mollivit aversos Penates,*
> *Farre pio et saliena mica.*[*]

[Se a mão pura tocou no altar, não há necessidade de uma suntuosa vítima para adular e acalmar os penates hostis: bastam farinha consagrada e um grão de sal estalando.]

---

* Horácio, *Odes*, III, 23.

Sobre a idade

Capítulo LVII

Montaigne publicou os dois primeiros livros de Os en-
saios quando tinha 47 anos. Aqui ele olha para trás, para
sua juventude, e vê que os trinta anos são o divisor de
águas entre o vigor e o declínio. Por volta dos 47 anos
tem início o sofrimento das cólicas renais que o atormen-
tarão até a morte. Diz que chegou a uma idade a que pou-
cos chegaram e renuncia à esperança de viver oitenta
anos, o que expressava no Livro I, XIX. Sua idade atual
é vivida como uma perda, que em contraste confere à
juventude prestígio e brilho, ilustrados nas figuras de
Augusto, Cipião e Aníbal. Montaigne se insurge, assim,
contra o fato de que desde a Antiguidade as leis confis-
cam os direitos dos jovens. A seu ver, eles devem entrar
muito cedo nos negócios. A última palavra deste ensaio,
e portanto do Livro I, é "aprendizado". Aos trinta anos
o aprendizado de um homem sábio deveria, sem a me-
nor dúvida, estar terminado, mas para aqueles que fa-
zem bom uso de seu tempo, poderão o conhecimento e
a experiência crescer com os anos?

Não posso aceitar o modo como estabelecemos a duração de nossa vida. Vejo que os sábios a encurtam muito em relação à opinião comum. "Como", diz o jovem Catão aos que queriam impedi-lo de se matar, "estarei ainda na idade em que possam me repreender por abandonar a vida cedo demais?" No entanto, tinha apenas 48 anos. Estimava essa idade bem madura e bem avançada, considerando que poucos homens a atingem. E os que se iludem com não sei qual "curso", a que chamam de "natural", que promete alguns anos mais, bem poderiam fazê-lo se tivessem o privilégio de ser isentados de um número tão grande de infortúnios de que cada um de nós é alvo por natural sujeição e que podem interromper esse curso que prometem a si mesmos. Que loucura é esperar morrer de um enfraquecimento de forças trazido pela velhice extrema e propor-se esse objetivo como termo de nossa vida, visto que é o tipo de morte mais rara de todas e a menos usual! Nós a chamamos de única natural, como se fosse antinatural ver um homem quebrar o pescoço numa queda, afogar-se num naufrágio, deixar-se surpreender pela peste ou por uma pleurisia, como se nossa reles condição não apresentasse esses inconvenientes a todos. Não nos iludamos com essas belas palavras; devemos talvez chamar de natural o que é genérico, comum e universal. Morrer de velhice é uma morte rara, singular e extraordinária, e portanto menos natural que as outras; é a última e extrema maneira de morrer: mais está afastada de nós, menos é esperável; é até mesmo o limite além do qual não iremos e que a lei da natureza prescreveu para não ser ultrapassado; mas é um privilégio dela nos fazer durar até lá. É uma isenção que ela dá por favor particular, a um só no espaço de dois ou três séculos, desobrigando-o dos reveses e das dificuldades que ela mesma jogou nessa longa estrada. Assim, minha opinião é que devemos considerar que a idade a que chegamos é uma idade a que poucas pessoas chegam. Posto que no ritmo normal os homens não chegam até aqui, é sinal de que estamos bem à frente deles. E já que ultrapassamos os limites habituais, que são a verdadeira medida de nossa vida, não devemos esperar ir além; tendo escapado de tantas ocasiões de morrer em que vemos todo mundo tropeçar, devemos reconhecer que uma sorte extraordinária como esta que nos mantém e está além da norma usual não deve durar muito. É um defeito das próprias leis apresentar esta ideia falsa: elas não querem que um homem seja capaz de gerir seus bens antes que tenha 25 anos, e mal e mal conservará até aí a gestão de sua vida. Augusto cortou cinco anos nos antigos decretos romanos e declarou que bastava, para os que assumiam um cargo de juiz, ter trinta anos. Sérvio Túlio dispensou das corveias da guerra os cavaleiros que tinham passado dos 47 anos. Augusto reduziu essa idade para 45. Não me parece haver muita razão em mandar-se os homens para a aposentadoria antes dos 55 ou sessenta anos. Eu seria de opinião de que se estendesse nosso período de atividade e ocupação tanto quanto possível, no interesse público. Mas considero que o erro está do outro lado: não começarmos a trabalhar mais cedo. Aquele que foi juiz universal do mundo aos dezenove anos[*] quer que um homem tenha trinta para poder decidir sobre o lugar de uma

---

[*] O imperador Augusto.

calha. Quanto a mim, considero que nossas almas se tornaram aos vinte anos o que devem ser e que aí prometem tudo o que poderão. Jamais uma alma que não tenha dado nessa idade garantia evidente de sua força deu prova disso desde então. As qualidades e virtudes naturais produzem nesse prazo, ou nunca, o que têm de vigoroso e belo.

> *Si l'espine nou pique quand nai,*
> *A pene que pique jamai,*
> [Se o espinho não espeta quando nasce, dificilmente um dia espetará.]

dizem no Dauphiné. De todas as belas ações humanas que chegaram ao meu conhecimento, de qualquer tipo que sejam, eu pensaria que, ao designar as que foram produzidas tanto nos séculos antigos como no nosso, a maioria foi antes da idade de trinta anos e não depois. E, sim, frequentemente na vida dos mesmos homens. Não posso dizer isso, com toda a certeza, das de Aníbal e de Cipião, seu grande adversário? A boa metade de suas vidas eles viveram da glória adquirida na juventude: desde então, foram grandes homens em comparação com todos os outros, mas de jeito nenhum se comparados consigo mesmos. Quanto a mim, dou por certo que, desde essa idade, tanto meu espírito como meu corpo mais diminuíram que aumentaram e mais recuaram que avançaram. É possível que para os que empregam bem seu tempo, o saber e a experiência cresçam com a vida, mas a vivacidade, a presteza, a firmeza e outras qualidades bem mais nossas, mais importantes e essenciais, fenecem e enlanguescem.

> *Ubi iam validis quassatum est viribus aevi*
> *Corpus, et obtusis ceciderunt viribus artus,*
> *Claudicat ingenium, delirat linguaque mensque.**

* Lucrécio, III, 451-3.

[Uma vez que as rudes forças do tempo abalaram nosso corpo, que nossos membros se prostraram, suas forças gastaram-se, nosso espírito claudica, nossa língua e nossa razão disparatam.]

Ora é o corpo que primeiro se rende à velhice, ora também é a alma. E vi muitos que ficaram com o cérebro enfraquecido antes do estômago e das pernas; e como é um mal pouco sensível para quem dele sofre, e difícil de ver, é mais perigoso ainda. Por isso mesmo, queixo-me das leis, não porque nos mantêm tarde demais no trabalho, mas porque nele nos colocam muito tarde. Parece-me que, considerando a fraqueza de nossa vida, e a quantos escolhos costumeiros e naturais está exposta, não se deveria dar tão grande importância ao crescimento, aos jogos infantis e ao aprendizado.

LIVRO SEGUNDO

Sobre a inconstância de nossas ações

Capítulo I

No *francês de Montaigne*, inconstance *é um termo que engloba volubilidade, variabilidade e inconsistência de comportamento.* Em latim, constantia *era um dos ideais da filosofia estoica.* Se terminou o Livro I com a noção *de aprendizado, agora se volta corajosamente para novas áreas de exploração de si mesmo e da natureza do homem, considerando que estamos sujeitos à volubilidade e marcados por qualidades inconsistentes. Este capítulo corresponderia ao primeiro capítulo do Livro I. Centrado numa reflexão sobre o método, visa a refletir sobre como conseguimos conhecer o homem. A tarefa se complica com a inconstância de nossas ações, a ausência de qualquer continuidade e coerência. Montaigne tenta responder a essa aporia introduzindo uma lógica mais sutil, a do* distingo, *termo da lógica neoescolástica que consiste em dividir os argumentos em binaridades, de acordo com princípios de oposição. Ele pode ter se inspirado no método de raciocínio de seu professor Nicolas de Grouchy, cujo livro* Praeceptiones dialecticae *estava no programa do Colégio de Guyenne, e em Jacques Dubois, cujos cursos seguiu em Paris.*

Os que se empenham em examinar as ações humanas jamais ficam tão atrapalhados como para juntá-las e apresentá-las sob a mesma luz, pois comumente elas se contradizem de modo tão estranho que parece impossível que venham da mesma matriz. O jovem Mário ora parece filho de Marte, ora filho de Vênus. Dizem que o papa Bonifácio VIII assumiu seu cargo como uma raposa, portou-se como um leão e morreu como um cão. E quem diria que foi Nero, essa verdadeira imagem de crueldade, quem respondeu, quando lhe apresentaram para assinar, seguindo a praxe, a sentença de um criminoso condenado: "Prouvera a Deus que eu jamais tivesse aprendido a escrever", de tal forma lhe apertava o coração condenar à morte um homem? Tudo está tão cheio de exemplos assim, e até mesmo qualquer um de nós pode encontrar tantos outros por si mesmo, que estranho ver gente de bom-senso ter às vezes trabalho para juntar essas peças, visto que a irresolução me parece o vício mais comum e aparente de nossa natureza, como o atesta este famoso verseto de Públio, o satírico,

Malum consilius est, quot mutari non potest.[*]
[Mau projeto este que não se pode mudar.]

---

[*] Público Siro, citado por Aulo Gélio, XVII, xiv, 4.

Há alguma razão em fazer o julgamento de um homem pelos aspectos mais comuns de sua vida; mas, tendo em vista a natural instabilidade de nossos costumes e opiniões, muitas vezes me pareceu que mesmo os bons autores estão errados em se obstinarem em formar de nós uma ideia constante e sólida. Escolhem um caráter universal e, seguindo essa imagem, vão arrumando e interpretando todas as ações de um personagem, e, se não conseguem torcê-las o suficiente, atribuem-nas à dissimulação. Augusto escapou-lhes, pois encontra-se nesse homem, durante toda a sua vida, uma variedade de ações tão clara, súbita e contínua, que os mais ousados juízes renunciaram a julgá-lo em seu conjunto e tiveram de deixá-lo indefinido, sem veredicto a seu respeito. Creio mais dificilmente na constância dos homens do que em qualquer outra coisa, e em nada mais facilmente do que na inconstância. Quem os julgasse nos pormenores e separadamente, peça por peça, teria mais ocasiões de dizer a verdade. Em toda a Antiguidade é difícil escolher uma dúzia de homens que tenham ordenado sua vida num projeto definido e seguro, que é o principal objetivo da sabedoria. Pois para resumi-la por inteiro numa só palavra e abranger em uma só todas as regras de nossa vida, a sabedoria, diz um antigo, "é sempre querer a mesma coisa, é sempre não querer a mesma coisa"; "eu não me dignaria", diz ele, "a acrescentar 'contanto que a tua vontade esteja certa', pois se não está certa, é impossível que sempre seja uma só e a mesma".* Na verdade, aprendi outrora que o vício é apenas o desregramento e a falta de moderação; e, por conseguinte, é impossível o imaginarmos constante. É uma frase de Demóstenes, dizem, que "o começo de toda virtude são a reflexão e a deliberação, e seu fim e sua perfeição, a constância". Se, guiados pela reflexão, pegássemos certa via, pegaríamos a mais bela, mas ninguém pensa antes de agir,

* Sêneca, *Cartas a Lucílio*, XX, 5.

Quod petiit, spernit, repetit quod nuper omisit,
*Aestuat, et vitae disconvenit ordine toto.**
[O que ele pediu, desdenha; exige o que acaba de abando-
nar; agita-se e sua vida não se dobra a nenhuma ordem.]

Nosso modo habitual é seguir as inclinações de nosso
desejo, para a esquerda, para a direita, para cima, para
baixo, conforme nos leva o vento das ocasiões: não pensamos no que queremos a não ser no instante em que
o queremos, e mudamos como esse animal que toma a
cor do lugar onde o colocamos. O que nos propusemos
há pouco, ora logo mudamos, e ora, de novo, voltamos
atrás: tudo não passa de oscilação e inconstância.

*Ducimur ut nervis alienis mobile lignum.***
[Somos levados como uma marionete de madeira pelos
músculos de outro.]

Não vamos, somos levados: como as coisas que flutuam,
ora suavemente, ora com violência, dependendo se a
água está revolta ou serena.

                              Nonne videmus
Quid sibi quisque velit nescire, et quaerere semper,
*Commutare locum quasi onus deponere possit?****
[Então não vemos que ninguém sabe o que quer, e que
procuramos sem cessar, mudamos de lugar, como se pu-
déssemos assim descarregar o fardo?]

Cada dia uma nova fantasia, e nossos humores se movem junto com os movimentos do tempo:

---

* Horácio, *Epístolas*, I, 1, 98-9.
** Horácio, *Sátiras*, II, vii, 82.
*** Lucrécio, iii, 1057-9.

SOBRE A INCONSTÂNCIA DE NOSSAS AÇÕES 205

Tales sunt hominum mentes, quali pater ipse
Juppiter auctifero lustravit lumine terras.[*]
[Os espíritos dos homens são semelhantes ao raio com
que o próprio pai, Júpiter, banhou a terra com uma luz
fecunda.]

Flutuamos entre diversas opiniões: nada queremos livremente, nada absolutamente, nada constantemente.
Em quem tivesse prescrito e estabelecido no espírito
certas leis e certo projeto, veríamos tudo, em toda a
sua vida, reluzir uma uniformidade de comportamentos, uma ordem e uma relação infalível de umas coisas
com as outras. (Empédocles observava essa deformidade entre os agrigentinos, que se entregavam às delícias
como se devessem morrer amanhã, e construíam como
se nunca devessem morrer.) Seria muito fácil dar uma
explicação a isso. Como se vê com Catão, o Moço,
quem nele toca uma tecla toca todas, pois há uma harmonia de sons muito bem afinados que ninguém pode
negar. Conosco, ao contrário, são tantas ações quantos juízos particulares. O mais seguro, a meu ver, seria
referi-las às circunstâncias próximas, sem entrar em
pesquisa mais longa e sem disso tirar outra conclusão.
Durante as desordens de nosso pobre país, contaram-
-me que uma moça, bem perto daqui onde me encontro, se jogara do alto de uma janela para evitar a bru-
talidade do soldado pulha acampado em sua casa; não
morreu na queda e, para repetir a tentativa, quis enfiar
uma faca na garganta mas a impediram; depois de ter
se ferido bastante, ela mesma confessou que o soldado
ainda não a havia pressionado a não ser com pedidos,
solicitações e presentes, mas que ela ficara com medo

---

[*] Palavras de Ulisses a Fêmio em Homero, *Odisseia*, XVIII,
136-7, traduzidas por Cícero e, mais tarde, citadas por Santo
Agostinho, *Cidade de Deus*, V, VIII.

de que no final ele a violentasse. Daí os gritos, a atitude e aquele sangue, prova de sua virtude, à verdadeira moda de uma outra Lucrécia.* Ora, eu soube que, na verdade, antes e depois ela fora moça não tão difícil nem arisca. Como diz o conto, "por mais belo e honesto que sejas, quando tiveres falhado em teu ataque não concluas, incontinente, por uma castidade inviolável de tua amante: isso não quer dizer que o arreeiro não tenha vez com ela". Antígono, que se afeiçoara a um de seus soldados por sua virtude e valentia, mandou seus médicos tratarem dele por uma doença longa e interna que o atormentara muito tempo; percebendo que, depois da cura, ele cumpria as tarefas muito mais friamente, perguntou-lhe quem o modificara assim e o acovardara: "Vós mesmo, senhor", respondeu-lhe, "tendo me aliviado dos males que me faziam não levar em conta minha vida". Um soldado de Lúculo, ao ser roubado pelos inimigos, organizou contra eles, para se vingar, um belo ataque. Quando se recuperou da perda, Lúculo, que o tinha em boa conta, empregou-o em uma façanha perigosa, com todas as exortações mais belas que podia imaginar:

Verbis quae timido quoque possent addere mentem:[**]
[Com palavras que poderiam dar coragem até mesmo ao covarde:]

"Mandai para isso", ele respondeu, "algum pobre soldado roubado."

---

* Lucrécia, mulher de Tarquínio Colatino, foi violentada por Sexto Tarquínio. Desonrada, mandou buscar o pai e o marido, revelou o crime e matou-se na frente deles com um punhal.
** Horácio, *Epístolas*, II, III, 39-40.

SOBRE A INCONSTÂNCIA DE NOSSAS AÇÕES

quantumvis rusticus ibit,
*Ibit eu, quo vis, qui zonam perdidit, inquit**
[por mais rústico que fosse, ele respondeu: "Irá, irá
aonde queres aquele que perdeu sua bolsa"]

e recusou-se terminantemente a ir. Lemos que Maomé,**
tendo injuriosamente maltratado Xasan, chefe dos seus
janízaros, por ver sua tropa derrotada pelos húngaros
e por ter ele se portado covardemente no combate, teve
como única resposta ver Xasan precipitar-se furioso, sozinho, no estado em que se encontrava, armas em punho,
sobre o primeiro pelotão inimigo que se apresentou, pelo
qual foi repentinamente tragado. Talvez não o tenha mo-
vido tanto o desejo de se justificar como uma reviravolta
de sentimentos; não tanto a valentia natural como um
despeito. Quem ontem vistes tão corajoso, não achais estranho vê-lo no dia seguinte tão poltrão: ou a cólera, ou
a necessidade, ou a companhia, ou o vinho, ou o som de
uma trombeta, infundiram-lhe coragem no coração; não
foi o raciocínio que lhe deu coragem, mas aquelas circunstâncias que o fortaleceram; não espanta se for transformado em outro por outras circunstâncias contrárias.
Essa variação e essa contradição que vemos em nós, tão
mutáveis, levaram alguns a imaginar que temos duas almas, outros, duas forças que nos acompanham e atuam,
cada uma à sua maneira, uma para o bem, outra para o
mal: uma diversidade tão brusca não pode associar-se a
um sujeito simples. Não só o vento dos acontecimentos
me agita conforme sua inclinação, como, além disso, eu
mesmo me agito e me atormento pela instabilidade de
minha postura; e quem se observa de perto raramente

* Horácio, *Epístolas*, II, ii, 39.
** O sultão Maomé ii, que em 1453 acabou com o Império Bizantino e tomou Constantinopla, fez em 1479 uma expedição
contra os húngaros, que terminou em fracasso.

se vê duas vezes no mesmo estado. Dou à minha alma ora um aspecto, ora outro, segundo o lado por onde a examino. Se falo de mim de diversos modos é porque me observo de diversos modos. Em mim encontram-se, de um jeito ou de outro, todas as contradições: envergonhado, insolente, casto, libidinoso, tagarela, taciturno, trabalhador, lânguido, engenhoso, tolo, triste, jovial, mentiroso, sincero, sábio, ignorante, e generoso, e avarento e pródigo: vejo tudo isso em mim de uma certa maneira, conforme eu me examino. E quem se estuda bem atentamente encontra em si, e até em seu próprio julgamento, essa volubilidade e essa discordância. Não tenho nada a dizer de mim, integralmente, simplesmente, e solidamente, sem confusão e sem mistura, nem numa só palavra. *Distingo** é o termo mais geral de minha lógica. Ainda que eu seja sempre da opinião de falar bem do bem e interpretar de modo favorável as coisas que podem sê--lo, a singularidade de nossa condição resulta, contudo, em que não raro o próprio vício nos leva a bem-fazer, se o bem-fazer não se definisse apenas pela intenção que o determina. Por isso um feito corajoso não deve nos levar a concluir que um homem valente o praticou: quem o foi naquele ato o seria sempre, em todas as ocasiões; se fosse um hábito de virtude e não um ímpeto, esse homem se tornaria igualmente decidido em todas as circunstâncias, tanto sozinho como acompanhado, tanto em campo de duelo como numa batalha. Pois, diga-se o que se disser, não há uma valentia na cidade e outra no campo de guerra. Tão corajosamente ele suportaria uma enfermidade em seu leito como um ferimento no campo, e não temeria mais a morte em casa do que numa investida. Não veríamos um mesmo homem atirar-se numa brecha com

---

* Termo da lógica neoescolástica, que descreve o processo que divide os argumentos em pares, cada um tendo pelo menos um elemento oposto a um dos elementos do outro.

SOBRE A INCONSTÂNCIA DE NOSSAS AÇÕES

destemida bravura e, em seguida, atormentar-se como
uma mulher pela perda de um processo ou de um filho.
Quando é covarde diante da infâmia e firme diante da
pobreza; quando, frouxo diante das navalhas dos barbei-
ros, encontra-se teso diante das espadas dos adversários,
o ato é louvável, não o homem. Vários gregos, diz Cícero,
não conseguem ver os inimigos mas mostram-se firmes
nas doenças. Os cimbros e celtiberos, justo o contrário.
*Nihil enim potest esse aequabile, quod non a certa ratio-
ne proficiscatur.** [Com efeito, nada pode ser estável que
não parta de um princípio determinado.] Não há valentia
mais extrema, em seu gênero, que a de Alexandre, mas só
no seu gênero, nem completa o suficiente nem universal.
Por mais incomparável que seja, ainda tem suas falhas,
o que nos faz vê-lo tão perdidamente perturbado com
as mais leves suspeitas de conspirações dos seus contra
sua vida; e portar-se, nessa investigação, com uma injustiça tão veemente e indiscreta, e um temor que subverte
sua razão natural. A superstição que o atingia com tanta
força traz uma imagem de pusilanimidade. E a exagerada penitência que demonstrou no assassínio de Clito
também é prova da desigualdade de sua coragem. Nosso
comportamento são apenas peças costuradas e queremos
que nos honrem quando não merecemos. A virtude só
quer ser praticada por si mesma; e se às vezes para outro
fim tomamos sua máscara, ela logo a arranca de nosso
rosto. É um verniz vivo e forte, que quando impregna
nossa alma não se vai sem levar-lhe um pedaço. Eis por
que, para julgar um homem, é preciso seguir longa e cuidadosamente seu rastro; se sua constância não se mantém por si só, *Cui vivendi via considerata atque provisa
est,*** [Àquele que refletiu sobre sua vida, que a premedi-
tou,] se a variedade das circunstâncias o faz mudar de

* Cícero, *Tusculanas*, II, xxvii, 65.
** Cícero, *Paradoxos*, V, i, 34.

passo (digo de caminho, pois é possível apressar ou diminuir o passo), deixai-o correr: este aí vai ao sabor do vento, como reza a divisa de nosso Talbot.* Não é de espantar, diz um antigo, que o acaso tenha tanto poder sobre nós, pois vivemos ao sabor do acaso. Para quem não orientou, de modo geral, sua vida para certo fim, é impossível organizar seus atos em particular. Para quem não tem na cabeça uma forma do todo, é impossível arrumar os elementos. Para que fazer provisão de tintas quem não sabe o que deve pintar? Ninguém faz o plano exato de sua vida, e só deliberamos momento a momento. O arqueiro deve primeiramente saber onde mira, e depois ajustar a mão, o arco, a corda, a flecha e os movimentos. Nossos projetos desencaminham-se porque não têm direção nem objetivo. Nenhum vento serve para quem não tem porto de chegada. Não concordo com a sentença dada em favor de Sófocles no processo feito contra ele por seu filho, que o acusava; não é por ter visto uma de suas tragédias que era possível considerá-lo capaz para a administração das coisas domésticas. Nem acho a conclusão dos pários, enviados para reformar o governo dos milésios, suficiente para a consequência que daí tiraram. Ao visitarem a ilha, observaram as terras mais bem cultivadas e as casas campestres mais bem governadas; e tendo registrado o nome de seus donos, quando fizeram a assembleia dos cidadãos na cidade os nomearam como novos governadores e magistrados, considerando que, cuidadosos com seus negócios privados, o seriam com os públicos. Somos todos feitos de peças separadas, e num arranjo tão disforme e diverso que cada peça, a todo instante, faz seu próprio jogo. E há tanta dife-

* John Talbot, conde de Shrewsbury, capitão inglês que morreu no cerco de Castillon, em 1453; seu último combate foi travado perto do castelo de Montaigne.

SOBRE A INCONSTÂNCIA DE NOSSAS AÇÕES

rença entre nós e nós mesmos como entre nós e outro. *Magnam rem puta, unum hominem agere.** [Considera que é um grande negócio ser sempre um mesmo homem.] Se a ambição pode ensinar aos homens tanto a coragem como a temperança, e a liberalidade, e mesmo a justiça; se a cupidez pode infundir no coração de um caixeiro, criado na indolência e no ócio, a confiança de se lançar tão longe do lar doméstico, à mercê das ondas e de Netuno enfurecido, num frágil barco, e ainda lhe ensina o discernimento e a prudência; e se a própria Vênus arma de resolução e intrepidez a juventude ainda sujeita à disciplina e à vara, e deixa aguerrido o terno coração das donzelas no regaço de suas mães,

> *Hac duce custodes furtim transgressa jacentes*
> *Ad juvenem tenebris sola puella venit,***
> [Sob sua conduta, passando furtivamente entre os guardas adormecidos, sozinha nas trevas, a moça vai ao encontro do rapaz,]

não demonstra entendimento experiente quem nos julga simplesmente por nossas ações externas: cumpre sondar até o fundo e ver quais engrenagens fazem as coisas se moverem. Mas como é tarefa elevada e arriscada, gostaria que menos pessoas nela se intrometessem.

---

* Sêneca, *Epístolas*, cxx.
** Tibulo, II, 1, 75-6.

Sobre a embriaguez

Capítulo II

A embriaguez era considerada uma forma de arrebatamento em que corpo e alma ficavam separados, e, desde os tempos antigos, uma característica dos mais elevados êxtases (os dos místicos, poetas, profetas e amantes) e também do êxtase do milagre, da bravura e do medo. (*Nas* Paráfrases do Novo Testamento, *Erasmo explica longamente o arrebatamento dos discípulos em Pentecostes, por analogia com os efeitos da embriaguez de que eram acusados.*) Montaigne é cauteloso com o êxtase e despreza o excesso de bebida, que a seu ver é um êxtase do corpo, e não da mente. Essas considerações enquadram-se num rol da variedade e da dessemelhança dos costumes à mesa que Montaigne observou em sua viagem à Itália. A embriaguez é um vício grosseiro que rebaixa o homem ao estado animal. Os antigos não censuraram o vício com tanto exagero. Estando afastado, por temperamento, do vinho e da embriaguez, Montaigne contrapõe a sobriedade de César aos heróis amantes da bebida, como Alexandre, Catão, Ciro. O maior acréscimo do capítulo, publicado no Exemplar de Bordeaux, é uma longa passagem dedicada a seu pai, Pierre Eyquem.

O mundo não passa de variedade e dessemelhança. Os vícios são todos parecidos porque todos são vícios: e dessa maneira talvez os compreendam os estoicos. Mas, também, por serem igualmente vícios não são vícios iguais. E não se pode crer que quem ultrapassou de cem passos os limites,

Quos ultra citraque nequit consistere rectum,[*]
[Além e aquém dos quais não se pode encontrar o caminho certo,]

não esteja em pior condição do que quem está apenas a dez passos deles, e nem que o sacrilégio não seja pior do que o roubo de um repolho em nossa horta:

Nec vincet ratio, tantumdem ut peccet, idemque,
Qui teneros caules alieni fregerit horti,
Et qui nocturnus divum sacra legerit.[**]
[E jamais se demonstrará que cometem um crime igual ou de mesma natureza aquele que pisoteou os tenros repolhos na horta de outrem e aquele que roubou de noite os objetos sagrados dos deuses.]

---

[*] Horácio, *Sátiras*, I, I, 107.
[**] Horácio, *Sátiras*, I, III, 115.

Há nisso tanta diversidade como em qualquer outra coisa. É perigoso confundir a ordem e a importância dos pecados: os assassinos, os traidores, os tiranos, têm muito interesse nisso; não é justo que possam aliviar suas consciências porque um outro é ocioso, ou lascivo, ou menos assíduo na devoção. Cada um insiste no pecado do companheiro e alivia o seu próprio. Até mesmo os professores muitas vezes os classificam mal para meu gosto. Como Sócrates dizia, o principal papel da sabedoria era distinguir o bem e o mal. Nós, para quem o melhor está sempre misturado ao vício, devemos dizer o mesmo da ciência de distinguir os vícios: sem ela, aplicada com exatidão, o virtuoso e o mau permanecem misturados e irreconhecíveis. Ora, a embriaguez parece-me, entre todos os outros, um vício grosseiro e brutal. Há outros em que nosso espírito participa mais, e há vícios que têm não sei quê de nobre, se assim se pode dizer. Há aqueles em que se misturam a diligência, a valentia, a prudência, a habilidade e a fineza; a embriaguez é absolutamente corporal e terrestre. Assim, a nação mais grosseira das que hoje existem é a única que a valoriza.* Os outros vícios alteram o entendimento, este o destrói e entorpece o corpo:

> *cum vini vis penetravit,*
> *Consequitur gravitas membrorum, praepediuntur*
> *Crura vacillanti, tardescit lingua, madet mens,*
> *Nant oculi, clamor, singultus, jurgia gliscunt.***
> [quando a força do vinho nos penetrou, nossos membros ficam pesados, as pernas ficam amarradas e vacilam, a

---

* Todos os comentadores dizem que é a Alemanha, que de fato não era muito apreciada na época. A embriaguez proverbial dos alemães é objeto de zombaria de Giordano Bruno em *Spaccio della bestia trionfante*, III, III.

** Lucrécio, III, 475.

língua gagueja, o espírito afoga-se, os olhos pairam, os gritos, os soluços, as altercações, se seguem.]

O pior estado do homem é quando ele perde o conhecimento e o controle de si. E diz-se, entre outras coisas, que assim como o mosto fermentando num recipiente puxa à tona tudo o que há no fundo, assim o vinho faz transbordarem os segredos mais íntimos dos que o tomaram em excesso,

> *tu sapientium*
> *Curas, et arcanum jocoso*
> *Consilium retegis Liaeo.*[*]

[foste tu que arrancaste dos sábios suas preocupações e seus pensamentos secretos nos divertimentos de Liaeo.]

Josefo[**] conta que arrancou segredos de um certo embaixador que os inimigos tinham lhe enviado, fazendo-o beber muito. Todavia, Augusto confiou-se a Lúcio Piso, que conquistou a Trácia, sobre os negócios mais privados que teve e jamais ficou decepcionado; nem Tibério em relação a Cosso, a quem confiava todos os seus projetos, embora saibamos que os dois eram tão fortemente dados ao vinho que, muitas vezes, foi preciso trazer do Senado um e outro, bêbados,

> *Hesterno inflatum venas de more Lyaeo.*[***]

[As veias inchadas como de costume pelo vinho da véspera.]

---

[*] Horácio, *Odes*, III, XXI, 14-6.
[**] Flávio Josefo (37 ou 38 d.C.-c. 101), historiador judeu, autor de *De vita sua*, única autobiografia da Antiguidade que restou completa até nossos dias.
[***] Virgílio, *As bucólicas*, VI, 15.

216   MONTAIGNE — OS ENSAIOS

E no projeto de matar César demonstraram tanta confiança em Cimber, embora costumasse embriagar-se,
como em Cássio, bebedor de água. O que o levou a responder, brincando: "Que eu suportasse um tirano, eu,
que não consigo suportar o vinho!". E vemos nossos alemães, afogados no vinho, se lembrarem de seu quartel,
de sua senha e de sua patente,

>   *nec facilis victoria de madidis, et*
> *Blaesis, atque mero titubantibus.**
> [e não é fácil vencê-los, por mais encharcados estejam,
> gaguejando e titubeando sob o efeito do vinho puro.]

Eu não teria acreditado numa embriaguez tão profunda, sufocante e parecendo a morte se não tivesse lido
isso nas histórias: a fim de infligir-lhe uma notável in-
dignidade, Átalo convidou para cear aquele Pausânias
que, por esse mesmo motivo, matou depois Filipe, rei da
Macedônia (rei que atestava, por suas belas qualidades,
a educação que recebera na casa, e em companhia, de
Epaminondas). Ele o fez beber tanto que pôde levá-lo,
um tanto sem perceber o que estava acontecendo, a entregar seu belo corpo aos arreeiros e inúmeros abjetos
serviçais de sua casa, como o corpo de uma puta atrás
de uma moita. E há o que me contou uma dama a quem
honro e prezo muito: que perto de Bordeaux, para os
lados de Castres, onde fica sua casa, uma rica arrenda-
tária, viúva e de casta reputação, ao sentir os primeiros
efeitos da gravidez disse às vizinhas que pensaria estar
grávida se tivesse um marido. Mas, dia a dia, crescendo
essa suspeita, e tornando-se afinal evidente, ela chegou
a declarar durante o sermão de sua igreja que prometia perdoar ao homem que admitisse esse fato, e, se ele

---

* Juvenal, *Sátiras*, xv, 47-8. Ao substituir *nec* por *et*, Montaigne dá ao verso um sentido contrário ao de Juvenal.

achasse bom, desposá-lo. Um jovem lavrador seu, encorajado com essa declaração, declarou tê-la encontrado num dia de festa, quando ela bebeu vinho fartamente e adormeceu perto da lareira tão profunda e indecentemente que ele pôde servir-se dela sem despertá-la. Ainda vivem juntos, casados. É certo que a Antiguidade não desabonou muito esse vício: os próprios textos de vários filósofos o mencionam com bastante indulgência e até entre os estoicos há os que aconselham a, vez por outra, beber muito e embriagar-se para relaxar a alma:

> *Hoc quoque virtutum quondam certamine magnum*
> *Socratem palmam promeruisse ferunt.**
> [Dizem que antigamente, também nesse combate, o grande Sócrates ganhou a palma.]

Catão, esse censor e corretor dos outros, foi criticado por beber bem.

> *Narratur et prisci Catonis*
> *Saepe mero caluisse virtus.***
> [Conta-se que a virtude de Catão, o Velho, amiúde se aquecia no vinho.]

Ciro, rei tão renomado, entre os outros elogios para mostrar-se superior a seu irmão Ataxerxes alega que sabia beber muito melhor que ele. E nas nações mais organizadas e civilizadas essa experiência de beber tanto era muito usada. Ouvi Silvius, excelente médico de Paris, dizer que, para evitar que as forças de nosso estômago se tornem preguiçosas, é bom uma vez por mês despertá-las com esse excesso e atiçá-las para evitar que se entorpeçam. E escreve-se que os persas, depois do vinho, deliberavam sobre seus princi-

---

* Pseudo-Galo ou Maximiano, I, 47-8.
** Horácio, *Odes*, III, XXI, 11-2.

pais negócios. Meu paladar e minha compleição são mais inimigas desse vício do que minha razão, pois, além de submeter facilmente minhas crenças à autoridade das opiniões dos antigos, acho-o mesmo um vício covarde e estúpido, mas menos mau e prejudicial que os outros, que, quase todos, chocam mais diretamente a sociedade e o público. E se, como se diz, não podemos ter nenhum prazer sem que ele nos custe alguma coisa, acho que esse vício custa menos à nossa consciência do que os outros; ademais, não é muito difícil providenciá-lo nem encontrá-lo: consideração nada desprezível. Dizia-me um homem de idade avançada e grande dignidade que, entre os três principais prazeres que lhe restavam na vida, incluía esse aí; e onde se espera encontrar esses prazeres senão justamente entre os naturais? Mas usava-o mal. Nisso, há que fugir da delicadeza do paladar e de uma seleção cuidadosa do vinho. Se baseamos nosso prazer em beber um vinho de gosto agradável, obrigamo-nos ao desprazer de beber outro desagradável. É preciso ter o gosto mais despretensioso e mais livre. Para ser um bom bebedor não se deve ter o paladar tão delicado. Os alemães bebem qualquer vinho com quase igual prazer: o objetivo é engoli-lo mais que saboreá-lo. Dão-se muito melhor assim. O prazer deles é bem mais abundante e mais acessível. Em segundo lugar, beber à francesa nas duas refeições, e moderadamente, é restringir demais os favores desse deus. Para ele é preciso mais tempo e constância. Os antigos varavam noites inteiras nesse exercício e costumavam consagrar-lhe os dias. E também é preciso tornar o consumo habitual mais amplo e mais forte. No meu tempo vi um grande cavalheiro, personagem de altas empreitadas e êxitos famosos, que sem esforço, e durante as refeições comuns, não bebia menos de cinco lotes de vinho,* e ao sair da mesa sempre se mostrou muito comportado e pru-

---

* Cerca de vinte garrafas: um lote equivalia a quatro pintas, e a pinta, a pouco menos de um litro.

SOBRE A EMBRIAGUEZ

dente, em detrimento de nossos negócios. Deveríamos dedicar mais espaço ao prazer que queremos ter em conta
durante nossa vida. Haveria que não recusar, como os cai-
xeiros de armazéns e trabalhadores manuais, nenhuma
ocasião de beber e ter sempre esse desejo em mente. Parece
que todos os dias reduzimos esse costume e que em nossas
casas, como vi em minha infância, os almoços, jantares e
colações eram mais frequentes e habituais do que agora.
Seria por estarmos nos encaminhando para uma melhora
em alguma coisa? Certamente não. Mas é possível que sejamos muito mais dados à lascívia do que nossos pais. São
duas ocupações que impedem uma a força da outra. De um
lado, a lascívia enfraqueceu nosso estômago, de outro, a
sobriedade serve para nos tornar mais dispostos, mais ga-
lantes para o exercício do amor. São espantosas as histórias
que ouvi meu pai contar a respeito da castidade em seu
tempo. Era bem dele falar sobre isso, sendo muito atencio-
so, por gosto e por natureza, em companhia das mulheres.
Falava pouco e bem, ainda que misturasse à sua linguagem
alguma referência a livros vulgares, sobretudo espanhóis, e
entre os espanhóis lhe era costumeiro aquele a que chamavam *Marco Aurélio*.* Tinha o semblante de uma gravidade
suave, humilde e muito modesto. Singular cuidado com a
honestidade e a decência de sua pessoa e de suas roupas,
fosse a pé, fosse a cavalo. Monstruosa fidelidade às suas
palavras, e uma consciência e uma religião em geral pendendo mais para a superstição do que para o outro lado.
Para um homem de baixa estatura, era cheio de vigor, e de
porte empertigado e bem-proporcionado, rosto agradável,
tirante ao moreno, hábil e excelente em todos os nobres
exercícios. Ainda vi as bengalas repletas de chumbo com as
quais dizem que ele exercitava os braços a fim de se prepa-

* *Marco Aurélio ou o Relógio dos príncipes* (1529), de Antonio Guevara (1490-1545), foi traduzido para o francês em
1531 e fez grande sucesso na época.

rar para lançar a barra, ou a pedra, ou para a esgrima, e
sapatos de solas de chumbo para ficar mais leve ao correr e
saltar. Do salto de pés juntos deixou na memória pequenos
prodígios. Vi-o com mais de sessenta anos zombar de nossos exercícios de agilidade, jogar-se em cima de um cavalo
com sua toga forrada, dar a volta sobre uma mesa sustentando-se apenas pelo polegar, sempre subir para seu quarto
lançando-se de três em três ou de quatro em quatro degraus. Sobre meu assunto da castidade, ele dizia que em
toda a província havia apenas uma mulher de caráter com
má reputação. Falava de estranhas relações íntimas, especialmente suas, com mulheres honestas acima de qualquer
suspeita. E quanto a ele, jurava como um santo ter chegado
virgem ao casamento, e depois de ter participado por longo
tempo, contudo, das guerras transalpinas das quais nos
deixou um diário de próprio punho seguindo ponto por
ponto o que lá se passou, tanto nos negócios públicos como
nos seus privados. Assim, casou-se numa idade bem avançada, no ano de 1528, que era seu 33º, no caminho de volta
da Itália. Voltemos às nossas garrafas. Os inconvenientes
da velhice, que precisam de certo apoio e reconforto, poderiam gerar em mim, com razão, o desejo desse expediente,
pois é quase o último prazer que o passar dos anos nos
rouba. O calor natural, dizem os bons companheiros, chega primeiramente aos pés: esse está ligado à nossa infância.
Daí sobe para o meio do corpo, onde se instala por muito
tempo e produz, a meu ver, os únicos verdadeiros prazeres
da vida corporal: em comparação, os outros prazeres ficam
adormecidos. No fim, qual um vapor que vai subindo e
evaporando, chega à garganta, onde faz sua última pausa.
Não consigo, porém, compreender como se consegue prolongar o prazer de beber além da sede e forjar na imaginação um apetite artificial e antinatural. Meu estômago não
chegaria a esse ponto: já está bastante ocupado em dar
conta do que absorve para suas necessidades. Minha constituição é de só fazer caso da bebida para completar a co-

SOBRE A EMBRIAGUEZ

mida, e por isso sempre o último gole que bebo é o maior. E porque na velhice nosso palato parece sujo pelo resfriado ou alterado por alguma outra indisposição, o vinho nos parece melhor na medida em que abrimos e lavamos nossas papilas. Pelo menos é raro me acontecer de sentir bem seu gosto na primeira vez. Anarcase espantava-se que os gregos bebessem no fim da refeição em copos maiores que no começo. É, como penso, pela mesma razão que os alemães o fazem, começando então os desafios de quem bebe mais. Platão proíbe as crianças de beberem vinho antes dos dezoito anos e de se embriagarem antes dos quarenta. Mas aos que passaram dos quarenta ele perdoa que se deleitem assim e que levem amplamente a seus convivas a influência de Dioniso, esse bom deus que devolve aos homens a alegria, e a juventude aos velhos, que suaviza e amolece as paixões da alma, assim como o fogo amolece o ferro. E nas suas *Leis* considera úteis tais assembleias onde se bebe (contanto que no grupo haja um chefe para contê-las e regulamentá-las), pois a embriaguez é uma prova boa e segura da natureza de cada um, ao mesmo tempo que é capaz de dar às pessoas de idade a coragem de se divertirem em danças e na música, coisas úteis e que não ousam empreender em estado normal. Pois o vinho é capaz de fornecer à alma temperança, e ao corpo, saúde. Contudo, ele aprecia essas restrições, em parte adotadas dos cartagineses: que se evite vinho em expedição de guerra; que todo magistrado e todo juiz dele se abstenham quando prestes a executar seu ofício e deliberar sobre os negócios públicos; que a ele não se dedique o dia, tempo devido a outras ocupações, nem a noite que for destinada a gerar filhos. Dizem que o filósofo Estilpo, prostrado pela velhice, apressou seu fim cientemente bebendo vinho puro.[*] Causa semelhante, mas não por desejo próprio, sufocou também as forças prostradas

---

[*] O vinho não misturado com água, como então se costumava beber na Grécia.

pela idade do filósofo Arcesilau. Mas é uma velha e divertida questão saber se a alma do sábio seria capaz de sucumbir à força do vinho,

Si munitae adhibet vim sapientiae.[*]
[Se este pode reprimir uma virtude bem fortificada.]

A que grau de vaidade nos leva essa boa opinião que temos de nós mesmos! A alma mais bem regrada do mundo e a mais perfeita já tem muito o que fazer para se manter de pé e evitar que desmorone por sua própria fraqueza. De mil, não há só uma que seja tão reta e estável um só instante da vida, e até se pode duvidar que, devido à sua condição natural, algum dia possa ser assim. Mas juntar-lhe a constância seria sua perfeição extrema, quero dizer, quando nada a abalasse, o que mil acontecimentos podem fazer. Lucrécio, esse grande poeta, por mais que tenha filosofado e resistido, ei-lo entregue à insensatez por uma poção de amor. Pensam eles que uma apoplexia não pode fazer Sócrates perder a consciência, tanto quanto a um carregador? Uns esqueceram o próprio nome pela força de uma doença e outros tiveram o juízo destruído por um ferimento leve. Um homem é tão sábio quanto quiser, mas é, afinal, um homem: o que há de mais fraco, mais miserável, mais insignificante? A sabedoria não fortalece nossas disposições naturais.

Sudores itaque et pallorem existere toto
Corpore, et infringi linguam, vocemque aboriri,
Caligare oculos, sonere aures, succidere artus,
Denique concidere ex animi terrore videmus.[**]
[É por isso que vemos os suores e a palidez tomarem todo o corpo, a língua se embaraçar, a voz não mais

[*] Horácio, *Odes*, III, xxviii, 4.
[**] Lucrécio, iii, 154-7.

sair, os olhos obscurecerem, as orelhas tilintarem, os membros vergarem e, enfim, tudo desabar sob o efeito do terror que se apodera do espírito.]

Diante do golpe que o ameaça, ele tem de piscar os olhos; na beira do precipício, tem de estremecer como uma criança, pois a natureza desejou reservar-se esses ligeiros sinais de sua autoridade, inexpugnáveis para nossa razão e para a virtude estoica, a fim de ensinar ao homem sua mortalidade e nossa fraqueza. Ele estremece diante do medo, enrubesce diante da vergonha, geme diante da cólica, se não com uma voz desesperada e estrondosa, ao menos com uma voz alquebrada e rouca.

*Humani a se nihil alienum putet.**
[Que ele pense que nada que é humano lhe seja alheio.]

Os poetas que tudo inventam a seu modo não ousam ao menos dispensar das lágrimas os seus heróis:

*Sic fatur lacrymans, classique immittit habenas.***
[Assim fala ele chorando, e faz sua frota içar as velas.]

Que lhe baste refrear e moderar suas inclinações, pois impedi-las não está em seu poder. Esse mesmo nosso Plutarco, tão perfeito e excelente juiz das ações humanas, ao ver Bruto e Torquato matarem os filhos ficou em dúvida se a virtude podia chegar a esse ponto, ou se aqueles personagens não teriam, antes, sido movidos por alguma outra paixão. Todas as ações fora dos limites habituais estão sujeitas a uma sinistra interpretação, porquanto nosso gosto não se adapta nem ao que está acima

---

* Terêncio, *Heautontimorumenos*, 77; citado por Cícero, *De officiis*, I, IX, 30.
** Virgílio, *Eneida*, VI, 1.

dele nem ao que está abaixo. Deixemos essa outra escola que professa expressamente o orgulho.* Mas quando na própria escola considerada a mais indulgente ouvimos essas bazófias de Metrodoro: *Occupavi te, Fortuna, atque cepi: omnesque aditus tuos interclusi, ut ad me aspirare non posses;*** [Antecipei-te, Fortuna, e agarro-te; fechei todos os acessos e não podes mais chegar a mim;] quando Anaxarco, por ordem de Nicocreonte, tirano de Chipre, posto numa tina de pedra e abatido a golpes de maça de ferro, não para de dizer: "Batei, quebrai, não é Anaxarco, é seu invólucro que estais esmagando"; quando ouvimos nossos mártires gritarem ao tirano, no meio das chamas: "Está bastante assado deste lado: corta-o, come-o, está cozido, recomeça do outro"; quando ouvimos em Josefo aquela criança toda dilacerada pelas tenazes que mordem e perfurada pelas sovelas de Antíoco, ainda desafiá-lo, gritando com voz firme e segura: "Tirano, perdes tempo, continuo me sentindo bem; onde está essa dor, onde estão essas torturas com que me ameaçavas? Não conheces tudo isso? Minha constância te dá mais trabalho do que tua crueldade dá a mim; ó biltre covarde, tu te rendes e eu me fortaleço; faz que eu me queixe, faz que me vergue, faz que me renda se puderes, dá coragem a teus guardas e a teus carrascos, ei-los desprovidos de coragem, não aguentam mais: arma-os, instiga-os", então certamente devemos admitir que nessas almas há alguma alteração e algum furor, por mais santo que seja. Quando chegamos a esses arroubos estoicos, "prefiro ser louco a voluptuoso", palavras de Antístenes, Μανειεῖν μᾶλλον η ηθείειν*** quando Sexto nos diz que prefere ser trespassado pelo ferro da dor a sê-lo pela volúpia; quando Epicuro decide ser afagado pela gota e,

---

* Os estoicos.
** Cícero, *Tusculanas*, V, ix.
*** Traduzido na frase anterior.

SOBRE A EMBRIAGUEZ

recusando o repouso e a saúde, desafia de coração alegre os males, e desprezando as dores mais agudas, desprezando combatê-las e lutar contra elas, conclama e deseja dores fortes, lancinantes e dignas dele:

Spumantemque dari pecora inter inertia votis
Optat aprum, aut fulvum descendere monte leonem,[*]
[Ele convoca com seus votos um javali espumando entre os rebanhos tímidos, ou que um leão fulvo desça da montanha,]

então quem não conclui que são arroubos lançados por um coração longe de seu abrigo? Nossa alma não conseguiria atingir tal altura enquanto não sai de seu lugar. Ela tem de deixá-lo e elevar-se, e, pegando o freio nos dentes, que leve e arrebate seu homem para tão longe que, depois, ele mesmo se espante do que fez. Como nas façanhas da guerra, o calor do combate costuma impelir os soldados corajosos a passar por lugares tão arriscados que, voltando a si, são os primeiros a ficar transidos de espanto. Como também os poetas costumam ser tomados de admiração por suas próprias obras e já não reconhecem o rastro por onde passaram em tão bela corrida: é o que neles também se chama ardor e loucura. E assim como diz Platão que em vão um homem equilibrado bate à porta da poesia, assim também diz Aristóteles que nenhuma alma excelente está isenta de um grão de loucura. E tem razão de chamar de loucura qualquer arroubo, por mais louvável que seja, que ultrapasse nosso próprio julgamento e raciocínio, porquanto a sabedoria é um controle bem regulado de nossa alma, conduzido, sob sua responsabilidade, com medida e proporção. Platão argumenta assim que a faculdade de profetizar está "acima de nós", que precisa-

* Virgílio, *Eneida*, IV, 158.

mos estar "fora de nós" para atingi-la: nossa prudência deve estar ofuscada pelo sono ou por alguma doença, ou tirada de seu lugar por um êxtase celeste.

Sobre a consciência

Capítulo v

Originalmente, "consciência" queria dizer "conivência". A consciência no sentido de nossa percepção individual do certo e do errado, ou de nossa própria culpa ou retidão, fascinava Montaigne. Tornou-se uma de suas preocupações vitais durante as guerras de religião, com suas crueldades, acusações falsas e uso da tortura dos prisioneiros. Uma fonte maior do capítulo é Santo Agostinho e um comentário de Juan Luis Vives à edição de Cidade de Deus. O ensaio não se limita a repetir a lição do historiador grego Plutarco sobre a consciência; ao contrário, sublinha sua ambiguidade e evidencia o papel da fortuna nas manifestações da verdade. Já na edição original Montaigne abriu o capítulo com uma história passada durante as guerras de religião, e o concluiu com uma peroração contra o absurdo da prática judiciária da tortura. Na edição póstuma, essa argumentação torna-se um verdadeiro requisitório, pois Montaigne mostra a contradição jurídica da tortura, a um só tempo método de investigação e castigo ("condenação investigatória"). A condenação da tortura será retomada em outros capítulos.

Viajando um dia, durante nossas guerras civis, meu irmão, senhor de la Brousse, e eu encontramos um fidalgo de boa aparência: era do partido contrário ao nosso mas eu nada sabia pois ele fingia diferente; e o pior dessas guerras é que as cartas estão tão embaralhadas, vosso inimigo não se distinguindo de vós por nenhum sinal aparente, nem de linguagem, nem de porte, e tendo sido educado sob as mesmas leis e costumes, e o mesmo clima, que é difícil evitar a confusão e a desordem. Isso me fazia temer encontrar nossas próprias tropas em lugar onde eu não fosse conhecido e ter dificuldade em ser reconhecido por meu nome, e talvez esperar pelo pior. Como me acontecera outrora, pois num equívoco desses perdi homens e cavalos e mataram-me miseravelmente, entre outros, um pajem, fidalgo italiano, que eu educava com cuidado, e com ele se apagou uma linda infância cheia de grandes esperanças. Mas aquele ali manifestava um pavor tão alucinante, e eu o via quase morto a cada encontro com homens a cavalo e a cada passagem pelas cidades que eram do partido do rei, que por fim adivinhei que eram alarmes que sua consciência lhe dava. Esse pobre homem pensava que, através de sua máscara e das cruzes de seu sobretudo, iriam ler até em seu coração suas intenções secretas. De tal forma é maravilhoso

SOBRE A CONSCIÊNCIA

o trabalho da consciência: ela nos faz trair, acusar e combater a nós mesmos, e, na ausência de testemunha alheia, nos denuncia contra nós mesmos,

*Occultum quatiens animo tortore flagellum.**
[Com uma alma de carrasco, batendo-nos com um chicote invisível.]

Esta história seguinte está na boca das crianças. O peoniano Besso, repreendido por ter, todo alegre, derrubado um ninho de pardais e os matado, dizia estar certo porque aqueles passarinhos não paravam de acusá-lo falsamente do assassínio do próprio pai. Até então esse parricídio fora ocultado e ignorado, mas as fúrias vingadoras da consciência o fizeram ser revelado por aquele mesmo que devia ser punido. Hesíodo corrige assim o dito de Platão, para quem o castigo segue de bem perto o pecado, pois diz que ele nasce no mesmo instante e junto com o pecado. Esperar pelo castigo é sofrê-lo; merecê-lo é esperar por ele. A maldade fabrica tormentos contra si mesma.

*Malum consilium consultori pessimum,***
[Um mau plano se revela ainda pior para seu próprio autor,]

assim como a vespa pica e machuca o outro, porém mais a si mesma, pois ali perde seu ferrão e sua força para sempre;

*vitasque in vulnere ponunt.****
[e elas deixam sua vida na ferida.]

---

* Juvenal, XIII, 195.
** Hesíodo, *Os trabalhos e os dias*, 266; verso citado por Aulo Gélio, IV, V, I, f° 261 G.
*** Virgílio, *Geórgicas*, IV, 238.

As cantáridas têm em si uma secreção que serve de antídoto a seu próprio veneno, por uma oposição mútua da natureza. Assim, à medida que tomamos prazer no vício, gera-se um desprazer contrário na consciência, que nos atormenta, velando ou dormindo, com várias ideias dolorosas,

> Quippe ubi se multi per somnia saepe loquentes
> Aut morbo delirantes procaxe ferantur,
> Et celata diu in medium peccata dedisse.*
> [Conta-se, de fato, que muitos, falando em seus sonhos ou delirando em suas febres, acusaram a si mesmos e revelaram segredos muito tempo escondidos.]

Apolodoro sonhava que se via sendo esfolado pelos citas e, depois, sendo cozido dentro de um caldeirão, e que seu coração dizia, murmurando: "Sou a causa de todos os teus males". Nenhum esconderijo serve aos maus, dizia Epicuro, porque eles não podem ter certeza de que estão escondidos, já que a consciência os revela a si mesmos,

> prima est haec ultio, quod se
> Judice nemo nocens absoluitur.**
> [não conseguir absolver-se em seu foro íntimo é a primeira punição do culpado.]

Assim como nos enche de temor, ela também nos enche de segurança e confiança. E posso dizer ter andado, em várias ocasiões arriscadas, com um passo bem mais firme por ter íntima convicção de minha vontade e inocência de meus desígnios.

---

* Lucrécio, v, 1158-60.
** Juvenal, xiii, 2.

*Conscia mens ut cuique sua est, ita concipit intra
Pectora pro facto, spemque metumque suo.**
[Cada um, segundo sua consciência, concebe em si mesmo esperança ou temor pelo que cometeu.]

Há mil exemplos: bastará citar três do mesmo personagem. Cipião, sendo um dia acusado, diante do povo romano, de uma falta importante, em vez de se desculpar ou adular seus juízes disse: "Bem vos ficará querer julgar a cabeça daquele por meio de quem tendes a autoridade de julgar a todo mundo". E outra vez, como única resposta às imputações que lhe fazia um tribuno do povo, em vez de defender sua causa disse: "Vamos, meus cidadãos, vamos dar graças aos deuses pela vitória que me concederam contra os cartagineses num dia parecido com este". E pondo-se a andar na frente rumo ao templo, eis que toda a assembleia, e até seu acusador, o seguiu. Depois foi quando Petílio, instigado por Catão, foi a Cipião pedir contas do dinheiro por ele manipulado na província de Antióquia. Cipião fora ao Senado com esse objetivo; mostrou-lhe o livro-razão que estava sob sua toga e disse que aquele livro continha exatamente a receita e a despesa; mas quando lhe pediram que o entregasse ao cartório, ele recusou, dizendo não querer fazer essa vergonha a si mesmo; e com suas mãos, na presença do Senado, rasgou-o e deixou-o em pedaços. Não creio que uma alma cauterizada soubesse fingir tamanha segurança: por natureza, disse Tito Lívio, ele tinha o coração orgulhoso demais e acostumado a um destino elevado demais para admitir ser criminoso e rebaixar-se na defesa da própria inocência. As torturas são uma perigosa invenção, e parecem ser mais um ensaio de resistência humana que de verdade. E quem consegue suportá-las esconde a verdade, tanto quanto

* Ovídio, *Fastos*, I, 485-6.

quem não consegue suportá-las. Pois por que a dor me fará confessar o que é verdade, mais do que me forçará a dizer o que não é? E se, ao contrário, quem não fez aquilo de que o acusam for bastante resistente para suportar esses sofrimentos, por que não o será quem o fez, quando lhe propõem como tão bela recompensa a própria vida? Penso que o fundamento dessa invenção vem da importância da força da consciência. Pois parece que ela enfraquece o culpado e ajuda na tortura para fazê-lo confessar sua falta; e, por outro lado, fortalece o inocente contra a tortura. Para falar a verdade, é um expediente cheio de incerteza e perigo. O que não se diria, o que não se faria para fugir de dores tão terríveis?

Etiam innocentes cogit mentiri dolor.*
[A dor força mesmo os inocentes a mentir.]

Donde resulta que quem o juiz pôs sob tortura para não o fazer morrer se fosse inocente acaba morrendo, tanto inocente como torturado. Milhares e milhares deles acusaram a si mesmos com falsas confissões! Entre os quais cito Filotas, considerando as circunstâncias do processo que lhe fez Alexandre e o desenrolar de sua tortura. Mas, seja como for, é este (dizem) o menor mal que a fraqueza humana conseguiu inventar: bem desumanamente, porém, e bem inutilmente, a meu ver. Várias nações menos "bárbaras" nisso do que a grega e a romana, que no entanto assim as chamam, consideram horrível e cruel torturar e esquartejar um homem sobre cuja falta ainda se tem dúvida. Em que ele é responsável pela nossa ignorância? Não somos injustos se, para não o matarmos sem motivo, fizermos a ele pior que matá-lo? A prova de que é assim é que vemos quantas vezes

* Públio Siro, citado no comentário de Vivès, *A Cidade de Deus*, XIX, VI, p. 234.

SOBRE A CONSCIÊNCIA

ele prefere morrer sem razão a passar por esse inquéri-to, mais penoso que o suplício, e que muitas vezes, por sua atrocidade, antecipa o suplício, executando-o. Não sei de onde tiro essa história, mas ela reflete exatamente a consciência de nossa justiça. Uma aldeã acusava um soldado, diante do general de exército, grande justicei-ro, de ter arrancado de seus filhos pequenos o pouco de mingau que lhes restava para se alimentarem, pois aque-le exército tudo saqueara. Provas não havia. O general, depois de ter instado a mulher a ver bem o que estava dizendo, pois se mentisse seria culpada por sua acusa-ção, e vendo que ela persistia, mandou abrir o ventre do soldado para esclarecer a verdade do fato: e viu-se que a mulher tinha razão. Condenação investigatória.

Sobre a afeição dos pais pelos filhos

À senhora d'Estissac[*]

Capítulo VIII

Este é um dos capítulos mais comoventes e reveladores. Começa com o surto de melancolia que aborreceu Montaigne e o levou a escrever Os ensaios; termina com pensamentos sobre o louco frenesi que pode levar os pais a se apaixonarem pelos próprios filhos e por seus filhos "intelectuais" (suas obras do espírito). Propõe uma reflexão sobre os laços que unem o livro e seu autor. O tema parece mais urgente pelo fato de que todos os filhos de Montaigne morreram na infância, com exceção de uma filha. Há também aqui uma série de alusões aos familiares de Montaigne. A longa argumentação dedicada aos problemas de testamentos e heranças foi para ele uma ocasião de acertar contas dentro de sua própria família, evocando por alusão o caso difícil da sucessão de Pierre Eyquem. Estamos longe da serenidade equilibrada que Montaigne em geral demonstra: sente-se uma irritação que perpassa esses comentários e que certamente traduz as tensões entre ele e a mãe a respeito das disposições testamentárias do pai. No Exemplar de Bordeaux há supressões, que

---

[*] A senhora d'Estissac era mãe de Charles d'Estissac, que acompanhou Montaigne em sua viagem à Itália. Era viúva desde 1565 e tinha uma filha, Claude, que se casou com o conde de La Rochefoucauld.

provavelmente não foram da mão do autor. Na edição póstuma há um longo acréscimo, escrito entre 1588 e 1592, sobre os caprichos dos testadores.

Senhora, se a estranheza e a novidade, que costumam dar valor às coisas, não me salvarem, jamais sairei honrado desta tola empreitada, mas ela é tão fantástica e tem um aspecto tão distante da prática comum que isso poderá lhe abrir um caminho. Foi um humor melancólico, e por conseguinte um humor muito oposto à minha compleição natural, produzido pela tristeza e pela solidão em que havia alguns anos me atirara, que me pôs primeiramente na cabeça esse desvario de me meter a escrever. E depois, encontrando-me inteiramente desprovido e vazio de qualquer outra matéria a tratar, apresentei eu mesmo a mim como argumento e como assunto. É o único livro do mundo dessa espécie, tendo um objetivo bizarro e extravagante. Também não há nesta tarefa algo digno de ser notado além dessa bizarria, pois em matéria tão vã e tão sem valor o melhor operário do mundo não saberia dar uma forma que merecesse ser levada em conta. Ora, senhora, decidindo retratar-me ao vivo, eu teria esquecido um elemento importante se não tivesse representado a honra que sempre prestei a vossos méritos. E quis dizê-lo expressamente no início deste capítulo, porquanto entre vossas outras boas qualidades o amor que demonstrastes a vossos filhos ocupa um dos primeiros lugares. Quem souber a idade em que o senhor d'Estissac, vosso marido, vos deixou viúva; os grandes e

SOBRE A AFEIÇÃO DOS PAIS PELOS FILHOS

honrosos partidos que vos foram oferecidos, como a uma dama da França de vossa condição; a constância e a firmeza com que sustentastes tantos anos e diante de dificuldades tão espinhosas o encargo e a conduta de seus negócios, que vos agitaram por todos os cantos da França e ainda vos mantêm preocupada; e a feliz conclusão que lhes destes só com vossa prudência ou boa fortuna, dirá facilmente comigo que não temos em nossa época exemplo de afeição materna mais patente que o vosso. Louvo a Deus, Senhora, que vosso amor tenha sido tão bem empregado, pois as boas esperanças que dá de si o senhor d'Estissac, vosso filho, são garantia suficiente de que, quando chegar à idade, tereis dele a obediência e o reconhecimento de um filho muito bom. Mas por causa de sua juventude ele não pode apreciar os imensos cuidados que recebeu de vós em tão grande número; assim, quero, se estes escritos vierem um dia a lhe cair nas mãos, quando eu não mais tiver boca nem palavra que possa dizê-lo, que ele receba de mim este testemunho de completa verdade, a qual lhe será ainda mais vivamente testemunhada pelos bons efeitos que, se Deus quiser, ele sentirá, pois não há na França fidalgo que deva mais à sua mãe do que ele e que não pode dar no futuro prova mais certa de sua bondade e de sua virtude do que vos reconhecendo como tal. Se existe uma lei realmente natural, isto é, um instinto que seja universal e perpetuamente gravado nos animais e em nós (o que não deixa de ser controverso), posso dizer que, a meu ver, depois do cuidado que cada animal tem com sua preservação e de fugir do que o prejudica, o segundo lugar nessa lista é o amor que o procriador dedica à sua progenitura. E porque a natureza parece tê-lo nos recomendado, visando a propagar e fazer avançar as peças sucessivas dessa sua máquina, não é de espantar que, em sentido inverso, o amor dos filhos pelos pais não seja tão grande. Junte-se esta outra consideração aristotélica: quem faz o bem a alguém ama-o mais do que é amado por ele, e aquele a quem se deve ama mais do que quem deve, e todo operário ama mais sua obra do que por ela seria amado se a obra tivesse sentimento; porquanto damos valor ao fato de existir, e existir consiste em movimento e ação, e por isso cada um de nós existe, de certa maneira, em cada coisa que faz. Quem faz o bem exerce uma ação bela e honesta, quem recebe, exerce apenas uma ação útil. Ora, o útil é muito menos digno de ser amado do que o honesto. O honesto é estável e permanente, fornecendo a quem o faz uma satisfação constante. O útil se perde e escapa facilmente, sua lembrança não é tão fresca nem tão doce. As coisas que mais nos custaram nos são as mais queridas. E dar custa mais que receber. Posto que a Deus aprouve dotar-nos de certa capacidade de raciocínio a fim de que, como os bichos, não fôssemos servilmente submetidos às leis comuns, mas que as seguíssemos por nosso julgamento e nossa livre vontade, devemos adaptar--nos um pouco à simples autoridade da natureza, mas não nos deixar tiranicamente levar por ela: só a razão deve governar nossas inclinações. De minha parte, tenho o gosto estranhamente reticente a essas propensões que se produzem em nós sem o comando e a intermediação de nosso julgamento. No caso do assunto de que falo aqui, não consigo conceber essa emoção de se abraçar os filhos que acabaram de nascer e que não têm movimento na alma nem forma reconhecível no corpo por onde possam tornar-se dignos de ser amados; e não suportei de bom grado que fossem criados perto de mim. Uma verdadeira afeição, e bem regrada, deveria nascer e aumentar com o conhecimento que eles nos dão de si; e então, se o merecem, como a propensão natural anda a par com a razão, podemos dedicar-lhes uma afeição verdadeiramente paternal; e, da mesma forma, julgá-los, se forem diferentes, rendendo-nos sempre à razão, não obstante a força da natureza. Muitas vezes é o inverso que

SOBRE A AFEIÇÃO DOS PAIS PELOS FILHOS

acontece, e mais comumente nos sentimos mais comovidos com os pulos, brincadeiras e tolices pueris de nossos filhos do que, depois, com suas ações bem pensadas: como se os amássemos como nosso passatempo, como macaquinhos e não como homens. E o mesmo que lhes oferece brinquedos na infância com grande liberalidade se torna parcimonioso à menor despesa para suas necessidades na idade adulta. E até parece que o ciúme que sentimos ao vê-los exibindo-se ao mundo e dele desfrutando, quando estamos a ponto de deixá-lo, nos torna mais sovinas e econômicos com eles: aborrece-nos que andem em nossos calcanhares, como a nos solicitar para irmos embora. E, para falar a verdade, já que a ordem das coisas faz que só possam ser e viver às expensas de nosso ser e de nossa vida, não devíamos nos meter a ser pais se isso nos amedronta. Quanto a mim, acho que é uma crueldade e uma injustiça não fazê-los partilhar de nossos bens, não associá-los a eles e não tratá-los como parceiros no conhecimento de nossos negócios domésticos, quando disso são capazes, e não cortar e restringir nossas vantagens para assegurar as deles, pois para isso os geramos. É injustiça ver que um pai velho, alquebrado e semimorto desfruta sozinho, num canto do lar, de bens que bastariam para o desenvolvimento e o sustento de vários filhos, e que os faça, por falta de meios, perder seus melhores anos sem avançar no serviço público e no conhecimento dos homens do mundo. São atirados no desespero de procurar um caminho, por injusto que seja, de prover às suas necessidades. Como vi em meu tempo vários rapazes de boa família tão dados ao roubo que nenhuma correção conseguiria desviá-los. Conheço um, bem-nascido, com quem, a pedido de um irmão seu, muito honesto e bravo fidalgo, falei uma vez com esse objetivo. Respondeu-me e confessou pura e simplesmente que tinha sido levado a essa baixeza pelo rigor e avareza do pai; mas que agora estava tão acostumado que não podia evitá-la. E na época acabara de ser flagrado num roubo de anéis de uma senhora, em cujo despertar se encontrara, junto com muitos outros. Lembrou-me a história que eu ouvira contar sobre outro fidalgo, tão bem formado nesse belo ofício, no tempo da juventude, e decidido a abandonar essa prática, mas que, se passasse perto de uma loja onde houvesse algo de que precisasse, não conseguia evitar roubá-la, ainda que, depois, mandasse alguém pagá-la. E vi vários tão treinados e habituados a isso que, entre seus próprios companheiros, roubavam costumeiramente coisas que em seguida lhes devolviam. Sou gascão, e no entanto não há vício com que me entenda menos. Odeio-o um pouco mais por temperamento do que o condeno por convicção. Não subtraio nada de ninguém e nem mesmo tive esse desejo. Esta nossa província é, na verdade, um pouco mais desacreditada por isso do que as outras da nação francesa. No entanto, várias vezes vimos em nossa época, entre as mãos da justiça, homens de boa família, de outras paragens, acusados de diversos roubos horríveis. Receio que essa depravação de certa forma tenha origem no vício dos pais. E se me respondem, como um dia um senhor de boa inteligência, que ele economizava suas riquezas não para delas tirar outro fruto e uso e sim para ser honrado e procurado pelos seus, pois tendo a idade lhe retirado todas as outras forças era o único jeito que lhe restava de manter sua autoridade na família e evitar que se tornasse objeto de desprezo e desdém por todos (na verdade, segundo Aristóteles, não só a velhice mas qualquer fraqueza é promotora de avareza), então esse é um modo de ver as coisas, mas é o remédio para um mal cujo nascimento se deveria evitar. Um pai é um tanto infeliz se só conservar o amor de seus filhos pela necessidade que têm de seu auxílio, se é que a isso pode se chamar de amor. Precisamos nos tornar respeitáveis por nossa virtude e nossas qualidades, e dignos de ser amados por nossa bondade e pela suavidade de nossos hábitos. As próprias cinzas de uma matéria rica têm seu valor: e acostumamo-nos a ter respeito e reverência pelos ossos e relíquias das pessoas honradas. Para um personagem que passou honradamente sua maturidade, nenhuma velhice pode ser tão caduca e decrépita a ponto de não ser venerável, e em especial para seus filhos, cuja alma deve ter sido formada em seu dever não pela necessidade e pela privação, nem pela dureza e pela força, mas pela razão,

et errat longe, mea quidem sententia,
Qui imperium credat esse gravius aut stabilius
Vi quod fit, quam illud quod amicitia adjungitur.*
[e ele se engana fortemente, ao menos em minha opinião, se acredita que a autoridade é mais forte e mais firme quando repousa sobre a força do que se estabelecida sobre a afeição.]

Condeno toda violência na educação de uma alma tenra que é criada para a honra e a liberdade. Há não sei quê de servil no rigor e na coerção, penso que aquilo que não se consegue fazer pela razão e pela prudência, e pela habilidade, jamais se fará pela força. Assim me criaram: dizem que em minha tenra idade só experimentei a vara duas vezes, e bem moderadamente. Fiz o mesmo com os filhos que tive. Todos eles morrem, porém, ainda com a ama de leite, mas Léonor, a única que escapou desse infortúnio, chegou aos seis anos ou mais sem que tenhamos empregado em sua educação e como castigo de suas faltas pueris outra coisa além das palavras, e bem doces (tendo a indulgência de sua mãe a isso se aplicado prontamente). E ainda que minha expectativa sobre ela se frustrasse, há muitas outras causas a que nos pren-

* Terêncio, *Adelfos*, I, 1, 40.

dermos sem acusar a educação que lhe dei, e que sei ser justa e natural. Eu teria sido muito mais escrupuloso ainda com os meninos, menos nascidos para servir e de natureza mais livre; gostaria de fortalecer-lhes o coração com nobreza e franqueza. Não vi outro resultado com as varas além de tornar as almas mais covardes ou mais maliciosamente teimosas. Queremos ser amados por nossos filhos? Queremos retirar-lhes a razão de desejarem nossa morte? — se bem que nenhuma razão para um desejo tão horrível possa ser justa nem desculpável; *nullum scelus rationem habet,*[*] [nenhum crime tem justificativa,] — arrumemos a vida deles razoavelmente, com o que está em nosso poder. Para isso, não deveríamos casar-nos tão jovens a ponto de nossa idade vir quase a confundir-se com a deles, pois esse inconveniente nos joga em muitas grandes dificuldades. Falo especialmente para a nobreza, que, como se diz, é de condição ociosa e vive apenas de suas rendas, pois em outros lugares em que a vida depende de um salário a companhia e a pluralidade de crianças são arranjos domésticos, são outras tantas novas ferramentas e instrumentos para enriquecer. Casei-me aos 33 anos e aprovo a escolha de 35, que dizem ser de Aristóteles. Platão não quer que nos casemos antes dos trinta, mas tem razão de zombar dos que se dedicam às artes do casamento depois de 55, e condena sua descendência como indigna de alimento e de vida. Tales estabeleceu quanto a isso os limites mais verdadeiros, quando, jovem, respondeu à mãe que o pressionava para se casar que não era hora; e, quando envelheceu, que não era mais hora. É preciso recusar como inoportuna toda ação que não venha oportunamente. Os antigos gauleses consideravam extremamente repreensível ter tido intimidades com uma mulher antes dos vinte anos e recomendavam em especial aos homens

* Tito Lívio, XXVIII, xxviii, 1.

que queriam se adestrar para a guerra que conservassem a virgindade até idade bem avançada, porque a cópula com as mulheres amolece e desvia os corações.

Ma hor congiunto a giovinetta sposa,
Lieto homai de' figlio era invilito
*Ne gli affetti di padre et di marito.**
[Mas então, unido a uma jovem esposa, feliz de ter filhos, suas afeições de marido e de pai aviltaram sua coragem.]

Mulay-Hassan, rei de Túnis, aquele que o imperador Carlos v reconduziu ao trono, criticava a memória de Maomé, seu pai, por sua frequentação das mulheres, chamando-o de debochado, efeminado, fazedor de filhos. A história grega observa que, para manter o corpo firme a serviço da corrida dos Jogos Olímpicos, da Palestra e de outros exercícios, Jecus de Tarento, Criso, Ástilo, Diopompos e outros se privaram, enquanto lhes durou esse tempo, de qualquer espécie de ato venéreo. Em certa região das Índias espanholas só se permitia aos homens casarem-se depois dos quarenta anos, ao passo que se permitia às moças que se casassem aos dez anos. Para um fidalgo de 35 anos não é hora de deixar o lugar para o filho de vinte: ele mesmo está em condições de se exibir tanto nas expedições guerreiras como na corte de seu príncipe; precisa de seus bens e certamente deve partilhá-los, mas não deve esquecer de si próprio em favor de outro. E um homem desses pode justamente valer--se dessa resposta que em geral os pais têm nos lábios: "Não quero me despir antes de ir me deitar". Mas um pai combalido pelos anos e pelas doenças, privado por sua fraqueza e falta de saúde da convivência comum com os homens, prejudica a si e aos seus se ficar chocando inutilmente uma profusão de riquezas. Se for sábio, esta-

---

* Torquato Tasso, *Jerusalém libertada*, X, xxxix, 6-8.

rá em condições suficientes para ter vontade de se despir e se deitar, não despir até a camisa, mas até um roupão bem quente, e o resto de seus pertences, com que não tem mais o que fazer, deve presenteá-los de bom grado àqueles a quem, pela ordem natural, devem pertencer. É razoável que lhes deixe o uso desses bens de que a natureza o priva: caso contrário, sem a menor dúvida há um elemento de maldade e inveja. A mais bela das ações do imperador Carlos v foi, imitando nisso certos personagens antigos de seu calibre, ter sabido reconhecer que a razão nos manda claramente nos despirmos de nossas roupas quando nos pesam e atrapalham e deitarmo-nos quando as pernas nos falham. Ele transmitiu suas riquezas, grandeza e poder ao filho quando, diante da glória que adquirira, sentiu fraquejarem em si a firmeza e a força para conduzir os negócios.

> *Solve senescentem mature sanus equum, ne*
> *Peccet ad extremum ridendus, et ilia ducat.**
> [Sabiamente, desatrela a tempo teu cavalo que envelhece, de medo que no final ele tropece ridiculamente e se torne ofegante.]

Esse erro de não saber reconhecer bem cedo e não sentir a impotência e a extrema alteração que a idade traz naturalmente tanto ao corpo como à alma, que em minha opinião são iguais, se é que a alma não fica com mais da metade, pôs a perder a reputação da maioria dos grandes homens do mundo. Vi em minha época e conheci na intimidade personagens de grande autoridade que (era muito fácil ver) já não tinham aquela antiga capacidade que eu conhecia pela fama que haviam adquirido em seus melhores anos. Por sua honra, de bom grado eu desejaria vê-los retirados em casa, à vontade, e desobriga-

---

* Horácio, *Epístolas*, I, i, 8.

SOBRE A AFEIÇÃO DOS PAIS PELOS FILHOS

dos das ocupações públicas e guerreiras, que não eram
para seus ombros. Outrora fui familiar dos filhos de um
fidalgo viúvo e muito velho, de uma velhice, porém, bastante forte. Tinha várias filhas para casar e um filho já
em idade de frequentar o mundo; isso sobrecarregava
sua casa com várias despesas e visitas de fora, que lhe
davam pouco prazer, não só pela preocupação com a
economia como, mais ainda, por ter adotado, devido à
idade, uma forma de vida muito distante da nossa. Um
dia eu lhe disse um tanto atrevidamente, como é meu
costume, que seria mais conveniente nos ceder espaço e
deixar a casa principal para seu filho (pois era a única
bem-arrumada e confortável) e retirar-se para uma propriedade sua, vizinha, onde ninguém incomodaria seu
sossego, pois de outra forma ele não conseguiria evitar
nossas amolações, tendo em vista a condição de seus filhos. Mais tarde, aceitou meu conselho e sentiu-se bem.
Isso não significa darmos algo aos filhos por meio de um
contrato do qual não se possa voltar atrás: eu, que estou
em condições de exercer esse papel, lhes deixaria o usu-
fruto de minha casa e de meus bens mas com liberdade
para me arrepender se me dessem motivo; lhes deixaria
o uso por já não me ser conveniente, mas preservaria,
tanto quanto me aprouvesse, a autoridade sobre o conjunto dos negócios, pois sempre julguei que deve ser uma
grande alegria para um pai velho pôr ele mesmo os filhos a par do comando dos negócios e poder, em vida,
controlar o comportamento deles, oferecer-lhes ensinamentos e opiniões de sua própria experiência e entregar
a honra antiga e a organização da casa nas mãos de seus
sucessores, confirmando assim as esperanças que pode
ter em sua conduta futura. E para tanto, não gostaria de
fugir de sua companhia, gostaria de esclarecê-los de perto e desfrutar, conforme a condição de minha idade, de
sua alegria e de suas festas. Se não vivesse entre eles
(como não poderia sem atrapalhar, com a tristeza de mi-

nha idade e os constrangimentos de minhas doenças, as reuniões deles, e também sem constranger e forçar as regras e os modos de vida que eu teria então), gostaria ao menos de viver perto deles numa ala da casa, não a mais vistosa mas a mais confortável. Não como vi há alguns anos um decano de Saint-Hilaire de Poitiers, entregue a tamanha solidão pelo desconforto de sua melancolia que, quando entrei em seu quarto, fazia 22 anos que não saía para dar um só passo; e no entanto tinha todos os movimentos livres e fáceis, salvo um fluxo reumático que lhe oprimia o estômago. Só uma vez por semana permitia que alguém entrasse para vê-lo; em seu quarto se mantinha sempre trancado por dentro, sozinho, a não ser por um criado que uma vez ao dia lhe levava comida e apenas entrava e saía. Sua ocupação era andar e ler algum livro (pois conhecia um pouco as letras), obstinado, aliás, em morrer nesse estado, como aconteceu logo depois. Eu ensaiaria, por uma doce conversa, alimentar em meus filhos uma viva amizade e benevolência não falsa por mim. Algo que se conquista facilmente das pessoas bem-nascidas, mas, se são bichos furiosos, como nosso século produz aos milhares, há que odiá-los e fugir deles como tais. Desaprovo esse costume de proibir às crianças usar a palavra "pai" e ordenar-lhes uma outra, estranha e mais respeitosa, como se a natureza não nos tivesse, em geral, provido de suficiente autoridade. Chamamos a Deus todo-poderoso de pai e desdenhamos que nossos filhos nos chamem assim. Corrigi esse erro em minha família. Também é loucura e injustiça privar os filhos crescidos da familiaridade com os pais e querer manter com eles uma arrogância austera e desdenhosa, esperando com isso deixá-los temerosos e obedientes. Pois é uma farsa inútil que torna os pais muito aborrecidos para os filhos, e, o que é pior, ridículos. Eles têm a juventude e as forças nas mãos, e por conseguinte o vento e a simpatia do mundo; e recebem com zombaria essas caras orgulhosas e tirânicas de um homem que não tem mais sangue no coração nem nas veias: verdadeiros espantalhos de campos de cânhamo. Mesmo se pudesse me fazer temido, gostaria mais ainda de me fazer amado. Há tantas espécies de fraquezas na velhice, tanta impotência, ela é tão sujeita ao desprezo, que a melhor conquista que pode fazer é a afeição e o amor dos seus: o comando e o temor não são mais suas armas. Conheci alguém cuja juventude fora muito autoritária. Ao chegar à idade avançada, embora viva tão saudavelmente como possível, ele bate, morde, xinga: o mais bravo senhor da França; rói-se de preocupações e vigilância, mas tudo isso não passa de uma comédia para a qual a própria família conspira: do celeiro, da adega e mesmo de sua bolsa, os outros ficam com a melhor parte, ao passo que ele guarda as chaves na algibeira, mais preciosamente que seus próprios olhos. Enquanto se alegra de manter sua mesa com tanta economia e sovinice, em diversos cantos da casa tudo é desperdício, jogo e despesas, e conversas sobre as histórias de sua cólera vã e de sua prudência. Cada um está de atalaia contra ele. Se por acaso um miserável criado a ele se apega, de súbito é posto sob suspeita, atitude a que a velhice se presta tão facilmente. Quantas vezes se gabou comigo do freio em que mantinha os seus e da perfeita obediência e reverência que recebia; e de como enxergava claro em seus negócios! *Ille solus nescit omnia.** [Só ele ignora tudo.] Não conheço homem que possa mostrar mais qualidades, tanto inatas como adquiridas, próprias a conservar a autoridade que tem, e no entanto desta se tenha destituído como uma criança. Por isso o escolhi, entre vários casos semelhantes que conheço, como o mais exemplar. Seria matéria para uma discussão escolástica saber se está melhor assim ou de outra maneira.

---

* Terêncio, *Adelfos*, IV, II, 9.

Em sua presença todas as coisas lhe cedem. E deixam sua autoridade seguir seu curso inútil pois jamais lhe resistem: acreditam nele, temem-no, respeitam-no tanto quanto ele quer. Demite um criado? Este arruma sua trouxa e ei-lo partindo, mas só para longe de sua presença. Os passos da velhice são tão lentos, os sentidos tão turvos, que o criado viverá um ano na mesma casa e fará seu serviço, sem ser notado. E quando chega o momento, fazem vir cartas de longe, lastimosas, suplicantes, cheias de promessas de fazer melhor, pelo que o criado volta perdoado. O cavalheiro faz alguma transação ou alguma carta que desagrade? Suprimem-na, forjando em seguida causas suficientes para desculpar o fato de suas ordens não terem sido cumpridas ou a falta de resposta. Como nenhuma carta de fora é levada a ele em primeiro lugar, só vê as que parecem convenientes que saiba. Se porventura as apanha, tendo como costume apoiar-se em certa pessoa para lê-las, acha-se imediatamente o que se deseja que ele encontre e a todo instante dizem que alguém que o insulta na carta está lhe pedindo perdão. Por fim, só vê seus negócios através de uma imagem desenhada e arrumada, sendo a mais satisfatória possível para não despertar sua rabugice e sua raiva. Vi sob formas diferentes, mas todas com igual resultado, muitas casas administradas por muito tempo com igual constância. É uma tendência natural das mulheres discordar dos maridos. Agarram com ambas as mãos todos os pretextos para se oporem a eles: a primeira desculpa lhes serve de plena justificação. Vi uma que furtava muito o marido, para, dizia a seu confessor, dar esmolas mais gordas. Confie-se nessa piedosa justificativa! Nenhuma despesa lhes parece ter suficiente dignidade se vem de uma concessão do marido. Para dar-lhe graça e autoridade, elas têm de usurpá-la pela astúcia ou pela força, e sempre de modo incorreto. Voltando ao meu assunto, quando agem contra um pobre velho, e em nome dos filhos, então empunham esse pretexto e o utilizam gloriosamente para suas próprias paixões, e, como se sofressem uma mesma servidão, conspiram facilmente contra a dominação e o comando dele. Se os filhos são homens, adultos e empreendedores, também subornam de imediato, à força ou com favores, o mordomo, o intendente e todos os outros. Os que não têm mulher nem filho caem nessa desgraça mais dificilmente, mas também de modo mais cruel e indigno. O velho Catão dizia em sua época: "tantos criados, tantos inimigos". Devido à distância entre a pureza de seu século e a do nosso, vejamos se ele não quis nos advertir de que mulher, filho e criado são todos inimigos nossos. Bem faz a decrepitude ao nos fornecer o doce benefício de nada percebermos, a ignorância e a facilidade de nos deixarmos enganar. Se vigiássemos tudo isso, que seria de nós! Especialmente nesta época em que os juízes que devem decidir sobre nossas controvérsias são em geral partidários da juventude e interesseiros? Essa fraude pode escapar de minha vista, mas pelo menos não me escapa à vista que sou muito fraudável. E já teremos dito o suficiente o quanto vale um amigo, em comparação com esses vínculos sociais que são os casamentos! E com que devoção e respeito vejo a própria imagem da amizade, tão pura, nos animais! Se os outros me fraudam, pelo menos eu mesmo não me fraudo ao considerar-me capaz de evitar isso ou ao me roer os miolos para consegui-lo. Preservo-me de tais traições em meu âmago, não por uma curiosidade inquieta e tumultuosa mas, antes, por desvio de meu pensamento e por resolução. Quando ouço contarem a situação de alguém, não zombo do outro: viro imediatamente os olhos para mim, para ver como estou. Tudo o que lhe toca me diz respeito. Seu incidente adverte-me e desperta-me para esse lado. Todos os dias e todas as horas dizemos a respeito de outro o que diríamos mais adequadamente a nosso respeito se soubéssemos voltar os olhos para nós mesmos e estender nossas considerações. E vários autores prejudicam dessa forma a defesa de sua causa quando correm, temerários, ao encontro da causa que atacam e quando lançam contra os inimigos dardos que poderiam lhes ser relançados com mais proveito. O finado marechal de Montluc,* tendo perdido seu filho, morto na ilha da Madeira, e na verdade bravo fidalgo e muito promissor, observava-me, entre seus outros arrependimentos, a tristeza e a dor no coração que sentia de jamais ter se comunicado com ele; e por causa desse humor paternal severo e de seus muxoxos, de ter perdido a satisfação de bem conhecer e apreciar o filho, e também de declarar-lhe a extrema afeição que lhe dedicava e o digno julgamento que fazia de seu valor. "E esse pobre rapaz", dizia, "nada viu de mim além de uma reserva carrancuda e cheia de desprezo, e partiu com essa crença de que eu não soube amá-lo nem estimá-lo de acordo com seu mérito. Para quem eu guardava a descoberta dessa afeição singular que lhe dedicava em minha alma? Não era ele que devia ter todo o desfrute e toda a gratidão disso? Forcei-me e torturei-me para manter essa máscara inútil, e perdi o prazer de sua conversa, e ao mesmo tempo seu afeto, que deve ter sido muito frio em relação a mim, pois nunca recebeu senão dureza e uma autoridade tirânica." Acho essa queixa muito justa e sensata, pois, como sei muito bem por experiência, não há nenhum doce consolo na perda de nossos amigos a não ser o que nos traz a certeza de nada ter esquecido de lhes dizer e de ter tido com eles a comunicação perfeita e integral de um amigo. Ó meu amigo! Valho mais por ter esse gosto ou valho menos? Valho, decerto, bem mais. A

---

* O marechal Blaise de Montluc morreu em 1577. Pierre-Bertrand de Montluc, seu segundo filho, a quem o pai se refere neste trecho, morreu em 1566. O pai escreveu sobre o filho no livro de memórias *Commentaires*.

tristeza que sinto com sua perda me consola e me honra. Será um piedoso e agradável dever de minha vida fazer--lhe para sempre as exéquias? Existe prazer que valha essa privação? Abro-me com os meus tanto quanto posso e com muito gosto lhes comunico o estado de minha vontade e de meu julgamento sobre eles, como sobre qualquer um; apresso-me em mostrar-me e em apresentar-me, pois não quero que se enganem a meu respeito, de nenhuma maneira que seja. Pelo que diz César, entre os costumes particulares que tinham os gauleses, nossos ancestrais, havia um segundo o qual as crianças só se apresentavam aos pais e mostravam-se em público na companhia deles quando começavam a portar armas; como se quisessem dizer que então também era o momento de os pais os receberem em sua intimidade e entre seus conhecidos. Vi também outra espécie de falta de discernimento em alguns pais de minha época, que não se contentam em, durante sua longa vida, ter privado os filhos da parte de suas fortunas que lhes toca naturalmente, mas ainda deixam, depois deles, às suas mulheres essa mesma autoridade sobre todos os seus bens e o direito de deles dispor segundo sua fantasia. E conheci certo senhor, dos primeiros oficiais de nossa Coroa, que tinha como expectativa de direito futuro mais de 50 mil escudos de renda e morreu necessitado e coberto de dívidas, com mais de cinquenta anos, enquanto sua mãe, em extrema decrepitude, ainda goza de todos os seus bens por desejo do pai, que por sua vez vivera quase oitenta anos. Isso não me parece nada razoável. Por isso vejo pouca vantagem em que um homem, cujos negócios vão bem, vá procurar uma mulher que o sobrecarregue com um grande dote; não há dívida vinda de fora que cause mais ruína aos lares. Meus predecessores seguiram correntemente essa regra, bem a propósito, e eu também. Mas os que nos desaconselham as mulheres ricas, receando que sejam menos dóceis e agradecidas, enganam-se ao nos fazer perder alguma real vantagem por uma conjectura tão frívola. Para uma mulher insensata também não lhe custa passar por cima de uma razão, tanto quanto por cima de outra. Ficam mais contentes consigo mesmas quando estão mais erradas. A injustiça as atrai, assim como a honra das ações virtuosas atrai as boas, e, quanto mais ricas, mais bondosas, assim como as mais belas são mais fácil e gloriosamente castas. É razoável deixar a administração dos negócios com as mães enquanto os filhos não estão na idade, segundo a lei, de poder encarregar-se deles, mas o pai os educou muito mal se não pode esperar que, na maturidade, tenham mais sensatez e competência que sua mulher, dada a fraqueza habitual desse sexo. Entretanto, na verdade seria mais antinatural fazer as mães dependerem das decisões dos filhos. Deve-se dar-lhes largamente com o que manterem sua situação, segundo a condição de sua família e sua idade, tanto mais que para elas a necessidade e a indigência são muito mais inconvenientes e difíceis de suportar do que para os homens: é melhor que os filhos, e não a mãe, suportem isso. Via de regra, a distribuição mais saudável de nossos bens quando morremos é, creio, de acordo com o uso do país. As leis pensaram nisso melhor que nós e é preferível deixá-las falhar em sua escolha do que nos aventurarmos a falhar temerariamente na nossa. Os bens não são propriamente nossos, já que, sem nós e pela lei civil, se destinam a certos sucessores. E ainda que tenhamos alguma liberdade a mais, considero que é preciso um grande motivo e bem razoável para retirarmos de alguém o que sua sorte lhe designou e o que a justiça comum lhe atribuiu, e é abusar insensatamente dessa liberdade nos servirmos de nossas fantasias frívolas e pessoais. Meu destino deu-me a graça de não ter me apresentado ocasiões capazes de tentar e desviar minha afeição à regra comum e legítima. Vejo gente para quem é tempo perdido demonstrar um longo cuidado e

SOBRE A AFEIÇÃO DOS PAIS PELOS FILHOS

bons ofícios.* Para eles, basta uma palavra atravessada e apaga-se o mérito de dez anos. Feliz de quem ali se encontra para adular-lhe a vontade nessa derradeira passagem. A última ação é a que vence, não são os cuidados melhores e mais frequentes que se mostram eficazes, porém os mais recentes e presentes. São pessoas que jogam com seus testamentos como se fossem maçãs ou varas para gratificar ou castigar cada ação dos que alegam interesse neles. É coisa de consequência muito longa e de muito peso para ser assim mudada a cada instante, e em que os sensatos tomam partido de uma vez por todas, baseando-se sobretudo na razão e no costume público. Levamos demasiado a peito essas substituições masculinas,** e propomos uma eternidade ridícula para nossos nomes. Damos também importância demais às vãs conjecturas feitas sobre o futuro a partir do que os espíritos das crianças nos oferecem. Talvez tenham feito uma injustiça ao me deslocar de minha posição*** por ter sido o mais desajeitado e obtuso, o mais lento e desinteressado por minha lição, não só de todos os meus irmãos mas de todas as crianças de minha província, fosse numa aula de exercí-

---

* Todo o trecho que se segue, a respeito dos caprichos dos testadores, faz alusão a Guillaume de La Chassaigne, tio da senhora de Montaigne, cujo testamento de 1587 foi modificado em 1560 e depois em 1591, e acabou privando sua sobrinha e Montaigne de uma herança importante, em benefício de um irmão da senhora de Montaigne. Esta teve a habilidade de escolher o velho tio para padrinho da filha, que recebeu 4500 libras.
** Substituição: termo jurídico que designa o fato de chamar sucessivamente um ou vários herdeiros a sucederem, a fim de que aquele que foi instituído em primeiro lugar não possa alienar os bens submetidos à substituição. Seria algo semelhante ao fideicomisso. Embora condene a substituição, Montaigne a prevê em suas próprias disposições testamentárias.
*** De primogênito, depois que seus dois irmãos mais velhos morreram.

cio do espírito, fosse numa aula de exercício do corpo. É loucura fazer escolhas incomuns de herdeiros, confiando nessas adivinhações com que tantas vezes nos enganamos. Se podemos infringir essa regra e corrigir os destinos que seriam normalmente os de nossos herdeiros, podemos com mais razão fazê-lo em função de alguma deformidade corporal notável e enorme, de um vício constante, irremediável, e que para nós, grandes apreciadores da beleza, constitui considerável prejuízo. O agradável diálogo do legislador de Platão com seus cidadãos honrará esta passagem. "Como então", dizem eles sentindo o fim aproximar-se, "não poderemos legar o que é nosso para quem nos aprouver? Ó deuses, que crueldade que não nos seja possível, conforme os nossos nos tenham servido em nossas doenças, em nossa velhice, em nossos negócios, dar-lhes mais ou menos segundo nossas fantasias!" Ao que o legislador responde desta maneira: "Meus amigos, que ireis sem dúvida morrer em breve, é tão difícil que vos conheceis como que conheceis o que é vosso, segundo a inscrição délfica.* Eu, que faço as leis, afirmo que nem pertenceis a vós mesmos nem é vosso aquilo de que desfrutais. E vossos bens e vós são de vossa família, tanto passada como futura; porém, ainda mais, são do público tanto vossa família como vossos bens. Pelo que hei de proteger-vos de fazer um testamento injusto temendo que em vossa velhice ou vossa doença algum bajulador ou alguma paixão vos solicitem despropositadamente. Mas tendo respeito tanto ao interesse universal da Cidade como ao de vossa família, estabelecerei leis e farei sentir que, segundo a razão, o interesse individual deve ceder diante do geral. Parti, alegremente, para onde a necessidade humana vos chama. Cabe a mim, que não favoreço mais uma coisa que outra, e que

* Inscrita no frontão do templo de Delfos: "Conhece-te a ti mesmo".

SOBRE A AFEIÇÃO DOS PAIS PELOS FILHOS

tanto quanto posso me preocupo com o bem geral, cuidar do que deixardes". Voltando ao meu assunto, parece-me que, de toda maneira, raramente nascem mulheres com autoridade sobre os homens, a não ser a materna que lhes é natural, e a não ser para o castigo daqueles que, por algum humor febril, se submeteram voluntariamente a elas. Mas isso não se refere de jeito nenhum às velhas de quem falamos aqui. Foi a evidência de tal consideração que nos fez forjar e dar consistência com tanto gosto a essa lei,* que ninguém nunca viu, e que priva as mulheres da sucessão desta coroa, e não há domínio senhorial no mundo em que ela não seja invocada, como aqui, por uma genuína aparência de razão que a credencia; mas o acaso lhe deu mais crédito em certos lugares do que em outros. É perigoso deixar a juízo delas a repartição de nossa sucessão, segundo a escolha que farão dos filhos, que é sempre iníqua e fantasiosa. Pois esse apetite desregrado e esse desejo doentio que experimentam na época da gravidez, elas o têm na alma, o tempo todo. Correntemente vemo-las se apegarem aos mais fracos e deformados, ou aos que, se os têm, ainda estão pendurados em seu pescoço. Pois, não tendo suficiente força de julgamento para escolher e abraçar o que merece sê-lo, deixam-se mais facilmente levar para onde os sinais da natureza estão mais presentes: como os animais que só reconhecem os filhotes quando eles ainda estão presos às suas tetas. Em suma, é fácil ver por experiência que essa afeição natural a que conferimos tanta autoridade tem raízes bem fracas. Em troca de um pagamento bem modesto, diariamente arrancamos dos bra-

---

* A Lei Sálica, isto é, da tribo dos francos sálicos, escrita no reino de Clóvis e que excluía as mulheres da sucessão da terra. Foi depois estendida à sucessão da Coroa, na época dos Valois. Quando Montaigne escrevia, a questão era de grande atualidade porque se pensava que o rei Henrique III não teria filhos.

ços das mães seus próprios filhos e as fazemos tomar conta dos nossos; fazemo-las entregar os delas a alguma miserável ama de leite a quem não queremos abandonar os nossos, ou a alguma cabra; proibindo-as não só de amamentá-los, qualquer que seja o perigo que eles possam correr, mas também de cuidar deles para se dedicarem totalmente ao serviço dos nossos. E na maioria delas vê-se gerar bem cedo, por hábito, um amor bastardo mais veemente que o natural e maior solicitude no cuidado com os filhos de criação do que com os seus próprios. E o que falei das cabras é porque, ao meu redor, é corrente ver as mulheres das aldeias, quando não podem alimentar seus filhos com o próprio peito, chamar as cabras em seu auxílio. E tenho neste momento dois lacaios que nunca mamaram mais de oito dias leite de mulheres. Essas cabras são amestradas para vir imediatamente aleitar as criancinhas, reconhecem suas vozes quando gritam e acorrem; se lhes apresentam outro que não o seu bebê, recusam-no, e a criança faz o mesmo com outra cabra. Outro dia, vi um que perdera a sua pois o pai apenas a tomara emprestada de um vizinho, e o bebê jamais conseguiu se apegar à outra que lhe apresentaram e morreu, provavelmente de fome. Os animais alteram e desviam tão facilmente como nós o afeto natural. Heródoto conta que em certo lugar da Líbia os homens se juntam às mulheres indiscriminadamente, mas que o filho, quando tem força para andar, encontra o pai, aquele para o qual, na multidão, sua propensão natural encaminha seus primeiros passos. Creio que deve haver muitos equívocos. Ora, considerando o simples fato de que amamos nossos filhos por tê-los gerado, pelo qual os chamamos de outros nós mesmos, parece-me que há outra produção vinda de nós que não é de menor valor. Pois o que geramos pela alma, os partos de nosso espírito, de nosso coração e de nosso saber são produtos de uma parte mais nobre que a corporal e são mais nossos.

SOBRE A AFEIÇÃO DOS PAIS PELOS FILHOS 257

Dessa descendência somos pai e mãe juntos; essas crianças nos custam bem mais caro e trazem-nos mais honra
se têm algo de bom. Pois o valor de nossos outros filhos
é muito mais deles que nosso: temos uma leve participação nisso; mas daqueles, toda a beleza, toda a graça e
todo o valor é nosso. E por isso nos representam e nos
revelam mais intensamente que os outros. Platão acrescenta que são esses os filhos imortais, que imortalizam
seus pais, e mesmo os deificam, como foi o caso com
Licurgo, Sólon, Minos. Ora, como as histórias estão
cheias de exemplos desse amor habitual dos pais em relação aos filhos, não me pareceu descabido selecionar
também alguns dessa outra espécie. Heliodoro, aquele
bom bispo de Trica, preferiu perder a dignidade, as vantagens, a devoção de uma prelazia tão venerável a perder
sua filha:* filha que ainda vive, bem graciosa, mas talvez
com mais zelo e requinte, e muito amorosamente também, do que convém a uma filha eclesiástica e sacerdo-
tal. Houve em Roma um Labieno, personagem de grande valor e autoridade e entre outras qualidades excelente
em todo tipo de literatura, que era, creio, filho daquele
grande Labieno, o primeiro dos capitães sob o comando
de César na guerra da Gália, e que depois, tendo se jogado no partido do grande Pompeu, ali se manteve tão corajosamente até que César o derrotou na Espanha. Vários eram os que tinham inveja do valor desse Labieno
de quem falo, e, como é provável, os cortesãos e favoritos dos imperadores de seu tempo foram inimigos de sua
liberdade e dos sentimentos herdados de seu pai contra a
tirania, e que, é de crer, impregnaram seus escritos e livros. Seus adversários o perseguiram perante os magistrados de Roma e obtiveram que várias de suas obras

---

* Instado por um sínodo a escolher entre seu bispado e seu
livro *Etiópica*, sobre os amores de Teagenes e Carícleia, Heliodoro de Emeso renunciou às suas funções.

publicadas fossem condenadas a ser queimadas. Foi por ele que começou esse novo exemplo de sanção, que depois se aplicou em Roma a vários outros, de punir de morte os próprios escritos e até mesmo a erudição. Como se não houvesse suficientes meios e matéria de crueldade se a eles não juntássemos coisas que a natureza isentou de todo sentimento e de todo sofrimento, como a reputação e as invenções de nosso espírito; e como se fôssemos transmitir os males corporais às ciências e às obras das Musas. Ora, Labieno não conseguiu suportar essa perda nem sobreviver a essa tão querida progenitura; fez-se levar e trancar vivo no mausoléu de seus ancestrais, onde conseguiu a um só tempo suicidar-se e enterrar-se. É difícil mostrar outro exemplo mais veemente de amor paterno do que esse. Cássio Severo, homem muito eloquente e familiar de Labieno, ao ver queimarem seus livros exclamou que, pela mesma sentença, deviam simultaneamente condená-lo também a ser queimado vivo, pois conservava na memória o que eles continham. Semelhante infortúnio adveio a Cremúcio Cordo, acusado de ter louvado Bruto e Cássio em seus livros. Aquele Senado detestável, servil e corrompido, e digno de um senhor pior que Tibério, condenou ao fogo seus escritos. E ele ficou feliz de acompanhá-los na morte e matou-se por abstinência de comida. O bom Lucano foi julgado por aquele infame Nero; nos últimos instantes de vida, quando quase todo o sangue já lhe escorrera das veias dos braços, que fizera seu médico seccionar para morrer, e que a frieza já lhe tomara as extremidades dos membros e começava a se aproximar das partes vitais, a última coisa que teve na memória foram alguns dos versos de seu livro sobre a guerra de Farsália, que ele recitou, e morreu tendo essas derradeiras palavras na boca. O que era isso senão uma terna e paternal despedida que fazia de seus filhos, equivalente aos adeuses e estreitos abraços que damos aos nossos quando morrem? E um exemplo do instinto natural que rememora em nossa lembrança, nesse final, as coisas mais queridas que tivemos em vida? Epicuro, que morreu atormentado, como diz, pelas dores extremas da cólica, tinha todo o consolo na beleza da doutrina que deixava ao mundo. Pensamos que ele teria encontrado tanta alegria em um número de filhos bem-nascidos e bem-educados, se os tivesse tido, como tinha com a produção de seus ricos escritos? E que, se houvesse tido a escolha de deixar atrás de si um filho defeituoso e doente ou um livro tolo e inepto, não preferiria, e não apenas ele mas todo homem de saber semelhante, sofrer a primeira desgraça mais que a outra? Se fosse proposto (por exemplo) a Santo Agostinho, de um lado, enterrar seus escritos que são tão proveitosos para nossa religião, e, de outro, enterrar seus filhos, caso os tivesse, seria talvez impiedade se não preferisse enterrar os filhos. E não sei se eu não gostaria muito mais de ter produzido um, perfeitamente bem formado, do relacionamento com as Musas que do relacionamento com minha mulher. A este aqui,* tal como está, o que dou, dou de forma pura e irrevogável, como se dá aos filhos corporais. Esse pouco bem que lhe dei não está mais à minha disposição. Ele pode saber muitas coisas que não sei mais, e ter de mim o que não conservei e que eu precisaria, tanto quanto um estranho, pedir emprestado se tivesse necessidade. Se sou mais sábio que ele, ele é mais rico que eu. Há poucos homens afeitos à poesia que não se gratificariam mais por ser pai da *Eneida* que do mais belo menino de Roma, e que não suportassem mais facilmente a perda de um que do outro. Pois segundo Aristóteles, de todos os operários o poeta é precisamente o mais apaixonado por sua obra. Custa crer que Epaminondas, que se gabava de deixar, como única posteridade, filhas que um dia honrariam o

* *Os ensaios.*

pai (eram as duas nobres vitórias que ele tivera contra os lacedemônios), houvesse consentido de bom grado trocá-las pelas moças mais sedutoras de toda a Grécia; ou que Alexandre e César tenham algum dia desejado ser privados da grandeza de suas gloriosas façanhas guerreiras em troca da vantagem de ter filhos e herdeiros, por mais perfeitos e incomparáveis que fossem. E até duvido muito que Fídias ou outro excelente escultor gostasse tanto da preservação e da longevidade de seus filhos reais como o faria de uma estátua excelente que, com longo trabalho e estudo, ele tivesse realizado à perfeição segundo as regras da arte. E quanto a essas paixões viciosas e furiosas que às vezes inflamaram os pais com amor por suas filhas, ou as mães por seus filhos, também as encontramos, semelhantes, nessa outra espécie de parentesco: como prova, o que se conta de Pigmalião, que, tendo esculpido uma estátua de mulher de singular beleza, ficou tão perdida e alucinadamente apaixonado por sua obra que foi preciso, em face de sua fúria, que os deuses lhe fizessem o favor de vivificá-la:

> *Tentatum mollescit ebur, positoque rigore*
> *Subsidit digitis.**
> [O marfim tocado amolece, e perdendo sua dureza vibra sob os dedos.]

---

* Ovídio, *Metamorfoses*, x, 283-4.

Sobre a crueldade

Capítulo XI

*Este longo capítulo é um dos grandes textos morais de
Os ensaios. Montaigne percebe que a virtude, como concebida por Hesíodo ou Catão, é inadequada para explicar a virtude de Sócrates, a qual, menos severa, ele acaba preferindo. Fala da crueldade que nasce nos êxtases
da fúria ou das relações sexuais arrebatadoras. Ainda
piores são a crueldade e a tortura praticadas apenas por
diversão. Na verdade, a condenação da crueldade aparece aqui como uma simples digressão, prolongamento
de uma argumentação sobre a piedade e a compaixão,
e também sobre a bondade com os animais. A censura
vaticana criticara Montaigne por ter considerado crueldade o que estava além da morte simples. Em resposta,
já na edição de 1582 ele introduziu o relato do suplício
de Catena como exemplo de morte simples seguida de
uma crueldade simbólica mas exemplar. O longo desenvolvimento final, dedicado à crença na metempsicose, é
uma paráfrase de Ovídio, e Montaigne encontra sobre o
mesmo tema o texto contemporâneo de Giordano Bruno,* Spaccio della bestia trionfante, *de 1584.*

Parece-me que a virtude é outra coisa, e mais nobre, do que essas tendências à bondade que nascem em nós. As almas bem autocontroladas por si mesmas e bem-nascidas seguem o mesmo passo e representam em suas ações a mesma face que as virtuosas. Mas a virtude soa um não sei quê de maior e mais ativo do que se deixar conduzir tranquila e pacificamente pelo rastro da razão graças a um feliz temperamento. Quem, por ter um caráter naturalmente fácil e suave, deprezasse as ofensas recebidas faria coisa muito bonita e digna de elogio; mas quem, picado em carne viva e indignado por uma ofensa, se munisse das armas da razão contra esse furioso apetite de vingança e por fim o controlasse depois de um grande conflito faria sem dúvida muito mais. Aquele agiria bem, e este agiria virtuosamente; uma ação poderia se chamar bondade, a outra, virtude. Pois parece que a palavra virtude pressupõe dificuldade e oposição, e não pode ser exercitada sem combate. É talvez por isso que dizemos que Deus é bom, forte, e generoso e justo, mas não o chamamos de virtuoso. Suas operações são todas naturais e sem esforço. Dos filósofos, não só os estoicos porém mais ainda os epicuristas (e tiro esse "mais ainda" da opinião comum, que é falsa apesar da sutil tirada de Arcesilau: a quem o criticava porque muitas pessoas passavam de sua escola para a epicurista, e nunca o contrário, ele disse: "Acredito. Dos galos se fazem muitos capões, mas dos capões nunca se fizeram galos". Pois na verdade, em firmeza e rigor de opiniões e preceitos, a escola epicurista não cede de nenhuma maneira aos estoicos. E um estoico, mostrando mais boa-fé do que todos esses discutidores que, para combater Epicuro e levar a melhor, o fazem dizer aquilo que ele jamais pensa, distorcem suas palavras para a direção errada e alegam, com a lei da gramática, outro sentido de seu modo de falar e outra opinião que não a que sabem que ele tinha no espírito e em seus costumes, diz que deixou de ser epicurista por essa consideração, entre outras, de que acha o caminho deles muito difícil e inacessível: *et ii qui* φιλήδονοι *sunt* φιλδχαλοι *et* φιλοδίχαιοι, *omnesque virtudes et colunt et retinent** [e que aqueles que chamamos *amantes do prazer* são *amantes do belo* e *amantes da justiça*, que praticam e honram todas as virtudes]), dos filósofos estoicos e epicuristas, dizia eu, há vários que julgaram que não bastava ter a alma bem equilibrada, bem regrada e predisposta à virtude; não bastava termos nossas resoluções e nossos pensamentos acima de todos os esforços do destino, mas ainda precisávamos procurar as ocasiões de pô-los à prova. Eles querem ir ao encontro da dor, da necessidade e do desprezo para combatê-los e manter suas almas em boa disposição: *multum sibi adjicit virtus lacessita.*** [a virtude cresce muito quando é posta à prova.] É uma das razões pelas quais Epaminondas, que era de uma terceira escola, recusou riquezas que o destino lhe pôs nas mãos por uma via muito legítima; por ter, diz ele, de se esgrimir contra a pobreza extrema em que sempre viveu. Sócrates testava a si mesmo, parece-me, ain-

---

* Cícero, *Cartas aos familiares*, XV, xix.
** Sêneca, *Cartas a Lucílio*, xiii, 3.

da mais rudemente, conservando para seu exercício a maldade de sua mulher, o que é uma prova com ferro amolado.* Metelo, sendo o único de todos os senadores romanos que se empenhou, pelo esforço de sua virtude, em resistir à violência de Saturnino, tribuno do povo em Roma que queria a toda força aprovar uma lei injusta em favor da plebe, e tendo por isso incorrido nas penas capitais que Saturnino estabelecera contra os oponentes, disse aos que, naquele perigo extremo, o conduziam à praça as seguintes palavras: "que era coisa muito fácil e muito covarde agir mal; e que agir bem onde não houvesse perigo era coisa vulgar; mas que agir bem onde houvesse perigo era o próprio ofício de um homem de virtude". Essas palavras de Metelo nos mostram claramente o que eu queria provar: que a virtude recusa a facilidade como companheira e que esse caminho fácil, suave e em leve declive, por onde vão os passos regulados por uma boa inclinação natural, não é o da verdadeira virtude. Ela pede um caminho áspero e espinhoso, quer ter dificuldades externas contra as quais lutar (como a de Metelo), por meio das quais o destino se apraz em quebrar a firmeza de sua marcha; ou dificuldades internas que lhe são fornecidas pelos apetites desordenados e imperfeições de nossa condição. Cheguei até aqui bem facilmente. Mas ao final desta exposição me vem ao pensamento que a alma de Sócrates, que é a mais perfeita que me foi dada a conhecer, seria, nessa avaliação, uma alma de pouco mérito; pois não posso conceber nesse personagem nenhum arroubo de viciosa concupiscência. Não consigo imaginar nenhuma dificuldade e nenhuma coerção no curso de sua virtude; sei que sua razão é tão podero-

---

* Referência aos torneios, que usavam a espada preta, embotada e sem ponta para os treinamentos, e a espada branca afiada de ponta fina para ferir ou matar.

sa e, nele, tão soberana, que jamais propiciou o nascimento sequer de um desejo vicioso. A uma virtude tão elevada como a sua nada posso opor; parece-me vê-la andar com passo vitorioso e triunfante, em pompa e muito à vontade, sem obstáculo nem empecilho. Se a virtude só pode brilhar quando luta contra desejos contrários, diremos portanto que não pode dispensar a ajuda do vício, a que deve o fato de ser considerada e honrada? E o que se tornaria aquela brava e generosa volúpia epicurista, que se vangloria de alimentar a virtude em seu regaço e fazê-la divertir-se dando-lhe como brinquedos a vergonha, as febres, a pobreza, a morte e as torturas? Se pressuponho que a virtude perfeita é reconhecida porque combate e suporta pacientemente a dor, porque resiste aos ataques da gota sem se deixar perturbar; se lhe dou como objetivo necessário o rigor e a dificuldade, o que será da virtude que chegou a esse ponto em que não só despreza a dor mas com ela se rejubila e deixa-se afagar pelas pontadas de uma forte cólica? Essa era a virtude instituída pelos epicuristas e de que vários deles nos deixaram por seus atos provas muito seguras. E é o caso de muitos outros que considero terem ultrapassado, na realidade, as próprias regras de sua doutrina. Conforme atesta Catão, o Moço: quando o vejo morrer e dilacerar as entranhas,* não posso me contentar em crer apenas que sua alma estava então totalmente isenta de aflição e pavor; não posso crer que meramente se mantivesse no estado em que as regras da escola estoica lhe exigiam: equilibrado, sem emoção e impassível. Havia, parece-me, na virtude desse homem coragem demais e vigor para se limitar a isso. Creio antes que ele sentiu prazer e volúpia numa ação tão nobre e que com ela se satisfez mais

* Derrotado por Júlio César em Farsália, Catão, o Moço, se suicidou em Útica, trespassando o corpo com a própria espada.

que com outras de sua vida. *Sic abiit e vita, ut causam moriendi nactum se esse gauderet.*[*] [Ele saiu da vida como quem se rejubilasse de ter encontrado uma razão de morrer.] Creio tanto nisso que fico em dúvida se ele gostaria que a ocasião de tão bela façanha lhe fosse retirada. E se a bondade que o fazia abraçar os interesses públicos mais que os seus não me freasse, eu concordaria facilmente com a opinião de que ele era muito grato ao destino por ter posto sua virtude a uma prova tão bela e por ter favorecido esse bandido[**] a pisotear a antiga liberdade de sua pátria. Parece-me ler nessa ação não sei que júbilo em sua alma e uma extraordinária emoção de prazer e volúpia viril, considerando a nobreza e a elevação de sua atitude:

Deliberata morte ferocior.[***]
[Mais orgulhosa por ter decidido morrer.]

Não uma alma estimulada por esperança de glória (como têm julgado os espíritos populares e efeminados de certos homens), pois essa atitude é muito baixa para tocar um coração tão generoso, tão altivo e firme, mas estimulada pela beleza da própria coisa em si, a qual ele via, ele que manejava suas engrenagens, bem mais claramente e em sua perfeição do que podemos fazê-lo. Dá-me prazer essa filosofia que considera que uma ação tão bonita não podia estar decentemente alojada em nenhuma outra vida senão na de Catão, e que só a dele cabia terminar assim. Por isso mesmo ele ordenou, como era razoável, ao filho e aos senadores que o acompanhavam que resolvessem de outro modo seus próprios casos. *Catoni, cum incredibilem natura tribuisset gravitatem, eamque ipse per-*

[*] Cícero, *Tusculanas*, I, xxx.
[**] Júlio César.
[***] Horácio, *Odes*, I, xxxvii, 29.

petua constantia roboravisset, semperque in proposito consilio permansisset: moriendum potius quam tyranni vultus aspiciendus erat.[*] [Catão, a quem a natureza atribuíra uma inacreditável força de alma, que ele mesmo endurecera por uma perpétua constância, e que sempre permanecera no objetivo que se fixara, devia antes morrer do que ver a face de um tirano.] Toda morte deve ser de acordo com a vida. Não nos tornamos outra pessoa para morrer. Sempre interpreto a morte através da vida. E se me contam alguma que parece forte, ligada a uma vida que foi fraca, considero que é produzida por uma causa fraca e de acordo com o que foi essa vida. Portanto, diremos que o desafogo da morte de Catão e o poder que ele adquiriu pela força de sua alma devam atenuar alguma coisa do brilho de sua virtude? E dos que têm o cérebro impregnado, ainda que um pouco, de verdadeira filosofia, quem pode se contentar em imaginar Sócrates simplesmente isento de temor e sofrimento na desgraça de sua prisão, de seus ferros e de sua condenação? E quem não reconhece nele não só a firmeza e a constância (essa era sua atitude corrente) mas também não sei qual contentamento novo e uma alegria jovial em seus derradeiros instantes e palavras? Aquele arrepio de prazer que ele sente em coçar a perna, depois que os ferros foram retirados, não indica uma semelhante doçura e alegria em sua alma, por estar livre dos incômodos passados e até mesmo por enfrentar o conhecimento das coisas por vir? Catão há de fazer o favor de me perdoar, sua morte é mais trágica e mais tensa, mas esta ainda é, não sei como, mais bela. Aristipo disse aos que a deploravam: "Possam os deuses enviar-me uma assim". Vemos nas almas desses dois personagens e de seus imitadores (pois parecidos duvido muito que haja existido) um hábito tão perfeito da virtude que ela passou à índole deles. Não é

---

* Cícero, *De officiis*, I, XXXI, 112.

mais uma virtude árdua, nem ordens da razão que, para serem cumpridas, requerem um esforço de suas almas: é a própria essência de sua alma, é sua atitude natural e corrente. Eles assim a transformaram por um longo exercício dos preceitos da filosofia, que ali encontraram uma bela e rica natureza. As paixões viciosas que nascem em nós já não encontram por onde entrar neles. A força e a retidão de suas almas sufocam e extinguem as concupiscências tão logo elas começam a se agitar. Ora, penso não haver dúvida de que é mais bonito impedir o nascimento das tentações, por uma elevada e divina resolução, e estar tão formado para a virtude de modo que os próprios germes dos vícios sejam desenraizados, do que impedir a toda força o avanço deles; e, tendo se deixado flagrar pelas emoções primeiras das paixões, armar-se e retesar-se para sustar sua marcha e vencê--las; como tampouco há dúvida de que esse segundo feito é ainda mais belo do que ser simplesmente dotado de uma natureza fácil e bondosa, e por si só enojada da devassidão e do vício. Pois parece que essa terceira e última maneira de ser torna um homem inocente, mas não virtuoso, isento de agir mal, mas não bastante apto a agir bem. Acresce que essa condição é tão vizinha da imperfeição e da fraqueza que não sei como destrinchar seus limites e distingui-los. As próprias palavras "bondade" e "inocência" são por isso, de certa forma, palavras de menosprezo. Vejo que várias virtudes, como a castidade, a sobriedade e a temperança, podem nos acontecer por fraqueza corporal. A firmeza diante dos perigos (se devemos chamá-la firmeza), o desprezo pela morte, a constância em face dos infortúnios podem derivar e não raro se encontrar nos homens por incapacidade de bem julgar esses acidentes e não encará--los como são. A falta de compreensão e a estupidez são aparentadas, assim, às vezes, aos comportamentos virtuosos, como vi amiúde acontecer de louvarem homens pelo que mereciam ser repreendidos. Certa vez, um senhor italiano fez em minha presença uma afirmação que era prejudicial ao seu país: dizia ele que a sutileza dos italianos e a vivacidade de suas ideias eram tão grandes que previam os perigos e acidentes passíveis de lhes acontecer muito tempo antes, e por isso não se devia achar estranho se costumassem ser vistos na guerra cuidando da própria segurança, antes mesmo de terem reconhecido se havia um perigo; que nós e os espanhóis, que não éramos tão espertos, íamos mais longe porque precisávamos ver com os próprios olhos e tocar com a mão o perigo antes de nos apavorarmos, e que então não tínhamos mais resistência; mas que os alemães e os suíços, mais grosseiros e mais broncos que nós, não tinham nem a ideia de se dar conta disso a não ser quando já estavam quase sucumbindo aos golpes. Talvez fosse apenas para rir. No entanto, é bem verdade que no ofício da guerra os aprendizes muitas vezes se atiram contra os perigos com uma irreflexão que não têm depois, quando já estão escaldados.

> *haud ignarus, quantum nova gloria in armis*
> *Et praedulce decus primo certamine possit.**
> [não ignorando tudo o que podem, num primeiro combate, uma glória desconhecida nas armas e a honra tão doce.]

Eis por que quando se julga uma ação particular é preciso considerar várias circunstâncias e o homem por inteiro que a produziu, antes de batizá-la. Para dizer uma palavra sobre mim mesmo: vi às vezes meus amigos chamarem de prudência o que, em mim, era acaso, e considerar mais como coragem e paciência o

---

* Virgílio, *Eneida*, XI, 154-5. Montaigne adapta o verso à sua frase.

que mais era julgamento e opinião; e atribuir-me um
título por um outro, ora em meu favor, ora em meu
prejuízo. Aliás, falta tanto para que eu chegue a esse
primeiro e mais perfeito grau de excelência, em que a
virtude se torna um hábito, como mesmo do segundo ainda não dei provas. Não fiz grande esforço para
refrear os desejos que me oprimiram. Minha virtude
é uma virtude, ou inocência, para dizer melhor, acidental e fortuita. Se eu tivesse nascido com um temperamento mais desregrado, temo que minha vida teria
sido lamentável, pois não experimentei muita firmeza
em minha alma para conter as paixões acaso tivessem
sido um pouco veementes. Não sei alimentar querelas
e debates comigo mesmo. Assim, não posso me dizer
nenhum muito obrigado por me encontrar isento de
vários vícios:

> si vitiis mediocribus, et mea paucis
> Mendosa est natura, alioqui recta, velut si
> Egregio inspersos reprehendas corpore naevos.*
> [se minha natureza, boa de certa maneira, tem apenas
> vícios medíocres e pouco numerosos, é como um belo
> corpo de que só haveria a recriminar algumas man-
> chas esparsas.]

Devo isso mais à minha sorte que à minha razão: ela me
fez nascer numa família famosa pela sensatez e de um
muito bom pai. Não sei se ele infundiu em mim parte
de seus humores ou se os exemplos domésticos e a boa
educação em minha infância insensivelmente ajudaram;
ou se, ao contrário, nasci assim;

> Seu libra, seu me scorpius aspicit
> Formidolosus, pars violentior

* Horácio, *Sátiras*, I, vi, 65.

SOBRE A CRUELDADE   271

Natalis horae, seu tyrannus
Hesperiae Capricornus undae.*
[Que a Balança ou o Escorpião temível, no grau dominante na hora de meu nascimento, mantêm-me sob seu
olhar, ou o Capricórnio, tirano das ondas do Hespéria.]

Mas o fato é que, por mim mesmo, tenho horror à maioria dos vícios. A resposta de Antístenes, "desaprender
o mal", àquele que lhe indagava sobre a melhor aprendizagem, parece acentuar essa imagem. Tenho horror a
eles, como disse, de um modo tão natural e tão meu que
esse mesmo instinto e essa impressão que trouxe desde
a ama de leite os conservei sem que nenhuma ocasião
jamais tenha me conseguido alterá-los; e nem, aliás, minhas reflexões pessoais, que, por terem em certas coisas
se afastado da via comum facilmente me conduziriam a
ações que essa propensão natural me faz detestar. Direi
uma monstruosidade, mas a direi. Em muitas coisas encontro em meu comportamento mais moderação e regra
do que em meu pensamento, e menos desregrada minha
concupiscência do que minha razão. Aristipo professou
opiniões tão ousadas em favor da volúpia e das riquezas
que pôs em polvorosa contra si todos os filósofos. Mas
quanto a seu comportamento, Dionísio, o tirano, tendo
lhe apresentado três belas moças a fim de que fizesse sua
escolha, ele respondeu que escolhia as três e que criticava Páris por ter preferido uma entre suas companheiras.** Mas quando as levou à sua casa, mandou-as embora,
sem tocá-las. E como seu criado estivesse sobrecarregado
do dinheiro que em viagem levava, ordenou-lhe que jogasse fora e deixasse ali mesmo o que o atrapalhava. E
Epicuro, cujos dogmas são irreligiosos e voltados para o

---

* Horácio, *Odes*, II, XVII, 17-20. Montaigne nasceu dia 28 de
fevereiro, sob o signo de Peixes.
** Essa escolha teria provocado a guerra de Troia.

prazer, se comportou em sua vida muito devota e laboriosamente. A um amigo, escreveu que só vivia de pão ordinário e água; e pediu-lhe que lhe enviasse um pouco de queijo para quando quisesse fazer uma refeição suntuosa. Seria então verdade que para ser realmente bom cumpre sê-lo por uma disposição inata, secreta e universal, sem leis, sem razão, sem exemplos? Os excessos em que me vi envolvido não são, graças a Deus, os piores. Condenei-os em mim conforme merecem, pois meu julgamento não foi contaminado por eles. Ao contrário, acuso-os mais rigorosamente em mim do que em outro. Mas é só isso, pois, pensando bem, oponho-lhes pouquíssima resistência e deixo-me facilmente pender para o outro lado da balança, a não ser que seja para moderá-los e impedir que se misturem com outros vícios, os quais se entretêm e se entrelaçam, em maioria, uns nos outros se não prestarmos atenção. Os meus, separei-os e confinei-os para que fiquem isolados, o mais possível.

> nec ultra
> Errorem foveo.*
> [e não encorajo meu vício exageradamente.]

Os estoicos dizem que quando o sábio age, age com todas as virtudes juntas, embora uma seja mais aparente segundo a natureza da ação (e nisso poderia servir-lhes, de certa forma, a semelhança com o corpo humano, pois a ação da cólera só pode se exercer se todos os humores nos ajudarem, embora a cólera predomine). Se daí querem tirar tal conclusão de que quando um pecador peca, peca por todos os vícios juntos, não creio neles assim tão simplesmente; ou não os compreendo, pois na verdade sinto o contrário. É a sutilezas agudas, insubstanciais, que a filosofia por vezes se apega. Sigo alguns vícios mas

* Juvenal, Sátiras, VIII, 164.

fujo de outros, tanto quanto um santo poderia fazer. Também os peripatéticos renegam essa conexão e essa costura indissolúvel; e afirma Aristóteles que um homem prudente e justo pode ser intemperante e incontinente. Sócrates confessava, aos que reconheciam em sua fisionomia alguma tendência ao vício, que na verdade era sua propensão natural, mas que ele a corrigira por disciplina. E os familiares do filósofo Estílpon diziam que, tendo nascido dado ao vinho e às mulheres, ele se tornara, por esforço, muito abstinente de um e outro. Eu, inversamente, o que tenho de bom o tenho pelo acaso de meu nascimento: não o devo à lei nem a um preceito ou outro aprendizado. A inocência que há em mim é uma inocência inata, de pouco vigor e sem arte. Entre os vícios, odeio cruelmente a crueldade, tanto por natureza como por julgamento, como sendo o extremo de todos os vícios. Mas isso chega a tal fraqueza que não vejo degolarem um frango sem desprazer, e não suporto ouvir gemer uma lebre sob os dentes de meus cães, embora a caça seja um violento prazer. Os que devem combater a volúpia usam de bom grado, para mostrar que ela é totalmente viciosa e irracional, o argumento de que quando está no auge nos domina de modo que a razão não consegue ter acesso a nós, e invocam a experiência que sentimos no comércio com as mulheres,

> *cum iam praesagit gaudia corpus,*
> *Atque in eo est Venus, ut muliebria conserat arva;**
> [quando o corpo pressente o prazer de Vênus estar nele,
> a fim de semear o campo feminino;]

momento em que lhes parece que o prazer nos transporta tão forte para fora de nós que nosso raciocínio, de todo percluso e arrebatado pela volúpia, não conseguiria

---

* Lucrécio, IV, 1106-7.

então cumprir seu papel. Sei que pode ser de outra maneira; e que às vezes chegaremos, se quisermos, a repor a alma, nesse mesmo instante, em outros pensamentos; mas é preciso ser vigilante para retesá-la e endurecê-la. Sei que é possível resistir à força desse prazer, e disso entendo; e não encontrei em Vênus uma deusa tão imperiosa que alguns, mais castos que eu, pretendem ser ela. Não considero um milagre, como o faz a rainha de Navarra num dos contos de seu *Heptameron* (que é um bom livro no seu gênero), nem coisa de extrema dificuldade passar noites inteiras, em total sossego e liberdade, com uma amante há muito tempo desejada, mantendo a promessa que lhe teremos feito de nos contentarmos com beijos e simples carinhos. Creio que o exemplo do prazer na caça viria mais a calhar: como há menos prazer, há mais exaltação e surpresa, pelo que, atordoada, nossa razão perde essa possibilidade de se preparar para o encontro quando, depois de uma longa busca, o animal vem em sobressalto a se apresentar num local onde talvez menos o esperássemos. Essa surpresa e o ardor de seus alaridos chocam-nos tanto que seria difícil, para os que gostam dessa espécie de caça, desviar o pensamento para outra coisa. E os poetas fazem de Diana a vitoriosa contra as tochas e as flechas de Cupido.

> *Quis non malarum quas amor curas habet*
> *Haec inter obliviscitur?*[*]
> [Quem não esquece, no meio das delícias, as penas que o amor traz consigo?]

Para voltar ao meu assunto, sinto uma compaixão muito terna pelas aflições do outro e facilmente choraria por contágio se em qualquer ocasião que fosse eu conseguisse chorar. Não há nada que tente minhas lágrimas tan-

---

[*] Horácio, *Epodes*, ii, 37-8.

SOBRE A CRUELDADE

to quanto as lágrimas: não apenas as verdadeiras, mas quaisquer que sejam, fingidas ou pintadas. É raro que chore pelos mortos, antes os invejaria; mas choro muito forte pelos moribundos. Os selvagens não me ofendem tanto por assarem e comerem os corpos dos falecidos quanto aqueles que os atormentam e perseguem quando são vivos. As próprias execuções da justiça, por razoáveis que sejam, não posso vê-las com olhos firmes. Alguém que teve de atestar a clemência de Júlio César declarou: "Ele era suave em suas vinganças: tendo forçado os piratas a se renderem, a ele que outrora haviam prendido e submetido a resgate, ameaçou-os com a crucificação, e de fato os condenou a isso; mas só depois de estrangulá-los. A seu secretário Fílomon, que quisera envenená-lo, não o puniu mais duramente que com uma morte simples". Sem falar desse autor latino que ousa alegar como prova de clemência o fato de matar apenas aqueles por quem fomos ofendidos: é fácil adivinhar que está chocado com os vis e horríveis exemplos de crueldade que os tiranos romanos introduziram. Quanto a mim, tudo o que, na própria justiça, vai além da morte simples me parece pura crueldade, e notadamente para nós, que deveríamos ter o respeito de entregar as almas em bom estado, o que não é possível tendo-as agitado e desesperado com torturas insuportáveis. Nesses dias passados, um soldado prisioneiro, ao avistar da torre onde estava o povo se reunindo na praça e carpinteiros ali erguendo suas obras, pensou que era para ele: e, tomando a decisão de se matar, não achou nada que pudesse auxiliá-lo além de um velho prego de carroça, enferrujado, que o acaso lhe ofereceu. Com ele deu, primeiramente, dois grandes golpes na garganta, mas vendo que isso não surtira efeito, deu, pouco depois, um terceiro, no ventre, onde deixou o prego enfiado. O primeiro guarda que entrou encontrou-o naquele estado, ainda vivo, mas desacordado e muito enfraquecido pelos golpes. Para aproveitar o tempo antes que ele desfalecesse, apressaram-se em proferir a sentença. Depois da qual, uma vez ouvida, e como ele só fora condenado a ter a cabeça cortada, o soldado pareceu recobrar novo ânimo: aceitou vinho, que antes recusara, agradeceu aos juízes a brandura inesperada de sua condenação. Disse que decidira convocar a morte por temor de uma morte mais dura e insuportável, pois, pelos preparativos que vira na praça, veio-lhe a ideia de que queriam torturá-lo com algum horrível suplício e pareceu estar libertado da morte por tê-la modificado. Eu aconselharia que esses exemplos de rigor com os quais se deseja manter o povo no dever fossem aplicados aos cadáveres dos criminosos. Pois vê-los privados de sepultura, vê-los fervendo e esquartejados tocaria quase tanto o vulgo quanto tocam as dores que fazem os vivos sofrer; conquanto na verdade isso seja pouco ou nada, como Deus diz, *Qui corpus occidunt, et postea non habent quod faciant.*[*] [Eles matam o corpo, e em seguida não podem fazer mais nada.] E os poetas valorizam singularmente o horror dessa representação dos suplícios, e mais que da morte:

> *Heu reliquias semiassi regis, denudatis ossibus,*
> *Per terram sanie delibutas foedè divexarier.*[**]
> [Infelizmente! Serei arrastado por terra, ignominiosamente, restos gotejando sangue de um rei meio assado, seus ossos descarnados.]

Encontrava-me um dia em Roma no momento em que iam executar Catena, um notório ladrão. Estrangularam-no sem nenhuma emoção do público, mas quando foram esquartejá-lo o carrasco não dava um golpe sem

[*] Lucas, XII, 4.
[**] Verso de *Iliona*, de Pacúvio, citado por Cícero, *Tusculanas*, I, XLIV, 106.

SOBRE A CRUELDADE

que o povo acompanhasse com um grito plangente e uma exclamação, como se todos transferissem a própria sensibilidade àquela carcaça. Há que exercer esses excessos desumanos contra a casca morta e não contra a carne viva. Assim, Ataxerxes, em caso mais ou menos parecido, abrandou o rigor das leis antigas da Pérsia; ordenou que os senhores que tinham cometido uma falta em sua função, em vez de ser chicoteados, como era costume, fossem despojados e suas roupas açoitadas no seu lugar; e em vez de arrancar-lhes os cabelos, como era costume, que apenas lhes retirassem o alto do chapéu. Os egípcios, tão devotos, estimavam satisfazer a justiça divina sacrificando-lhe porcos em figuras e efígies pintadas; invenção ousada, de querer pagar a Deus, substância tão essencial, com pinturas e sombras. Vivo numa época em que abundam exemplos inacreditáveis desse vício da crueldade, pelas desordens de nossas guerras civis, e não vemos nada de mais extremo nas histórias antigas do que aquilo a que assistimos todos os dias. Mas isso não me acostumou a esse vício, de jeito nenhum. Eu mal era capaz de me convencer, antes de tê-lo visto, que pudessem existir almas tão ferozes que quisessem cometer assassínios só pelo prazer; retalhar e cortar os membros de alguém; aguçar o espírito para inventar torturas inusitadas e mortes novas, sem inimizade, sem proveito, e só para o fim de gozar do agradável espetáculo, dos gestos e movimentos lastimáveis, dos gemidos, dos gritos lamentáveis de um homem morrendo em agonia. Pois eis o ponto extremo que a crueldade pode alcançar. *Ut homo hominem, non iratus, non timens, tantum spectaturus occidat.** [Que um homem mate um homem, sem cólera, sem medo, simplesmente para ver.] Quanto a mim, jamais consegui ver sem desprazer perseguirem e matarem um bicho inocente, que é sem defesa e não nos fez sofrer

* Sêneca, *Cartas a Lucílio*, XC, 45.

nenhum mal. E o cervo que comumente, sentindo-se sem fôlego e sem força, e não tendo outro remédio, se vira e se rende a nós mesmos que o perseguimos, pedindo-nos piedade por suas lágrimas,

> *quoestuque cruentus*
> *Atque imploranti similis,**
> [sangrando, e lembrando, por seus queixumes, um suplicante,]

isso sempre me pareceu um espetáculo muito desagradável. Não pego animal vivo a que não restitua a liberdade. Pitágoras fazia o mesmo, comprando-os dos pescadores e dos passarinheiros.

> *primoque a caede ferarum*
> *Incaluisse puto maculatum sanguine ferrum***
> [foi, creio, pelo massacre dos animais selvagens que o ferro tingido de sangue esquentou pela primeira vez.]

As índoles sanguinárias em relação aos animais atestam uma propensão natural à crueldade. Em Roma, depois que se acostumaram aos espetáculos de mortes dos animais, chegaram aos homens e aos gladiadores. A própria natureza (temo) fixou no homem um instinto de desumanidade. Ninguém sente prazer em ver os animais brincando entre si e acariciando-se; e ninguém deixa de senti-lo ao vê-los se dilacerarem e se desmembrarem. E a fim de que não caçoem dessa simpatia que lhes tenho, a própria teologia nos ordena demonstrar algum favor por eles. E considerando que um mesmo senhor nos alojou neste palácio para seu serviço, e que eles são, como nós, de sua família, a teologia tem ra-

---

* Sêneca, *Cartas a Lucílio*, xc.
** Ovídio, *Metamorfoses*, xv, 106-7.

SOBRE A CRUELDADE

zão de impor-nos certo respeito e afeto por eles. Pitágoras tomou dos egípcios a ideia da metempsicose, mas depois ela foi adotada por vários povos e notadamente por nossos druidas:

> *Morte carent animae, semperque priore relicta*
> *Sede, novis domibus vivunt, habitantque receptae.**
> [As almas são subtraídas à morte, e sempre, depois de ter deixado sua primeira morada, vão viver em outra, onde fazem sua residência.]

A religião de nossos antigos gauleses considerava que as almas, sendo eternas, não paravam de se mexer e mudar de lugar de um corpo a outro; misturando, ademais, a essa imaginação certa ideia da justiça divina. Pois segundo o comportamento da alma, quando ela tinha habitado, por exemplo, Alexandre, eles diziam que Deus lhe designava um outro corpo para habitar, mais ou menos árduo e relacionado à sua conduta:

> *muta ferarum*
> *Cogit vincla pati, truculentos ingerit ursis,*
> *Praedonesque lupis, fallaces vulpibus addit,*
> *Atque ubi per varios annos per mille figuras*
> *Egit, lethaeo purgatos flumine tandem*
> *Rursus ad humanae revocat primordia formae.***
> [ele as força a sofrer a muda prisão dos animais, faz entrar os cruéis nos corpos de ursos, os ladrões nos dos lobos, atribuem os mentirosos às raposas, e depois que as levou durante vários anos através de mil figuras, chama-as de novo à sua forma humana original, uma vez que eles foram purificados no rio do Lete.]

---

* Ovídio, *Metamorfoses*, XV, 158.
** Claudiano, *Contra Rufino*, II, 482-4.

Se ela tivesse sido valente, alojavam-na no corpo de um leão; se voluptuosa, no de um porco; se covarde, no de um cervo ou uma lebre; se maliciosa, no de uma raposa; e assim por diante, até que, purificada pelo castigo, retomava o corpo de um outro homem;

*Ipse ego, nam memini, Trojani tempore belli
Panthoides Euphorbus eram.*[*]
[Eu mesmo, lembro-me, no tempo da guerra de Troia, era Eufórbio, filho de Panteu.]

Quanto a esse parentesco entre nós e os animais, não o levo muito em conta; tampouco isso de que várias nações, e em especial as mais antigas e mais nobres, não só admitiram os animais em sua convivência e companhia como lhes deram uma posição bem mais elevada que a delas mesmas, ora considerando-os familiares e favoritos de seus deuses, e tendo por eles mais respeito e reverência que pelos homens, ora não reconhecendo outro deus nem outra divindade além deles: *Belluae a barbaris propter beneficium consecratae;*[**] [Os animais foram sacrificados pelos bárbaros para os benefícios que deles esperavam;]

> *crocodilon adorat
> Pars haec, illa pavet saturam serpentibus Ibin,
> Effigies sacri hic nitet aurea Cercopitheci;
> hic piscem fluminis, illic
> Oppida tota canem venerantur.*[***]

[uns adoram o crocodilo, outros veneram temerosamente o íbis repleto de serpentes, aqui resplandece a estátua de

---

[*] Ovídio, *Metamorfoses*, xv, 160-1. Essas palavras são atribuídas por Ovídio a Pitágoras.
[**] Cícero, *De natura deorum*, I, xxxvi, 101.
[***] Juvenal, xv, 2.

SOBRE A CRUELDADE   281

ouro do cercopiteco sagrado; ali, um peixe do rio, aqui
um cão venerado por cidades inteiras.]

E a própria interpretação, muito judiciosa, que Plutarco
dá a esse erro ainda lhes é honrosa. Pois ele diz que não
era o gato ou o boi (por exemplo) que os egípcios adoravam; mas que adoravam nesses bichos uma imagem
das faculdades divinas: neste, a paciência e a utilidade,
naquele, a vivacidade, ou, como nossos vizinhos borgui-
nhões e em toda a Alemanha, a incapacidade de suportar
a clausura, o que representava para eles a liberdade que
amavam e adoravam além de qualquer outra faculdade
divina, e assim por diante. Mas quando encontro entre as
opiniões mais moderadas raciocínios que tentam mostrar
a semelhança estreita entre nós e os animais, e o quanto eles participam de nossos maiores privilégios, e com
quanta verossimilhança podemos compará-los a nós, sem
dúvida rebaixo muito nossa presunção e renuncio de bom
grado a essa imaginária realeza sobre as outras criaturas,
que nos atribuem. Mesmo se esse não fosse o caso, há
todavia um certo respeito que nos liga e um dever geral de
humanidade não só em relação aos animais, que têm vida
e sentimento, mas às próprias árvores e plantas. Devemos
justiça aos homens, e bondade e benevolência às outras
criaturas capazes de recebê-las. Há certa relação entre
elas e nós e certa obrigação mútua. Não temo confessar
a ternura de minha natureza tão pueril que me leva a não
conseguir recusar ao meu cão a festa que me oferece fora
de hora ou que me pede. Os turcos têm obras de caridade
e hospitais para os bichos. Os romanos tinham um serviço público para a alimentação dos gansos, por cuja vigilância seu Capitólio fora salvo; os atenienses ordenaram
que as mulas e os burros que tinham servido na construção do templo chamado Hecatompedon* ficassem livres

* Templo que teria sido substituído pelo Partenon.

e que os deixassem pastar por todo canto sem restrição. Os agrigentinos tinham a prática usual de enterrar dignamente os animais que lhes foram caros, como os cavalos de algum raro mérito, os cães e os pássaros úteis, ou mesmo que tinham servido de passatempo para seus filhos. E a magnificência que lhes era comum em todas as outras coisas também aparecia, singularmente, na suntuosidade e no número de monumentos erguidos para esse fim, e que duraram, visíveis, por vários séculos adiante. Os egípcios enterravam os lobos, os ursos, os crocodilos, os cães e os gatos em lugares sagrados: embalsamavam seus corpos e ficavam de luto pela morte deles. Címon fez uma sepultura honrosa para os jumentos com os quais ganhara por três vezes o prêmio de corrida nos Jogos Olímpicos. Xantipo, o Antigo, mandou fazer uma tumba para seu cão num promontório, na costa do mar, o qual desde então conservou esse nome. E Plutarco tinha o escrúpulo, diz, de vender e enviar para o matadouro, em troca de um pequeno lucro, um boi que o servira por muito tempo.

Defesa de Sêneca e de Plutarco

Capítulo XXXII

Neste capítulo Montaigne não apenas revela como lê seus livros mas ousa dar ao grande Jean Bodin, autor do famoso método para o estudo da história — Methodus ad facilem historiarum cognitionem (1566) —, uma lição sobre interpretação histórica. Faz um paralelo entre Sêneca e Plutarco, um romano e um grego. Introduz sua argumentação com um duplo paralelo entre, de um lado, o rei Carlos IX e Nero, e de outro, o cardeal de Lorraine e Sêneca. O primeiro paralelo, na época polêmico e injurioso, tornara-se um tema retórico dos panfletos protestantes depois da noite de São Bartolomeu, e Carlos IX aparecia como sendo mais cruel que Nero. Em outro panfleto, o cardeal de Lorraine era comparado não a Sêneca, mas a Nero olhando Roma queimar. No contexto político da época, as afirmações de Montaigne significavam tomar posição e livrar o falecido rei da acusação de crime pela Noite de São Bartolomeu. A edição póstuma traz um acréscimo sobre as crueldades de Nero.

A familiaridade que tenho com esses personagens e a ajuda que prestam a minha velhice e a meu livro inteiramente construído com seus despojos obrigam-me a render-lhes homenagens. Quanto a Sêneca, entre os milhares de livrinhos que aqueles da religião pretensamente reformada fazem circular para a defesa de sua causa, saídos às vezes de boas mãos que é muita pena que não estejam ocupadas em melhor assunto, vi um outrora que, para ampliar e reforçar a semelhança que deseja encontrar entre o governo de nosso pobre falecido rei Carlos ix e o de Nero, compara o falecido senhor cardeal de Lorraine com Sêneca, e seus destinos por terem sido ambos os primeiros no aconselhamento de seus príncipes, e ao mesmo tempo seus costumes, condições e temperamentos. No que, em minha opinião, ele muito honra o dito senhor cardeal, pois embora eu seja dos que muito estimam seu espírito, sua eloquência, seu zelo pela religião e o serviço de seu rei, e sua boa fortuna de ter nascido numa época em que foi tão novo e tão raro, e ao mesmo tempo tão necessário para o bem público ter um personagem eclesiástico de tamanha nobreza e dignidade, competente e capaz em seu ofício, se é para falar a verdade não considero que sua capacidade esteja muito próxima da de Sêneca, nem que sua virtude seja tão pura, inteira e firme quanto a dele. Ora, esse livro de que

DEFESA DE SÊNECA E DE PLUTARCO 285

falo, para alcançar seu objetivo faz uma descrição de Sêneca muito injuriosa, tendo tirado essas críticas de Díon, o historiador, em cujo testemunho não acredito. Pois além de ser inconstante, primeiro chama Sêneca ora de muito sábio, ora de inimigo mortal dos vícios de Nero, e em outra parte o chama de avarento, usurário, ambicioso, covarde, voluptuoso e fazendo-se de filósofo sob falsas aparências. A virtude de Sêneca parece tão viva e vigorosa em seus escritos, e neles a defesa é tão clara contra cada uma dessas acusações, como sobre sua riqueza e despesas excessivas, que eu não acreditaria em nenhum testemunho contrário. E ademais, é bem mais razoável acreditar em tais coisas nos historiadores romanos do que nos gregos e estrangeiros. Ora, Tácito e os outros falam muito honrosamente tanto de sua vida como de sua morte, e pintam-no em todas as coisas como um personagem excelente e muito virtuoso. E não quero mencionar outra crítica ao julgamento de Díon além desta aqui, que é inevitável: é que ele tem uma sensibilidade tão doentia perante os negócios romanos que ousa sustentar a causa de Júlio César contra Pompeu e a de Antônio contra Cícero. Vamos a Plutarco: Jean Bodin* é um bom autor de nosso tempo e demonstra muito mais discernimento do que a turba de escrevinhadores de sua época, e merece que o julguemos e consideremos. Acho-o um pouco ousado nesse trecho de seu *Méthode de l'histoire* em que acusa Plutarco não só de ignorância (o que eu o deixaria dizer, pois isso não é meu domínio) mas também por esse autor descrever muitas vezes coisas inacreditáveis e inteiramente fabulosas (são suas palavras). Se ele tivesse dito simplesmente "as coisas diferentes do que são", não haveria uma grande crítica, pois

---

* Magistrado e filósofo, Jean Bodin (1530-1595) é autor do livro *Methodus ad facilem historiarum cognitionem*, a que Montaigne se refere.

temos de tirar das mãos de um outro e de sua boa-fé aquilo que não vimos, e vejo que cientemente às vezes ele conta a mesma história de modo diferente: o julgamento feito por Aníbal dos três melhores capitães que já existiram aparece diferentemente na vida de Flamínio e na de Pirro. Mas acusá-lo de ter tomado como favas contadas coisas inacreditáveis e impossíveis é acusar de falta de discernimento o autor mais judicioso do mundo. E eis o exemplo dele: "Como", diz, "quando relata que um garoto da Lacedemônia se deixou dilacerar todo o ventre por uma raposinha que ele furtara e mantinha escondida sob a túnica, preferindo até morrer a revelar seu furto". Acho, em primeiro lugar, esse exemplo mal escolhido, tanto mais que é bem difícil delimitar esforços para as faculdades da alma, enquanto é bem mais fácil delimitar e conhecer as forças corporais. E por isso, se me coubesse fazê-lo, eu teria antes escolhido um exemplo do segundo tipo, e deles ainda há menos fidedignos, como, entre outros, o que ele narra de Pirro, que, por mais ferido que estivesse, deu um golpe de espada tão grande em um inimigo armado dos pés à cabeça que o fendeu do alto do crânio até embaixo, tanto assim que o corpo se partiu ao meio. Em seu exemplo não vejo grande milagre nem admito a desculpa com que defende Plutarco, a de ter ele acrescentado as palavras "como se diz" para nos advertir e manter o freio de nossa crença. Pois, salvo nas coisas aceitas por autoridade e reverência à Antiguidade ou à religião, Plutarco não quis admitir nem propor que acreditássemos em coisas por si inacreditáveis. E, portanto, não é com esse objetivo que ele emprega naquele trecho a expressão "como se diz". É fácil ver isso pelo que ele mesmo nos conta em outro trecho sobre esse assunto da resistência das crianças lacedemônias, exemplos ocorridos em seu tempo, mais difíceis de nos convencer, como o que Cícero também atestou antes dele, por ter estado, pelo que diz, naquele lugar. Até a época

DEFESA DE SÊNECA E DE PLUTARCO 287

deles havia crianças submetidas a essa prova de resistência, para o que eram treinadas diante do altar de Diana; sofriam por ser açoitadas até que o sangue lhes escorresse de todo o corpo, não só sem gritar mas também sem gemer, e algumas ali até deixavam voluntariamente a vida. E o que Plutarco também conta, com cem outros testemunhos, que durante um sacrifício um carvão em brasa caiu na manga de uma criança lacedemônia, enquanto ela balançava o incensório; ela deixou queimar todo o braço até que o cheiro de carne queimada chegou aos assistentes. Nos costumes dos lacedemônios não havia nada de que mais dependesse sua reputação, nem com que sofressem mais reprovação e vergonha do que ser flagrado num furto. Estou tão imbuído da grandeza daqueles homens que não só não me parece, ao contrário de Bodin, que essa história seja inacreditável, mas nem sequer a acho estranha e rara. A história espartana está repleta de milhares de exemplos mais rudes e extraordinários: nessa toada, ela seria puro milagre. A respeito do furto, Marcelino conta que em sua época ainda não se tinha encontrado nenhum tipo de suplício que conseguisse forçar os egípcios flagrados nessa má ação, muito corrente entre eles, a dizer ao menos o próprio nome. Um camponês espanhol, tendo sido submetido ao suplício para revelar os cúmplices do homicídio do pretor Lúcio Piso, gritava em meio às torturas que seus amigos não se mexessem e que podiam ficar perto dele em total segurança, pois a dor não seria capaz de arrancar-lhe uma palavra de confissão, e no primeiro dia não se conseguiu outra coisa; no dia seguinte, como o trouxessem para recomeçar a tortura, ele se debateu vigorosamente entre as mãos de seus guardas e foi bater a cabeça contra uma parede e se matou. Epícaris enfrentou os esbirros de Nero e cansou a crueldade deles, durante um dia todo, ao suportar-lhes o fogo, os golpes, os instrumentos, sem dizer nenhuma palavra sobre sua conjuração; levado à tortura no dia seguinte, com todos os membros quebrados, passou um cordão da túnica em um dos braços de sua cadeira, fez um nó corredio e, ali passando a cabeça, estrangulou-se com o peso do corpo; tendo a coragem de morrer assim e escapar das primeiras torturas, não parece que cientemente emprestou sua vida a essa prova de resistência da véspera para melhor zombar daquele tirano e encorajar outros a uma iniciativa similar contra ele? E quem interrogou nossos arqueiros sobre as experiências que tiveram nessas guerras civis encontrará exemplos de resistência, obstinação e persistência em nossa miserável época, e até nessa turba mole e ainda mais efeminada que a egípcia, dignos de ser comparados aos que acabamos de citar na narração sobre a virtude espartana. Sei que houve simples camponeses que se deixaram queimar a sola dos pés, esmagar a ponta dos dedos com o cão de uma pistola, arrancar os olhos sangrando para fora da cabeça de tanto ter a fronte apertada por uma corda, antes mesmo de ter sequer desejado ser submetido a resgate. Vi um largado como morto, todo nu, num fosso, com o pescoço todo machucado e inchado, envolto num cabresto que ainda lhe pendia, e com o qual o haviam puxado a noite inteira pelo rabo de um cavalo, e o corpo furado em cem lugares a golpes de adaga que lhe deram, não para matá-lo mas para causar-lhe dor e medo: ele sofrera tudo isso até ter perdido a fala e os sentidos, decidido, pelo que me disse, a morrer de mil mortes (como de fato, quanto ao sofrimento, ele passara por uma inteira) antes de prometer alguma coisa; e no entanto era um dos mais ricos agricultores de toda a região. Quantos vimos se deixarem pacientemente queimar e assar por opiniões tiradas de outros, e por eles ignoradas e desconhecidas? Conheci centenas de mulheres (pois dizem que na Gasconha as cabeças têm certo dom para isso) que antes teriam agarrado um ferro em brasa do que desistido de uma opinião que tivessem concebido

DEFESA DE SÊNECA E DE PLUTARCO

num acesso de raiva. Elas se exasperam diante dos golpes e da coerção. E quem inventou a história da mulher que nenhum castigo de ameaças e pauladas era capaz de fazê-la parar de chamar o marido de piolhento, e que, atirada na água e sufocada, ainda levantava as mãos e fazia acima da cabeça o gesto de matar os piolhos, inventou uma história da qual, na verdade, todo dia se vê a imagem expressa na teimosia das mulheres. E a teimosia é irmã da constância, ao menos no vigor e na firmeza. Não se deve julgar o que é possível e o que não é de acordo com o que é crível e inacreditável em nossa opinião, como eu disse em outro lugar, e é um grande erro, em que porém a maioria dos homens incorre, não querer acreditar que os outros possam fazer o que eles mesmos não saberiam ou gostariam de fazer; mas não digo isso por Bodin. Parece a cada homem que ele mesmo é a melhor forma da natureza humana: todos os outros devem ser regulados de acordo com ele. Os comportamentos que se diferenciam dos seus são fingidos e falsos. Propõe-se a ele algo das ações ou faculdades de outro? A primeira coisa que ele convoca para basear seu julgamento é o próprio exemplo: a ordem do mundo deve agir como ele age. Ó asneira perigosa e insuportável! Considero que certos homens, em especial entre os antigos, estão muito acima de mim, e embora reconheça claramente minha impotência em segui-los, mesmo a mil passos, não deixo de segui-los de longe e julgar as engrenagens que os elevam assim, cujas sementes, porém, não percebo de jeito nenhum em mim; faço o mesmo com a baixeza extrema dos espíritos, que não me espanta e da qual tampouco descreio. Bem vejo o modo que aqueles homens adotam para elevar-se e admiro sua grandeza; e esses ímpetos que acho muito bonitos, abraço-os, e se minhas forças não conseguem, ao menos meu julgamento se aplica nisso com muito gosto. O outro exemplo que Bodin cita de coisas inacreditáveis e inteiramente fabulosas, ditadas por Plutarco, é que Agesilau foi multado pelos éforos por ter atraído só para si o coração e a vontade de seus concidadãos. Não sei que indício de falsidade aí ele encontra, mas o certo é que Plutarco está falando de coisas que deviam ser muito mais conhecidas dele que de nós, e não era novidade na Grécia ver os homens punidos e exilados pelo único motivo de agradar demais a seus cidadãos, como atestam o ostracismo e o petalismo. Há ainda, nessa mesma passagem, outra acusação que me irrita a respeito de Plutarco: é quando Bodin diz que comparou bem, e de boa-fé, os romanos aos romanos, e os gregos entre si, mas não os romanos aos gregos, como atestam (diz ele) Demóstenes e Cícero, Catão e Aristides, Sila e Lisandro, Marcelo e Pelópidas, Pompeu e Agesilau, considerando que ele favoreceu os gregos por lhes ter dado companheiros tão díspares. É justamente atacar o que Plutarco tem de mais excelente e louvável. Pois em suas comparações (que são a peça mais admirável de suas obras, e com que, a meu ver, ele tanto se deleitou), a fidelidade e a sinceridade de seus julgamentos igualam sua profundidade e seu peso. Plutarco é um filósofo que nos ensina a virtude. Vejamos se poderemos defendê-lo contra essa crítica de parcialidade e falsidade. O que posso pensar ter ocasionado esse julgamento é o grande e esplêndido lustro dos nomes romanos que temos em mente: não nos parece que Demóstenes possa igualar-se à glória de um cônsul, de um procônsul ou questor dessa grande república. Mas quem considerar a verdade da coisa e os homens em si mesmos, ao que Plutarco mais visou, pondo na balança seus costumes, temperamentos, conhecimentos, mais que seus destinos, penso, ao contrário de Bodin, que Cícero e Catão, o Velho, ficam a dever a seus companheiros. Para seu objetivo, antes eu teria escolhido o exemplo de Catão, o Moço, comparado a Fócio, pois nessa dupla encontraríamos uma disparidade mais plausível, com vantagem para o romano.

DEFESA DE SÊNECA E DE PLUTARCO

Quanto a Marcelo, Sila e Pompeu, vejo bem que suas façanhas guerreiras são mais intensas, gloriosas e pomposas que as dos gregos a quem Plutarco os compara, mas as ações mais belas e virtuosas, tanto na guerra como em outro lugar, nem sempre são as mais famosas. Vejo com frequência nomes de comandantes ofuscados pelo esplendor de outros nomes de menos mérito: como provam Labieno, Ventídio, Telesino e vários outros. E desse ângulo, se eu tivesse de me queixar dos gregos, não poderia dizer que Camilo é muito menos se comparado a Temístocles; os Gracos a Ágis e Cleômenes; e Numa a Licurgo? Mas é loucura querer julgar de uma só vez coisas de tantas facetas. Quando Plutarco os compara, nem por isso os iguala. Quem mais clara e conscientemente poderia reparar nas diferenças entre eles? Chega ele a comparar as vitórias, os feitos de armas, a pujança dos exércitos conduzidos por Pompeu e seus triunfos aos de Agesilau? "Não creio", diz, "que o próprio Xenofontes, se vivo estivesse, embora lhe tenham concedido escrever tudo o que quis em favor de Agesilau, ousasse compará-lo àquele." Fala ele de comparar Lisandro com Sila? "Não há", diz, "termo de comparação, nem em número de vitórias nem em risco de batalhas, pois Lisandro ganhou apenas duas batalhas navais" etc. Isso não é retirar coisa nenhuma dos romanos; por simplesmente tê-los posto diante dos gregos ele não pode ter-lhes feito injustiça, por maior que fosse a disparidade entre eles. E Plutarco não os contrapesa inteiros, não há no conjunto nenhuma preferência: compara os fatos e as circunstâncias, uma após outra, e julga-as separadamente. Com o que, se quiséssemos culpá-lo de favoritismo, teríamos de pormenorizar um julgamento específico, ou dizer que, de modo geral, ele teria falhado ao emparelhar tal grego a tal romano, já que haveria outros mais parecidos para emparelhá-los e mais adequados a uma comparação.

Sobre três boas esposas

Capítulo xxxv

Uma longa tradição da crítica quis ver neste capítulo a expressão de um ressentimento conjugal de Montaigne, que aqui deploraria em termos pessoais, embora velados, os dissabores do próprio casamento. Na verdade o capítulo inscreve-se na arraigada tradição literária de misoginia, ou melhor, de crítica ao casamento, ilustrada em especial no tratado de Jean de Marconville, De l'heur et malheur de mariage, ensemble les loix connubiales de Plutarque *(1564). Montaigne renova a argumentação evocando três exemplos de virtude feminina, paradoxais neste contexto. O capítulo se destaca, sobretudo, por fazer uma brilhante celebração de mulheres fortes, tradição que datava igualmente da Antiguidade. Termina com o relato da morte de Sêneca e suas considerações sobre o heroísmo estoico que podia haver no casamento. Também ilustra, mais genericamente, a vitória de um heroísmo interiorizado, feito basicamente de moderação.*

Não há dúzias delas, como todos sabem, e notadamente quanto aos deveres do casamento, pois é um negócio cheio de tantas circunstâncias espinhosas que é difícil a boa vontade de uma mulher se manter intacta por muito tempo. Até os homens, embora sua situação seja um pouco melhor, têm aí muito que fazer. A pedra de toque de um bom casamento, e sua verdadeira prova, refere-se ao tempo em que essa associação dura; e se foi constantemente doce, leal e agradável. Em nosso século, mais comumente elas preferem mostrar seus bons ofícios e a veemência de seu amor quando os maridos já estão mortos: então, procuram pelo menos dar prova de sua boa vontade. Tardia prova, e fora de época. Com isso, mais demonstram que só os amam mortos. A vida é cheia de material inflamável, a morte, de amor e cortesia. Assim como os pais escondem o amor pelos filhos para se manterem honrados e respeitados, de bom grado elas escondem o seu pelo marido. Esse mistério não é de meu gosto. Por mais que se descabelem e se arranhem, vejo-me ao ouvido de uma camareira ou de um secretário: "Como eles eram? Como viveram juntos?". Sempre me lembro desta tirada: *jactantius moerent, quae minus dolent.*[*] [elas choram com mais ostentação quanto menos sentem tristeza.] Suas choradeiras são odiosas para

[*] Tácito, *Annales*, II, LXXVII.

os vivos e inúteis para os mortos; permitiremos com gosto que riam depois, contanto que riam para nós durante a vida. Não é para ressuscitar de raiva se quem tiver me cuspido na cara enquanto eu vivia vier me esfregar os pés quando eu não estiver mais aqui? Se existe certa honra em prantear os maridos, esta só pertence àquelas que lhes sorriram; as que choraram durante a vida deles, então que riam na morte, tanto por fora como por dentro. Assim, não olheis para aqueles olhos úmidos, para aquela voz triste: olhai para esse porte, essa tez, essas faces rechonchudas sob os grandes véus: é por aí que elas nos falam num francês que podemos entender. São poucas as que não vão melhorando a saúde, qualidade que não sabe mentir. E essa respeitosa atitude não se refere tanto ao passado quanto ao futuro, é mais um ganho que uma perda. Em minha infância, uma senhora honesta e muito bonita, viúva de um príncipe e ainda viva, tinha em seu traje um não sei quê a mais que não é permitido por nossas regras de viuvez; aos que a criticavam por isso, dizia: "É que não pratico mais novas amizades e não tenho vontade de casar de novo". Para não ficar inteiramente em desacordo com nossos costumes, escolhi aqui três mulheres que, em torno da morte dos maridos, mostraram a força de sua bondade e de seu amor; são, porém, exemplos um tanto diversos e tão prementes que põem, corajosamente, a vida em jogo. Plínio, o Moço, tinha perto de uma casa sua na Itália um vizinho tremendamente atormentado por úlceras que haviam surgido nas partes pudendas. Sua mulher, vendo-o sofrer por tanto tempo, pediu-lhe para ver de perto e à vontade o estado de seu mal, pois lhe diria mais francamente do que qualquer outro o que ele podia esperar. Depois de obter isso dele e de examiná-lo cuidadosamente, achou que era impossível que se curasse e que tudo o que podia esperar era arrastar por muito tempo uma vida dolorosa e lânguida; assim, aconselhou-o, como o remédio mais seguro e radical, a matar-se. E achando-o um pouco mole para uma ação tão dura, disse-lhe: "Não penses, meu amigo, que as dores que te vejo sofrer não me afetam tanto quanto a ti, e que para me livrar delas eu mesma não queira me servir desse remédio que te receito. Quero acompanhar-te na cura como o fiz na doença; esquece esse temor e pensa que só teremos prazer nessa passagem que deve nos livrar de tais tormentos: partiremos felizes, juntos". Dito isso, e tendo aquecido a coragem do marido, resolveu que se jogariam no mar por uma janela da casa que dava para lá. E a fim de manter até o fim esse amor leal e veemente com que o cercara em vida, ainda quis que ele morresse em seus braços; mas, temendo que estes lhe falhassem e que o aperto de seus abraços afrouxasse pela queda e pelo medo, atou-se e amarrou-se bem estreitamente a ele, pela cintura, e assim abandonou a vida, para o repouso da vida do marido. Essa esposa era de classe baixa, e entre pessoas de tal condição não é tão novidade assim ver um traço de rara bondade,

> extrema per illos
> Justitia excedens terris vestigia fecit.*
> [a justiça, ao deixar a terra, deixou seus últimos vestígios entre essas pessoas.]

As duas outras são nobres e ricas, entre as quais os exemplos de virtude raramente se alojam. Árria, mulher de Cecina Peto, personagem consular, foi mãe de outra Árria, mulher de Trásea Peto, cuja virtude foi tão famosa no tempo de Nero; e através desse genro era avó de Fânia. A semelhança dos nomes e dos destinos desses homens e mulheres fez muitos se equivocarem. Quando Cecina Peto foi preso pela gente do imperador Cláudio, depois da derrota de Escriboniano, cuja facção ele apoiara, sua mulher, aquela primeira Árria, suplicou aos que o levavam como prisioneiro a Roma que a recebes-

---

* Virgílio, *Geórgicas*, II, 473.

sem no navio, onde ela lhes seria muito menos incômoda e dispendiosa do que o número de pessoas de que precisariam para o serviço de seu marido, pois ela sozinha se ocuparia de seu quarto, sua cozinha e todos os outros afazeres. Recusaram-na. E ela, tendo se jogado num barco de pescador que alugou imediatamente, seguiu-o assim desde a Esclavônia. Quando chegaram a Roma, um dia, em presença do imperador, Júnia, viúva de Escriboniano, aproximou-se dela com intimidade, por causa da semelhança de seus destinos, mas esta a rechaçou rudemente com as palavras: "Eu, falar contigo, escutar-te, a ti, em cujo colo Escriboniano foi morto? E ainda vives?". Essas palavras e vários outros sinais levaram seus parentes a compreender que ela mesma, incapaz de suportar o destino do marido, estava decidida a se matar. E diante dessas palavras Trásea, seu genro, suplicou-lhe que não se matasse, dizendo-lhe assim: "O quê? Se eu tivesse o mesmo destino de Cecina, gostaríeis que minha mulher, vossa filha, fizesse o mesmo?". "Como assim? Se eu gostaria?", ela respondeu: "Sim, sim, gostaria se ela tivesse vivido tanto tempo e em tanta harmonia contigo como vivi com meu marido". Essas respostas aumentavam a preocupação que tinham com ela e faziam que olhassem de mais perto seu comportamento. Um dia, disse aos que a guardavam: "Por mais que façais, podeis me fazer morrer de modo pior, mas não conseguiríeis me impedir de morrer". E lançando-se furiosamente de uma cadeira onde estava sentada, foi com toda a força bater a cabeça na parede vizinha, e com esse golpe caiu no chão, desmaiada e muito ferida. Depois que a muito custo a fizeram voltar a si, disse: "Eu bem vos disse que se me recusásseis um modo fácil de me matar eu escolheria outro, por mais complicado que fosse". O fim de tão admirável virtude foi assim: por si mesmo seu marido Peto não tinha a coragem bastante firme para matar-se, o que a crueldade do imperador o obrigava a fazer. Certo

SOBRE TRÊS BOAS ESPOSAS

dia, depois de primeiramente empregar os argumentos e as exortações adequadas ao conselho que lhe dava nesse sentido, ela pegou o punhal que o marido portava e, segurando-o firme na mão, disse como conclusão à exortação: "Faz assim, Peto". E, no mesmo instante, dando-se um golpe mortal no estômago, e depois arrancando do ferimento o punhal, apresentou-o a ele, encerrando sua vida com estas palavras nobres, generosas e imortais: *Paete, non dolet.** [Peto, não dói.] Só teve tempo de dizer essas três palavras de uma bela substância: "Toma, Peto, ele não me doeu".

Casta suo gladium cum traderet Arria Paeto,
   Quem de visceribus traxerat ipsa suis:
Si qua fides, vulnus quod feci, non dolet, inquit,
   Sed quod tu facies, id mihi Paete dolet.**
[Quando a casta Árria apresentou a seu querido Peto o gládio que retirara das próprias entranhas, ela lhe disse: "Crê em mim, o golpe que me dei não me doeu, mas o que te darás, Peto, este me doerá".]

Essas palavras são bem mais vivas e têm um sentido mais rico no original,*** pois nem a ferida nem a morte do marido, nem as suas próprias, podiam ser dolorosas para ela, que fora a conselheira e promotora de tudo; mas tendo tomado essa iniciativa altamente corajosa apenas para o bem do marido, foi ainda com ele que se preocupou no último ato de sua vida, ao retirar-lhe o medo de segui-la na morte. Peto logo se golpeou com o mesmo gládio, envergonhado, a meu ver, de ter precisado de uma lição tão cara e preciosa. Pompeia Paulina, jovem romana e

* Plínio, o Moço, *Cartas*, III, XVI.
** Marcial, *Epigramas*, I, XIII, 1-4.
*** A citação de Marcial é uma paráfrase do texto de Plínio, o Moço, acima.

dama muito nobre, casara-se com Sêneca em sua extrema velhice. Nero, o belo discípulo deste, enviou seus guardas para anunciar-lhe o decreto de sua condenação à morte, o que se fazia da seguinte maneira: quando os imperadores romanos dessa época tinham condenado um homem de qualidade, despachavam-lhe seus oficiais para que escolhesse a morte de sua preferência e vissem se ela acontecia em tal ou qual prazo, prescrito de acordo com o grau de sua cólera, ora mais curto, ora mais longo; davam-lhe assim um prazo para cuidar, enquanto isso, de seus negócios, e às vezes retirando-lhe o meio de fazê-lo pela brevidade do tempo; e se o condenado resistisse à ordem, enviavam pessoas capazes de executá-lo cortando-lhe as veias dos braços e das pernas ou fazendo-o engolir veneno à força. Mas as pessoas honradas não esperavam esse extremo e serviam-se para tal fim dos próprios médicos e cirurgiões. Sêneca ouviu a acusação com um rosto tranquilo e firme e depois pediu papel para fazer seu testamento, o que lhe foi recusado pelo capitão. Então virou-se para os amigos e disse: "Já que não posso deixar-vos outra coisa como reconhecimento do que vos devo, deixo-vos ao menos o que tenho de mais belo, a saber, a imagem de meu comportamento e de minha vida, a qual vos peço que conserveis em vossa memória a fim de que, fazendo isso, adquirais a reputação de sinceros e verdadeiros amigos". E, ao mesmo tempo, ora acalmava com palavras doces a agrura da dor que os via sofrer, ora endurecia a voz para repreendê-los por isso: "Onde estão", dizia, "aqueles belos preceitos da filosofia? Que fim levaram as provisões que por tantos anos fizemos contra os acasos do destino? A crueldade de Nero era-nos desconhecida? Que podíamos esperar daquele que matara a mãe e o irmão, a não ser que também fizesse morrer o preceptor que o criou e educou?". Depois de dizer essas palavras a todos, virou-se para sua mulher e, abraçando-a estreitamente, quando pelo peso da dor seu coração e suas forças desfaleciam, pediu-lhe que suportasse com um pouco mais de coragem, por amor a ele, esse infortúnio; e que chegara a hora em que ele devia mostrar, não mais por argumentos e debates, mas por atos, o fruto que tirara de seus estudos; e que sem a menor dúvida ele abraçava a morte não só sem dor mas com alegria. "Por isso, minha amiga", disse, "não a desonres com tuas lágrimas, a fim de que não pareça que amas mais a ti mesma que à minha reputação: acalma tua dor e consola-te no conhecimento que tiveste de mim e de minhas ações, prosseguindo no resto de tua vida as honestas ocupações a que te dedicas." Ao que, tendo recuperado um pouco de ânimo e reforçado a magnanimidade de seu coração por seu mais nobre afeto, Paulina respondeu: "Não, Sêneca, não sou alguém de deixar-vos sem minha companhia em tal circunstância; não quero que penseis que os virtuosos exemplos de vossa vida ainda não me ensinaram a saber morrer bem; e quando eu o poderia melhor fazê-lo, mais honestamente e mais a meu grado, senão convosco? Assim, considerai que partirei ao mesmo tempo que vós". Então Sêneca, apreciando uma decisão tão bela e gloriosa de sua mulher, e também para se livrar do medo de deixá-la depois de sua morte à mercê e submetida à crueldade dos inimigos, disse: "Aconselhei-te, Paulina, sobre o que serviria para conduzir tua vida com mais ventura. Preferes a honra da morte: realmente não me oporei a isso; que a constância e a resolução sejam parecidas em nosso fim comum, mas que a beleza e a glória sejam maiores de tua parte". Feito isso, cortaram-lhes ao mesmo tempo as veias dos braços; mas porque as de Sêneca, endurecidas tanto pela velhice como por seu jejum, davam ao sangue uma circulação muito lenta e muito fraca, ele mandou que lhe cortassem também as veias das coxas; e de medo que o tormento que isso lhe causava enternecesse o coração da mulher, e também para se libertar ele mesmo da aflição que sentia ao vê-la em tão lastimável estado, depois de se despedir dela muito amorosamente pediu-lhe que permitisse que a levassem para o quarto vizinho, o que foi feito. Mas como todas aquelas incisões ainda foram insuficientes para fazê-lo morrer, pediu a Estácio Aneu, seu médico, que lhe desse uma bebida com veneno; que tampouco fez efeito, pois não conseguiu chegar ao coração devido à fraqueza e frieza dos membros. Assim, prepararam-lhe, ademais, um banho muito quente. E quando sentiu o fim próximo, enquanto teve fôlego continuou os excelentes discursos sobre o estado em que se encontrava, que seus secretários recolheram enquanto conseguiram ouvir sua voz; e suas derradeiras palavras permaneceram muito tempo depois, com crédito e honra, nas mãos dos homens (é uma perda muito lamentável que não tenham chegado a nós). Como ele sentisse as derradeiras agonias da morte, pegou a água do banho toda ensanguentada e molhou a cabeça dizendo: "Dedico esta água a Júpiter, o libertador". Avisado de tudo isso e temendo que lhe criticassem a morte de Paulina, que era das senhoras romanas mais bem aparentadas e contra a qual ele não tinha nenhuma inimizade particular, Nero mandou com toda a presteza que lhe suturassem os ferimentos, o que sua gente fez sem que ela soubesse, pois já estava semimorta e sem consciência. E, contra a sua vontade, viveu depois muito honradamente e de acordo com sua virtude, mostrando pela cor pálida do rosto o quanto de sua vida se escoara por seus ferimentos. Eis minhas três histórias muito verídicas, que acho tão belas e trágicas como as que inventamos a esse respeito para agradar ao público; e espanta-me que os que se dedicam a isso não pensem de preferência em escolher algumas assim entre 10 mil histórias belíssimas que se encontram nos livros, pois teriam menos trabalho e tirariam mais prazer e proveito. E quem quisesse construir uma só obra interligada, teria apenas que fornecer de seu as transições, como a solda de um metal com outro; e por esse meio poderia compilar acontecimentos muito verdadeiros de toda espécie, dispondo-os e diversificando-os conforme as exigências da beleza da obra, mais ou menos como Ovídio costurou e arrumou suas *Metamorfoses* com um grande número de fábulas diversas. Nesse último casal, ainda é digno de ser considerado que Paulina oferece de bom grado deixar a vida por amor ao marido, e que o marido outrora deixara a morte por amor a ela. Não há para nós grande equivalência nessa troca, mas segundo seu humor estoico creio que ele pensava ter feito tanto pela mulher ao prolongar a vida em benefício dela como se tivesse morrido por ela. Em uma das cartas que escreveu a Lucílio, depois de lhe contar como, ao ser tomado pela febre em Roma, subiu prontamente no coche para ir a uma de suas casas no campo, contra a opinião da mulher, que quis retê-lo; e como lhe respondera que a febre que tinha não era febre física mas geográfica, prosseguiu assim: "Ela me deixou ir mas me fazendo muitas recomendações sobre minha saúde. Ora, eu, que sei que alojo toda a sua vida na minha, cuido primeiro de mim para cuidar dela; o privilégio que minha velhice me dera, tornando-me mais firme e mais decidido para várias coisas, perco-o quando me lembro que neste velho há uma jovem a quem sou necessário. Já que não posso levá-la a amar-me mais corajosamente, ela me leva a amar a mim mesmo mais cuidadosamente; pois é preciso conceder alguma coisa às afeições verdadeiras, e às vezes, embora as ocasiões nos pressionem em sentido contrário, é preciso reconvocar a vida, mesmo no tormento; é preciso reter a alma entre os dentes pois, para as pessoas de bem, a lei da vida não é 'tanto quanto lhes apraz' mas 'tanto quanto devem'. Quem não estima tanto sua mulher ou um amigo para prolongar a própria vida e obstina-se em morrer é delicado e fraco demais; a alma precisa se impor a isso quando o interesse dos nossos exige; às vezes devemos dedicar-nos a nossos amigos, e, quando quiséssemos morrer por nós, interromper, por eles, nosso desígnio. É prova de grandeza de coração retornar à vida em consideração a outro, como fizeram vários e excelentes personagens. E é um sinal de bondade singular preservar a velhice (cuja maior vantagem é a indiferença diante de sua duração, e um uso da vida mais corajoso e desdenhoso) se sentimos que esse dever é doce, agradável e proveitoso para alguém muito afeiçoado a nós. E recebemos uma recompensa muito agradável, pois o que há de mais delicioso do que ser tão querido à sua mulher que, em consideração a ela, nos tornamos mais queridos a nós mesmos? Assim, minha Paulina comunicou-me não só seu temor mas também o meu. Não me foi suficiente considerar quão resolutamente eu poderia morrer, mas também considerei quão irresolutamente ela poderia suportá-lo. Obriguei-me a viver e, às vezes, viver é magnanimidade". Eis suas palavras, excelentes como foi sua conduta.

Sobre a semelhança dos filhos com os pais

Capítulo XXXVII

Este capítulo conclui o Livro II e, portanto, até 1588 era o texto final da obra, que terminava com duas noções dominantes: a de que Os ensaios *são um retrato da personalidade de Montaigne e de suas opiniões, destinando-se a seus descendentes imediatos e amigos; a de que as características mais marcantes da natureza são a diversidade e a discordância. Aqui ele também faz uma ampla sátira da medicina, apresentada como uma grande impostura. Montaigne estava convencido de ter herdado dos antepassados não só uma antipatia pela medicina como também os cálculos renais. Fala da própria experiência de homem doente, retoma e amplia um conjunto de tópicos tirados do livro de Cornelio Agrippa,* De incertitudine et vanitate scientiarum, *lido em latim. Além do tratado de Laurent Joubert, médico do rei de Navarra, cuja apologia da medicina é publicada em Bordeaux em 1578, Montaigne conhecia os tratados de Galeno, Ambroise Paré e Leonardo Fioravanti. Também pinta um retrato alegre da vida nas estações de águas. Sendo naturais, as águas podem curar os cálculos, e provavelmente mal não fazem. Na edição póstuma houve um acréscimo em que analisa os efeitos da dor que sentia durante as crises de cólicas nefríticas.*

Este feixe de peças tão diversas* faz-se sob a condição de que só ponho a mão nelas quando um ócio muito relaxado me pressiona, e em nenhum lugar que não em minha casa. Assim, ele foi construído em diversos momentos e intervalos, pois às vezes as circunstâncias me retêm vários meses em outros lugares. De resto, não corrijo meus primeiros pensamentos com os segundos, ou talvez uma palavra, mas para diversificar, não para retirar. Quero mostrar o avanço de meus humores e que se veja cada parte como em seu nascimento. Teria sido um prazer começar mais cedo e reconhecer em mim o ritmo de minhas mudanças. Um criado que me servia para escrevê-los sob meu ditado pensou em conseguir um grande butim ao me roubar várias partes escolhidas a seu gosto. Consola-me que disso não tirará lucro maior do que o que tive com a perda. Envelheci sete ou oito anos desde que comecei. Isso não se deu sem algum novo ganho: tomei conhecimento da cólica** pela liberalidade dos anos, cujo comércio e longo convívio não se passam facilmente sem um fruto como esse. Gostaria muito que,

* *Os ensaios.*
** Cólica renal, que em outras partes Montaigne chama de "doença da pedra" ou gravela, mal que o atormentou por muitos anos.

entre os vários outros presentes que eles têm para dar aos que os frequentam muito tempo, tivessem escolhido um que me fosse mais aceitável, pois não poderiam ter me dado um de que tivesse maior horror desde minha infância: de todos os males da velhice, era justamente o que eu mais temia. Muitas vezes pensara comigo mesmo que avançava demais na idade e que ao percorrer um caminho tão longo não deixaria de, no final, envolver-me em algum encontro desagradável. Senti, e muitas vezes proclamei, que era hora de partir e que era preciso cortar a vida na carne viva e saudável, segundo a regra dos cirurgiões quando têm de amputar um membro. Que a natureza tinha o costume de cobrar juros usurários a quem não a devolvesse a tempo. Mas faltava tanto para que eu estivesse pronto que, nos dezoito meses ou cerca disso em que estou nesse desgradável estado, já aprendi a me adaptar a ele. Já cheguei a um acordo com essa vida de cólicas: aí encontro com que me consolar e o que esperar. Os homens são tão ligados à sua existência miserável que não há condição tão dura que não aceitem para conservá-la. Ouçamos Mecenas:

> *Debilem facito manu,*
> *Debilem pede, coxa,*
> *Lubricos quate dentes:*
> *Vita dum superest, bene Est.*[*]
> [Torna impotente minha mão, impotentes meu pé e meu quadril, faz cair meus dentes de minha boca babosa, enquanto restar vida vai tudo bem.]

E Tamerlão encobria com uma tola humanidade a fantástica crueldade que exercia contra os leprosos, mandando matar tantos quantos chegavam a seu conhecimento, para (dizia) livrá-los da vida tão penosa que

---

* Mecenas, citado por Sêneca, *Cartas a Lucílio*, CI, II.

viviam. Pois não havia nenhum deles que não preferisse ser três vezes leproso a não existir. E Antístenes, o
estoico, estando muito doente, exclamava: "Quem me
livrará desses males?". E Diógenes, que fora vê-lo, ao
apresentar-lhe uma faca dizendo: "Esta, se quiseres, e
bem depressa", o outro replicou: "Não falo da vida, falo
dos males". Os sofrimentos que nos tocam simplesmente
pela alma afligem-me muito menos que para a maioria
dos outros homens. Em parte por julgamento, pois o
mundo considera horríveis ou evitáveis, mesmo à custa
da vida, muitas coisas que me são mais ou menos indiferentes. Em parte por meu temperamento pouco vulne-
rável e insensível diante das desgraças que não me dizem
respeito diretamente: temperamento que estimo como
um dos melhores elementos de minha condição natural.
Mas os sofrimentos de verdade essenciais e corporais,
sinto-os bem vivamente. Entretanto, ao prevê-los outrora com uma visão fraca, delicada e suavizada pelo gozo
dessa longa e feliz saúde e tranquilidade que Deus me
concedeu durante a melhor parte de minha vida, eu os
concebera na imaginação como tão insuportáveis que,
na verdade, o medo que tinha deles era maior do que o
mal que me causaram. Razão pela qual sempre reforço
essa crença de que a maioria das faculdades de nossa
alma, da forma como as empregamos, mais perturbam o
repouso da vida do que lhe servem. Estou às voltas com
a pior de todas as doenças, a mais súbita, a mais dolorosa, a mais mortal e a mais irremediável. Já sofri cinco ou
seis crises bem longas e dolorosas; todavia, ou me iludo
ou ainda há nesse estado um meio de resistir para quem
tem a alma desembaraçada do temor da morte e desembaraçada das ameaças, conclusões e consequências com
que a medicina nos entontece. Mas o próprio efeito da
dor não tem essa veemência tão dura e tão lancinante
que um homem ponderado deva afundar em loucura e
desespero. Ao menos tiro da cólica o proveito de que

o que eu ainda não conseguira por mim mesmo para me conciliar totalmente e entender-me com a morte, ela o fará. Pois quanto mais me pressionar e me importunar, menos a morte me será temível. Eu já conseguira me prender à vida só pelo que a vida oferece: a doença também desfará esse bom entendimento, e queira Deus que no final, se sua severidade vier a superar minhas forças, ela não me rejeite para o outro extremo, não menos vicioso, de preferir e desejar morrer.

Summum nec metuas diem, nec optes. [*]
[Não temas teu último dia nem o desejes.]

São duas paixões a temer, mas uma tem seu remédio bem mais à mão que a outra. Aliás, sempre achei formal esse preceito que manda, com tanta exatidão, manter a compostura e uma atitude desdenhosa e pausada diante do sofrimento dos males. Por que a filosofia, que só olha para a substância e a realidade, perderia tempo com essas aparências externas? Que deixe esse cuidado para os atores e os mestres de retórica, que dão tanto valor a nossos gestos. Que conceda corajosamente ao mal a covardia verbal, se esta não vier do coração nem das entranhas; e que atribua essas queixas voluntárias ao gênero dos suspiros, soluços, palpitações, empalidecimentos que a natureza pôs fora de nosso controle. Desde que o coração se mantenha sem pavor, as palavras sem desespero, deixemos que a filosofia fique contente. Que importa se torcemos nossos braços, contanto que não torçamos nossos pensamentos? Ela nos forma para nós mesmos, não para o outro, para sermos, não para parecermos. Que se limite a governar nossa inteligência, a qual se incumbiu de instruir. Que nos ataques da cólica mantenha a alma capaz de se reconhecer, seguir sua marcha habitual, com-

* Marcial, X, XLVII, 13.

batendo a dor e suportando-a, e não prosternando-se vergonhosamente a seus pés: alma atiçada e aquecida pelo
combate, não combalida e derrubada, capaz de conversar e em certa medida cuidar de outras ocupações. Em
circunstâncias tão extremas, é crueldade requerer de nós
uma atitude tão estudada. Se dominarmos o jogo, pouco
importa se estivermos com má cara. Se o corpo se alivia
queixando-se, que o faça; se lhe agrada a agitação, que
se revire e se debata segundo sua fantasia; se lhe parece
que, de certa forma, o mal se evapora ao soltar a voz com
mais violência (como certos médicos dizem que isso ajuda o parto das mulheres grávidas), ou se isso distrai seu
tormento, que grite com vontade. Não ordenemos à voz
que ela se faça ouvir, mas permitamos que o faça. Epicuro
não só perdoa seu sábio por gritar nos tormentos, como
o aconselha a fazê-lo. *Pugiles etiam quum feriunt, in jac-
tandis caestibus ingemiscunt, quia profundenda voce
omne corpus intenditur, venitque plaga vehementior.*[*]
[Os pugilistas também, quando golpeiam, quando proje-
tam os cestos, gemem, porque, soltando um som, todo o
corpo se retesa e o golpe é dado com mais força.] Já temos bastante sofrimento com o mal para sofrermos com
essas regras supérfluas. Digo isso para desculpar os que
vemos, em geral, esbravejar nos ataques e investidas dessa doença, pois quanto a mim passei por elas, até agora,
com uma compostura um pouco melhor e contento-me
em gemer, sem berrar. Não, porém, que me esforce para
manter essa decência exterior, pois faço pouco caso de tal
vantagem. Nisso, concedo ao mal tanto quanto ele quiser,
mas minhas dores não são tão excessivas ou suporto-as
com mais firmeza que os mortais. Queixo-me, enfureço-
-me quando as pontadas agudas me atravessam, mas não
chego ao desespero, como este:

* Cícero, *Tusculanas*, II, XXIII, 56.

Ejulatu, questu, gemitu, fremitibus
Resonando multum flebiles voces refert.*
[Grito, queixa, gemido, arquejos, ressoa o eco de sua
voz queixosa.]

No auge do mal testo-me, e sempre achei que era capaz
de falar, pensar, responder tão sadiamente como em outra hora, mas não com tanta constância: a dor me perturba e me desvia. Quando creem que estou mais prostrado e os que me assistem me poupam, costumo testar
minhas forças, e eu mesmo os entretenho sobre os assuntos mais afastados de meu estado. Consigo tudo num
esforço súbito, mas contanto que não dure. Oh, por que
não tenho a faculdade desse sonhador de Cícero que, sonhando abraçar uma moça, achou que descarregava sua
pedra entre os lençóis! As minhas me desviam estranhamente das moças. Nos intervalos dessa dor excessiva,
enquanto meus ureteres enlanguescem sem me corroer,
retorno prontamente a meu estado habitual, porquanto
minha alma não percebe outro alarme que não o sensível
e corporal, o que certamente devo ao cuidado que tive
em me preparar, por reflexões, para tais acidentes:

laborum
Nulla mihi nova nunc facies inopinaque surgit,
Omnia praecepi, atque animo mecum ante peregi.**
[a dor não apresenta mais um rosto novo e inesperado
para mim, previ tudo e tudo percorri de antemão em
meu espírito.]

No entanto, sou testado um pouco duramente para um
aprendiz, e a mudança foi bem repentina e rude: de uma

---

* Versos de *Filocteto*, de Ácio, citados por Cícero, *De finibus*,
II, XXIX, 94, e *Tusculanas*, II, XIV, 33.
** Virgílio, *Eneida*, VI, 103.

condição de vida muito doce e muito feliz caí de repente na mais dolorosa e mais penosa que se possa imaginar, pois além de ser uma doença temível por si mesma, teve em mim um começo muito mais áspero e difícil do que costuma. As crises voltam a atacar-me com tanta frequência que quase já não me sinto em plena saúde; todavia, mantenho até agora meu espírito em tal equilíbrio que, contanto que possa conferir-lhe constância, acho-me em condições de vida bem melhores que mil outros que não têm febre nem outra doença além da que eles mesmos se causam por culpa de seus raciocínios. Há certo modo de humildade sutil que nasce da presunção, como este aqui: admitimos nossa ignorância em várias coisas e somos bastante honestos para confessar que há nas obras da natureza algumas qualidades e condições que nos são imperceptíveis, e cujos meios e causas nossa capacidade não consegue descobrir. Com essa declaração honesta e conscienciosa, esperamos obter que acreditem em nós também a respeito daquelas que pretendemos compreender. Não temos por que ir selecionar milagres e dificuldades que nos são alheios: parece-me que entre as coisas que vemos comumente há estranhezas tão incompreensíveis que ultrapassam toda a dificuldade dos milagres. Que prodígio é esse que aquela gota de sêmen de que somos feitos traga em si as marcas não só da forma corporal mas dos pensamentos e inclinações de nossos pais? Onde aquela gota d'água aloja esse número infinito de formas? E como trazem elas essas semelhanças de uma maneira tão arbitrária e tão desregulada que o bisneto se parecerá com o bisavô, o sobrinho com o tio? Em Roma, na família de Lépido houve três, não em seguida mas com intervalos, que nasceram com o mesmo olho coberto de cartilagem. Em Tebas havia uma família que trazia desde o ventre da mãe a marca de uma ponta de lança, e quem não a trazia era tido como ilegítimo. Aristóteles diz que em certa nação, onde as mulheres eram comuns

SOBRE A SEMELHANÇA DOS FILHOS COM OS PAIS

a todos, os filhos eram atribuídos a seus pais pela seme-lhança. É de crer que devo a meu pai essa predisposição para os cálculos, pois morreu extremamente afligido por uma pedra grande que tinha na bexiga. Só se deu conta de seu mal no 67º ano de vida, e antes disso não tivera nenhuma ameaça ou sintomas nos rins, nem nas costas nem em outro lugar, e vivera até então numa venturosa saúde e bem pouco sujeita a doenças, e ainda durou sete anos com esse mal, arrastando um fim de vida bem do-loroso. Nasci mais de 25 anos antes de sua doença, du-rante seu melhor estado, o terceiro de seus filhos por or-dem de nascimento. Onde estava incubada por tanto tempo a predisposição para esse distúrbio? E enquanto ele estava tão longe do mal, como aquela pequena parte da substância com que me fez trazia, por sua vez, marca tão forte dela? E como ainda estava tão encoberta que, 45 anos depois, eu tivesse começado a senti-la, o único até agora entre tantos irmãos e irmãs, e todos da mesma mãe? Acreditarei em quem me esclarecer esse processo, tanto quanto em outros milagres que ele quiser, desde que não me dê (como fazem) uma explicação muito mais difícil e fantástica do que a própria coisa. Que os médi-cos desculpem um pouco minha liberdade, pois foi por aquela mesma instilação e insinuação do destino que re-cebi o ódio e o desprezo pela ciência deles. Essa antipatia que tenho por sua arte é hereditária. Meu pai viveu 74 anos, meu avô, 69, meu bisavô, perto de oitenta sem te-rem experimentado nenhum tipo de medicamento. E en-tre eles tudo o que não era de uso corrente era visto como droga. A medicina se forma por exemplos e expe-riência: o mesmo faz minha opinião. E não é essa uma experiência bem clara e bem convincente? Não sei se os médicos encontrarão em seus registros três pessoas nas-cidas, criadas e mortas no mesmo lar, sob o mesmo teto, tendo vivido tanto segundo as regras deles. Precisam me admitir isto: se não for a razão, pelo menos a sorte está do meu lado; ora, entre os médicos a sorte vale bem mais que a razão. Que agora, prostrado como estou, não queiram tirar proveito de mim: seria uma trapaça. Assim, para falar a verdade ganhei suficiente vantagem sobre eles com meus exemplos domésticos, ainda que estes parem em mim. As coisas humanas não têm tanta constância: há duzentos anos (faltam só dezoito anos) que essa experiência nos dura, pois o primeiro nasceu no ano de 1402. É realmente um tanto razoável que essa experiência comece a nos falhar; que não me critiquem os males que agora me pegam pelo pescoço: não basta, de meu lado, ter vivido saudável por 47 anos? E mesmo que fosse o fim de meu caminho, seria dos mais longos. Meus antepassados tinham aversão pela medicina por alguma propensão natural oculta, pois a visão mesma das drogas dava horror a meu pai. O senhor de Gaviac, meu tio paterno, homem da Igreja, doentio desde o nascimento, e que fez porém durar essa vida debilitada até os 67 anos, tendo apanhado outrora uma grande e violenta febre permanente, foi avisado pelos médicos de que, se não quisesse ser ajudado (eles chamam de ajuda o que, no mais das vezes, é um transtorno), morreria infalivelmente. Esse bom homem, por mais apavorado que estivesse com a terrível sentença, respondeu porém: "Então estou morto". Mas logo depois Deus inutilizou esse prognóstico. O último dos irmãos (eram quatro), senhor de Bussaguet, e de bem longe o caçula, foi o único que se submeteu a essa arte: creio que pelo convívio que mantinha com as outras artes, pois era conselheiro na Corte do Parlamento, e isso lhe fez tão mal que, sendo aparentemente de compleição mais forte, morreu porém muito antes dos outros, salvo um, o senhor de Saint-Michel. É possível que eu tenha recebido deles essa antipatia natural pela medicina; mas se fosse apenas essa consideração eu tentaria vencê-la. Pois todas as tendências que nascem em nós sem razão são viciosas: é uma espécie de doença

SOBRE A SEMELHANÇA DOS FILHOS COM OS PAIS 313

que se deve combater. É possível que eu tivesse essa propensão mas a tenha apoiado e fortalecido pelos raciocínios que instalaram em mim a opinião que tenho da medicina. Pois também detesto essa maneira de recusar o medicamento só pelo amargor do gosto. Mais facilmente eu me disporia a considerar a saúde digna de ser resgatada por todos os cautérios e incisões mais dolorosos que se façam. E seguindo Epicuro, parece-me que os prazeres devem ser evitados se trazem em seu rastro dores maiores, e que as dores devem ser procuradas se trazem em seu rastro prazeres maiores. A saúde é uma coisa preciosa e a única que, na verdade, merece que empreguemos em seu encalço não só o tempo, o suor, o esforço, os bens, mas também a vida; tanto mais que sem ela a vida nos vem a ser penosa. Sem ela, a volúpia, a sabedoria, a ciência e a virtude embaçam e desfalecem; e aos mais firmes e sólidos raciocínios contrários a isso, com os quais a filosofia deseja nos impregnar, devemos opor unicamente a imagem de Platão caso fosse atingido pela epilepsia ou por uma apoplexia, e então, diante dessa pressuposição, desafiá-lo a chamar em seu auxílio as ricas faculdades de sua alma. Para mim, nenhum caminho que nos conduza à saúde pode ser chamado de duro ou caro. Mas tenho algumas outras razões que me fazem estranhamente desconfiar de toda essa mercadoria. Não digo que nela não possa haver alguma arte: que haja entre tantas obras da natureza coisas próprias à preservação de nossa saúde, isso é certo. Bem entendo que há alguns símplices que umedecem, outros que ressecam; sei por experiência tanto que a raiz-forte produz flatulências como que as folhas de sene soltam o ventre; como sei que o carneiro me alimenta e o vinho me esquenta. E dizia Sólon que a comida era, como as outras drogas, um medicamento contra a doença da fome. Não desaprovo o uso que tiramos das coisas do mundo nem duvido da força e da fartura da natureza e de sua aplicação às nossas necessidades. Bem vejo que os lúcios e as andorinhas tiram proveito dela. Desconfio é das invenções de nosso espírito, de nossa ciência e da arte, em favor das quais abandonamos a natureza e suas regras e às quais não sabemos manter moderação nem limite. Chamamos de justiça a miscelânea das primeiras leis que nos caem na mão, não raro aplicadas e praticadas de modo muito inepto e muito iníquo; e os que dela escarnecem e os que a acusam não pretendem com isso insultar essa nobre virtude mas apenas condenar o abuso e a profanação dessa palavra sagrada. Da mesma forma, na medicina honro esse nome glorioso, sua proposta, sua promessa, tão útil ao gênero humano, mas o que, entre nós, ela designa, não honro nem estimo. Em primeiro lugar, a experiência me faz temê-la, pois pelo que tenho de conhecimento não vejo nenhum grupo de pessoas tão cedo doentes e tão tarde curadas como as que estão sob a jurisdição da medicina. A própria saúde delas é alterada e estragada pela obrigação das dietas. Os médicos não se contentam em ter a doença sob seu governo: tornam a saúde doente para evitar que não se possa em nenhum momento escapar da autoridade deles. Pois de uma saúde constante e integral não extraem o sinal de uma grande doença futura? Estive doente com muita frequência: sem o socorro deles achei minhas doenças tão doces de suportar (e experimentei de quase todos os tipos) e tão curtas como em mais ninguém. E no entanto não lhes acrescentei o amargor de suas receitas. Tenho a saúde desimpedida e completa, sem regra, e sem outra disciplina além de meus costumes e meu prazer. Para mim, qualquer lugar é bom para ficar, pois estando doente não preciso de outras comodidades além daquelas de que preciso estando saudável. Não me atormento por estar sem médico, sem boticário e sem socorro, com o que vejo a maioria afligir-se mais que com a doença. Ora! Eles mesmos nos mostram em suas vidas uma felicidade

SOBRE A SEMELHANÇA DOS FILHOS COM OS PAIS 315

e uma longevidade que nos possam atestar um resultado aparente de sua ciência? Não há povo que não tenha ficado vários séculos sem a medicina, e eram os primeiros séculos, isto é, os melhores e mais felizes; e a décima parte do mundo ainda não se serve dela atualmente. Inúmeras nações, onde se vive tão mais saudável como longamente do que aqui, não a conhecem, e, entre nós, o povo comum a dispensa alegremente. Os romanos passaram seiscentos anos antes de adotá-la; mas depois de tê-la experimentado expulsaram-na de sua cidade, por intermédio de Catão, o Censor, que mostrou como era fácil dispensá-la, ele que viveu 85 anos e fez sua mulher viver até a extrema velhice, não sem medicamentos, mas, sim, sem médico, pois qualquer coisa que se revele salubre para nossa vida pode se chamar de medicamento. Ele mantinha, diz Plutarco, sua família com saúde pelo consumo (parece-me) da lebre. Assim como os árcades, diz Plínio, curam todas as doenças com leite de vaca; e os líbios, diz Heródoto, gozam popularmente de uma rara saúde por este costume que têm: quando os filhos chegam aos quatro anos, queimam-lhes as veias da cabeça e das têmporas com cautérios, e com isso cortam para toda a vida o caminho de qualquer defluxo de catarro. E os aldeões deste país, em qualquer acidente, só empregam vinho, o mais forte que conseguem, misturado com muito açafrão e especiarias: tudo isso com o mesmo êxito. E para falar a verdade, de toda essa diversidade e confusão de receitas, qual outro fim e resultado existem, afinal de contas, além de esvaziar o ventre? O que mil símplices caseiros podem fazer. E não sei se isso é tão útil como dizem, e se nossa natureza não precisa conservar seus excrementos, até certa medida, assim como o vinho tem sua borra para a conservação. Costumamos ver homens saudáveis cair com vômitos ou diarreia por causa externa e ter uma grande evacuação intestinal sem nenhuma necessidade anterior e sem nenhum benefício posterior, e até com certa piora e dano. Foi com o grande Platão que aprendi outrora que, dos três tipos de movimentos que nos pertencem, o último e o pior é o das purgações: nenhum homem, se não for louco, deve empreendê-lo a não ser em necessidade extrema. Vamos perturbando e despertando o mal por oposições contrárias: a forma de viver é que deve, suavemente, enfraquecê-lo e conduzi-lo a seu fim. Os violentos embates entre o remédio e a doença são sempre em detrimento nosso, já que é em nós que se decide a contenda e que o remédio não é um socorro fiável: por natureza é inimigo de nossa saúde e só tem acesso a nosso estado por meio do distúrbio. Deixemos um pouco as coisas se passarem: a ordem que cuida das pulgas e das toupeiras também cuida dos homens, que têm a mesma paciência para se deixarem governar quanto as pulgas e as toupeiras. Por mais que gritemos: "eia!", isso é bom para deixar-nos roucos, mas não para que essa ordem avance. A ordem que nos rege é altiva e implacável. Nosso temor, nosso desespero, a repugnam e retardam sua ajuda, em vez de convidá-la a isso. Ela deve deixar a doença, assim como a saúde, seguir seu curso. Deixar-se corromper em favor de uma em prejuízo dos direitos da outra, isso não fará, pois cairia na desordem. Sigamo-la, por Deus, sigamos. Ela conduz os que seguem: os que não a seguem, arrasta-os, junto com sua dor intensa e seu remédio. Fazei prescrever uma purga para vosso cérebro: será mais bem empregada do que em vosso estômago. Perguntava-se a um lacedemônio quem o fizera viver saudável por tanto tempo: "a ignorância da medicina", respondeu. E o imperador Adriano gritava sem parar, ao morrer, que a profusão de médicos o matara. Um mau lutador se tornou médico: "Coragem", disse-lhe Diógenes, "tens razão, agora jogarás à terra os que te jogaram outrora". Mas eles têm essa sorte, segundo Nícocles, de que o sol ilumina seus êxitos e a terra esconde seus erros. E além

SOBRE A SEMELHANÇA DOS FILHOS COM OS PAIS

disso têm um modo bem vantajoso de se servirem de todo tipo de acontecimentos, pois o que a sorte, o que a natureza ou qualquer outra causa alheia (cujo número é infinito) produz em nós de bom e salutar é privilégio da medicina atribuir a si. Todos os felizes êxitos que ocorrem com o paciente que está sob seu controle sempre se deve a ela. As circunstâncias que me curaram, a mim, e que curam mil outros que não chamam os médicos em seu socorro, são, em seus pacientes, por eles usurpadas. E quanto aos acidentes desagradáveis, ou os renegam totalmente ou atribuem a culpa ao paciente, por razões tão vãs que não podem deixar de sempre encontrar um bom número delas: "ele descobriu o braço, ele ouviu o barulho de um coche:

rhedarum transitus arcto
*Vicorum inflexu,**
[a passagem dos carros no dédalo das ruas,]

entreabiram sua janela, ele se deitou sobre o lado esquerdo, ou algum pensamento doloroso passou por sua cabeça". Em suma, uma palavra, um sonho, uma olhadela lhes parece desculpa suficiente para se livrarem de culpa. Ou, se isso lhes agrada, servem-se também dessa piora e dela tiram proveito por este outro meio que jamais pode falhar: é fazer crer, quando a doença se encontra estimulada por seus cuidados, na garantia que nos dão de que ela teria piorado bem mais sem seus remédios. Aquele a quem jogaram de um resfriado a uma febre recorrente teria tido, sem eles, uma febre contínua. Não receiam fazer mal suas tarefas, já que tiram proveito dos danos. Decerto têm razão de exigir do doente uma demonstração favorável de confiança: só mesmo

* Juvenal, III, 236.

uma confiança de verdade e bem flexível para se aplicar a invenções em que é tão difícil acreditar. Platão dizia bem a propósito que só aos médicos cabia mentir em absoluta liberdade, já que nossa salvação depende da vanidade e da falsidade de suas promessas. Esopo, autor de raríssima excelência, e de quem poucas pessoas descobrem todas as belezas, é engraçado ao representar-nos essa autoridade tirânica que os médicos usurpam das pobres almas enfraquecidas e combalidas pela doença e pelo temor; pois conta que um doente, sendo interrogado por seu médico sobre que efeito sentia dos medicamentos que lhe dera, respondeu: "Suei muito". "Isso é bom", disse o médico. Uma outra vez lhe perguntou como passara desde então: "Senti um frio extremo", disse, "e tremi muito". "Isso é bom", prosseguiu o médico. Na terceira vez, perguntou-lhe de novo como se sentia: "Sinto-me", disse, "inchar e intumescer, como se fosse hidropisia". "Isso é muito bom", acrescentou o médico. A um de seus domésticos que foi depois perguntar-lhe sobre seu estado, respondeu: "Na verdade, meu amigo, de tanto ir bem estou morrendo". Havia no Egito uma lei mais justa pela qual o médico se encarregava do paciente nos três primeiros dias por conta e risco do paciente; mas, passados os três dias, era por sua conta e risco. Pois qual a razão para que Esculápio, patrono deles, tenha sido atacado por um raio por ter reconduzido Hipólito da morte à vida,

> *Nam pater omnipotens aliquem indignatus ab umbris*
> *Mortalem infernis, ad lumina surgere vitae,*
> *Ipse repertorem medicinae talis, et artis*
> *Fulmine Phoebigenam stygias detrusit ad undas:*[*]
> [Quando o Pai todo-poderoso, indignado que um simples mortal tivesse emergido das sombras para as luzes

---

[*] Virgílio, *Eneida*, VII, 770-3.

SOBRE A SEMELHANÇA DOS FILHOS COM OS PAIS   319

da vida, fulminou com seu raio o filho de Febo, o inventor da arte admirável da medicina, para jogá-lo nas
águas do Estige:]

e sejam absolvidos seus sucessores, que enviam tantas
almas da vida à morte? Um médico se vangloriava com
Nícocles de que sua arte tinha grande poder: "De fato,
sem a menor dúvida, pois pode matar impunemente tantas pessoas". Aliás, se tivessem pedido meu conselho, eu
teria tornado essa disciplina ainda mais sagrada e mis-
teriosa. Eles começaram bem mas não terminaram da
mesma forma. Foi um bom começo ter feito dos deuses
e demônios os autores de sua ciência, ter adotado uma
linguagem à parte, uma escrita à parte. Pouco importa
se a filosofia pensa que é loucura aconselhar um homem
em proveito próprio, e de modo ininteligível:

> Ut si quis medicus imperet ut sumat: Terrigenam, her-
> bigradam, domiportam, sanguine cassam.*
> [Como se um médico ordenasse que ele tome: "Um filho
> da terra, que caminha na relva, carrega sua casa e seja
> desprovido de sangue".]

Era uma boa regra da arte deles (e que acompanha todas
as artes misteriosas, vãs e sobrenaturais) a de que a fé do
paciente precisa preparar com firme esperança e segurança o efeito de suas operações. Regra que respeitam a
ponto de o médico mais ignorante e grosseiro ser considerado mais adequado para quem nele confia do que o
mais experimentado mas desconhecido. A própria escolha da maioria de seus remédios tem algo de misterioso e
divino. O pé esquerdo de uma tartaruga, a urina de um
lagarto, o excremento de um elefante, o fígado de uma
toupeira, o sangue tirado de sob a asa esquerda de um

* Cícero, De devinatione, II, LXIV.

pombo branco; e para nós, os das cólicas (tanto eles abusam desdenhosamente de nossa miséria), caganitas de rato pulverizadas e outras macaquices que mais parecem um sortilégio mágico do que ciência sólida. Deixo de lado o número ímpar de suas pílulas, a virtude de certos dias e festas do ano, a distinção das horas a colher as ervas e seus ingredientes, e essa careta rebarbativa e prudente do rosto e da atitude deles, de que o próprio Plínio caçoa. Mas falharam, quero dizer, quando a esse belo começo não acrescentaram isto: tornar suas assembleias e deliberações mais religiosas e secretas. Nenhum homem profano devia ter acesso a elas como tampouco às cerimônias secretas de Esculápio. Pois desse erro decorre que, vindo a ser descobertas por todos a irresolução, a fraqueza de seus argumentos, adivinhações e princípios, a aspereza de seus desacordos, cheios de ódio, inveja e considerações particulares, é preciso ser incrivelmente cego para não se sentir muito em perigo em suas mãos. Quem já viu um médico servir-se da receita de seu colega sem cortar ou acrescentar alguma coisa? Com isso eles traem bastante sua arte e fazem-nos ver que levam mais em consideração sua reputação, e por conseguinte seu proveito, do que o interesse do paciente. O mais sábio de seus doutores foi aquele que, antigamente, prescreveu que cada paciente seja tratado por um só: pois se não fizer nada que preste, a crítica à arte da medicina não será muito forte já que é erro de um só homem; e inversamente, a glória será grande se conseguir sair-se bem. Ali onde são muitos, desacreditam todas as vezes o ofício, tanto mais que lhes ocorre fazer mais frequentemente mal do que bem. Devem se satisfazer com o perpétuo desacordo que existe entre as opiniões dos principais mestres e autores antigos dessa ciência, o que só é conhecido dos homens versados nos livros, sem que o povo saiba das controvérsias e inconstâncias de julgamento que alimentam e mantêm entre si. Queremos um

SOBRE A SEMELHANÇA DOS FILHOS COM OS PAIS   321

exemplo do antigo debate da medicina? Hierófilo localiza a causa original das doenças nos humores;* Erasístrato, no sangue das artérias; Asclepíades, nos átomos invisíveis que escoam de nossos poros; Alcméon, na exuberância ou na falta das forças corporais; Díocles, na desigualdade dos elementos do corpo e na qualidade do ar que respiramos; Estráton, na abundância, na crueza e na deterioração dos alimentos que comemos; Hipócrates a coloca nos espíritos.** Há um de seus amigos, que eles conhecem melhor que eu, que exclama a esse propósito que infelizmente a ciência mais importante que existe para nosso uso, pois tem a responsabilidade de nossa conservação e saúde, é a mais incerta, a mais obscura e sacudida por mais mudanças. Não há grande perigo se nos enganarmos sobre a altura do Sol ou na fração de um cálculo astronômico; mas aqui, em que se trata de todo o nosso ser, não é sensato nos abandonarmos à mercê da agitação de tantos ventos contrários. Antes da Guerra do Peloponeso não havia grandes novidades nessa ciência: Hipócrates deu-lhe crédito. Tudo o que este havia estabelecido, Crísipo derrubou. Depois Erasístrato, neto de Aristóteles, derrubou tudo o que Crísipo tinha escrito. Depois destes, vieram os empíricos, que tomaram um caminho muito distinto dos antigos no manejo dessa arte. Quando o crédito destes últimos começou a envelhecer, Hierófilo pôs em uso outro tipo de medicina, que Asclepíades veio a combater e, por sua vez, aniquilar. Ao lado deles ganharam autoridade as opiniões de Têmisson, e depois de Musa, e também, mais tarde, as de Vécio Valente, médico famoso

---

* Na Antiguidade considerava-se que o homem tinha quatro humores: o sangue, a fleuma, a bile e a atrabílis (bile negra), responsáveis pelas doenças.
** Corpos leves e sutis, emanações que eram consideradas os princípios da vida e do sentimento.

pelo relacionamento que tinha com Messalina. No tempo de Nero, o império da medicina coube a Téssalo, que aboliu e condenou tudo o que tinha sido dito até ele. A doutrina deste foi abatida por Crinas de Marselha, que trouxe como novidade o método de regular todas as operações medicinais pelas efemérides e movimentos dos astros, comer, dormir, beber na hora que aprouvesse à Lua ou a Mercúrio. Sua autoridade foi suplantada, pouco depois, por Carino, médico dessa mesma cidade de Marselha. Este combatia não só a medicina antiga mas também o uso público, e hábito de tantos séculos antes, dos banhos quentes. Fazia os homens se banharem na água fria, até no inverno, e mergulhava os doentes na água natural dos riachos. Até o tempo de Plínio, nenhum romano ainda se dignara a exercer a medicina: ela era praticada pelos estrangeiros e gregos, como se faz entre nós, franceses, por esses que só falam em latim.[*] Pois, como diz um grande médico, não aceitamos facilmente a medicina que compreendemos, não mais que a droga que nós mesmos colhemos. Se as nações de onde retiramos o guáiaco, a salsaparrilha e a raiz-da-china[**] têm médicos, imaginaremos que, graças a essa mesma recomendação de exotismo, raridade e preço elevado, eles festejem nossos repolhos e nossa salsa? Pois quem ousaria desprezar as coisas buscadas tão longe, ao acaso de uma peregrinação tão longa e tão perigosa? Desde essas antigas mutações da medicina, houve até nós infinitas outras: e, no mais das vezes, mutações integrais e universais, como são as que produzem, em nosso tempo, Paracelso, Fioravanti e Argenterius; pois não

[*] O latim era a língua corrente dos médicos no século XVI.
[**] O guáiaco, que vinha das Antilhas, era usado contra a sífilis; a raiz da salsaparrilha, também antilhana, era usada como diurético; a raiz-da-china, de origem asiática, tinha propriedades depurativas e antirreumáticas.

SOBRE A SEMELHANÇA DOS FILHOS COM OS PAIS   323

mudam apenas um remédio, mas, pelo que me dizem, toda a contextura e a organização do corpo médico, acusando de ignorância e impostura os que a professaram antes deles. Deixo-vos pensar como fica o pobre paciente. Se ainda tivéssemos certeza de que, quando se enganam, não nos prejudicam mesmo que não nos tragam benefício, seria um acordo bastante razoável arriscar-se a adquirir um bem sem corrermos o perigo da perda. Esopo conta a história daquele que tinha comprado um escravo mouro, considerando que sua cor lhe tivesse vindo por acidente e mau tratamento de seu primeiro senhor; mandou-o medicar-se cuidadosamente com vários banhos e bebidas. Aconteceu que o mouro não melhorou nem um pouco sua cor morena mas perdeu toda a saúde anterior. Quantas vezes nos acontece ver os médicos imputando uns aos outros a morte de seus pacientes? Lembro-me de uma epidemia que houve nas cidades de meus arredores, há alguns anos, mortal e muito perigosa; tendo passado essa tempestade, que levara um número infinito de homens, um dos mais famosos médicos de toda a região veio a publicar um livreto sobre o assunto, no qual se dá conta de que tinham usado a sangria e confessa que é uma das causas principais do desastre que decorrera. E mais, seus autores afirmam que não há remédio que não tenha uma parte nociva. E se mesmo aqueles que nos ajudam de certa forma nos prejudicam, que devem fazer os que nos aplicam remédios totalmente descabidos? Quanto a mim, e ainda que não houvesse outra coisa, penso que para os que detestam o gosto do medicamento é um esforço perigoso e prejudicial engoli-lo numa hora tão inapropriada e tão a contragosto; e creio que isso esgota tremendamente o doente, numa fase em que ele tanto precisa de repouso. Além do mais, a considerar as circunstâncias em que em geral baseiam a causa de nossas doenças, vemos que são tão leves e tão delicadas que daí concluo que um erro

bem pequeno na prescrição de suas drogas pode trazer-
-nos muito dano. Ora, se o erro do médico é perigoso,
isso nos faz muito mal, pois é bem difícil que ele não re-
caia frequentemente no mesmo: para acertar seu alvo,
precisa de elementos, considerações e circunstâncias demais. Precisa conhecer a compleição do doente, seu temperamento, seus humores, suas tendências, suas ações e
até seus pensamentos e imaginações. Precisa informar-se
sobre as circunstâncias externas, a natureza do lugar, a
condição do ar e do tempo, a posição dos planetas e suas
influências. Que saiba da doença as causas, os sintomas,
as afecções, os dias críticos; da droga, o peso, a força, o
país, a aparência, a idade, o modo de usar; e é preciso
que os saiba harmonizar e aproximar um do outro para
gerar uma perfeita simetria. No que, se errar por pouco
que seja, se em tantas engrenagens houver só uma a puxar para a esquerda, eis o suficiente para nos pôr a perder. Deus sabe como é difícil o conhecimento da maioria
desses elementos; pois, por exemplo, como encontrará o
sintoma próprio da doença, já que cada uma comporta
um número infinito de sintomas? Quantos debates entre
si e dúvidas eles têm sobre a interpretação da urina? Do
contrário, de onde viria essa altercação contínua que vemos entre eles acerca do conhecimento da doença?
Como desculparíamos esse erro em que caem tão frequentemente de confundir marta com raposa? Nos males que tive, por pouco que houvesse alguma dificuldade,
nunca encontrei três de acordo. Observo mais facilmente
os exemplos que me tocam. Ultimamente, em Paris, um
fidalgo foi talhado* por ordem dos médicos, e nele não
se achou mais pedra na bexiga do que na mão; e, lá mesmo, um bispo que era meu grande amigo fora insistentemente solicitado, pela maioria dos médicos que ele cha-

* Talha era o nome da incisão da bexiga para extrair os
cálculos.

SOBRE A SEMELHANÇA DOS FILHOS COM OS PAIS   325

mara para um conselho, a se fazer talhar; eu mesmo,
confiando em outra pessoa, o persuadi; quando morreu
e foi aberto, descobriu-se que só sofria dos rins. Eles são
menos desculpáveis nessa doença, que pode ser sentida
pela palpação. É nisso que a cirurgia me parece muito
mais segura, porque ela vê e manipula o que faz; há menos o que conjecturar e adivinhar quando os médicos
não têm *speculum matricis** que lhes revele nosso cérebro, nosso pulmão e nosso fígado. As próprias promessas
da medicina são inacreditáveis, pois tendo os médicos
que cuidar de afecções diversas e opostas que costumam
nos atacar juntas, e que têm quase necessariamente uma
relação entre si, como o calor do fígado e a frieza do estômago, convencem-nos de que, de seus ingredientes,
este aquecerá o estômago, aquele refrescará o fígado; um
tem a missão de ir direto aos rins, e mesmo até a bexiga,
sem estender mais longe seus efeitos e conservando suas
forças e virtude nesse longo caminho cheio de desvios
até o local a que está destinado por sua propriedade
oculta; o outro ressecará o cérebro; aquele umedecerá o
pulmão. Tendo feito de todo esse amontoado uma mistura para beberagem, não é uma espécie de loucura esperar que essas virtudes vão se dividir e se separar, em
meio a essa confusa miscelânea, para responder a funções tão diversas? Eu temeria infinitamente que elas se
perdessem ou trocassem suas etiquetas e confundissem
suas destinações. E quem poderia acreditar que nessa
confusão líquida tais faculdades não se corrompem e alteram uma a outra? Depois, a execução dessa receita depende de outro oficiante, à boa-fé e à mercê do qual
abandonamos mais uma vez nossa vida! Assim como

* Literalmente: "espelho da matriz", hoje "espéculo vagi-
nal". O instrumento foi descrito pelo cirurgião Ambroise Paré
(1510-1590) como um dos que dilatavam as cavidades das entranhas e serviam para extrair os cálculos.

temos coleteiros e calceiros para nos vestir, e somos tão
mais bem servidos na medida em que cada um só se ocupa de seu negócio e tem sua ciência mais restrita e mais
delimitada do que um alfaiate, que tudo abarca; e assim
como para nos alimentar com mais comodidade os grandes senhores utilizam os ofícios distintos dos mestres em
assados e em sopas, pois um cozinheiro, cuja tarefa é
mais geral, não consegue executar tão perfeitamente; assim também, para nos curar, os egípcios tinham razão
em rejeitar esse ofício de médico geral e dividir a profissão estabelecendo um operário para cada doença, para
cada parte do corpo. Pois essa parte era tratada de forma mais adequada e menos confusa já que só se olhava
para ela especialmente. Os nossos não percebem que
quem se ocupa de tudo não se ocupa de nada, que a organização global desse pequeno mundo lhes é indigerível. Enquanto temiam parar a evolução de uma disenteria para não lhe causar febre, mataram-me um amigo
que valia mais que todos, tantos quantos são.* Põem na
balança suas adivinhações sobre os males presentes, e
para não curar o cérebro em prejuízo do estômago fazem mal ao estômago e pioram o cérebro com essas drogas que provocam tumulto e desacordo. Quanto à variedade e fragilidade das razões dessa arte, são mais
aparentes do que em qualquer outra arte. As substâncias
aperitivas** são úteis para um homem com cólicas, pois
abrindo as passagens e dilatando-as elas encaminham
essa matéria viscosa com que se formam a areia e a pedra e conduzem para baixo o que começa a endurecer e
acumular-se nos rins. As substâncias aperitivas são perigosas para um homem com cólicas, tanto mais que
abrindo as passagens e dilatando-as elas encaminham

---

* Trata-se de Étienne de la Boétie, morto de disenteria em
agosto de 1563, depois de uma agonia de nove dias.
** Drogas que desobstruem as vias digestivas e urinárias.

SOBRE A SEMELHANÇA DOS FILHOS COM OS PAIS   327

para os rins a matéria própria para formar areia, e os
rins, apossando-se com gosto dessa propensão que têm,
dificilmente não retêm muito do que para lá se transpor-
tou. Ademais, se por acaso ali se encontrar um corpo
um pouco maior que o necessário para circular por todas essas passagens estreitas que restam a cruzar para
que ele seja expelido, esse corpo, movendo-se com as
substâncias aperitivas e jogado nesses canais estreitos,
vindo a entupi-los conduzirá a uma morte certa e muito
dolorosa. Eles têm a mesma firmeza nos conselhos que
nos dão sobre nosso regime de vida: é bom "soltar água"
com frequência, pois vemos por experiência que, deixan-
do-a estagnar, lhe damos ocasião de se livrar de seus
excrementos e de sua borra que servirão de matéria para
formar a pedra na bexiga. É bom não "soltar água" com
frequência porque os pesados excrementos que ela arrasta consigo não serão evacuados se não houver violência,
como se vê por experiência numa torrente que corre com
força e varre bem mais profundamente o lugar onde passa do que o faz o curso de um riacho lento e fraco. Da
mesma maneira, é bom ter relação com as mulheres com
frequência, pois isso abre as passagens e encaminha a
areia e a pedra. Isso também é mau pois esquenta os
rins, cansa-os e os enfraquece. É bom banhar-se nas
águas quentes porque isso relaxa e amolece os lugares
onde se estagnam a areia e a pedra; também é mau, porque essa aplicação de calor externo ajuda os rins a cozer,
endurecer e petrificar a matéria que ali se encontra. Para
os que estão nos banhos, é mais salubre comer pouco à
noite a fim de que as águas que têm de beber na manhã
seguinte façam mais efeito, encontrando o estômago vazio e não obstruído. Inversamente, é melhor comer pouco no almoço para não perturbar a ação da água, que
ainda não está concluída, e não carregar o estômago tão
repentinamente depois desse outro trabalho, deixando a
tarefa de digerir para a noite, que sabe melhor fazê-lo

que o dia, quando o corpo e o espírito estão em perpétuo movimento e em ação. Eis como vão nos embaindo e ludibriando à nossa custa com todos os seus discursos em que não seriam capazes de me fornecer uma proposição à qual eu não rebatesse com uma contrária, de força parecida. Portanto, que já não se grite contra os que nessa confusão se deixam suavemente conduzir por gosto e seguindo os desígnios da natureza, entregando-se à sorte comum. Vi, por ocasião de minhas viagens, quase todos os banhos famosos da cristandade, e há alguns anos comecei a utilizá-los. Pois em geral estimo o banho salubre e creio que nos arriscamos a não pequenos distúrbios em nossa saúde por termos perdido esse hábito que costumava ser observado no passado, em quase todas as nações, e ainda é em várias, de lavar o corpo todos os dias; e não consigo imaginar que não estamos muito piores ao manter assim nossos membros encrostados e nossos poros entupidos de sujeira. E quanto às águas, a fortuna fez que, primeiramente, não sejam de jeito nenhum inimigas de meu paladar; e em segundo lugar, são naturais e simples, pelo menos se forem inúteis não são perigosas. Disso tenho como prova a infinidade de pessoas de todos os tipos e compleições que ali se reúnem. E embora eu não tenha percebido nenhum efeito extraordinário e milagroso, mas ao contrário, informando-me um pouco mais detalhadamente do que se faz, tenha achado infundados e falsos todos os rumores de tais efeitos que se espalham naqueles lugares, e em que se creem (como o mundo vai se enganando facilmente com o que deseja), também não vi pessoas que essas águas tenham piorado, e não podemos sem maldade recusar-lhes o fato de que despertam o apetite, facilitam a digestão e fornecem-nos uma nova alegria se lá não formos demasiado abatidos por falta de forças, o que desaconselho fazer. Não são para soerguer uma completa ruína, mas podem apoiar uma leve inclinação ou cuidar da ameaça de alguma de-

SOBRE A SEMELHANÇA DOS FILHOS COM OS PAIS 329

gradação. Quem não leva bastante alegria para poder desfrutar do prazer das companhias que lá se encontram, e dos passeios e exercícios a que nos convida a beleza dos lugares onde essas estações de águas estão geralmente situadas, perde sem dúvida a parte melhor e mais segura de seu efeito. Por isso escolhi até agora visitar e me servir das águas onde houvesse um local mais ameno, conforto de alojamento, comidas e companhias, como são na França os banhos de Bagnères e os de Plombières, na fronteira com a Alemanha e a Lorena; na Suíça, os de Baden; na Toscana, os de Lucca, e especialmente os *Della Villa*, que usei com mais frequência e em diversas estações do ano. Cada nação tem opiniões particulares relativas a seu uso, e leis e formas bem diversas de usá-las; e segundo minha experiência o resultado é quase o mesmo. Na Alemanha, não é nada corrente bebê-las. Para todas as doenças eles se banham e ficam ali a chafurdar na água, quase de um sol a outro. Na Itália, se bebem nove dias, banham-se pelo menos trinta; e comumente bebem a água misturada com outras drogas, para reforçar sua ação. Aqui nos ordenam passear para digeri-la; ali os pacientes ficam presos ao leito onde a tomaram, até que a evacuem, e aquecendo-se continuamente o ventre e os pés; os alemães têm de particular que geralmente todos se fazem aplicar ventosas com cartuchos, escarificadas no banho; os italianos têm assim suas *doccie*, que são umas tubulações dessa água quente que eles transportam por canos, e ficam banhando, uma hora de manhã e outra depois do almoço, durante um mês, a cabeça ou o estômago, ou outra parte do corpo de que estão tratando. Há infinitas outras diferenças de costumes em cada região; ou melhor, quase não há semelhança entre uns e outros. Eis como essa parte da medicina, a única pela qual me deixei levar, embora seja a menos artificial, tem todavia sua boa parte da confusão e da incerteza que se veem em todos os pontos dessa arte. Os poetas dizem tudo o que querem, com mais ênfase e graça; como provam esses dois epigramas:

Alcon hesterno signum Jovis attigit. Ille
      Quamvis marmoreus, vim patitur medici.
Ecce hodie jussus transferri ex aede vetusta,
      Effertur, quamvis sit Deus atque lapis.[*]
[Álcon, ontem, tocou na estátua de Júpiter. Este, embora seja de mármore, fez a experiência do poder do médico. E hoje, obrigado a sair de seu velho templo, embora seja Deus e de pedra, o retiram.]

E o outro,

    Lotus nobiscum est hilaris, coenavit et idem,
      Inventus mane est mortuus Andragoras.
Tam subitae mortis causam Faustine requiris?
    In somnis medicum viderat Hermocratem.[**]
[Andrágoras banhou-se conosco, todo alegre, depois ceou, e esta manhã morreu. Queres saber a causa de morte tão repentina, Faustino? Ele viu em sonho o médico Hermócrates.]

Sobre isso quero contar duas histórias. O barão de Caupène e eu tínhamos em comum, em Chalosse, o direito de patronato de um benefício[***] de grande extensão, ao pé de nossas montanhas, e que se chama Lahontan. É típico dos habitantes desse canto o que se diz daqueles do vale de Angrougne; tinham uma vida à parte, modos, trajes e

[*] Ausônio, *Epigramas*, LXXIV.
[**] Marcial, VI, LIII, 1-4.
[***] O benefício (eclesiástico) era um domínio concedido pela Igreja a um padre, um bispo, gerando-lhe uma renda. O direito de patronato era o direito de nomear alguém para receber um benefício.

costumes à parte, regulamentados e guiados por certas regras e costumes particulares, herdados de pai para filho, aos quais se dobravam sem nenhuma obrigação além do respeito por seu uso. Esse pequeno Estado mantivera-se desde a mais alta antiguidade numa condição tão feliz que nenhum juiz vizinho se dera ao trabalho de informar-se sobre seus negócios, nenhum advogado fora solicitado a dar-lhes uma opinião nem estrangeiro fora chamado a resolver suas contendas; e nunca se vira ninguém desse lugar pedir esmola. Fugiam dos casamentos e das relações com o mundo exterior para não alterar a pureza de sua sociedade, até que, como contam, no tempo de seus pais, um deles, tendo a alma aguilhoada por uma nobre ambição, teve a ideia, para dar crédito e reputação a seu nome, de fazer um de seus filhos Maître Jean ou Maître Pierre;[*] e tendo-o feito aprender a escrever em alguma cidade vizinha, tornou-o enfim um belo tabelião de aldeia. Este, ao ficar adulto, começou a menosprezar os antigos costumes dos habitantes e a pôr-lhes na cabeça a pompa das regiões do lado de cá. Ao primeiro de seus companheiros a quem descornaram uma cabra, aconselhou pedir reparação aos juízes reais das redondezas; e depois deste, outro, até que abastardou tudo. Em seguida a essa corrupção, dizem que aconteceu outra, incontinente e de consequência pior, por intermédio de um médico que desejou se casar com uma de suas filhas e instalar-se entre eles. Começou a ensinar-lhes, primeiramente, o nome das febres, dos resfriados e dos abscessos, o estado do coração, do fígado e dos intestinos, o que era uma ciência até então muito afastada do conhecimento deles; e em vez do alho com que haviam aprendido a combater todos os tipos de males, por mais graves e extremos que fossem, os acostumou, para uma tosse ou uma gripe, a tomar misturas

* *Maître* é o tratamento usual dos advogados na França.

estrangeiras, e começou a fazer comércio não só da saúde mas também da morte deles. Juram que só desde então perceberam que o sereno os deixava de cabeça pesada, que beber quando sentiam calor era nocivo, e que os ventos de outono eram mais perigosos que os da primavera: desde o uso daquela medicina estão prostrados por uma legião de doenças inabituais e percebem uma degradação geral em seu antigo vigor, e suas vidas foram reduzidas à metade. Esta é a primeira de minhas histórias. A outra é que, antes de minha sujeição à gravela, ouvi muitos terem em conta o sangue de bode como um maná celeste enviado nestes últimos séculos para a proteção e a preservação da vida humana; e ouvindo falar por pessoas de inteligência como sendo uma droga admirável e de ação infalível, eu, que sempre pensei ser alvo de todos os infortúnios que podem acontecer com qualquer outro homem, tomei gosto, estando em plena saúde, de munir-me desse milagre; e ordenei em minha casa que me criassem um bode segundo a receita. Pois é preciso pô-lo à parte nos meses mais quentes do verão e dar-lhe para comer apenas ervas aperitivas, e para beber apenas vinho branco. Casualmente voltei para casa no dia em que ele devia ser morto; vieram me dizer que meu cozinheiro encontrara em sua pança duas ou três grandes bolas, que se chocavam no meio de sua gororoba. Fiquei curioso para trazerem toda aquela tripalhada à minha presença e mandei abrir a grossa e larga pele; dali saíram três corpos grandes, leves como esponjas, de modo que pareciam ser ocos, duros, e mesmo firmes na parte de cima, com matizes de várias cores mortas: um perfeitamente redondo, do tamanho de uma pequena bola, os outros dois, um pouco menores, imperfeitamente redondos e parecendo incompletos. Indagando daqueles que se habituaram a abrir esses animais, soube que é um acidente raro e inusitado. É provável que sejam pedras primas das nossas. E se é assim, é uma esperança

SOBRE A SEMELHANÇA DOS FILHOS COM OS PAIS   333

um tanto vã para os doentes de gravela tirarem sua cura
do sangue de um animal que ia, ele mesmo, morrer do
mesmo mal. Pois mais do que dizer que o sangue não se
ressente desse contato e não altera sua virtude habitual,
é de crer que nada se engendre num corpo senão pela
influência e comunicação de todas as partes: a massa age
por inteiro, embora uma parte contribua mais que a outra, segundo a diversidade das ações. Assim, há grande
probabilidade de que todas as partes daquele bode tivessem uma característica petrificante. Não é tanto por
mim e por temor do futuro que eu estava curioso com
essa experiência; era para fazer como as mulheres que,
na minha e em várias casas, acumulam um monte dessas
mezinhas para socorrer o povo, usando o mesmo remédio para cinquenta doenças, e tal remédio não tomam
elas mesmas, embora exultem com os bons resultados.
De resto, honro os médicos, não pela necessidade, segundo o preceito* (pois essa passagem se opõe a outra do
profeta, repreendendo o rei Asa por ter recorrido ao médico), mas por amor a eles mesmos, tendo visto muitos
homens honestos e dignos de ser amados. Não são eles
que censuro, é sua arte, e não lhes faço grande crítica por
tirarem proveito de nossa tolice, pois a maior parte do
mundo faz assim. Diversos ofícios, tanto os inferiores
como os mais dignos que o deles, só têm fundamento e
esteio nos abusos do público. Chamo-os para minha
companhia quando estou doente, caso se encontrem pelas redondezas, e peço para conversar com eles e pago-
-lhes como aos outros. Permito que me mandem abrigar-
-me sob o calor se prefiro assim a outro jeito; podem
escolher entre os alhos-porós e as alfaces com que lhes
aprouver que seja feito meu caldo, e que me ordenem o
vinho branco ou o clarete; e assim com todas as coisas,

* Preceito do Eclesiástico (38, 1): "Honra o médico, porque
ele é necessário".

que são indiferentes para meu apetite e meu costume. Entendo que, para eles, isso não significa nada, porquanto o amargor e a estranheza são particularidades da própria essência dos medicamentos. Licurgo prescrevia o vinho aos espartanos doentes. Por quê? Porque, saudáveis, eles detestavam seu uso, assim como um fidalgo meu vizinho se serve dele como remédio muito salutar para suas febres, porque por natureza detesta mortalmente seu gosto. Quantos vemos, entre eles, que têm o meu humor? Que desprezam a medicina para seu próprio uso e adotam uma forma de vida livre e totalmente contrária à que ordenam aos outros? O que é isso senão abusar abertamente de nossa simplicidade? Pois não estimam mais a vida e a saúde do que nós, e acomodariam seus atos à sua doutrina se eles mesmos não conhecessem sua falsidade. É o temor da morte e da dor, a impaciência com o mal, uma furiosa e irreprimível sede de cura que nos cegam assim: é pura covardia o que torna nossa crença tão frouxa e manipulável. A maioria das pessoas, porém, não acredita tanto na medicina, mas a suporta e deixa-se levar, pois ouço-as se queixarem e comentarem, como nós. Mas no final se decidem: "Que farei eu, então?". Como se a impaciência fosse em si um remédio melhor do que a paciência. Dos que se deixaram levar por essa sujeição miserável, há algum que não se renda igualmente a todo tipo de impostura? Que não se ponha à mercê de alguém que tem essa impudência de lhe prometer sua cura? Os babilônios levavam os doentes para a praça: o médico era o povo, cada um dos passantes devia, por humanidade e civilidade, indagar sobre seu estado; e, segundo a própria experiência, dar-lhe uma opinião salutar. Nós não fazemos muito diferente: não há uma simples mulher cujas crendices e bentinhos não utilizemos. E segundo meu humor, se eu devesse aceitar uma medicina, aceitaria de melhor grado essa do que qualquer outra, pois ao menos não há nenhum dano a temer. O que Homero e Platão diziam dos egípcios, que eles todos eram médicos, deve-se dizer de todos os povos. Não há ninguém que não se gabe de um remédio e que não o arrisque no vizinho, se ele quiser acreditar. Outro dia estava eu em um grupo em que não sei quem de minha confraria trouxe a notícia de uma espécie de pílulas compostas de cento e tantos ingredientes, bem contados: foi uma festa e um consolo singular, pois que rochedo aguentaria o esforço de uma bateria tão numerosa? Sei, porém, pelos que as experimentaram, que a menor pedrinha não se dignou mexer-se. Não posso me afastar deste papel sem dizer ainda uma palavra sobre as experiências que fazem e que nos apresentam como prova da eficiência de suas drogas. A maioria e, creio, mais de dois terços das virtudes medicinais consistem na quinta-essência ou propriedade oculta dos símplices, da qual não podemos ter outro conhecimento a não ser pelo uso, pois quinta-essência é apenas uma qualidade cuja causa não sabemos encontrar por nossa razão. As provas que eles dizem ter adquirido por inspiração de algum demônio, contento-me em aceitá-las (pois, quanto aos milagres, jamais toco neles); assim como as provas que se tiram das coisas que volta e meia usamos por outras razões. Como se na lã com que nos acostumamos a nos vestir se encontrasse por acidente uma propriedade oculta dessecativa que curasse as frieiras do calcanhar; e na raiz-forte que comemos como alimento se encontrasse alguma propriedade aperitiva. Galeno conta que ocorreu a um leproso receber a cura por meio do vinho que bebera de um jarro, para onde casualmente uma víbora escorregara. Encontramos nesse exemplo um meio e uma maneira plausíveis para essa experiência. Como também naquelas a que os médicos dizem ter sido conduzidos pelo exemplo de certos animais. Mas na maioria das outras experiências, a que dizem ter sido conduzidos pela sorte, sem outro guia além do acaso, acho pouco crível o modo como se desenvolveu a investigação. Imagino o homem olhando em torno de si para o número infinito de coisas, plantas, animais, metais. Não sei por onde fazê-lo começar seu ensaio; e quando sua primeira fantasia se jogar sobre o chifre de um alce, o que nossa credulidade bem cômoda e fácil deve supor, ele ainda terá dificuldade para realizar a segunda operação. A ele são propostas tantas doenças e tantas circunstâncias, que antes de chegar à certeza sobre esse ponto o espírito humano perde seu latim; e antes de encontrar entre aquela infinidade de coisas o que é aquele chifre; entre aquela infinidade de doenças, a epilepsia; entre tantos temperamentos, o melancólico; entre tantas estações, o inverno; entre tantos povos, o francês; entre tantas idades, a velhice; entre tantas mutações celestes, a conjunção de Vênus e Saturno; entre tantas partes do corpo, o dedo; e em tudo isso não sendo guiado por raciocínio nem por conjectura, nem por exemplo, nem por inspiração divina, mas só pelo movimento da fortuna, seria preciso que a fortuna fosse perfeitamente artística, ordenada e metódica. E depois, quando se obteve a cura, como pode ele garantir que não foi porque a doença chegara a seu fim, ou que foi efeito do acaso? Ou a ação de alguma outra coisa que o paciente tivesse comido, ou bebido, ou tocado naquele dia? Ou o mérito das preces de sua avó? Ademais, se essa prova tivesse sido perfeita, quantas vezes foi reiterada, e essa longa enfiada de acasos e encontros foi repercorrida para se concluir por uma regra? E quando ela for concluída, por quem o será? De tantos milhões, há apenas três homens que se metem a registrar suas experiências. A sorte terá encontrado justamente um desses? E o que seria se um outro e se cem outros fizessem experiências contrárias? Talvez enxergássemos alguma luz se todos os julgamentos e raciocínios dos homens nos fossem conhecidos. Mas que três testemunhas e três doutores representem o gênero humano não é ra-

SOBRE A SEMELHANÇA DOS FILHOS COM OS PAIS   337

zoável: seria preciso que a natureza humana os tivesse eleito e escolhido e que fossem declarados nossos representantes por procuração expressa.

À SENHORA DE DURAS*

Senhora, encontrastes-me nesta passagem** quando viestes ultimamente me ver. Como é possível que essas inépcias se encontrem um dia em vossas mãos, quero também que deem testemunho de que o autor se sente muito honrado com o favor que lhes fareis. Reconhecereis essa mesma atitude e esse mesmo ar que vistes em sua conversação. Ainda que eu pudesse ter adotado outro modo que não o meu corrente, e alguma outra forma mais honrosa e melhor, não o teria feito, pois não quero destes escritos senão que me representem ao natural em vossa lembrança. Essas mesmas condições e faculdades que conhecestes e acolhestes, senhora, com muito mais honra e cortesia do que elas merecem, quero alojá-las (mas sem alteração e mudança) num corpo sólido, que possa durar alguns anos, ou alguns dias depois de mim, e nas quais as encontrareis quando vos aprouver refrescar vossa memória sem vos dar ao trabalho de recordá-las de outra forma: elas não merecem tanto. Desejo que continueis o favor de vossa amizade por mim, com essas mesmas qualidades por meio das quais ela se produziu. Não procuro de jeito nenhum que me amem e me estimem mais morto do que vivo. A atitude de Tibério é ridícula e no entanto comum:

* Marguerite d'Aure de Gramont, senhora de Duras, era irmã de Philibert de Gramont, que se feriu mortalmente no cerco de la Fère, em setembro de 1580, e cujo cadáver Montaigne escoltou. Casou-se com Jean de Durfort, que abjurou o protestantismo depois da noite de São Bartolomeu.
** Dos *Ensaios*.

ele tinha mais cuidado em estender sua fama ao futuro do que em tornar-se estimável e agradável aos homens de seu tempo. Se eu fosse destes para quem o mundo deve render homenagens, me consideraria quite com a metade, mas que ele me pagasse de antemão; que elas se apressassem e se amontoassem ao meu redor, mais espessas que longas, mais plenas que duradouras. E que desvanecessem corajosamente ao mesmo tempo que minha consciência e quando seu doce som não mais atingisse meus ouvidos. Nesta hora em que estou prestes a abandonar o convívio dos homens, seria uma ideia tola mostrar-me a eles com um novo mérito. Não considero como um ganho os bens que não pude empregar em minha vida. Quem quer que eu seja, quero sê-lo em outro lugar que não apenas no papel. Minha arte e minha indústria foram empregadas em valorizar a mim mesmo. Meus estudos, a me ensinarem a agir, não a escrever. Eis meu ofício e minha obra. Sou menos um fazedor de livros do que de nenhuma outra tarefa. Desejei ter competência para servir às minhas comodidades presentes e essenciais, não para armazená-la como reserva para meus herdeiros. Quem tem valor que o faça conhecer em seus hábitos, em suas conversas correntes, a tratar do amor ou das contendas, no jogo, na cama, na mesa, na conduta de seus negócios, na sua administração doméstica. Aqueles que vejo fazer bons livros dentro de calças rasgadas teriam primeiramente feito suas calças se tivessem acreditado em mim. Perguntai a um espartano se prefere ser bom retórico a bom soldado: e eu também, preferiria ser cozinheiro se não tivesse quem me servisse. Meu Deus, senhora!, como detestaria tal reputação de ser homem hábil por escrito e homem nulo e tolo em outros assuntos! Ainda prefiro ser um tolo aqui e acolá a ter escolhido tão mal onde empregar meu valor. Assim, longe de querer procurar uma nova honra com essas tolices, terei feito muito se não perder um pouco desse pouco que adquiri. Pois além daquilo que este retrato morto e mudo

SOBRE A SEMELHANÇA DOS FILHOS COM OS PAIS   339

esconderá de meu ser natural, ele não representa meu melhor estado, mas muito mais aquele em que já decaíram
meu primeiro vigor e minha vivacidade, agora tirando
para o murcho e o rançoso. Estou no fundo do barril,
que cheira a fim e a borra. De resto, senhora, não teria
ousado agitar tão atrevidamente os mistérios da medicina visto o crédito que vós e tantos outros lhe dais se não
tivesse sido levado a isso por seus próprios autores. Creio
que entre os latinos só há dois deles, Plínio, o Velho, e
Celso. Se os virdes um dia, pensareis que falam bem mais
duramente sobre a arte deles do que faço: apenas a belis-
co, eles a degolam. Plínio zomba, entre outras coisas, de
que, quando já gastaram todo o seu latim, inventam essa
bela esquiva de despachar os doentes, que eles agitaram
e atormentaram à toa com suas drogas e dietas, uns para
irem se socorrer com os votos e milagres, outros para as
águas termais. (Não vos enfureceis, senhora, ele não fala
das daqui, que estão sob a proteção de vossa casa e que
são todas devotas aos Gramont.) Têm um terceiro modo
de escapar para afastar-nos deles e livrarem-se das críticas que podemos lhes fazer sobre a pouca melhora de
nossos males que ficaram tanto tempo sob seu controle
a ponto de não lhes restar mais nenhuma invenção para
nos distrair: é mandar-nos procurar o bom clima em alguma outra região. Senhora, já basta: haveis de me dar
licença para retomar o fio de meu assunto do qual me
desviei para entreter-me convosco.

Foi, parece-me, Péricles que, tendo sido indagado como
estava passando, disse: "Podeis julgar por isto", e mostrou os amuletos que prendera no pescoço e no braço.
Queria indicar que estava bastante doente já que chegara ao ponto de recorrer a coisas tão vãs e deixar-se
guarnecer daquele jeito. Não digo que um dia eu não
possa ser levado a essa ideia ridícula de confiar minha

vida e minha saúde à mercê e à orientação dos médicos; poderei cair nessa loucura, não posso responder por minha firmeza futura; mas, então, se alguém indagar de mim como estou passando, também poderei dizer, como Péricles: "Podeis julgar por isto", mostrando minha mão carregada de seis dracmas de opiato: será um sinal bastante evidente de uma doença violenta e estarei com meu juízo completamente deteriorado. Se o pavor e a intolerância com a dor ganharem isso de mim poderá se concluir por uma febre bem violenta em minha alma. Dei-me ao trabalho de defender essa causa, que conheço um tanto mal, para apoiar e confortar um pouco a propensão natural contra as drogas e a prática de nossa medicina, que em mim derivou de meus ancestrais, a fim de que não fosse apenas uma tendência estúpida e temerária e que tivesse um pouco mais de forma. Também a fim de que os que me veem tão firme contra as exortações e ameaças que me fazem quando minhas doenças me atacam não pensem que seja simples obstinação; ou que não haja alguém tão maldoso para ainda pensar que seja um aguilhão da glória: seria um desejo bem despropositado querer vangloriar-me de uma atitude que tenho em comum com meu jardineiro e meu arreeiro. Certamente não tenho o coração tão fátuo nem tão cheio de vento para que eu fosse trocar um prazer tão sólido, carnudo e substancial, como a saúde, por um prazer imaginário, espiritual e aéreo. A glória, mesmo a dos quatro filhos de Aymon,* custa caro demais para um homem de meu temperamento se lhe custar três boas crises de cólica. Saúde, por Deus! Os que amam nossa medicina podem ter também suas considerações boas, grandes e sólidas:

---

* Alusão ao romance de cavalaria *Os quatro filhos de Aymon*, de Jacob van Maerlant, escritor flamengo do século XIII, que evoca a luta de quatro cavaleiros contra Carlos Magno, a quem acabam se submetendo.

não detesto as opiniões contrárias às minhas. Estou muito longe de me assustar ao ver a discordância entre meus julgamentos e os dos outros e não me torno incompatível com a sociedade dos homens por terem outra opinião e partido que não o meu. Ao contrário (como a variedade é o estilo mais geral que a natureza seguiu, e mais nos espíritos do que nos corpos, pois os espíritos são de substância mais flexível e passível de outras formas), acho bem mais raro ver concordarem nossos temperamentos e nossos desígnios. E nunca houve no mundo duas opiniões parecidas, como tampouco dois pelos ou dois grãos. Sua qualidade mais universal é a diversidade.

LIVRO TERCEIRO

Sobre o arrependimento

Capítulo II

Este é o segundo e último capítulo de Os ensaios *(depois
do capítulo das orações) que aborda um tema religioso. É
uma reflexão sobre a penitência, um dos sete sacramen-
tos do dogma católico, obtida graças à confissão, que então era obrigatória pelo menos uma vez por ano. Como
o bom gigante Gargantua, de Rabelais, Montaigne sabe
que um homem pode viver como um fidalgo cristão, sem
reproche mas não sem pecado. Fala do tema com tanta
ousadia que, no século seguinte, será denunciado pelos
jansenistas, que o acusam de não se arrepender de nada.
Ora, Montaigne questiona a possibilidade do arrependimento, que nunca será mais que uma "cerimônia", e
declara, não sem provocação, que é impermeável a esse
sentimento, a seu ver quase sempre confundido com o
remorso estéril. Pensa que a contrição é impossível para
o homem: seria uma ilusão, ou, pior, uma hipocrisia do
jogo social. O ideal humano seria mostrar-se irrepreensível em seu foro íntimo, tanto no lar como em sociedade.*

Os outros formam o homem, eu o relato, e represento um em particular, bem malformado; e o qual, se tivesse de moldá-lo de novo, faria de fato bem diferente do que ele é. Mas está feito. Ora, os traços de minha pintura não se extraviam, embora se modifiquem e diversifiquem. O mundo não passa de um perene balanço: todas as coisas se movimentam incessantemente, a Terra, os rochedos do Cáucaso, as pirâmides do Egito; tanto com o movimento geral como com o seu. A própria constância não é outra coisa além de um movimento mais lânguido. Não posso ter certeza de meu objeto: ele segue confuso e cambaleante, com uma embriaguez natural. Pego-o neste ponto, como ele é, no instante em que me interesso por ele. Não pinto o ser, pinto a passagem: não a passagem de uma idade à outra, ou, como diz o povo, de sete em sete anos, mas de dia em dia, de minuto em minuto. Devo adaptar minha história ao momento. Breve poderei mudar, não só por acidente mas também por intenção. É um registro de ocorrências diversas e mutáveis, de ideias indecisas, e se calhar, contrárias: seja que sou outro eu mesmo, seja que apreendo os assuntos por outras circunstâncias e considerações. Tanto assim que talvez me contradiga, mas, como dizia Dêmades, não contradigo a verdade. Se minha alma pudesse se firmar, eu não experimentaria mas me decidiria: ela está sempre em aprendizagem e em prova. Proponho uma vida humilde e sem lustro: pouco importa. Pode-se ligar toda a filosofia moral tanto a uma vida ordinária e privada como a uma vida de mais rico estofo: cada homem traz a forma inteira da condição humana. Os autores comunicam-se com o público por alguma marca especial, externa a eles. Sou o primeiro a fazê-lo por meu ser universal: como Michel de Montaigne, não como gramático ou poeta ou jurisconsulto. Se o mundo se queixa de que falo demais de mim, queixo-me de que ele não pensa sequer em si mesmo. Mas é razoável que, com uma vida tão particular, eu pretenda tornar-me público e conhecido? É razoável que apresente ao mundo, em que a forma e a arte têm tanto crédito e autoridade, efeitos naturalmente crus e simples e de uma natureza ainda um tanto fraquinha? Construir livros sem ciência não é fazer uma muralha sem pedra, ou algo parecido? As fantasias musicais são conduzidas pela arte, as minhas, pelo acaso. Ao menos tenho essa regra de que nunca um homem tratou de assunto que compreendesse e conhecesse melhor do que o faço com este que empreendi: e neste sou o homem mais sábio em vida. Em segundo lugar, que nunca nenhum penetrou mais longe em sua matéria nem descascou mais em detalhes seus elementos e consequências, e chegou mais exata e plenamente ao fim que se propusera em sua tarefa. Para executá-la só preciso conferir-lhe fidelidade: aqui ela está, a mais sincera e pura que existe. Digo a verdade, não tanto à saciedade, mas tanto quanto ouso dizê-la. E ouso um pouco mais ao envelhecer, pois parece que o costume concede a essa idade mais liberdade de tagarelar e indiscrição ao falar de si. Não pode acontecer aqui o que vejo com frequência acontecer: que o artesão e o artefato se contrariem: "Como um homem de convívio tão correto fez um texto tão tolo?", ou "Como escritos tão sábios partiram de um homem de tão pobre convívio?". Quem tem uma conversação comum e escritos de raro valor, isto quer dizer que sua capacidade está ali de onde a toma emprestada, e não nele. Uma personalidade sábia não é sábia em tudo, mas o talentoso é talentoso em tudo, até mesmo no que ignora. Aqui iremos num mesmo passo e em harmonia, meu livro e eu. Em outro lugar, pode-se recomendar ou acusar a obra, separadamente do operário: aqui não, quem toca um toca o outro. Quem a julgar sem conhecê-la prejudicará mais a si do que a mim; quem a tiver conhecido terá me satisfeito totalmente. Ficarei feliz, além de meu mérito, se tiver apenas esta parte da aprovação pública: que eu faça sentir às pessoas inteligentes que era capaz de tirar proveito da ciência se tivesse tido alguma, e que merecia que a memória me socorresse melhor. Apresentemos aqui as desculpas pelo que costumo dizer: que raramente me arrependo e que minha consciência está contente consigo, não como a consciência de um anjo ou de um cavalo, mas como a consciência de um homem. E acrescentando sempre este refrão, não um refrão de pura convenção mas de sincera e fundamental submissão: de que falo inquirindo e ignorando, reportando-me como conclusão, pura e simplesmente, às crenças comuns e legítimas. Não ensino, relato. Não há vício verdadeiramente vício que não choque e que um julgamento íntegro não acuse; pois sua feiura e seus inconvenientes são tão aparentes que talvez tenham razão os que dizem que ele é produzido principalmente pela estupidez e ignorância, de tal forma é difícil imaginar que o conheçamos sem odiá-lo. A maldade absorve a maior parte de seu próprio veneno e envenena-se. O vício deixa como uma úlcera na carne, um arrependimento na alma, que sempre se arranha e ensanguenta a si mesma. Pois a razão apaga as outras tristezas e dores mas engendra a do arrependimento, que é mais grave uma vez que nasce no interior, como o frio e o quente

SOBRE O ARREPENDIMENTO   349

das febres é mais lancinante que o que vem de fora.
Considero vícios (mas cada um segundo sua importância) não só os que a razão e a natureza condenam, mas
também os que a opinião dos homens, mesmo falsa e
errônea, forjou, se as leis e os usos os autorizam. Da
mesma maneira, não há conduta louvável que não re-
gozije uma natureza bem-nascida. Há sem dúvida não
sei que satisfação em agir bem que nos alegra em nós
mesmos, e um generoso orgulho que acompanha a boa
consciência. Uma alma viciosa mas corajosa pode talvez armar-se de segurança, mas não pode prover-se
desse deleite e dessa satisfação. Não é um pequeno prazer sentir-se preservado do contágio de um século tão
corrompido e dizer consigo mesmo: "Quem me visse
até dentro da alma, mesmo assim não me acharia culpado nem da aflição nem da ruína de ninguém; nem de
vingança ou inveja, nem de ofensa pública às leis; nem
de revolta* ou distúrbios; nem de falta à minha palavra; e embora a licença deste tempo o permita e o ensine a cada um de nós, não pus a mão nos bens nem na
bolsa de um homem francês, e só vivi da minha, tanto
na guerra como na paz; nem me servi do trabalho de
ninguém sem pagar". Esses testemunhos de nossa
consciência agradam, e esse júbilo natural nos é um
grande benefício, e o único pagamento que jamais nos
falta. Basear a recompensa de suas ações virtuosas na
aprovação dos outros é adotar um fundamento muito
incerto e confuso, e notadamente num século corrompido e ignorante como este a boa estima do povo é injuriosa. Em quem se fiar para saber o que é louvável?
Deus me guarde de ser homem de bem segundo a descrição honrosa que vejo todo dia cada um fazer de si.

* No original: *nouvelleté*, palavra que designava a "novidade" introduzida pelos protestantes em matéria de religião, que
suscitou aspirações revolucionárias.

Quae fuerant vitia, mores sunt.* [Vícios de outrora, costumes de hoje.] Alguns de meus amigos por vezes resolveram criticar-me e recriminar-me de peito aberto, seja por iniciativa própria ou solicitados por mim, como um dever que, para uma alma bem formada, supera todos os deveres da amizade, não só em utilidade mas em gentileza também. Sempre o acolhi com os braços mais abertos da cortesia e do reconhecimento. Mas para falar neste momento em sã consciência, volta e meia vi em suas críticas e seus elogios tanta falsa medida que eu não estaria errado em fazer errado ao meu jeito, em vez de certo ao jeito deles. Nós, principalmente, que vivemos uma vida interior que só está à mostra para nós, devemos ter estabelecido um modelo interior que seja a pedra de toque de nossos atos, pelo qual ora nos lisonjeamos, ora nos castigamos. Tenho minhas leis e meu tribunal para julgar a mim mesmo, e a eles me dirijo mais que a outro lugar. Restrinjo minhas ações em função dos outros, mas só as estendo em função de mim. Só vós é que sabeis se sois covarde e cruel, ou leal e devotado: os outros não vos veem, adivinham-vos por conjecturas incertas; veem não tanto vossa natureza como vossa arte. Por isso, não confiais em sua sentença, confiais na vossa. *Tuo tibi judicio est utendum.*** [Deves recorrer a teu próprio julgamento.] *Virtutis et vitiorum grave ipsius conscientiae pondus est: qua sublata, jacent omnia.**** [A consciência da virtude e do vício tem grande peso; mas suprimi-a, e tudo desaba.] Mas o que dizem, de que o arrependimento segue de perto o pecado, não parece referir-se ao pecado que está em sua mais alta pompa, aquele que se aloja em nós como em seu próprio domi-

---

* Cláusula da carta xxxix de Sêneca, *Cartas a Lucílio*, xx-xix, 6.
** Cícero, *Tusculanas*, II, xxvi, 63.
*** Cícero, *De natura deorum*, III, xxxv, 8.

cílio. Podemos renegar e desdizer os vícios que nos surpreendem e para os quais as paixões nos levam; mas os que por longo hábito estão enraizados e ancorados numa vontade forte e vigorosa não estão sujeitos a contradição. O arrependimento é apenas um desmentido de nossa vontade, uma reviravolta de nossos pensamentos, que nos move em todas as direções. Faz o homem renegar sua virtude passada e sua continência:

> *Quae mens est hodie, cur eadem non puero fuit,*
> *Vel cur his animis incolumes non redeunt genae?**
> [Esse estado de espírito de hoje, por que não tive em criança? Ou por que, com esses sentimentos, minhas faces não voltam a ser glabras?]

É uma vida rara esta que se mantém em ordem até na intimidade. Cada um pode tomar parte do espetáculo e representar um personagem honesto no estrado; mas ser regrado por dentro, em seu peito, em que tudo nos é permitido, em que tudo está escondido, esse é o ponto. O mais perto disso é ser assim em casa, em nossas ações ordinárias das quais não temos de prestar contas a ninguém, nas quais não há afetação nem artifício. E por essa razão Bias, ao pintar um excelente governo da família, diz: "Que o senhor seja em casa tal como é fora por temor da lei e do que os homens podem dizer". E foi uma digna frase a de Júlio Druso** aos operários que lhe ofereciam por 3 mil escudos pôr sua casa num tal estado que os vizinhos não mais teriam a vista que tinham: "Dar-vos-ei 6 mil", disse ele, "e fazei que cada um ali veja todas as partes". Comenta-se honrosamente a prática de Agesilau de, ao viajar, alojar-se nas igrejas a fim

---

* Horácio, *Odes*, IV, x, 7-8.
** Bias de Priene foi um dos Sete Sábios da Grécia arcaica e viveu no século VI a.C. Druso foi um tribuno do povo em 91 a.C.

de que o povo e mesmo os deuses o vissem em seus atos privados. Um homem pode ter sido extraordinário no mundo e sua mulher e seu criado nele nada enxergarem de, pelo menos, digno de nota. Poucos homens foram admirados por seus domésticos. Ninguém foi profeta não só em sua casa mas em seu país, diz a experiência das histórias. O mesmo se aplica às trivialidades. E nesse meu modesto exemplo vê-se a imagem dos grandes. Em minha terra da Gasconha acham engraçado me verem impresso. Quanto mais se afasta de minha morada o conhecimento que têm de mim, tanto mais eu valho. Em Guyenne pago aos editores; em outras partes eles me pagam. Nessa particularidade fundam-se os que se escondem, vivos e presentes, para ter fama, mortos e ausentes. Prefiro ter menos fama. E só me jogo ao mundo pela parte que dele tiro. Quando eu partir, ele estará quite comigo. Aquele que o povo conduz com admiração até sua porta depois de um ato público se despe, junto com sua toga, desse papel, e torna a cair tanto mais baixo quanto mais alto se elevara. Dentro dele tudo é tumulto e vileza. Se ali houvesse um regulamento, seria preciso um julgamento vivo e bem sutil para percebê-lo naquelas ações modestas e privadas. Acresce que a ordem é uma virtude sombria e obscura. Conquistar uma brecha, conduzir uma embaixada, dirigir um povo são ações brilhantes; ralhar, rir, vender, pagar, amar, odiar e conversar com os seus e consigo mesmo, de modo suave e justo, não relaxar, não se desmentir é coisa mais rara, mais difícil e menos notável. As vidas reclusas enfrentam, pouco importa o que se diga, deveres tão ou mais severos e extensos do que enfrentam as outras vidas. E as pessoas privadas, diz Aristóteles, servem à virtude com mais dificuldade e de modo mais elevado do que o fazem os que exercem uma magistratura. Preparamo-nos para as ocasiões eminentes mais pela glória do que por consciência. O modo mais curto de chegar à glória

SOBRE O ARREPENDIMENTO 353

seria fazer por consciência o que fazemos pela glória. E a virtude de Alexandre, em seu teatro, parece-me apresentar bem menos vigor que a de Sócrates naqueles exercícios modestos e obscuros. Imagino facilmente Sócrates no lugar de Alexandre; Alexandre no de Sócrates, não consigo: a quem perguntar àquele o que sabe fazer, ele responderá: "Subjugar o mundo"; a quem perguntar a este, responderá: "Levar uma vida humana de acordo com sua condição natural", ciência bem mais geral, mais difícil e mais legítima. O valor da alma não consiste em ir alto, mas ir ordenadamente. Sua grandeza não se exerce na grandeza mas na mediocridade. Assim como os que nos julgam e nos avaliam internamente não fazem muito caso do brilho de nossas ações públicas e veem que são apenas filetes e pingos de água limpa brotados de um fundo, afinal, lodoso e pesado, assim também os que nos julgam por essa bela aparência externa concluem o mesmo de nossa constituição interna, e não conseguem acoplar faculdades ordinárias e semelhantes às suas com essas outras faculdades que os espantam, tão distantes de seu alcance. Por isso damos aos demônios formas selvagens. E quem não dá a Tamerlão sobrancelhas alteadas, narinas alargadas, um rosto pavoroso e um tamanho desmesurado, como é o tamanho da ideia que fazemos pela reputação de seu nome? Se outrora me tivessem feito ver Erasmo, teria sido difícil que eu não tomasse como adágios e apotegmas tudo o que ele dissesse a seu criado e à sua anfitriã. Mais provavelmente imaginamos na latrina ou sobre sua mulher um artesão do que um grande presidente, venerável por seu comportamento e competência. Parece-nos que daqueles altos tronos não se rebaixam para simplesmente viver. Como as almas viciosas são muitas vezes incitadas a agir bem por algum impulso externo, também o são as virtuosas para agir mal. Portanto é preciso julgá-las por seu estado sereno, quando estão em casa consigo mesmas, se por vezes o estão; ou ao menos quando estão mais próximas do repouso e em estado natural. As tendências naturais se ajudam e se fortificam pela educação, mas não se modificam nem se superam. Em minha época, mil naturezas escaparam para a virtude ou para o vício apesar de uma educação oposta.

> *Sic ubi desuetae silvis in carcere clausae*
> *Mansuevere ferae, et vultus posuere minaces,*
> *Atque hominem didicere pati, si torrida parvus*
> *Venit in ora cruor, redeunt rabiesque furorque,*
> *Admonitaeque tument gustato sanguine fauces,*
> *Fervet, et a trepido vix abstinet ira magistro.**
> [Assim, quando longe de suas florestas as feras trancadas em suas jaulas amansaram, desistiram de seus ares ameaçadores e aprenderam a suportar a presença humana, se uma gota de sangue fresco correr em sua garganta ardente, voltam a raiva e a ferocidade; despertada pelo gosto de sangue a garganta incha, a cólera ferve e mal poupa o domador todo trêmulo.]

Não extirpamos essas maneiras originais, mas as cobrimos, escondemos. A língua latina é para mim como que natural: compreendo-a melhor que o francês, mas há quarenta anos que praticamente não mais a uso para falar nem para escrever. No entanto, sob emoções extremas e repentinas, em que caí duas ou três vezes na vida, e uma ao ver meu pai perfeitamente saudável cair para trás, sobre mim, desmaiado, sempre as primeiras palavras que me saíram do fundo das entranhas foram em latim: a natureza surdindo e expressando-se à força apesar de uma prática tão longa e contrária. E esse exemplo vale para muitos outros. Em meu tempo, os que tenta-

---

* Lucano, IV, 237-42. Montaigne modificou o fim do primeiro verso, que é, segundo as edições, *clauso* ou *cluso*.

ram reformar os costumes do mundo por novas opiniões reformaram os vícios da aparência, os da essência os deixam lá, se não os aumentam: e o aumento é de temer. Dispensamos de bom grado qualquer outra ação correta em vista dessas reformas externas, de menor custo e maior mérito; e com isso satisfazemos por baixo preço os outros vícios naturais, consubstanciais e internos. Olhai um pouco o que nossa experiência mostra a esse respeito. Não há ninguém que, se escutar a si mesmo, não descubra em si uma forma sua, uma forma dominante que luta contra a educação e contra a tempestade das paixões que lhe são contrárias. Quanto a mim, não me sinto muito sacudido por abalos: mantenho-me quase sempre em meu lugar, como fazem os corpos pesados e vagarosos. Se não estou "em casa", estou sempre por perto: meus excessos não me levam muito longe: neles não há nada de extremo e estranho, e, também, mudo de opinião de modo saudável e vigoroso. A verdadeira condenação, e que afeta o comportamento comum de nossos homens, é que mesmo seu afastamento do mundo é cheio de corrupção e sujeira; a ideia de se emendarem é confusa, sua penitência, doentia e culposa, mais ou menos tanto quanto seu pecado. Alguns, por estarem presos ao vício por um laço natural ou longo hábito, não mais enxergam sua feiura. A outros (em cujo regimento estou), o vício pesa mas o contrabalançam com o prazer que dão ou com outra coisa, e o suportam e a ele se prestam, por certo preço. Viciosamente, porém, e covardemente. Talvez se pudesse imaginar, contudo, uma extrema desproporção em que, com justiça, o prazer desculparia o pecado, como dizemos a respeito da utilidade. Não só quando o prazer fosse fortuito e não fizesse parte do pecado, como no furto, mas quando o prazer reside em exercer o pecado, como na relação carnal com as mulheres, em que a incitação é violenta e, dizem, às vezes invencível. Outro dia, quando estava em Armagnac, na terra de um parente meu, vi um camponês que todos chamam de O Ladrão. Ele fazia assim o relato de sua vida: tendo nascido mendigo e achando que ao ganhar o pão com o trabalho de suas mãos jamais conseguiria precaver-se o suficiente contra a indigência, resolveu virar ladrão e empregou nesse ofício toda a sua juventude, em total segurança, graças à sua força corporal; fazia a colheita e a vindima nas terras de outros, mas aquilo era longe e chegava em quantidades tão grandes que era inimaginável que um homem tivesse carregado tanta coisa nas costas, numa só noite; e além disso tomava o cuidado de dispersar por igual o prejuízo que causava, de tal modo que cada um em particular achasse a perda mais suportável. A essa hora, já na velhice, ele está rico para um homem de sua condição graças a esse tráfico, que confessa abertamente. E para arranjar-se com Deus por suas aquisições, diz estar todos os dias querendo satisfazer com boas ações os sucessores dos que roubou; e, se não terminar (pois não consegue satisfazer todos ao mesmo tempo), encarregará seus herdeiros de fazê-lo, com base no conhecimento que só ele tem do mal que fez a cada um. Por essa descrição, seja verdadeira ou falsa, ele vê o furto como uma ação desonesta e o odeia, mas menos que a indigência: arrepende-se bem sinceramente, mas não se arrepende uma vez que o furto era assim contrabalançado e compensado. Esse não é aquele hábito que nos incorpora ao vício e a ele adapta nosso próprio entendimento; nem é o vento impetuoso que vai perturbando e cegando nossa alma com seus abalos e precipita-nos num instante, com julgamento e tudo, no poder do vício. Faço habitualmente a fundo aquilo que faço, e caminho por inteiro: não tenho emoção que se esconda e se furte à minha razão, que não se conduza mais ou menos com o consentimento de todos os meus elementos, sem divisão, sem sedição intestina; a meu julgamento cabe totalmente a culpa ou o elogio; e a culpa que sentiu uma vez sente sempre, pois quase desde seu nascimento é uno, com a mesma inclinação, a mesma rota, a mesma força. E em matéria de opiniões gerais, desde a infância alojei-me no ponto em que devia me manter. Deixemos de lado os pecados impetuosos, rápidos e súbitos. Mas esses outros pecados, tantas vezes repetidos, examinados e meditados, ou os pecados que podemos chamar de temperamento, ou pecados de profissão ou de vocação, não posso conceber que estejam plantados tanto tempo num mesmo coração sem que a razão e a consciência de quem os possui os desejem constantemente e os aceitem assim. E o arrependimento que esse indivíduo se vangloria de lhe vir em determinado instante é, para mim, um pouco duro de imaginar e conceber. Não sigo a escola de Pitágoras, em que os homens adotam uma alma nova quando se aproximam das estátuas dos deuses para recolher seus oráculos; a não ser que ele tenha desejado dizer isto mesmo: que essa alma deve ser diferente, nova e emprestada por um tempo, já que a nossa mostra tão poucas marcas de purificação e limpeza que convenham a essa cerimônia. Eles fazem tudo ao contrário dos preceitos estoicos, que nos ordenam corrigir as imperfeições e vícios que reconhecemos em nós mas nos proíbem de alterar o repouso de nossa alma. Estes homens aqui nos fazem crer que interiormente sentem grande desagrado e remorso mas nada nos mostram para se emendar, nem uma melhora nem uma interrupção. Não há cura, porém, se não nos livrarmos do mal: se o arrependimento pesasse no prato da balança, venceria o pecado. Não encontro nenhuma qualidade tão fácil de contrafazer quanto a devoção, a não ser que o comportamento e a vida estejam de acordo com ela: sua essência é abstrusa e oculta, as aparências, fáceis e pomposas. Quanto a mim, posso desejar ser inteiramente outro, posso condenar meu modo de ser geral e desgostar de mim, e suplicar a Deus que me reforme por completo e me desculpe por minha fraqueza natural:

mas a isso não devo chamar de arrependimento, parece-me, como tampouco o desagrado de não ser anjo nem Catão. Minhas ações são reguladas pelo que sou e estão em harmonia com minha condição. Não posso fazer melhor e o arrependimento não toca propriamente as coisas que não estão em nosso poder, mas o remorso, sim. Imagino infinitas naturezas mais elevadas e mais regradas que a minha. Mas ao fazer isso não melhoro minhas faculdades, assim como nem meu braço nem meu espírito se tornam mais vigorosos porque imagino outros que o sejam. Se imaginar e desejar um modo de agir mais nobre que o nosso produzissem o arrependimento do nosso, teríamos de nos arrepender de nossas ações mais inocentes, tanto mais que bem vemos que na natureza excelente teriam sido conduzidas com mais perfeição e dignidade; e gostaríamos de fazer o mesmo. Quando comparo meus comportamentos na mocidade e na velhice, acho que em geral os conduzi com ordem, a meu ver. É tudo de que sou capaz. Não me vanglorio: em circunstâncias parecidas sempre seria assim. Não é uma mancha, é mais uma tinta geral que me cobre. Não conheço arrependimento superficial, médio e cerimonioso. Ele tem de me tocar em todas as partes antes que eu o chame assim, e pegar minhas entranhas e afetá-las tão profunda e globalmente como Deus me vê. Quanto aos negócios, escaparam-me várias boas ocasiões por falta de uma condução feliz: minhas escolhas, porém, eram certas, segundo as circunstâncias que se apresentavam. Elas sempre pegam o partido mais fácil e seguro. Creio que em minhas decisões passadas procedi sensatamente, de acordo com minha regra, visto o estado do negócio que me propunham; e faria o mesmo daqui a mil anos, em ocasiões semelhantes. Não olho como ele é a esta hora, mas como era quando eu decidia. A força de qualquer decisão reside no tempo: as ocasiões e condições alteram-se e mudam sem cessar. Incorri em certos erros graves e importantes em minha vida, não por falta de bom julgamento mas por falta de sorte. Há partes secretas e imprevisíveis nos objetos que manejamos, em especial na natureza dos homens: condições mudas, invisíveis, desconhecidas às vezes do próprio possuidor, que se produzem e despertam por acontecimentos que surgem. Se minha sabedoria não conseguiu penetrá-las nem prevê-las, não a critico por isso: sua tarefa atém-se a seus limites. Se o acontecimento me derrota e se favorece o partido que recusei, não há remédio, não me recrimino, acuso minha fortuna, não minha obra: isso não se chama arrependimento. Fócio dera aos atenienses certo conselho que não foi seguido; no entanto, como o caso se passava exitosamente contra sua opinião, alguém lhe disse: "Então, Fócio, estás contente que a coisa ande tão bem?". "Sim, muito contente", disse, "que tenha acontecido isso mas não me arrependo de ter aconselhado aquilo. Quando meus amigos se dirigem a mim para ser aconselhados, faço-o livre e claramente, sem me deter, como faz quase todo mundo, em que, sendo a coisa arriscada, pode acontecer o contrário de meu conselho, e por aí eles tenham de criticar meu conselho: não me preocupo. Pois estarão errados, e eu não devia ter lhes recusado esse serviço." Não posso culpar por meus erros ou infortúnios outro que não eu. Pois de fato raramente me sirvo dos conselhos de outros, a não ser por reverência cerimoniosa ou quando preciso de informação sobre a ciência ou o conhecimento do fato. Porém, nas coisas em que só tenho de empregar o julgamento, as razões externas podem servir para me apoiar mas pouco para me desviar. Escuto-as todas, polida e favoravelmente. Mas, que me lembre, até agora só acreditei nas minhas. A meu ver são apenas moscas e átomos que distraem minha vontade. Prezo pouco minhas opiniões, mas prezo igualmente pouco as dos outros, e a fortuna me paga dignamente. Se não recebo conselho, também dou pouco. Sou pouco indagado e menos ainda acreditado, e não sei de nenhuma iniciativa pública nem privada que meu conselho tenha reerguido e endireitado. Mesmo aquelas pessoas que o acaso de certo modo ligou a meu juízo deixaram de melhor grado manipular-se por outro que não o meu. Como sou cioso tanto dos direitos de meu sossego como dos direitos de minha autoridade, prefiro assim. Deixando-me fora, agem conforme meu desejo, que é estabelecer-me e conter-me inteiramente em mim mesmo: é um prazer estar desinteressado dos negócios dos outros e desobrigado de defendê-los. Tenho pouco a lamentar todos esses negócios, e pouco importa como terminaram, pois já se passaram. A ideia de que deviam acontecer assim retira-me qualquer pesar: ei-los no grande curso do universo e no encadeamento das causas estoicas. Nosso pensamento não pode, por desejo e imaginação, mexer num ponto, pois toda a ordem das coisas desaba, e tanto o passado como o futuro. Aliás, detesto esse arrependimento acidental que vem com a idade. Aquele que, na Antiguidade, dizia estar em dívida com os anos por o terem livrado da volúpia tinha opinião diferente da minha: jamais serei grato à impotência por qualquer bem que ela me faça. *Nec tam aversa unquam videbitur ab opere suo providentia, ut debilitas inter optima inventa sit.*[*] [E jamais a providência parecerá odiar tanto sua obra que a impotência seja contada entre as perfeições.] Na velhice nossos apetites são raros: depois que acabam invade-nos uma profunda saciedade. Nisso nada vejo ligado à consciência. A tristeza e a fraqueza imprimem-nos uma virtude covarde e catarrenta. Não devemos nos deixar levar tão completamente pelas degenerescências naturais a ponto de alterar nosso julgamento. A juventude e o prazer não me impediram outrora de reconhecer na volúpia o rosto do vício, nem o desgosto

[*] Quintiliano, *Instituição oratória*, V, XII, 19.

que os anos me trazem me impede de reconhecer o da volúpia no vício. Agora que não estou mais nela, julgo-a como se estivesse. Eu, que sacudo minha razão tão viva e atentamente, acho que ela é a mesma que eu tinha na idade mais licenciosa, a menos que, talvez, ao envelhecer tenha enfraquecido e piorado. E acho que ela não se recusaria a embrenhar-me nesses prazeres em consideração ao interesse de minha saúde física, assim como outrora não o fez por minha saúde espiritual. Por vê-la fora de combate, não a estimo mais valorosa. Minhas tentações andam tão combalidas e mortificadas que não merecem que ela se oponha: conjuro-as apenas esticando as mãos à frente. Que recoloquem em presença dela minha antiga concupiscência e temo que ela teria menos força a contê-la do que teve outrora. Não a vejo julgar nada por si mesma que não julgasse então, nem nenhuma nova luz. Por isso, se há convalescença, é uma convalescença defeituosa. Miserável tipo de remédio é dever à doença a sua saúde. Não cabe à nossa desdita prestar esse serviço, cabe à felicidade de nosso julgamento. Nada me obrigam a fazer por meio de desgraças e aflições, senão amaldiçoá-las; elas são para as pessoas que só despertam a chicotadas. Minha razão corre mais livremente na prosperidade, fica bem mais distraída e ocupada ao digerir os males que os prazeres. Vejo bem mais claro em tempo sereno. A saúde é para mim uma advertência mais alegre e também mais útil que a doença. Avancei tão longe quanto pude no caminho de minha reparação e de uma vida regrada quando podia usufruí-la. Ficaria envergonhado e insatisfeito se tivesse de preferir o infortúnio de minha velhice a meus bons anos saudáveis, alertas, vigorosos. E se tivessem de me julgar não pelo que fui mas pelo que cessei de ser. Em minha opinião, e não como dizia Antístenes, é viver venturosamente, e não morrer venturosamente, que faz a felicidade humana. Não me esforcei para amarrar monstruosamente a cauda de um filósofo na cabeça e no corpo de um homem perdido, nem para que esse mísero final tivesse de renegar e desmentir a mais bela, saudável e longa parte de minha vida. Quero apresentar-me e mostrar-me uniformemente por todos os lados. Se tivesse de reviver, reviveria como vivi. Nem me queixo do passado nem temo o futuro; e, se não me engano, aconteceu por dentro mais ou menos o que aconteceu por fora. Uma das principais dívidas que tenho com minha fortuna é que o curso de meu estado físico tenha trazido cada coisa em sua época: vi a erva, as flores e o fruto, e agora os vejo secar. Felizmente, já que é natural. Suporto bem mais pacientemente as doenças que tenho, pois estão no seu tempo e que também me fazem lembrar mais favoravelmente a longa felicidade de minha vida passada. Da mesma forma, minha sabedoria pode ser de tamanho idêntico, num e noutro tempo, mas era bem brilhante e mais graciosa, viçosa, alegre, ingênua do que é atualmente, alquebrada, resmungona, trabalhosa. Renuncio, portanto, a essas melhoras ocasionais e dolorosas. É preciso que Deus toque nosso coração. É preciso que nossa consciência se corrija por si mesma, com o fortalecimento de nossa razão e não com o enfraquecimento de nossos apetites. A volúpia não é em si pálida nem descolorida por ser vista por olhos remelentos e turvos. Devemos amar a temperança por si mesma, como a castidade, e por respeito a Deus, que isso nos ordenou; o que devemos às mazelas e o que devo ao benefício de minha cólica não é castidade nem temperança. Não podemos nos vangloriar de desprezar e combater a volúpia se não a vemos, se ignoramos tanto suas graças como suas forças e sua beleza mais atraente. Conheço uma e outra, cabe a mim dizê-lo. Mas parece-me que na velhice nossas almas ficam sujeitas a doenças e imperfeições mais inoportunas do que na mocidade. Eu o dizia sendo jovem, e então me objetavam que ainda não tinha barba no queixo; digo-o ainda, agora que minha barba grisalha me dá credibilidade: chamamos sabedoria ao enfado de nossos humores, ao desinteresse pelas coisas presentes. Mas na verdade não abandonamos tanto os vícios e sim os mudamos, e, em minha opinião, para pior. Além de uma vaidade tola e caduca, de uma tagarelice enfadonha, desses humores espinhosos e insociáveis, e da superstição e de um gosto ridículo pelas riquezas quando perdemos o uso delas, acho que há na velhice mais inveja, injustiça e maldade. Ela nos coloca mais rugas no espírito do que no rosto; e não vemos almas, ou raríssimas, que ao envelhecer não cheirem a azedo e a mofo. O homem marcha por inteiro para seu crescimento e seu encolhimento. Ao ver a sabedoria de Sócrates e as várias circunstâncias de sua condenação, eu ousaria crer que, de certo modo, ele mesmo se prestou a isso, por prevaricação, propositadamente, estando tão perto de sofrer, aos setenta anos, o entorpecimento dos esplêndidos dotes de seu espírito e a ofuscação de sua clareza costumeira. Quantas metamorfoses vejo a velhice provocar todos os dias em vários conhecidos meus? É uma poderosa doença e que se espalha natural e imperceptivelmente. Precisa-se de grande estoque de esforço e grande precaução para evitar as imperfeições que ela nos impõe, ou pelo menos para enfraquecer-lhes o avanço. Sinto que, não obstante todas as minhas trincheiras, ela avança sobre mim, pé ante pé. Resisto tanto quanto posso mas não sei, afinal, aonde me levará. Seja como for, estou contente que se saiba de onde terei caído.

Sobre três relações

Capítulo III

Este é um dos capítulos mais pessoais da obra. Fala dos três passatempos favoritos: a conversa com amigos, a companhia de mulheres bonitas e honestas, se possível inteligentes, e a leitura dos livros. São as três relações examinadas por Montaigne: formas de convívio social que enriquecem a vida privada e fazem com que valha a pena viver. Depois da morte de La Boétie, o grande amigo, as amizades mais correntes não lhe suscitam entusiasmo, são insípidas. O único adjetivo comum a amigos, mulheres e livros é honnête *(honrado e decente). A relação social ideal engajaria o homem por inteiro, corpo e alma. Por si só nenhuma dessas três relações responde a esse objetivo, pois as duas primeiras engajam o corpo e a alma em proporções muito diferentes, enquanto os livros praticamente não engajam o corpo. Ele insiste no fato de que a relação sexual é mais que uma necessidade física e que, portanto, não deve ser mera fome a ser satisfeita fisicamente sem o envolvimento de faculdades mais elevadas. O fidalgo que se isolou no alto de sua torre está, porém, pronto para abandonar as delícias da reclusão e cultivar o corpo ou as relações sociais.*

Não devemos nos agarrar tão fortemente a nossos humores e temperamentos. Nosso principal talento é saber nos adaptarmos a situações diversas. Viver ligado e submetido por necessidade a um só modo de ser é existir mas não é viver. As mais belas almas são as que têm mais variedade e flexibilidade. Eis um honroso testemunho do velho Catão: *Huic versatile ingenium sic pariter ad omnia fuit, ut natum ad id unum diceres, quodcumque ageret.*[*] [Ele tinha uma natureza igualmente adaptável a tudo: assim, o que fizesse pareceria ter nascido só para aquilo.] Se me coubesse formar-me do meu jeito, não haveria nenhum feitio tão bom em que desejasse me fixar a ponto de não poder me desprender dele. A vida é um movimento desigual, irregular e multiforme. Não é ser amigo de si, e muito menos senhor de si: é ser escravo de si, seguir incessantemente a si mesmo e estar tão preso às próprias tendências que não seja possível desviar-se, que não seja possível mudá-las. Digo isso agora por não poder facilmente me desvencilhar do desagrado de minha alma, já que ela só sabe se ocupar correntemente do que lhe cria dificuldade e só sabe se dedicar a isso de modo intenso e por inteiro. Por trivial que seja o assunto que lhe dão, ela gosta de aumentá-lo e esticá-lo,

---

[*] Tito Lívio, XXXIX, XI, 5-6.

até o ponto de precisar tratá-lo com toda a sua força. Por isso, sua ociosidade é para mim uma ocupação penosa e prejudicial à minha saúde. A maioria dos espíritos precisa de matéria externa para se desentorpecer e exercitar-se: o meu precisa disso mais para repousar e acalmar-se, *vitia otii negotio discutienda sunt*;* [é preciso expulsar os vícios da inação pela ação;] pois o estudo principal e mais trabalhoso é estudar a si mesmo. Para ele, os livros são o gênero de ocupação que o desvia desse estudo. Aos primeiros pensamentos que lhe vêm, agita-se e atesta seu vigor em todas as direções; exerce seu manejo ora com força, ora com ordem e graça, acalma-se, modera-se e fortifica-se. Tem com que despertar suas faculdades por si mesmo: a natureza lhe deu, como a todos, bastante matéria própria para seu uso e suficientes assuntos em que pensar e julgar. Meditar é um poderoso e rico estudo para quem sabe examinar--se e empenhar-se vigorosamente. Prefiro formar minha alma a mobiliá-la. Não há ocupação mais fraca nem mais forte que a de entreter os próprios pensamentos, dependendo de como for a alma. As maiores fazem disso sua vocação, *quibus vivere est cogitare.*** [para elas viver é cogitar.] Pois a natureza favoreceu a alma com esse privilégio: não há nada que possamos fazer tanto tempo, nem ação a que nos dediquemos mais corrente e facilmente. É a tarefa dos deuses, diz Aristóteles, da qual nasce tanto sua beatitude como a nossa. A leitura me serve em especial para despertar, por objetos diversos, minha reflexão; para fazer trabalhar meu julgamento, não minha memória. Portanto, sem vigor e sem esforço poucas conversações me prendem; é verdade que a graça e a beleza me preenchem e me ocupam tanto ou mais que o peso e a profundidade. E como cochilo em qual-

* Sêneca, *Epístolas*, LVI.
** Cícero, *Tusculanas*, V, XXXVIII.

quer outra conversa, a que só empresto a casca de minha atenção, volta e meia me ocorre, nesse tipo de conversas rasas e inconsistentes, conversas convencionais, dizer e responder devaneios e tolices indignos de uma criança e ridículos, ou manter-me obstinadamente em silêncio, de um modo ainda mais inepto e descortês. Tenho um jeito sonhador que me leva a retirar-me em mim mesmo, e, por outro lado, uma ignorância pesada e pueril sobre várias coisas comuns. Por causa dessas duas particularidades, consegui que cinco ou seis histórias verdadeiras sejam contadas a meu respeito, tão bobas quanto as de qualquer outro, seja quem for. Ora, retomando meu propósito, esse temperamento difícil torna-me delicado para o convívio com os homens; preciso selecioná-los a dedo, e sinto-me incômodo para as atividades correntes. Vivemos e negociamos com o povo: se sua conversa nos importuna, se nos repugna dedicarmo-nos às almas baixas e vulgares, e as baixas e vulgares costumam ser tão regradas como as mais sutis (e todo saber que não se adapta à insipiência comum é insípido), não devemos mais cuidar de nossos próprios negócios nem dos de outros, pois tanto os públicos como os privados nos envolvem com essas pessoas. Os mais belos aspectos de nossa alma são os menos tensos e mais naturais; as melhores ocupações, as menos forçadas. Meu Deus, como a sabedoria presta um bom serviço àqueles em quem subordina os desejos às suas capacidades! Não há conhecimento mais útil. "Conforme se pode", era o refrão e a frase favorita de Sócrates. Frase de grande substância: precisamos encaminhar e fixar nossos desejos nas coisas mais fáceis e próximas. Não é uma tola atitude discordar de mil pessoas a quem meu acaso me junta, e as quais não posso dispensar, para ater-me a uma ou duas que estão fora de meu convívio? Ou melhor, a um desejo fantasioso de coisa que não posso realizar? Meu caráter suave, inimigo de qualquer azedume e aspereza, pode facilmente ter me preservado das invejas e inimizades. De ser amado, não digo, mas de não ser odiado nunca um homem deu mais ocasião. Mas a frieza de minha conversa furtou-me com razão a benevolência de vários, que são desculpáveis por interpretá-la em outro e pior sentido. Sou muito capaz de adquirir e manter amizades raras e requintadas. É por isso que me agarro com grande apetite às relações pessoais que correspondem a meu gosto, avanço, jogo-me tão avidamente que é difícil não me ligar a elas e causar impressão ali onde passo; disso fiz muitas vezes a feliz experiência. Nas amizades comuns sou um pouco árido e frio, pois meu jeito não é natural se não estiver com as velas a todo o pano. Além do que, tendo minha sorte me exercitado e feito provar na juventude uma amizade única e perfeita, fez-me na verdade desgostar das outras e marcou demais em minha imaginação que a amizade é animal de companhia, não de rebanho, como dizia aquele antigo.* Também tenho, por natureza, dificuldade em me comunicar pela metade, com dissimulações e a prudência servil e suspeitosa que nos prescrevem na conversa com essas amizades numerosas e imperfeitas. E prescrevem-nos principalmente nestes tempos em que só se pode falar do mundo perigosa ou falsamente. No entanto, também vejo claramente que quem, como eu, tem por objetivo as comodidades da vida (digo as comodidades essenciais), deve fugir como da peste dessas dificuldades e das sutilezas de humor. Eu louvaria uma alma que tivesse diversos estágios e soubesse tanto se estender como se distender; que estivesse bem em qualquer lugar aonde sua sorte a levasse; que pudesse falar com o vizinho sobre sua construção, a caça e seu processo em curso; entreter com prazer um carpinteiro e um jardineiro. Invejo os que sabem travar conhecimento com o

---

* Plutarco, *De la pluralité des amis*, 103, em que salienta que as grandes amizades vêm aos pares, não em grupos.

SOBRE TRÊS RELAÇÕES 369

menor de seu séquito e entabular conversa com a própria criadagem. E não me agrada o conselho de Platão para falar sempre com uma linguagem magistral a seus servidores, sem brincadeiras e sem familiaridade, seja com os homens, seja com as mulheres. Pois, à parte o que me diz minha razão, é desumano e injusto dar tanto valor a essa prerrogativa do acaso; e as sociedades onde menos se sofre disparidade entre os criados e os senhores parecem-me as mais equânimes. Os outros se empenham em lançar e elevar o espírito; eu, em baixá-lo e deitá-lo: ele só é vicioso quando se estende.

Narras et genus Aeaci,
    Et pugnata sacro bella sub Ilio,
Quo Chium pretio cadum
    Mercemur, quis aquam temperet ignibus,
Quo praebente domum, et quota
    Pelignis careant frigoribus, taces.*
[Contas tanto a raça de Éaco como os combates sob as muralhas da santa Ílio. Mas quanto pagamos por uma jarra de vinho de Quíos, quem vai aquecer meu banho, em casa de qual anfitrião e a que horas escaparei de um frio digno dos Pelignos, não me dizes.]

Assim como a valentia lacedemônia precisava de moderação e do som suave e gracioso do toque de flautas para ser acalmada na guerra, receando-se que se jogasse na temeridade e na fúria (enquanto todas as outras nações geralmente empregam sons e vozes agudas e fortes, que emocionam e aquecem ao máximo a coragem dos soldados), parece-me que, da mesma forma, no uso de nosso espírito a maioria de nós precisa, contra o hábito corrente, mais de chumbo que de asas, mais de frieza e repouso que de ardor e agitação. Sobretudo, a meu ver, bancar o entendido entre

* Horácio, Odes, III, xix, 3.

os que não o são e falar sempre doutamente é fazer-se de tolo: *favellar in punta di forchetta.* * É preciso pôr-se no nível daqueles com quem estamos e, às vezes, afetar ignorância: deixai de lado a força e a sutileza, no uso corrente basta observar a ordem. E, aliás, arrastai-vos pelo chão se eles quiserem. Os sábios costumam tropeçar nesta pedra: sempre ostentam seu magistério e difundem seus livros por todo lado. Ultimamente encheram de tal sorte os salões e os ouvidos das senhoras que, ainda que elas não tenham retido a substância, pelo menos aparentam. Em todo tipo de conversa e matéria, por baixa e popular que seja, elas empregam um modo de falar e escrever novo e erudito.

> *Hoc sermone pavent, hoc iram, gaudia, curas,*
> *Hoc cuncta effundunt animi secreta, quid ultra?*
> *Concumbunt docte.* **
> [É nesses termos que elas comovem, que manifestam sua raiva, suas alegrias, suas preocupações e todos os segredos de sua alma: que mais dizer? Elas sucumbem doutamente.]

E citam Platão e São Tomás sobre coisas para as quais o primeiro que encontrassem serviria igualmente bem de testemunha. A doutrina que não conseguiu chegar-lhes à alma ficou-lhes na língua. Se as bem-dotadas acreditam em mim, hão de se contentar em valorizar as riquezas próprias e naturais. Escondem e encobrem suas belezas sob belezas estrangeiras: é uma grande asneira abafar a própria claridade para brilhar com uma luz emprestada. Elas são enterradas e sepultadas sob o artifício, *De capsula totae.* *** [Elas saem inteiras de sua caixinha

---

* "Falar na ponta do garfo", falar com requinte e afetação.
** Juvenal, vi, 189-91.
*** Segundo Sêneca, *Cartas a Lucílio*, cxv, 2. Montaigne adapta a frase para o feminino, pois Sêneca se referia aos janotas.

de pó de arroz.] É que não se conhecem o suficiente: o mundo nada tem de mais belo, e cabe a elas honrar as artes e embelezar o que é belo. De que mais precisam além de viver amadas e honradas? Para isso, têm demais e sabem demais. Basta despertar um pouco e realçar as qualidades que estão nelas. Quando as vejo apegadas à retórica, ao direito, à lógica e a drogas semelhantes, tão vãs e inúteis para sua necessidade, muito receio que os homens que as aconselham a isso o façam por ter, com esse pretexto, a possibilidade de dominá-las. Pois que outra desculpa eu lhes encontraria? Basta que possam, sem nós, submeter a graça de seus olhos à alegria, à severidade e à doçura: temperar um "não" com aspereza, dúvida ou favor; e que não procurem intérprete para os discursos que lhes fazemos por galanteria. Com esse conhecimento elas comandam com uma batuta e dirigem os professores e a escola. Se todavia se contrariarem por nos ceder no que quer que seja, e quiserem por curiosidade ter acesso aos livros, a poesia é uma distração adequada à sua necessidade: é uma arte frívola, e sutil e fantasiada, toda de palavras, toda de prazer, toda de exibição, como elas são. Também da história tirarão diversos benefícios. Na filosofia, da parte que serve à vida extrairão os argumentos que as ensinarem a julgar nossos humores e temperamentos, a se defenderem contra nossas traições, a regular a temeridade dos próprios desejos, a controlar sua liberdade, a prolongar os prazeres da vida e a suportar humanamente a inconstância de um amante, a aspereza de um marido e a contrariedade dos anos e das rugas, e coisas semelhantes. Eis, em suma, a parte que eu lhes atribuiria nas ciências. Há naturezas reservadas, fechadas e introvertidas. A própria essência da minha forma é a comunicação, é a manifestação: sou todo extrovertido e em evidência, nascido para a companhia e a amizade. A solidão que amo e que prego é, principalmente, trazer para mim minhas afeições e meus pensamentos: restringir e estreitar, não meus passos, mas meus desejos e minhas preocupações, recusando a solicitude externa e fugindo mortalmente da servidão e da obrigação, e não tanto da multidão dos homens como da multidão dos negócios. Para falar a verdade, meu isolamento mais me estende e me expande para fora: com mais gosto me atiro nos negócios do Estado e no universo quando estou sozinho. No Louvre e na multidão me fecho e me contraio dentro de minha pele. A multidão impele-me a entrar em mim. E jamais converso comigo mesmo mais loucamente, mais licenciosa e privadamente que nos lugares de respeito e prudência cerimoniosa. Nossas loucuras não me fazem rir, mas sim nossas sapiências. Meu temperamento não me torna inimigo da agitação das cortes: aí passei parte da vida, e fui feito para portar-me alegremente com os grandes grupos, contanto que seja por intervalos, e na minha hora. Mas esse frouxo julgamento de que falo força-me à solidão. Mesmo em minha casa, no meio de uma família numerosa que é das mais visitadas, vejo muitas pessoas mas raramente aquelas com quem gosto de comunicar-me. E aí me reservo, tanto para mim como para os outros, uma liberdade inusitada. Faz-se trégua de etiqueta, de boas-vindas, de acompanhamento de grandes personagens e de tantas outras regras penosas de nossa cortesia (ó servil e inoportuno costume!), cada um se comporta a seu jeito e entretém seus pensamentos quem quiser: mantenho-me mudo, sonhador e fechado, sem ofender meus hóspedes. Os homens cuja companhia e familiaridade procuro são os que chamamos homens amáveis e de qualidade: a imagem deles faz-me perder o gosto pelos outros. É, pensando bem, o mais raro de nossos modos de ser, e modo que se deve principalmente à natureza. O objetivo dessas relações é simplesmente a intimidade, o convívio e a conversação: o exercício das almas, sem outro fruto. Em nossas conversas, todos os assuntos me são iguais: pouco importa que não tenham peso nem profundidade: a graça e a pertinência estão sempre presentes, tudo é colorido por um julgamento maduro e constante, e mesclado de bondade, franqueza, alegria e amizade. Não é somente nos casos de fideicomisso ou nos negócios dos reis que nosso espírito mostra sua beleza e sua força: mostra-as igualmente nas discussões privadas. Conheço minha gente até pelo silêncio e por seu sorriso e descubro-os melhor talvez à mesa do que num conselho. Hipômaco bem dizia que conhecia os bons lutadores ao vê-los simplesmente andar pela rua. Se a erudição quiser se meter em nossas conversas, não será recusada: não magistral, imperiosa e importuna, como de costume, mas subordinada e dócil. Só procuramos passar o tempo: na hora de sermos instruídos e doutrinados, iremos procurá-la em seu trono. Que ela desça até nós dessa vez, se lhe agradar, pois por mais útil e desejável que seja pressuponho que, mesmo se dela necessitássemos, poderíamos dispensá-la de todo e chegar ao nosso objetivo sem ela. Uma alma bem-nascida e exercitada em lidar com os homens torna-se plenamente agradável por si mesma. A arte não é outra coisa senão o inventário e o registro das produções de tais almas. É também para mim um doce convívio este com as belas e honestas mulheres: *nam nos quoque oculos eruditos habemus.** [pois também nós temos olhos conhecedores.] Se nele o espírito não tem tanto a desfrutar quanto no primeiro, os sentidos corporais que também participam mais deste levam-no a um nível vizinho do outro, embora, a meu ver, não igual. Mas é uma relação em que devemos ficar um pouco com pé atrás, e em especial aqueles em quem o corpo pode muito, como eu. Fiquei

---

* Cícero, *Paradoxos*, V, II, 38. Cícero se refere à contemplação das obras-primas de arte, e não da beleza feminina, como faz Montaigne.

escaldado em minha juventude e sofri todos os ardores
que os poetas dizem advir aos que se deixam levar por
isso, sem ordem e sem julgamento. É verdade que desde
então essa chicotada me serviu de lição:

> Quicumque Argolica de classe Capharea fugit,
> Semper ab Euboicis vela retorquet aquis.*
> [Quem, na frota grega, uma vez escapou de Cafareu
> sempre vira de bordo para fugir das águas da Eubeia.]

É loucura fixar nisso todos os seus pensamentos e enga-
jar-se com uma paixão furiosa e sem discernimento.
Mas, por outro lado, meter-se nisso sem amor e sem
subjugar a própria vontade, como atores, para desempe-
nhar um papel convencional correspondente à idade e ao
costume, e só pôr de si as palavras, é de verdade garantir
sua segurança mas bem covardemente, como quem
abandonasse sua honra, seus bens ou seu prazer por temer o perigo. Pois é certo que de tal relação os que a
praticam não podem esperar nenhum fruto que afete ou
satisfaça uma bela alma. É preciso ter desejado cientemente uma mulher que se quer cientemente ter o prazer
de desfrutar. Quero dizer, mesmo quando a fortuna fa-
vorecesse injustamente essa máscara teatral, o que costuma acontecer, pois não há mulher, por desgraciosa
que seja, que não pense ser digna de ser amada e que não
se faça notar por sua idade ou por seu cabelo, ou por
seus gestos (pois não há as totalmente feias, não mais
que as totalmente belas). E as moças brâmanes que não
têm nada que as recomende vão para a praça diante do
povo reunido por pregoeiros públicos para esse fim, e
exibem seus órgãos do matrimônio, para ver se, ao menos por aí, não merecem conseguir um marido. Por conseguinte, não há uma que não se deixe convencer com

* Ovídio, *Tristia*, I, 1, 83-4.

facilidade pelo primeiro juramento que lhe fazemos de ser seu servidor. Ora, dessa traição comum e corrente dos homens de hoje resulta necessariamente o que já nos mostra a experiência: é que elas se aliam e se fecham em si mesmas, ou entre si, para fugir de nós; ou então, de seu lado, também adotam esse exemplo que lhes damos e representam seu papel na farsa e prestam-se a essa negociação, sem paixão, sem cuidado e sem amor: *Neque affectui suo aut alieno obnoxiae.** [Sem estarem ligadas nem por sua afeição nem pela de outrem.] É que consideram, seguindo o conselho de Lísias em Platão, que podem se dedicar útil e comodamente a nós, mais ainda quanto menos as amamos. Será como nas comédias, o povo terá tanto ou mais prazer que os comediantes. Quanto a mim, não conheço mais Vênus sem Cupido do que uma maternidade sem progenitura. São coisas interdependentes e que se devem mutuamente sua essência. Assim, essa impostura repercute no homem que a faz: não lhe custa muito, mas ele também não adquire nada que valha. Os que fizeram de Vênus uma deusa consideraram que sua principal beleza era incorporal e espiritual. Mas essa coisa que os amantes procuram não é só humana, nem mesmo bestial: os animais não a querem tão pesada e tão terrestre. Vemos que a imaginação e o desejo aquecem e solicitam os animais, antes mesmo do corpo; vemos em um e outro sexos que eles escolhem e selecionam na multidão suas afeições e que mantêm entre si relações de longa benquerença. Mesmo esses aos quais a velhice recusa a força corporal ainda fremem, relincham e estremecem de amor. Vemo-los antes do ato, cheios de esperança e ardor, e quando o corpo jogou seu jogo ainda se deleitam com a doçura da lembrança; e vemos os que se inflam de orgulho ao partir, e que produzem cantos de festa e triunfo, cansados e sa-

---

* Tácito, *Anais*, XIII, xlv.

ciados. Aquele que só precisa descarregar o corpo de uma necessidade natural não tem por que incomodar o outro com preparativos tão delicados. Isso não é carne para uma fome grande e pesada. Como sou alguém que não pede que me achem melhor do que sou, direi isto sobre os erros de minha juventude: não só pelo perigo que há para a saúde (não soube agir tão bem que não tivesse dois acessos, leves todavia, e preambulares) mas também por desprezo, quase não me dediquei às relações venais e públicas. Quis aguçar esse prazer pela dificuldade, pelo desejo e por alguma glória. E gostava do estilo do imperador Tibério, que era atraído em seus amores tanto pela modéstia e pela nobreza como por outra qualidade. E da atitude da cortesã Flora, que não se oferecia a ninguém que não fosse ao menos ditador, ou cônsul, ou censor, e que se deliciava com a dignidade de seus amantes. Certamente, as pérolas e o brocado, e os títulos e os serviçais conferem algo ao prazer. Por sinal, eu levava muito em consideração o espírito, mas desde que o corpo não deixasse a desejar. Pois, para responder em sã consciência, se uma ou outra das duas belezas devesse necessariamente faltar, preferiria abandonar a espiritual: ela encontra uso em coisas melhores. Mas no assunto do amor, assunto que se refere principalmente à visão e ao tato, faz-se alguma coisa sem as graças do espírito, e nada sem as graças corporais. A beleza é a verdadeira vantagem das damas: é tão delas que a nossa, embora requeira traços um pouco distintos, só na perfeição de uma criança e de um imberbe pode ser confundida com a feminina. Dizem que no palácio do grão-turco os que lhe servem por sua beleza são em número infinito mas dispensados, no máximo, aos 22 anos. Os julgamentos, a prudência e os deveres de amizade são mais encontrados entre os homens; por isso governam os negócios do mundo. Essas duas re-

SOBRE TRÊS RELAÇÕES 377

lações* são fortuitas e dependentes de outros: uma é difícil pela raridade, a outra murcha com a idade; assim, não preencheram o suficiente as necessidades de minha vida. A dos livros, que é a terceira, é bem mais segura e mais nossa. Cede às primeiras as outras vantagens, mas tem, por sua vez, a constância e a facilidade de seu uso: acompanha todo o meu percurso e assiste-me por todo lado; consola-me na velhice e na solidão; descarrega-me do peso de um ócio enfadonho; e a todo instante me livra das companhias que me aborrecem; atenua as pontadas da dor se não for extrema e soberana. Para me distrair de uma ideia importuna, basta recorrer aos livros, eles me desviam facilmente para si e a esquivam de mim. E não se amotinam ao ver que só os procuro na ausência dessas outras comodidades mais reais, vivas e naturais: recebem-me sempre com o mesmo semblante. É muito bonito andar a pé quando se leva seu cavalo pela rédea, dizem. E nosso Jaime, rei de Nápoles e da Sicília, que, belo, jovem e saudável, fazia-se transportar pelo país numa padiola, deitado sobre um ordinário travesseiro de penas, vestindo uma túnica de pano cinza e um gorro do mesmo tipo, mas seguido por uma grande pompa real, com liteiras, cavalos de todo tipo levados pela mão, fidalgos e oficiais, manifestava um tipo de austeridade que ainda era delicada e vacilante. O doente que tem sua cura na manga não merece compaixão. Todo fruto que tiro dos livros consiste em experimentar e praticar essa máxima, que é muito verdadeira. Na verdade, praticamente não me sirvo deles mais que os que não os conhecem. Desfruto deles, como os avarentos de seus tesouros, para saber que desfrutarei quando me aprouver: meu espírito sacia-se e contenta-se com esse direito de posse. Não viajo sem livros, nem na paz nem na guerra. Todavia, hão de se passar muitos dias, e meses, sem que me

---

* As relações com os amigos e com as mulheres.

sirva deles; digo que será dali a pouco, ou amanhã, ou quando me der vontade: enquanto isso, o tempo corre e se vai, mas não me inquieta. Pois é impossível dizer quanto me repouso e me tranquilizo com essa ideia de que estão a meu lado para me dar prazer quando eu desejar; e reconhecer quanto trazem de socorro à minha vida: é a melhor provisão que encontrei nesta viagem humana e compadeço-me ao extremo dos homens inteligentes que não os têm. Aceito qualquer outro tipo de distração, por frívola que seja, desde que essa não possa me faltar. Em casa, desvio-me um pouco mais frequentemente para minha biblioteca, de onde, com uma só mão, comando minha residência. Estou acima da entrada e descortino, abaixo de mim, o jardim, o galinheiro, o pátio e a maior parte dos cômodos de minha casa. Ali folheio, a tal hora, um livro, a tal hora, outro, sem ordem e sem objetivo, por trechos disparatados. Ora devaneio, ora registro e dito, caminhando, meus sonhos que aqui estão. Ela fica no terceiro andar de uma torre. No primeiro está minha capela, no segundo, um quarto com suas dependências, onde não raro durmo, quando quero ficar sozinho. Acima, há um grande depósito. Era, no passado, o lugar mais inútil de minha casa. Ali passo a maioria dos dias de minha vida e a maioria das horas do dia. Nunca estou lá à noite. Ao lado há um gabinete bem instalado, que pode receber uma lareira no inverno, e muito agradavelmente iluminado por uma janela. E se eu não temesse mais os aborrecimentos que a despesa, os aborrecimentos que me afastam de qualquer trabalho, poderia facilmente anexar de cada lado uma galeria de cem pés de comprimento e doze de largura, no mesmo nível, pois encontrei todas as paredes construídas (para outro uso) na altura de que preciso. Todo lugar isolado requer um deambulatório. Meus pensamentos cochilam se os deixo sentados. Meu espírito não anda sozinho se as pernas não o agitam. Os que estudam sem livro são

SOBRE TRÊS RELAÇÕES 379

todos assim. A forma da biblioteca é circular e só é plano o espaço necessário para minha mesa e minha cadeira; ao curvar-se, ela vai me oferecendo com um só olhar todos os meus livros arrumados em estantes de cinco prateleiras em toda a volta. Tem três janelas com bela perspectiva livre e um espaço vazio de dezesseis passos de diâmetro. No inverno ali permaneço menos tempo, pois minha casa fica empoleirada numa montanha, como diz seu nome, e não tem aposento mais exposto ao vento do que esse, que por ser um pouco afastado, de difícil acesso, me agrada tanto pelo exercício a que me obriga como por me afastar da multidão. Esta é a minha sede. Tento ter sobre ela um domínio absolutamente puro, subtraindo esse único recanto da comunidade conjugal, filial e social. Em todos os outros lugares minha autoridade é mais verbal que real: essencialmente vaga. Em minha opinião, ai de quem não tem em casa onde estar consigo, onde falar privadamente consigo mesmo, onde se esconder! A ambição paga bem a seus servidores por mantê-los sempre à vista, como a estátua de uma praça do mercado. *Magna servitus est magna fortuna.** [Uma grande servidão é um grande destino.] Eles não têm privacidade nem mesmo na privada. Na austeridade de vida que nossos religiosos adotam jamais encontrei nada tão rude como o que vejo em algumas de suas companhias: a regra de estar perpetuamente em companhia de alguém e em numerosa presença dos outros, em qualquer ação que seja. E, em suma, acho mais suportável estar sempre só do que nunca poder estar. Se alguém me diz que é aviltar as musas usá-las somente como brinquedo ou passatempo, é que não sabe, como eu, quanto vale o prazer, o jogo e o passatempo: eu quase poderia dizer que qualquer outra finalidade é ridícula. Vivo dia a dia, e, com o devido respeito, só vivo para mim: meus

* Sêneca, *Consolação a Políbio*, VI, IV.

objetivos terminam aí. Quando jovem, estudava por ostentação; depois, um pouco para tornar-me sábio; agora, para me divertir, nunca pelo proveito. O gosto vão e gastador que eu tinha por essa espécie de objeto, não para satisfazer apenas minha necessidade mas, três passos adiante, para atapetar e adornar minhas paredes, há muito tempo abandonei. Os livros têm muitas qualidades agradáveis para os que sabem escolhê-los. Mas não há bem que se obtenha sem pena. É um prazer que não é mais puro nem mais fácil que os outros: tem seus inconvenientes, e bem pesados. Neles a alma se exercita mas o corpo, cujo cuidado também não esqueci, permanece enquanto isso sem ação, degrada-se e se entristece. Não sei de excesso mais prejudicial para mim, nem mais a evitar neste declínio da idade. Essas são minhas três ocupações favoritas e particulares. Não falo das que devo ao mundo por obrigação civil.

Sobre versos de Virgílio

Capítulo v

*Este longo capítulo mantém uma relação bastante
frouxa com o título, que permanece misterioso até que
Montaigne comente os versos da* Eneida *cujo realismo
destituído de obscenidade Aulo Gélio já tinha louvado. O autor explica, em tom quase professoral, a beleza da poesia latina e a força de seu léxico sintético e
sugestivo. Atribui a palma à* Eneida, *texto máximo de
Virgílio, que é então considerado, junto com Homero, o maior poeta de todos os tempos. Aqui também
se lerão as confidências mais íntimas sobre a sexuali-
dade de Montaigne, abertamente retratada; sobre sua
velhice que definha a potência física, sobre seu código
do amor. A preocupação com o casamento e a sexua-
lidade era difundida no Renascimento, devido à Reforma protestante e também à fermentação na Igreja
católica, nas universidades, nos círculos jurídicos e
médicos. Montaigne contrapõe constantemente o nós
dos homens ao elas das mulheres; denuncia o paradoxo das sociedades modernas, em que a religião, a
moral e as escolas filosóficas refreiam e censuram as
necessidades naturais do corpo, pedindo às mulheres
apenas o heroísmo de recalcar seus desejos segundo
regras que os homens fizeram sem elas. A conclusão
é surpreendente: as mulheres deveriam ter mais liberdade. Este capítulo foi suprimido na chamada edição*

*de Lyon, edição clandestina que saiu no mesmo ano
da póstuma e visava o público protestante de Genebra.*

À medida que os temas de reflexão são mais abundantes e sólidos, são também mais dificultosos e mais pesados. O vício, a morte, a pobreza, as doenças são assuntos graves que nos sobrecarregam. Precisamos ter uma alma instruída nas maneiras de suportar e combater os males, e instruída nas regras de bem viver e de bem crer; e não raro precisamos despertá-la e exercitá-la nesse belo estudo. Mas para uma alma do tipo comum, cumpre que isso seja feito com pausas e moderação: ela se cansa de ser muito continuamente solicitada. Na juventude, para manter-me no dever eu devia me precaver e aconselhar a mim mesmo: a alegria e a saúde não convivem muito bem, dizem, com esses pensamentos sérios e sensatos. Atualmente encontro-me em outro estado. As condições da velhice advertem-me até demais, tornam-me sensato e aconselham-me. Do excesso de alegria caí no excesso de severidade: mais aborrecido. Por isso, a essa hora deixo-me levar um pouco pela libertinagem, de propósito, e às vezes emprego a alma em pensamentos de juventude, brincalhões, em que ela descansa. Agora estou até sereno demais, pesado demais e maduro demais. Diariamente os anos me dão uma lição de frieza e temperança. Este corpo foge do desregramento e o teme: cabe-lhe, por sua vez, guiar o espírito para o aperfeiçoamento; é ele que, por sua vez, comanda, mais dura e imperiosamente. Não me deixa uma só hora de folga, nem dormindo nem velando, no ensino da morte, do sofrimento e da penitência. Defendo-me da temperança como outrora me defendi da volúpia: ela me puxa muito para trás, até me deixar entorpecido. Ora, quero ser senhor de mim, em todos os sentidos. A sabedoria tem seus excessos e tem tanta necessidade de moderação como de loucura. Assim, de medo de que eu resseque, me esgote, me sobrecarregue de prudência, nos intervalos que meus males me dão,

> mens intenta suis ne siet usque malis,*
> [de medo de que meu espírito esteja sempre estendido para meus males,]

desvio-me bem de mansinho e escondo minha vista desse céu tempestuoso e nublado que tenho à minha frente. O qual, graças a Deus, considero sem pavor mas não sem contenção e sem estudo. E vou me divertindo com a lembrança da mocidade passada:

> animus quod perdidit, optat,
> Atque in praeterita se totus imagine versat.**
> [meu espírito deseja o que perdeu e vira-se inteiro para a representação do passado.]

Que a infância olhe diante de si, e a velhice, para trás: não era o que significava a dupla face de Jano? Que os anos me arrastem, se quiserem, mas de costas. Enquanto meus olhos conseguem reconhecer essa bela quadra que expirou, dirijo-os a ela a intervalos. Se ela escapa de meu sangue e de minhas veias, ao menos sua imagem não quero desenraizar da memória,

---

* Ovídio, Tristia, IV, I, 4.
** Petrônio, Satíricon, CXXVII.

SOBRE VERSOS DE VIRGÍLIO   385

> *hoc est,*
> *Vivere bis, vita posse priore frui.**
> [poder desfrutar de sua vida passada é viver duas vezes.]

Platão prescreve aos velhos assistir aos exercícios, danças e jogos da juventude para se deleitarem nos outros com a flexibilidade e a beleza do corpo que neles já não existem, e evocar em sua lembrança a graça e o favor dessa idade verdejante. E quer que nesses folguedos eles concedam a honra da vitória ao jovem que mais tiver divertido e alegrado o maior número de velhos. Antigamente eu marcava os dias pesados e tenebrosos como sendo extraordinários: estes são agora os meus ordinários, os extraordinários são os belos e serenos. Eis-me a ponto de estremecer, como por um novo favor, quando alguma coisa não me doer. Embora eu me faça cócegas, agora já não consigo arrancar um pobre riso deste pobre corpo. Só me alegro em imaginação e em sonho: para desviar, pela astúcia, a tristeza da velhice.** Mas, decerto, seria preciso outro remédio além do sonho. Fraca luta da arte contra a natureza. É grande bobagem prolongar e antecipar, como todos fazem, as mazelas humanas. Prefiro ser velho menos tempo a ser velho antes de sê-lo. Agarro até mesmo as menores ocasiões de prazer que posso encontrar. Conheço bem, por ouvir dizer, várias espécies de volúpias, prudentes, fortes e louváveis, mas o que sei não é suficiente para me abrir o apetite. Não as quero tão grandiosas, magníficas e fastuosas, e sim as quero doces, fáceis e disponíveis. *A natura discedimus: populo nos damus, nullius rei bono auctori.**** [Afastamo-nos da natureza, abandonamo-nos à multidão, sempre má con-

---

* Marcial, X, XXIII, 7.
** Por indícios do texto se supõe que Montaigne tinha 53 anos ao escrever este ensaio.
*** Sêneca, *Cartas a Lucílio*, XCIX, 17.

selheira.] Minha filosofia está na ação, no uso natural e presente: pouco na fantasia. Pudesse eu ter prazer em brincar de bolinhas e de pião!

Non ponebat enim rumores ante salutem.*
[Pois ele não colocava o rumor popular acima da salvação do Estado.]

A voluptuosidade é qualidade pouco ambiciosa: estima-se bastante rica por si mesma, sem lhe ser acrescentado o prêmio da reputação, e prefere ficar na sombra. Se um rapaz se diverte na juventude em diferenciar o gosto dos vinhos e dos molhos, devemos aplicar-lhe o chicote; não há nada que eu menos tenha sabido e apreciado: a esta hora estou a aprendê-lo. Tenho grande vergonha disso, mas que fazer? Tenho ainda mais tristeza e vergonha das causas que me levam a isso. Cabe-nos devanear e perambular, e à juventude, tentar conquistar uma reputação e os melhores lugares. Ela vai rumo ao mundo, rumo ao reconhecimento: nós estamos voltando de lá. *Sibi arma, sibi equos, sibi hastas, sibi clavam, sibi pilam, sibi natationes et cursus habeant: nobis senibus, ex lusionibus multis, talos relinquant et tesseras.*** [A eles as armas, os cavalos, as lanças, a maça, a bola, a natação e a corrida; a nós outros, os velhos, que nos deixem, entre tantas distrações, os ossinhos e os dados.] As próprias leis nos mandam para casa. O mínimo que posso fazer para essa mofina condição a que minha idade me impele é fornecer-lhe brinquedos e brincadeiras, como na infância: assim, é nela que recaímos. E a sabedoria e a loucura terão muito a fazer para me escorar e socorrer, alternadamente, com seus serviços nessa calamitosa idade.

* Verso de Ênio em louvor de Quinto Fábio Cunctator, citado por Cícero, *De officiis*, I, XXIV, 84.
** Cícero, *De senectude*, XVI, 59.

SOBRE VERSOS DE VIRGÍLIO

Misce stultitiam consiliis brevem.*
[Mistura à tua sabedoria um grão de loucura.]

Fujo igualmente das mais leves ferroadas, e as que antigamente nem sequer me arranhariam atualmente me transpassam. Meu modo de ser começa a acostumar-se naturalmente à dor: *in fragile corpore odiosa omnis offensio est.*** [para um corpo frágil qualquer agressão é insuportável.]

Mensque pati durum sustinet aegra nihil.***
[E um espírito doente não consegue suportar nada penoso.]

Sempre fui suscetível e delicado para as dores, sou mais frágil ainda neste momento, e estou exposto de todos os lados.

Et minimae vires frangere quassa valent.****
[O menor choque pode quebrar o que está rachado.]

Meu juízo impede-me de me insurgir e resmungar contra os inconvenientes que a natureza me manda sofrer, mas não de senti-los. Eu, que não tenho outro objetivo além de viver e divertir-me, correria de um extremo do mundo ao outro em busca de um bom ano de tranquilidade amena e divertida. A tranquilidade sombria e inerte não me falta, mas ela me adormece e aborrece: não me contento com isso. Se houver alguém, alguma boa companhia, nos campos, na cidade, na França ou em outro lugar, caseira ou viajeira, que se der bem com meu temperamento,

---

* Horácio, *Odes*, IV, xii, 27.
** Cícero, *De senectude*, xviii, 65.
*** Ovídio, *De ponto*, I, v, 18.
**** Ovídio, *Tristia*, III, xi, 22.

e eu com o dela, basta assobiar com os dedos e irei, em carne e osso, fornecer-lhes meus *Ensaios*. Já que é privilégio do espírito escapar da velhice, aconselho-o, tanto quanto possível, a fazê-lo: que enquanto isso ele viceje, floresça se puder, como o visgo sobre uma árvore morta. Temo que seja um traidor: irmanou-se tão estreitamente ao corpo que me abandona o tempo todo, para segui-lo em suas misérias. Afago-o à parte, persuado-o, em vão: por mais que tenha tentado desviá-lo dessa conivência e lhe apresentado tanto Sêneca como Catulo, e as damas e as danças reais, se seu companheiro sente cólicas parece que ele também sente. Até mesmo as atividades que lhe são peculiares e próprias não conseguem então sublevar-se: cheiram, evidentemente, a catarro; não há mais alegria em suas produções se não as há, ao mesmo tempo, no corpo. Nossos mestres estão errados quando procuram as causas dos arroubos extraordinários de nosso espírito: além do que atribuem a um ímpeto divino, ao amor, à acrimônia guerreira, à poesia, ao vinho, não reconhecem neles a parte representada pela boa saúde. Uma saúde transbordante, vigorosa, plena, sem distúrbio, tal como a que outrora o verdor dos anos e a segurança me forneciam por momentos. Esse fogo da alegria suscita no espírito fulgurâncias vivas e claras além de nosso alcance natural: e entre nossos entusiasmos, os mais prazenteiros se não os mais desvairados. Assim, pois, não é de espantar se um estado contrário prostre meu espírito, o imobilize e produza um efeito oposto.

*Ad nullum consurgit opus cum corpore languet.**
[Nada o faz reerguer-se quando a força deixou seu corpo.]

---

* Pseudo-Galo, I, 125.

SOBRE VERSOS DE VIRGÍLIO   389

E meu espírito ainda quer que eu lhe seja grato porque
me confere, como diz, muito menos importância a esse
entendimento com o corpo do que a prática usual entre
os homens. Pelo menos enquanto temos uma trégua, ex-
pulsemos os males e as dificuldades de nossa relação,

Dum licet obducta solvatur fronte senectus:*
[Enquanto for possível, que a velhice desenrugue sua
fronte preocupada:]

tetrica sunt amaenanda jocularibus.** [suavizemos a tristeza com nossas brincadeiras.] Gosto de uma sabedoria alegre e sociável e fujo da dureza dos costumes e da austeridade, considerando suspeita qualquer fisionomia rebarbativa.

Tristemque vultus tetrici arrogantiam.***
[E a sombria arrogância de um rosto triste.]
Et habet tristis quoque turba cynaedos.****
[E a sombria tropa tem também seus devassos.]

Creio de coração em Platão, que diz que os humores fáceis ou difíceis são de grande influência para a bondade
ou maldade da alma. Sócrates tinha sempre o mesmo
semblante, mas sereno e risonho. Não desagradavelmente
constante, como o velho Crasso, que nunca se viu rir. A
virtude é uma qualidade amena e alegre. Bem sei que
pouquíssimas pessoas resmungarão diante da liberdade
de meus escritos que não tenham de resmungar diante da
liberdade de seus pensamentos: estou de acordo com os
sentimentos delas, mas ofendo-lhes os olhos. Só mesmo

* Horácio, Épodos, XIII, 4-5.
** Sidônio Apolinário, Epístolas, I, IX, 8.
*** George Buchanan, Baptistes, sive calumnia, Londres, T.
Vautrollerivs, 1577, Prologus, 31.
**** Marcial, VII, LVIII, 9.

uma cabeça muito metódica pode folhear os textos de Platão e passar por alto suas pretensas relações com Fédon, Díon, Estela, Arquianassa. *Non pudeat dicere, quot non pudeat sentire.*[*] [Não nos envergonhemos de dizer o que não nos envergonhamos de pensar.] Detesto um espírito rabugento e triste que resvala por cima dos prazeres da vida e apega-se aos infortúnios com que se alimenta. Como as moscas, que não se aguentam em cima de um corpo bem polido e bem liso, e agarram-se e descansam em lugares rugosos e ásperos. E como as sanguessugas, que só farejam e procuram o sangue ruim. De resto, impus-me dizer tudo o que ouso fazer, e até me desagrada ter pensamentos impublicáveis. A pior de minhas ações ou qualidades não me parece tão feia como acho feio e covarde não poder confessá-la. Todo mundo é discreto na confissão, na ação é que deveríamos ser. A ousadia de cometer um erro é de certa forma compensada e refreada pela ousadia de confessá-lo. Quem se obrigasse a tudo dizer obrigar-se-ia a nada fazer do que é forçado a calar. Queira Deus que essa minha excessiva licença atraia nossos homens para a liberdade, por cima dessas virtudes covardes e de fachada, nascidas de nossas imperfeições: que à custa de minha imoderação eu os atraia para o auge da razão. Para criticar o próprio vício é preciso vê-lo e estudá-lo: os que o escondem de outra pessoa, em geral o escondem de si mesmos: e, se o veem, não o consideram oculto o suficiente. Eles o subtraem e o dissimulam de sua própria consciência. *Quare vitia sua nemo consitetur? Quia etiam nunc in illis est, somnium narrare, vigilantis est.*[**] [De onde vem isso de que ninguém confessa seus vícios? É que ainda estamos sob sua influência: é preciso estar desperto para contar seus sonhos.] Os males do corpo aclaram-se ao se ampliarem. Achamos que é gota o

---

[*] Segundo Cícero, *De finibus*, II, XXIV, 77.
[**] Sêneca, *Cartas a Lucílio*, LIII, 8.

SOBRE VERSOS DE VIRGÍLIO

que chamávamos de reumatismo ou entorse. Os males da alma se obscurecem ao se fortalecerem: o mais doente é o que menos os sente. Por isso precisamos frequentemente trazer à luz os males da alma com mão impiedosa: abri--los e arrancá-los do fundo de nosso peito. Como em matéria de boas ações, também em matéria de más ações o único jeito de ficar quite com elas é confessá-las. Há no erro certa fealdade que nos dispense de confessá-lo? Sofro uma punição ao fingir, a tal ponto que evito receber sob minha guarda os segredos alheios, não tendo o gosto de dissimular o que sei. Posso calá-los, mas negá-los não posso sem esforço e desprazer. Para ser bem secreto, há que sê-lo por natureza, não por obrigação. No serviço dos príncipes, ser secreto é pouco se não formos também mentirosos. Se o homem que perguntou a Tales de Mileto se devia negar solenemente ter caído na libertinagem tivesse se dirigido a mim, eu lhe teria respondido que não devia fazê-lo, pois mentir ainda me parece pior que a libertinagem. Tales aconselhou justo o contrário, e que ele o jurasse para esconder um grande vício debaixo de um menor. Todavia, esse conselho não era tanto uma escolha entre dois vícios, mas uma multiplicação. A esse respeito, diga-se de passagem, propomos um bom negócio a um homem de consciência quando lhe oferecemos uma dificuldade como contrapeso de um vício; mas quando o aprisionamos entre dois vícios, colocamo-lo diante de uma dura escolha. Como se fez com Orígenes: que ele cometesse idolatria ou que sofresse o gozo carnal de um grande patife etíope que lhe apresentaram. Submeteu-se à primeira condição, e erradamente, dizem. No entanto, não seriam sem discernimento essas mulheres que atualmente pretendem que, em virtude de sua fé errada, prefeririam carregar na consciência dez homens a uma missa. Se é indiscrição divulgar assim os próprios erros, não há grande perigo de que sirvam de exemplo e se tornem costume. Pois Aríston dizia que os ventos que os homens mais temem são os que os deixam despidos. Temos de arregaçar esses tolos farrapos que escondem nossos costumes: os homens enviam a própria consciência ao bordel mas mantêm em ordem a aparência. Até mesmo os traidores e os assassinos desposam as leis da etiqueta e impõem-se o dever de respeitá-las. Porém, não cabe à injustiça queixar-se da descortesia, nem à malícia queixar-se da indiscrição. É pena que um homem mau não seja também um tolo, e que a decência atenue seu vício. Esses estuques só são feitos para uma parede boa e firme, que mereça ser preservada e caiada. Concordo com os huguenotes, que criticam nossa confissão privada e auricular, e confesso-me em público, escrupulosa e completamente. Santo Agostinho, Orígenes e Hipócrates publicaram os erros de suas opiniões: eu, de meus costumes. Tenho fome de me dar a conhecer, e pouco importa a quantos, contanto que seja verdadeiramente. Ou melhor, não tenho fome de nada: mas fujo mortalmente de ser visto como quem não sou pelas pessoas a quem suceda conhecer-me de nome. Quem faz tudo pela honra e pela glória, o que pensa em ganhar mostrando-se mascarado ao mundo, escondendo seu ser verdadeiro do conhecimento do povo? Elogie-se um corcunda por sua bela estatura, e ele o receberá como injúria: se sois covarde e vos honram como a um homem valente, será que é de vós que estão falando? Confundem-vos com um outro. Eu também me divertiria com quem se felicitasse pelos salamaleques que lhe fazem, pensando que é o chefe do grupo, quando é dos menores do séquito. Quando Arquelau, rei da Macedônia, passou por uma rua, alguém despejou-lhe água: os que assistiam disseram que ele devia puni-lo. "É possível", disse, "mas ele não jogou água em mim, e sim naquele que pensava ser eu." Sócrates disse a quem lhe avisou que falavam mal dele: "De jeito nenhum. Não há nada de mim no que dizem". Quanto a mim, a quem me elogiasse por ser bom navegador, por ser tão modesto ou tão casto, eu não deve-

SOBRE VERSOS DE VIRGÍLIO

ria dizer muito obrigado. E da mesma forma, se me chamassem de traidor, ladrão ou bêbado, eu me estimaria muito pouco ofendido. Os que não se conhecem bem podem repastar-se de falsos elogios: não eu, que me vejo e me procuro até nas entranhas, que bem sei o que me pertence. Agrada-me ser menos elogiado, contanto que seja mais conhecido. Poderiam me ter como um sábio, mas me atribuindo uma sabedoria que considero uma tolice. Aborreço-me que meus *Ensaios* sirvam às senhoras apenas como elemento do mobiliário e móvel de sala: este capítulo me fará passar à sua alcova. Gosto de ter com elas relações um pouco privadas: as públicas são sem favor e sem sabor. Nas despedidas sentimos um afeto mais quente, além do habitual, pelas coisas que abandonamos. Estou dando um último adeus aos jogos mundanos: aqui estão nossos últimos abraços. Mas voltemos ao meu tema. O que terá feito aos homens o ato genital, tão natural, tão necessário e tão justo, para que não se ouse falar dele sem vergonha e para ser excluído das conversas sérias e convencionais? Pronunciamos corajosamente: *matar, roubar, trair*, e aquilo só o ousaríamos entre os dentes. Isso quererá dizer que quanto menos o expressarmos em palavras, mais teremos direito de engrandecê-lo em pensamento? Pois é bom que as palavras menos usadas, menos escritas e mais caladas sejam as mais sabidas e mais geralmente conhecidas. Nenhuma idade, nenhum costume as ignora, tanto quanto ao pão. Sem que sejam expressas, imprimem-se em cada um, sem voz e sem forma. E o sexo que mais pratica esse ato tem a tarefa de mais calá-lo. É um ato que pusemos sob a proteção do silêncio, de onde é crime arrancá-lo, até mesmo para acusá-lo e julgá-lo. Nem ousamos fustigá-lo a não ser em perífrase e imagem. É um grande favor para um criminoso ser tão execrável que a justiça considere injusto tocá-lo e vê-lo: ele fica livre e salvo pelo benefício da gravidade de sua condenação. Não é o mesmo em matéria de livros, que se tornam mais vendáveis e públicos por serem proibidos? Quanto a mim, vou tomar à letra a opinião de Aristóteles, que diz que ter vergonha disso serve de ornamento à juventude mas de motivo de crítica na velhice. Estes versos são recitados na escola da Antiguidade, escola a que me atenho bem mais que à moderna: suas virtudes parecem-me maiores, seus vícios, menores:

Os que, fugindo demais, a Vênus resistem,
Enganam-se tanto quanto os que muito a seguem.

Tu Dea, tu rerum naturam sola gubernas,
Nec sine te quicquam dias in luminis oras
Exoritur, neque fit laetum, nec amabile quicquam.*
[Tu, Deusa, só tu governas a natureza, sem ti nada nasce nas margens divinas do dia; sem ti, nada de alegre, nada de amável.]

Não sei quem pôde misturar mal Palas e as Musas com Vênus e esfriá-las em relação ao Amor; mas não vejo divindades que melhor se combinem nem que mais devam umas às outras. Quem privar as Musas de suas imaginações amorosas lhes subtrairá o mais belo assunto que têm e a mais nobre matéria de suas obras: e quem fizer o Amor perder contato com a poesia e com o serviço que esta lhe presta há de destituí-lo de suas melhores armas. Assim, o deus da intimidade e do bem-querer e as deusas protetoras da humanidade e da justiça são acusados do vício da ingratidão e da falta de reconhecimento. Não estou há tanto tempo assim riscado da lista e do séquito desse deus para não ter a memória ainda informada de suas forças e valores:

---

* Lucrécio, I, 22-3. Os dois primeiros versos são de Eurípides, citados por Plutarco, Qu'il fault qu'un philosophe converse avec les princes, f° 134 C.

SOBRE VERSOS DE VIRGÍLIO

agnosco veteris vestigia flammae.*
[de meu antigo ardor reconheço o vestígio.]

Ainda há algum vestígio de emoção e calor depois da febre:

Nec mihi deficiat calor hic, hyemantibus annis.**
[Que no inverno de meus anos esse calor me reste.]

Por mais ressecado que eu esteja, e pesado, ainda sinto certos restos arrefecidos desse ardor passado:

Qual l'alto Aegeo per che Aquilone o Noto
Cessi, che tutto prima il vuolse et scosse,
Non s'accheta ei pero, ma'l sono e'l moto,
Ritien de l'onde anco agitate è grosse.***
[Qual o profundo mar Egeu, quando o aquilão ou o noto se acalmam depois de agitá-lo e sacudi-lo, e que não se aquieta, porém, mas retém o barulho e o movimento das ondas ainda agitadas e grandes.]

Mas, pelo que sei a respeito, as forças e o valor desse deus encontram-se mais vivas e mais animadas na poesia do que em sua própria essência.

Et versus digitos habet.****
[O verso também tem dedos.]

A poesia representa não sei que ar mais amoroso que o próprio amor. Vênus não é tão bela toda nua, viva e ofegante, como o é aqui em Virgílio:

* Virgílio, *Eneida*, IV, 23.
** Jean Second, *Elegias*, I, III, 29.
*** Torquato Tasso, *Jerusalém libertada*, XII, LXIII, 1-4.
**** Juvenal, VI, 196.

Dixerat, et niveis hinc atque hinc diva lacertis
Cunctantem amplexu molli fovet: Ille repente
Accepit solitam flammam, notusque medullas
Intravit calor, et labefacta per ossa cucurrit.
Non secus atque olim tonitru cum rupta corusco
Ignea rima micans percurrit lumine nimbos.
...Ea verba loquutus,
Optatos dedit amplexus, placidumque petivit
Conjugis infusus gremio per membra soporem.

[A deusa tinha falado assim; com seus braços de neve ela cerca e aquece num doce abraço Vulcano, hesitante; de repente, ele reconhece um ardor familiar; o calor bem conhecido invade sua medula e percorre seus membros cheios de languidez. Assim, às vezes, no estrondo do trovão um sulco inflamado cheio de brilho percorre as nuvens iluminadas. Diante dessas palavras, ele lhe oferece o abraço esperado, e tendo-se abandonado em seu seio deixa um sono sereno invadir todo o seu corpo.]

O que encontro aqui para meditar é que ele a pinta um pouco excitada demais para uma Vênus matrimonial. Nesse comportado mercado os apetites não se mostram tão desvairados, mas sombrios e embotados. O amor detesta quando nos ligamos por outros laços que não os seus, e intromete-me frouxamente nas relações que se travam e são mantidas sob outros auspícios, como o casamento. Neste, a aliança e as posses pesam, com razão, tanto ou mais que as graças e a beleza. Casamo-nos não por nós, apesar do que se diz; casamo-nos tanto ou mais por nossa posteridade, por nossa família. O costume e o interesse do casamento afetam nossa linhagem, bem mais além de nós. Por isso agrada-me esse modo de o conduzirem antes por mãos de um terceiro do que pelas próprias: e antes pelo julgamento dos outros que pelo

* Virgílio, *Eneida*, VIII, 387-92 e 404-6.

seu. Como tudo isso é o oposto das convenções amorosas! Também é uma espécie de incesto ir empregar nesse parentesco venerável e sagrado os esforços e as extravagâncias da licenciosidade amorosa, como me parece ter dito em outro lugar. É necessário (diz Aristóteles) tocar a própria mulher de modo prudente e severo, de medo de que, acariciando-a muito lascivamente, o prazer a faça perder as estribeiras da razão. O que ele diz pela consciência os médicos dizem pela saúde: que um prazer excessivamente inflamado, voluptuoso e assíduo altera o sêmen e impede a concepção. Por outro lado, dizem que numa união carnal lânguida, como essa o é por natureza, para enchê-la de um justo e fértil calor é preciso apresentar-se raramente, e com notáveis intervalos;

Quo rapiat sitiens venerem interiusque recondat.[*]
[A fim de que, sedenta, ela se apodere do presente de Vênus e o esconda no mais profundo.]

Não vejo muitos casamentos que fracassem e se desfaçam mais depressa do que os que se guiam pela beleza e pelos desejos amorosos. Precisa-se de fundamentos mais sólidos e mais estáveis, e caminhar com circunspecção: essa fervilhante exultação de nada vale. Os que pensam honrar o casamento acrescentando-lhe o amor agem, parece-me, igual aos que, para honrar a virtude, afirmam que a nobreza nada mais é senão uma virtude. São coisas que têm certo parentesco, mas há muita diversidade: é inútil misturar seus nomes e seus títulos. Confundi-las prejudica uma e outra. A nobreza é uma bela qualidade e foi instituída com razão: mas como é uma qualidade que depende de outros e pode recair num homem vicioso e nulo, fica, numa avaliação, bem longe abaixo da virtude. É uma virtude, se o for, artificial e

---

* Virgílio, *Geórgicas*, III, 137.

visível, dependente do tempo e do acaso, diversa em sua forma segundo as regiões, viva e mortal: sem mais nascente que o rio Nilo; genealógica e comum; baseada na sucessão e na semelhança; simples consequência, e consequência um tanto fraca. A ciência, a força, a bondade, a beleza, a riqueza, todas as outras qualidades entram em comunicação e em comércio: esta se consome em si mesma, sem nenhum préstimo a serviço de outrem. Propunha-se a um de nossos reis a escolha entre dois competidores para um mesmo cargo, dos quais um era fidalgo e o outro não; ele ordenou que, sem respeito a essa qualidade, escolhessem aquele que tivesse mais mérito, mas se o valor fosse inteiramente igual, que então se considerasse a nobreza: era isso conferir-lhe exatamente sua posição. Disse Antígono a um jovem desconhecido que lhe pedia o cargo de seu pai, homem de valor que acabava de morrer: "Meu amigo, em tais fatos não olho tanto a nobreza de meus soldados como olho sua valentia". Na verdade, isso não deve ser como para os oficiais dos reis de Esparta, trombeteiros, menestréis, cozinheiros, em cujos cargos eram sucedidos pelos filhos, por ignorantes que fossem mas que passavam na frente dos mais experimentados do ofício. O povo de Calicute faz dos nobres uma espécie acima da humana. O casamento lhes é proibido, e qualquer outra ocupação que não a bélica. Concubinas, podem ter à vontade, e as mulheres, outros tantos amantes, sem ciúmes uns dos outros. Mas é um crime capital e irremissível copular com pessoa de outra condição que não a deles. E consideram-se conspurcados se apenas forem por ela tocados de passagem; e como sua nobreza foi extraordinariamente injuriada e lesada, matam os que mal se aproximaram um pouco perto demais. De maneira que os párias são obrigados a gritar nas curvas das ruas, quando caminham, assim como os gondoleiros de Veneza, para não se entrechocarem; e os nobres ordenam-lhes jogar-se para onde bem

SOBRE VERSOS DE VIRGÍLIO

entenderem. Com isso, estes evitam essa ignomínia que consideram eterna; aqueles, uma morte certa. Nenhum lapso de tempo, nenhum favor de um príncipe, nenhum emprego ou virtude ou riqueza podem levar um plebeu a tornar-se nobre. Para isso, ajuda esse costume de os casamentos serem proibidos entre um ofício e outro. Uma mulher de família de sapateiros não pode desposar um carpinteiro, e os pais são obrigados a educar os filhos na ocupação dos pais, justamente, e não em outra: por aí se mantêm a distinção e a continuação de seus destinos. Um bom casamento, se é que existe, recusa a companhia e as condições do amor: tenta imitar as da amizade. É uma doce sociedade de vida, cheia de constância, de confiança, e de um número infinito de úteis e sólidos serviços e obrigações mútuas: nenhuma mulher que saboreia seu gosto

optato *quam junxit lumine taeda,*[*]
[aquela que a chama do casamento uniu com sua luz esperada,]

quereria fazer as vezes de amante do marido. Se está alojada em sua afeição como esposa, está alojada com muito mais honra e segurança. Ainda que ele se meta a apaixonado e obsequioso em outro lugar, que então lhe perguntem a quem preferiria ver acontecer uma vergonha, à sua mulher ou à sua amante, e de quem o afligiria mais o infortúnio, e a quem desejaria mais grandeza? São perguntas que não deixam nenhuma dúvida em um casamento sadio. O fato de vermos tão poucos bons é sinal de seu mérito e de seu valor. Sendo bem moldado e bem conduzido, não há elemento mais belo em nossa sociedade. Não podemos dispensá-lo e o vamos, porém, aviltando. Com ele acontece o que se vê nas gaiolas, os pássaros que estão fora se desesperam

* Catulo, LXIV, 79.

para entrar, e, com igual ânsia, os que estão dentro querem sair. Indagado sobre o que era mais conveniente, tomar ou não tomar mulher, Sócrates respondeu: "Qualquer dos dois que façamos nos arrependeremos". É um contrato a que se aplica muito bem o que se diz: *homo homini*, ou *Deus*, ou *lupus*. [O homem é para o homem um deus ou um lobo.]

É preciso a reunião de muitas qualidades para construí-lo. Atualmente ele é mais conveniente às almas simples e populares, para quem as delícias, a curiosidade e a ociosidade não o perturbam tanto. Os humores desregrados, como é o meu, que odeia qualquer tipo de ligação e obrigação, não são muito adaptados a ele.

*Et mihi dulce magis resoluto vivere collo.**
[E para mim é mais doce viver sem jugo no pescoço.]

Por meu propósito, eu teria fugido de desposar a sabedoria em pessoa se ela me quisesse. Mas, por mais que dissermos, o costume e o uso da vida em comum nos arrastam. A maioria de minhas ações guia-se pelo exemplo, não pela escolha. Todavia, não o escolhi propriamente: conduziram-me, e a ele fui levado por causas externas. Pois não são apenas as coisas incômodas que podem tornar-se aceitáveis em certas condições e circunstâncias: o mesmo acontece com as que são tão feias e viciosas e evitáveis, de tal forma é vã a situação humana. E a isso fui levado mais mal preparado, com certeza, e mais reticente do que sou agora, depois de tê-lo experimentado. E por mais licencioso que me considerem, na verdade observei mais severamente as leis do casamento do que prometera e esperara. Já não é hora de escoicear depois que nos deixamos pear. Há que preservar prudentemente a própria liberdade: mas depois que somos submetidos à obrigação, temos de nos manter sob

* Pseudo-Galo ou Maximiano, I, 61.

as leis do dever comum, ao menos nos esforçarmos para isso. Os que fecham esse acordo para depois se comportarem com ódio e desprezo agem injusta e prejudicialmente. E essa bonita regra que vejo passar de mão em mão entre as esposas, como um santo oráculo,

Sers ton mary comme ton maistre,
Et t'en garde comme d'un traistre:
[Serve teu marido como teu senhor, e dele desconfia como de um traidor:]

que significa dizer: "comporta-te com ele com uma reverência forçada, inimiga e desafiadora" (grito de guerra e de desafio) é igualmente injusta e difícil. Sou muito mole para desígnios tão espinhosos. Para falar a verdade, ainda não cheguei a essa perfeição de habilidade e galanteria espiritual que confunde a razão com a injustiça e põe em ridículo toda ordem e regra que não combinem com meu apetite: não é por odiar a superstição que me jogo incontinente na irreligião. Se nem sempre cumprimos nosso dever, pelo menos precisamos sempre reconhecê-lo e prezá-lo: é traição casar sem desposar. Vamos adiante. Nosso poeta nos mostra um casamento pleno de harmonia e boa convivência, no qual porém não há muita lealdade. Quis ele dizer que não é impossível entregar-se aos embates do amor e preservar, porém, certo dever com o casamento? E que seja possível feri-lo sem rompê-lo por completo? Um criado pode depenar seu amo sem no entanto detestá-lo. A beleza, a oportunidade, o destino (pois o destino também põe a mão nisso)

fatum est in partibus illis
Quas sinus abscondit: nam si tibi sidera cessent,
*Nil faciet longi mensura incognita nervi,**

* Juvenal, IX, 32.

[a fatalidade se liga a essas partes que as pregas das vestes dissimulam; se os astros na verdade te abandonam, de nada te servirá o tamanho avantajado e invisível de teu longo membro,]

uniram a esposa a um estranho: talvez não tão inteiramente que não lhe possa sobrar um laço que ainda a prenda a seu marido. São dois destinos cujos caminhos diferentes não se confundem: uma mulher pode entregar-se a tal personagem com quem jamais gostaria de ter se casado; não digo pelas condições de fortuna, mas por aquelas mesmas da pessoa. Poucos homens desposaram suas amantes sem que não tenham se arrependido. E até no outro mundo, que mau casamento faz Júpiter com a mulher que primeiramente frequentara e possuíra em namoricos! É, como se diz, evacuar no cesto para depois colocá-lo na cabeça. Vi em meu tempo, em certa família nobre, curar-se o amor vergonhosa e desonestamente pelo casamento: as considerações são bem diferentes. Amamos, sem que isso nos embarace, duas coisas diferentes e que se contrariam. Isócrates dizia que a cidade de Atenas nos agradava da mesma maneira que as damas que servem para o amor: todos gostavam de ir lá a passeio e ali passar seu tempo; ninguém a amava para desposá-la: isto é, para ali habitar, morar. Vi com desgosto maridos odiarem suas mulheres justamente porque se comportam mal com elas: quando nada, não devemos amá-las menos por causa de nosso erro; por arrependimento e compaixão, no mínimo, elas deveriam nos ser mais queridas. São finalidades diferentes, e no entanto, de certa forma, compatíveis, diz Isócrates. De seu lado, o casamento tem a utilidade, a justiça, a honra e a estabilidade: um prazer insípido, porém mais universal. O amor funda-se só no prazer: e esse prazer é na verdade mais excitante, mais vivo e mais agudo; um prazer atiçado pela dificuldade, que exige ferroadas e queimaduras: não é mais amor se for sem flechas e sem fogo. A condescendência das damas é profusa demais no casamento e embota a ponta da afeição e do desejo. Para fugir a esse inconveniente, vede o trabalho a que se deram Licurgo e Platão em suas leis. As mulheres não estão nada erradas quando recusam as regras de vida que se introduzem no mundo, porquanto foram os homens que as fizeram sem elas. Há, naturalmente, litígio e disputa entre elas e nós. O mais estreito entendimento que tivermos com elas ainda é tumultuado e tempestuoso. Na opinião de nosso autor, nós as tratamos sem consideração no seguinte: depois de termos reconhecido que elas são, sem comparação, mais sensíveis e ardentes nos feitos do amor, assim como atestou aquele sacerdote da Antiguidade, que fora ora homem ora mulher,[*]

> *Venus huic erat utraque nota;*[**]
> [Ele conhecera uma e outra Vênus;]

e, ademais, depois que soubemos por suas próprias bocas a prova que disso deram outrora, em séculos diferentes, um imperador e uma imperatriz de Roma,[***] mestres operários e famosos nessa matéria, ele deflorando numa noite dez virgens sármatas, suas cativas, mas ela realmente atendendo numa noite a 25 investidas, trocando de parceiro segundo sua necessidade e seu gosto,

> *adhuc ardens rigidae tentigine vulvae:*
> *Et lassata viris, nondum satiata recessit,*[****]
> [com a vulva tensa e queimando ainda de excitação, ela se retirou, cansada pelos amantes, mas não saciada,]

[*] Tirésias, que foi transformado em mulher, e depois voltou a ser homem.
[**] Ovídio, *Metamorfoses*, III, 323.
[***] Próculo, no século III, e Messalina, no século I.
[****] Juvenal, *Sátiras*, VI, 128.

e depois da desavença ocorrida na Catalunha entre uma mulher que se queixava dos esforços assíduos demais do marido (a meu ver, não tanto porque isso a incomodasse, pois só acredito em milagres da fé, mas para cercear, com esse pretexto, e mesmo refrear a autoridade dos maridos sobre suas mulheres até nesse aspecto fundamental do casamento; e para mostrar que as rixas entre eles e a maldade vão além do leito nupcial e espezinham as próprias graças e doçuras de Vênus), queixa à qual o marido, homem verdadeiramente brutal e desnaturado, respondia que mesmo nos dias de jejum não conseguiria fazer menos de dez, interveio esse notável decreto da rainha de Aragão, pelo qual, após madura deliberação do conselho, e a fim de estabelecer, para qualquer época, regras e exemplos da moderação e da modéstia requeridas num casamento correto, essa boa rainha ordenou como limites legítimos e necessários o número de seis por dia, abandonando muito da necessidade e do desejo de seu sexo, mas criando, dizia ela, uma norma fácil e por conseguinte permanente e imutável. Diante disso, exclamaram os doutores: "Quais devem ser o apetite e a concupiscência feminina para que a razão, o sentido moral e a virtude delas sejam medidas por esse número?", considerando os julgamentos diversos de nossos apetites, pois Sólon, chefe da escola jurídica, fixa em apenas três vezes por mês, para não falhar, essa frequentação conjugal. Depois de termos acreditado e pregado tudo isso (dizia eu), fomos impor às mulheres, particularmente, a continência sob pena de castigos supremos e extremos. Não há paixão mais premente do que esta, à qual queremos que só elas resistam, não simplesmente como a um vício corrente mas como à abominação e à execração, mais do que à irreligião e ao parricídio; e no entanto, nós nos entregamos a essa paixão sem culpa e recriminação. Mesmo aqueles entre nós que tentaram vencê-la confessaram quanta dificuldade, ou melhor, impossibi-

SOBRE VERSOS DE VIRGÍLIO   405

lidade havia nisso, quando se usam remédios materiais
para domar, enfraquecer e esfriar o corpo. Nós, ao contrário, as queremos saudáveis, vigorosas, bem-dispostas,
bem alimentadas, e castas para completar: isto é, tanto
quentes como frias. Pois o casamento, que dizemos ter a
função de impedi-las de arder, traz-lhes pouco refrigério
devido a nossos costumes. Se pegam um marido cujo vigor da idade ainda ferve, ele se vangloriará de espalhá-lo
em outros lugares:

Sit tandem pudor, aut eamus in jus,
Multis mentula millibus redempta,
*Non est haec tua, Basse, vendidisti.**
[Um pouco de pudor, enfim, ou iremos à justiça: esse
membro comprado por vários milhares de escudos não
é teu, Basso, vendeste-o.]

O filósofo Pólemon foi com toda a razão convocado perante a justiça por sua mulher porque andava semeando em
campo estéril o fruto devido ao campo genital. Se o marido
for desses inválidos, ei-las em pleno casamento em condição pior que as virgens e as viúvas. Nós as consideramos
como bem providas porque têm um homem perto de si: assim como os romanos consideraram violada a vestal Clódia
Laeta, que Calígula violentara, embora tenha se verificado
que ele apenas se aproximara. Mas, ao contrário, com isso
reforçamos a necessidade delas, porque o contato e a companhia de qualquer homem que seja lhes desperta o calor,
que ficaria mais temperado na solidão. E com essa finalidade Boleslau e sua mulher Kinge, reis da Polônia, fizeram de
comum acordo voto de castidade quando estavam deitados
lado a lado no próprio dia das núpcias e o mantiveram, nas
barbas das comodidades conjugais: essas circunstâncias e
considerações tornaram a castidade mais meritória, como

* Marcial, XII, XCVII, 10, 7 e 11.

é plausível. Educamos as mulheres desde a infância para os preparativos do amor: sua graça, seus adereços, seu saber, suas palavras, toda a instrução delas só tende a esse objetivo. Suas governantas não lhes inculcam outra coisa que não o rosto do amor, figurando-o continuamente, ainda que seja para enfastiá-las dele. Minha filha (é tudo quanto tenho de filhos) está na idade em que as leis autorizam as mais ardorosas a se casarem. Ela é franzina e indolente, por compleição é mais criança que sua idade e foi educada por sua mãe de acordo com esse temperamento, de modo isolado e privado, de tal forma que apenas começa a perder o acanhamento da ingenuidade da infância. Estava lendo diante de mim um livro em francês: ali se encontrava a palavra *fouteau*, nome de uma árvore conhecida:* a mulher que lhe serve de governanta interrompeu-a de chofre, um pouco brutalmente, e a fez pular aquele trecho embaraçoso. Deixei-a agir para não atrapalhar suas regras, pois não me envolvo de jeito nenhum nessa educação. A sociedade feminina tem um ritmo misterioso, deve-se deixá-lo com elas. Mas, se não me engano, o convívio com vinte lacaios durante seis meses não poderia ter marcado em sua imaginação a ideia e o emprego e todas as consequências do som daquelas sílabas celeradas, como o fez essa boa velha com sua reprimenda e proibição.

> *Motus doceri gaudet Ionicos*
> *Natura virgo, et frangitur artubus*
> *Jam nunc, et incestos amores*
> *De tenero meditatur ungui.***

---

* *Fouteau*, antigo nome popular da faia, evoca *foutre*, termo vulgar para "fazer amor". Segundo o *Dictionnaire etymologique de la langue française* (Paris, 1750), de Gilles Ménage, a palavra significava para parisienses e normandos uma "obscenidade", mas o autor não dá mais detalhes.

** Horácio, *Odes*, III, vi, 21.

[A virgem núbil tem prazer em aprender as danças jô-
nicas e nelas já requebra os membros; desde sua tenra
idade sonha com amores impudicos.]

Que elas dispensem um pouco a cerimônia, que se ponham a conversar livremente, e nós não passamos de
crianças nessa ciência, em comparação com elas. Ou-
çamo-las descrever nossos assédios e nossas conversas:
mostram-nos muito bem que não lhes oferecemos nada
que não saibam e tenham assimilado sem nós. Seria
isso que diz Platão, que outrora elas foram rapazes li-
bertinos? Um dia, meus ouvidos estavam num lugar
onde podiam extorquir, sem suspeita, cada uma das
conversas tidas por elas: o que não posso dizer! "Nossa Senhora", pensei, "agora vamos estudar frases de
Amadis e coletâneas de Boccaccio e Aretino para ban-
carmos os sabidos: realmente, estamos perdendo nosso
tempo." Não há palavra nem exemplo nem atitude que
não saibam melhor que nossos livros: é uma ciência
que lhes nasce nas veias,

Et mentem Venus ipsa dedit,[*]
[E a própria Vênus lhes deu esse espírito,]

que esses bons mestres-escolas que são a natureza, a juventude e a saúde lhes instilam constantemente na alma:
elas não têm por que aprendê-la: engendram-na.

Nec tantum niveo gavisa est ulla columbo,
        Compar, vel si quid dicitur improbius,
Oscula mordenti semper decerpere rostro:
        Quantum praecipue multivola est mulier.[**]

[*] Virgílio, *Geórgicas*, III, 267.
[**] Catulo, LXVIII b, 125-8.

408 MONTAIGNE — OS ENSAIOS

[E jamais a companheira enamorada do pombinho branco como neve ou qualquer outro pássaro mais lascivo sente tanto prazer em colher beijos com seu bico mordiscando do que uma mulher loucamente insaciável.]

Se não tivéssemos refreado um pouco essa violência natural de seu desejo, pelo temor e pela honra que lhes foram inculcadas, estaríamos difamados. Todo o movimento do mundo conduz e se reduz a esse acasalamento: é matéria infusa em toda parte: é um centro para o qual todas as coisas convergem. Ainda vemos ordenações da velha e sábia Roma feitas para o serviço do amor, e os preceitos de Sócrates para a instrução das cortesãs.

Necnon libelli Stoici inter sericos,
    *Jacere pulvillos amant.**
[Certos pequenos tratados estoicos gostam de ficar entre as almofadas de seda.]

Entre suas leis, Zenão regulamentava também o afastamento** e os espasmos do defloramento. Qual era o significado do livro do filósofo Estráton, *Sobre a conjunção carnal*? E do que tratava Teofrasto naqueles que intitulou, um *O amoroso*, o outro, *Sobre o amor*? De que tratava Aristipo no seu *Antigas delícias*? Que pretendem as descrições tão extensas e vivas em Platão sobre os amores de seu tempo? E o livro *Sobre o amoroso*, de Demétrio de Falero? E *Clínias*, ou *Namorado à força*, de Heráclides do Ponto? E, de Antístenes, *Sobre como gerar filhos*, ou *Sobre as bodas*? E o outro, *Sobre o mestre* ou *Sobre o amante*? E, de Aristo, *Sobre exercícios amorosos*? De Cleanto, um *Sobre o amor*, o outro, *Sobre a arte de amar*? Os *Diálogos amorosos*, de Esfero? E a *Fábula de Júpiter e Juno*, de Crísipo, insupor-

* Horácio, *Epodos*, VIII, 15.
** Das coxas.

SOBRE VERSOS DE VIRGÍLIO

tavelmente despudorada? E suas cinquenta *Epístolas* tão lascivas? Quero deixar de lado os escritos dos filósofos que seguiram a escola de Epicuro, protetora da volúpia. Cinquenta divindades estavam, no passado, destinadas ao serviço do amor. E houve nações onde, para adormecer a concupiscência dos que iam à devoção, mantinham-se nos templos raparigas para o prazer, e era um ato da cerimônia servir-se delas antes de ir ao ofício. *Nimirum propter continentiam incontinentia necessaria est, incendium ignibus extinguitur.** [Seguramente a incontinência é necessária à continência e o incêndio é extinto pelo fogo.] Quase no mundo todo esse membro do nosso corpo era deificado. Numa mesma região, uns o esfolavam para oferecer e consagrar um pedaço dele: outros ofereciam e consagravam o próprio sêmen. Em outra, os rapazes o transpassavam publicamente e o abriam em diversos pontos entre a carne e a pele, e por essas aberturas atravessavam espetos, os mais longos e grossos que conseguissem tolerar: e depois faziam fogo com esses espetos, para oferenda a seus deuses, e eram considerados pouco vigorosos e pouco castos se viessem a desmaiar pela violência dessa dor cruel. Em outro lugar, o magistrado mais sagrado era reverenciado e reconhecido por essas partes. E em várias cerimônias a efígie delas era carregada em pompa, em homenagem a diversas divindades. As senhoras egípcias, durante a festa das bacanais, traziam ao pescoço um membro de madeira, requintadamente talhado, grande e pesado, cada uma segundo sua força: além daquele que a estátua de seu deus apresentava e que ultrapassava em medida o resto do corpo. As mulheres casadas, aqui perto, formam com seus chapéus uma imagem dele sobre a testa, para se vangloriarem do júbilo que lhes proporciona: e quando ficam viúvas o jogam para trás e o escondem sob o penteado. As mais sábias matronas de

---

* Fonte desconhecida. Alusão ao culto prestado a Príapo na Índia, na Grécia e na Ásia Menor.

Roma sentiam-se honradas em oferecer flores e coroas ao deus Príapo. E faziam as virgens se sentar, no momento das núpcias, em suas partes menos pudicas. E eu mesmo não sei se ainda não vi em meus dias uma atitude de semelhante devoção. Que queria dizer aquela ridícula peça da calça de nossos pais, que ainda vemos nos nossos guardas suíços?* Para que serve a exibição que fazemos atualmente da forma de nossas partes íntimas, sob nossas ceroulas, e, o que é pior, quase sempre exagerando seu tamanho natural por falsificação e impostura? Dá-me vontade de crer que esse tipo de traje foi inventado em séculos melhores e mais conscienciosos para não tapear o mundo: para que cada um prestasse contas, em público, de sua situação. As nações mais simples ainda o adotam, mais compatível com a realidade. Naquela época, instruíam o artesão a respeito dessa ciência, como se faz com a medida do braço ou do pé. Aquele bom homem que na minha juventude mandou castrar tantas e belas estátuas antigas em sua grande cidade, para não corromper a visão, seguindo o conselho desse outro bom homem da Antiguidade,

> *Flagitii principium est nudare inter cives corpora,***
> [É o início da depravação expor corpos nus no meio da cidade,]

deveria ter desconfiado que, assim como nos mistérios da Boa Deusa*** toda aparência masculina era proibida, isso nada adiantaria se ele não mandasse também castrar tanto os cavalos como os burros, e a natureza enfim.

---

* Montaigne critica a moda das chamadas braguilhas de alçapão, de tecido bordado, aplicadas sobre as calças e conservadas no uniforme dos guardas suíços.
** Ênio, citado por Cícero, *Tusculanas*, IV, XXXIII, 70.
*** Divindade romana associada ao culto de Fauno.

SOBRE VERSOS DE VIRGÍLIO   411

Omne adeo genus in terris, hominumque ferarumque,
Et genus aequoreum, pecudes pictaeque volucres,
In furias ignemque ruunt.*
[Todas as espécies sobre a terra, homens e animais sel-
vagens, espécies marinhas, rebanhos e voláteis colori-
dos, se precipitam para os furores e os fogos do amor.]

Os deuses, diz Platão, forneceram-nos um membro deso-
bediente e tirânico: que, como um animal furioso, empreen-
de, pela violência de seu apetite, tudo submeter a si. Da
mesma forma, proveram as mulheres de um animal glutão
e ávido que, se lhe recusamos alimentos no momento adequado, enlouquece, impaciente com a demora; e soprando
sua fúria nos corpos delas, entope-lhes os condutos e interrompe a respiração, causando mil tipos de males: até que,
tendo provado o fruto da sede comum, lhes haja largamente regado e semeado o fundo do útero. Ora, meu legislador**
também devia perceber que é talvez uma atitude mais casta
e proveitosa fazê-las conhecer bastante cedo a realidade,
em vez de deixá-las adivinhar segundo a liberdade e o calor
de suas fantasias. Em lugar das partes verdadeiras, elas as
substituem, por desejo e esperança, por outras extravagantes e três vezes maiores. E alguém de meu conhecimento
perdeu-se por ter mostrado as suas num lugar onde ainda
não estava em condições de empregá-las em seu uso mais
sério. Que estrago não causam esses enormes desenhos que
os jovens andam espalhando pelos corredores e escadarias
das casas do reino?*** Daí lhes vem um cruel desprezo por
nossas capacidades naturais. Quem sabe se Platão não pensou nisso ao ordenar, a exemplo de outras repúblicas bem

* Virgílio, *Geórgicas*, III, 242.
** O "bom homem" citado acima, que mandou castrar as está-
tuas, provavelmente um papa contemporâneo de Montaigne.
*** Alusão aos grafites obscenos então gravados nas paredes
de pedra.

instituídas, que os homens, mulheres, velhos e moços se apresentem nus à vista uns dos outros em suas ginásticas? As índias, que veem os homens nus, pelo menos arrefeceram o sentido visual. As mulheres daquele grande reino de Pegu* só têm para se cobrirem, abaixo da cintura, um pano rasgado na frente, e tão estreito que, por mais que procurem uma cerimoniosa decência, a cada passo são inteiramente vistas. Elas dizem que é uma invenção feita com a finalidade de atrair os homens para si e afastá-los dos machos, ao que essa nação está totalmente entregue. Poder-se--ia dizer que nisso elas perdem mais do que ganham, e que uma fome completa é mais violenta do que a fome saciada ao menos com os olhos. Pois dizia Lívia que, para uma mulher honesta, um homem nu não é mais que uma estátua. As lacedemônias, mulheres mais virgens do que são nossas filhas, viam todo dia os rapazes de sua cidade despidos nos exercícios: pouco preocupadas, elas mesmas, em cobrir as coxas ao andar, e considerando-se, como diz Platão, cobertas o suficiente por sua virtude sem *vertugade*.** Mas aqueles de quem fala Santo Agostinho conferiram um fantástico poder de tentação à nudez, a ponto de pôr em dúvida se, no dia do juízo final, as mulheres ressuscitarão com o próprio sexo, e não com o nosso, para ainda não nos tentar naquela santa situação. Em suma, nós as atraímos e as excitamos por todos os meios: esquentamos e incitamos sua imaginação, sem parar, e depois nos queixamos do ventre! Admitamos a verdade, não há entre nós quem não receie

---

* Cidade hoje situada no Mianmar.
** Anquinhas postas em volta dos quadris, debaixo da saia, para deixá-la bufante. Vários reis tentaram acabar por decreto com essa moda vinda da Espanha, que permitia às prostitutas esconderem a gravidez. A palavra vem do espanhol *verdugado*, de *verdugo* (varetas que serviam para a estrutura das anquinhas). Montaigne parece derivar a palavra de *vertue-garde*, "guarda-virtude".

SOBRE VERSOS DE VIRGÍLIO 413

mais a vergonha que sente pelos vícios de sua mulher que pelos seus; quem não se preocupe mais (admirável caridade!) com a consciência de sua boa esposa que com a sua própria; que não preferisse ser ladrão e sacrílego, e que sua mulher fosse assassina e herege, a saber que ela não era mais casta que o marido. Iníqua avaliação dos vícios. Nós e elas somos capazes de mil corrupções mais prejudiciais e desnaturadas do que a lascívia. Mas praticamos e avaliamos os vícios, não segundo sua natureza e sim segundo nosso interesse. Por isso eles adotam tantas formas desiguais. A severidade de nossas leis torna a dedicação das mulheres a esse vício mais acerba e viciosa do que a própria natureza da lascividade, e isso leva a consequências piores que suas causas. E com muito gosto elas se ofereceriam para ir ao tribunal à procura de ganhos, ou à guerra pela reputação, em vez de ter, em meio à ociosidade e às delícias, de montar uma guarda tão difícil. Não veem que não existe mercador nem procurador, nem soldado que não deixe seu serviço para correr atrás desse outro serviço, e nem mesmo o carregador nem o remendão, por mais estafados e alquebrados que estejam de trabalho e de fome?

Num tu quae tenuit dives Achaemenes,
Aut pinguis Phrygiae Mygdonias opes,
Permutare velis crine Licinniae,
Plenas aut Arabum domos,

Dum fragrantia detorquet ad oscula
Cervicem, aut facili saevitia negat,
Quae poscente magis gaudeat eripi,
Interdum rapere occupet?[*]
[Desejarias, contra os tesouros do rico Aquêmenes, as riquezas de Mígdon, rei da fértil Frígia, ou contra os palácios opulentos da Arábia, ter um cabelo de Licínia no

---

[*] Horácio, *Odes*, II, XII, 21.

momento em que ela se debruça, oferecendo sua nuca a teus beijos perfumados, ou quando, com uma doce crueldade, te recusa esses beijos que lhe pedes, que ela deseja mais que ti deixar-se roubar, às vezes porém se antecipando a ti?]

Não sei se as façanhas de César e de Alexandre superam em dificuldade a resolução de uma bela mulher jovem criada à nossa maneira, à luz e em contato com o mundo, exposta a tantos exemplos contrários, mantendo-se íntegra em meio a mil assédios fortes e contínuos. Não há ação mais espinhosa nem mais ativa do que essa inação. E é o voto da virgindade o mais nobre de todos os votos, por ser o mais difícil. *Diaboli virtus in lumbis est*, [O poder do diabo está nos rins,] diz São Jerônimo. Certamente, o mais árduo e mais corajoso dos deveres humanos nós o deixamos para as mulheres, e a elas cedemos toda essa glória. Ele deve lhes servir como um singular incentivo para nisso se obstinarem: é uma bela oportunidade para nos desafiarem e espezinharem a vã preeminência em matéria de valor e virtude que pretendemos ter sobre elas. Se prestarem atenção, vão descobrir que serão não apenas muito estimadas mas também mais amadas: um cavalheiro não desiste de sua corte por ser recusado, desde que seja uma recusa motivada pela castidade e não por escolha de outro. Por mais que juremos e ameacemos e nos queixemos: mentimos, pois as amamos ainda mais por isso. Não há melhor isca do que a sensatez, quando não for brusca nem carrancuda. É estupidez e covardia obstinar-se diante do ódio e do desprezo. Mas quando é contra uma resolução virtuosa e constante, mesclada a uma vontade agradecida, isso é exercício de uma alma nobre e generosa. Elas podem, até certo ponto, mostrar agradecimento a nossos serviços e fazer-nos sentir honestamente que não nos desprezam. Pois essa lei que lhes ordena abominar-nos porque as adoramos e odiar-nos porque as amamos é decerto

SOBRE VERSOS DE VIRGÍLIO   415

cruel, quando nada pela dificuldade de cumpri-la. Por que
não ouvirão nossos oferecimentos e nossas demandas, na
medida em que se mantiverem nos limites do dever de reserva? Por que pressupor que dentro delas ressoa algum
significado mais livre? Uma rainha de nossa época dizia
habilmente que recusar essas abordagens é prova de fraqueza e reconhecimento da própria facilidade, e que uma
dama não tentada não podia gabar-se de sua castidade.
Os limites da honra não são traçados tão estreitos: há
como afrouxá-los, ela pode permitir-se certas iniciativas
sem se renegar. No extremo de sua fronteira há certo espaço livre, indiferente e neutro. Quem conseguir perseguir
e acuar essa honra à força até seu próprio canto dentro de
sua fortaleza será um homem estúpido se não se satisfizer
com sua sorte. Calcula-se o preço da vitória pela dificuldade. Quereis saber que impressão causaram no coração
dela vossa corte e vosso mérito? Podeis medi-lo por seu
comportamento. Uma mulher pode conceder muito quando concede pouco. A gratidão por uma bondade depende
inteiramente da vontade de quem a concedeu: as outras
circunstâncias que se referem a essa bondade são mudas,
mortas e fortuitas. A ela custa mais dar esse pouco do que
à sua amiga dar tudo. Se em alguma coisa a raridade serve
para a avaliação, deve ser nisto: não olheis quão pouco é,
mas quantos poucos o obtêm. O valor da moeda muda de
acordo com o cunho e a marca de origem. Apesar daquilo
que, por despeito e indiscrição, alguns homens são levados
a dizer no auge de seu descontentamento, a virtude e a
verdade sempre recuperam a vantagem. Vi mulheres, cuja
reputação fora por muito tempo injustamente manchada,
recuperarem a aprovação geral dos homens somente por
sua constância, sem esforço e sem artifício: cada um se
arrependendo e se retratando do que acreditara a seu respeito. Depois de terem sido moças um pouco suspeitas, eis
que ocupam o primeiro lugar entre as senhoras honradas.
Alguém dizia a Platão: "Todo mundo fala mal de vós".

"Deixai-os falar", respondeu, "viverei de modo a fazê-los mudar de linguagem." Além do temor a Deus e do prêmio por uma glória tão rara, que deve incitá-las a se preservarem, a corrupção deste século as força a isso. E se eu estivesse em seu lugar, não haveria nada que não fizesse antes de depositar minha reputação em mãos tão perigosas. No meu tempo, o prazer de contar seus amores (prazer que pouco fica a dever em doçura ao próprio prazer real) só era permitido àqueles que tinham um amigo fiel e único: atualmente as conversas correntes das reuniões e das mesas são as gabolices dos favores recebidos e das liberalidades secretas das damas. Verdadeiramente, é abjeção demais e baixeza de coração permitir assim cruelmente que essas doçuras meigas e dengosas sejam perseguidas, apertadas e machucadas por pessoas ingratas, indiscretas e tão volúveis. Nossa exasperação imoderada e ilegítima contra esse vício nasce da mais vã e tempestuosa doença que aflige as almas humanas, e que é o ciúme.

*Quis vetat apposito lumen de lumine sumi?**
[O que impede acender uma tocha na tocha vizinha?]
Dent licet assidue, nil tamen inde perit.**
[Por mais que elas deem sem cessar, a fonte porém não seca.]

Ele e a inveja, sua irmã, parecem-me os mais ineptos do grupo. Da inveja não posso falar muito: essa paixão, que tão forte e tão poderosa se pinta, não tem, pela graça que me concede, nenhuma influência sobre mim. Quanto ao outro, conheço-o, ao menos de vista. Os animais o sentem. Tendo o pastor Crátis se apaixonado por

---

* Ovídio, *De arte amandi*, III, 93.
** *Diversorum veterum poetarum in Priapum lusus*, Veneza, Alde, 1517, f° 3 v°; retomada por Ovídio, *De arte amandi*, III, 90.

SOBRE VERSOS DE VIRGÍLIO

uma cabra, o bode foi por ciúme bater a cabeça na dele
e a esmagou enquanto ele dormia. Temos aumentado
os transbordamentos dessa febre, a exemplo de certas
nações bárbaras. As mais disciplinadas têm sido por ela
afetadas, o que é normal, mas não foram arrebatadas.

Ense maritali nemo confossus adulter,
*Purpureo stygias sanguine tinxit aquas.**
[Trespassado pela espada de um marido, nenhum adúl-
tero avermelhou com seu sangue as águas do Estige.]

Lúculo, César, Pompeu, Antônio, Catão e outros grandes homens foram cornudos e o souberam, sem provocar
tumulto. Naquela época só houve um tolo como Lépido,
que morreu de angústia por isso.

Ah tum te miserum malique fati,
Quem attractis pedibus patente porta,
*Percurrent mugilesque raphanique.***
[Ah, desgraçado! Que triste sorte, quando agarrado pe-
los pés, a porta escancarada, penetrarão em ti tainhas
e rábanos.]

E quando o deus de nosso poeta*** flagrou com sua mulher
um de seus amigos, contentou-se em envergonhá-los:

atque aliquis de Diis non tristibus optat,
*Sic fieri turpis.****
[e um dos deuses, e não dos mais austeros, deseja semelhante desonra.]

---

* Jean Second, *Elegias*, I, VII, 71-2.
** Catulo, XV, 17-9; alusão ao suplício infligido ao homem fla-
grado em delito de adultério.
*** Vulcano é o deus, Virgílio é o poeta.
**** Ovídio, *Metamorfoses*, IV, 187.

E no entanto não deixa de se inflamar com as doces ca-
rícias que ela lhe oferece enquanto se queixa de que, só
por causa daquilo, começava a desconfiar de seu afeto:

> *Quid causas petis ex alto? fiducia cessit*
> *Quo tibi Diva mei?*[*]
> [Que vais procurar lá? Que foi feito, deusa, de tua con-
> fiança em mim?]

Ela até lhe faz um pedido para um bastardo seu,

> *Arma rogo genitrix nato,*[**]
> [Peço armas para meu filho, eu, sua mãe,]

que é liberalmente acatado. E Vulcano fala de Eneias
com orgulho:

> *Arma acri facienda viro.*[***]
> [Tenho de forjar armas para um herói valente.]

Com uma humanidade verdadeiramente mais que humana. E admito que devemos deixar para os deuses esse
excesso de bondade:

> *nec divis homines componier aequum est.*[****]
> [comparar os homens com os deuses não é muito justo.]

Quanto à confusão dos filhos, além de os mais sérios
legisladores a ordenarem e a desejarem em suas repúblicas, ela não afeta as mulheres, em quem o ciúme, não sei
como, está ainda mais enraizado.

---

[*] Virgílio, *Eneida*, VIII, 395.
[**] Virgílio, *Eneida*, VIII, 383.
[***] Virgílio, *Eneida*, VIII, 441.
[****] Catulo, LXVIII, 141.

SOBRE VERSOS DE VIRGÍLIO

> *Saepe etiam Juno maxima caelicolum*
> *Conjugis in culpa flagravit quottidiana.*[*]

[Com frequência, mesmo Juno, soberana dos céus, in-
flamou-se com as faltas cotidianas de seu esposo.]

Quando o ciúme apodera-se dessas pobres almas, fracas e sem resistência, causa dó ver como as atenaza
e tiraniza cruelmente. Insinua-se a pretexto de afeto:
mas depois que as possui, as mesmas causas que serviram de fundamento ao bem-querer servem de fundamento ao ódio mortal: das doenças do espírito, é
aquela a que mais coisas servem de alimento e menos
coisas de remédio. A virtude, a saúde, o mérito, a reputação do marido, são os lança-fogos de sua hostili-
dade e de sua raiva.

> *Nullae sunt inimicitiae nisi amoris acerbae.*^{**}

[Nenhum ódio é implacável senão no amor.]

Aliás, essa febre enfeia e estraga tudo o que elas têm de
belo e de bom. E de uma mulher ciumenta, por mais casta e caseira que seja, não há ato que não cheire a azedume e impertinência. Uma agitação furiosa joga-as num
extremo totalmente oposto à sua causa. Foi notável o
caso de um certo Otávio, em Roma: tendo dormido com
Pôncia Postúmia, aumentou seu amor pela fruição e pediu insistentemente para se casar; mas como não conseguiu convencê-la, esse amor extremo o precipitou no ato
da mais cruel e mortal inimizade: matou-a. Da mesma
forma, os sintomas correntes dessa outra doença amorosa são ódios intestinos, tramoias, conjurações:

---

* Catulo, LXVIII, 138.
** Propércio, II, III, 3.

notumque, furens quid foemina possit,[*]
[e sabe-se do que é capaz uma mulher em furor,]

e uma raiva ainda mais corrosiva por ser obrigada a desculpar-se sob o pretexto do bem-querer. Ora, o dever de castidade tem grande amplitude. Porventura é a vontade o que queremos que elas refreiem? É esse um elemento muito flexível e ativo. Tem muita presteza para que se consiga contê-la. Como, se os sonhos às vezes as arrastam tão longe que elas não podem contradizê-los? Não está no poder nelas, nem talvez na própria castidade, já que esta é algo feminino, defender-se das concupiscências e do desejo. Se só a vontade delas nos interessa, então como ficamos? Imaginai a profusão de tarefas de quem tivesse o privilégio de ser transportado por asas emplumadas, mas sem olhos para ver e sem língua para falar, no momento certo, para junto de cada uma que o aceitasse. As mulheres citas furavam os olhos de todos os seus escravos e prisioneiros de guerra para deles se servirem mais livremente e às escondidas. Oh, que imensa vantagem é o momento oportuno! Se me perguntassem qual é a primeira coisa no amor, eu responderia que é saber agarrar a ocasião; a segunda, a mesma coisa; e também a terceira. É o fator que pode tudo permitir. Amiúde tive falta de sorte, mas às vezes também de audácia. Deus preserve do mal quem puder escarnecer de mim por causa disso! Neste século precisa-se de mais ousadia, da qual nossos jovens se desculpam a pretexto de ardor. Mas se elas a olhassem de perto, achariam que mais se trata de desrespeito. Por escrúpulo, eu temia ofender: e de bom grado respeito o que amo. Além disso, em matéria de amor, quem o priva de reverência apaga-lhe o brilho. Gosto de agir nisso com certo jeito de criança, temeroso, serviçal. Se não o tenho totalmente no amor, tenho em

[*] Virgílio, *Eneida*, v, 6.

SOBRE VERSOS DE VIRGÍLIO 421

outros assuntos certos ares da tola vergonha de que fala
Plutarco: e o percurso de minha vida foi por ela atingido
e marcado de diversas maneiras. É uma qualidade bem
pouco em harmonia com meu temperamento geral. Que
somos nós, porém, senão sedição e discrepância? Tenho
os olhos sensíveis tanto para suportar uma recusa como
para recusar. E pesa-me tanto pesar a outros que, nas
ocasiões em que o dever me força a sondar a vontade de
alguém em coisa duvidosa e que lhe custe, o faço de leve
e a contragosto. Mas, se isso me diz respeito em particular (conquanto Homero diga que, na verdade, a vergonha
é uma tola virtude para um indigente), encarrego em geral um terceiro de enrubescer em meu lugar e com a mesma dificuldade me desvencilho dos que me solicitam: a
ponto de acontecer-me às vezes ter vontade de negar mas
não ter força para isso. Portanto, é loucura tentar frear
nas mulheres um desejo que lhes é tão candente e tão
natural. E quando as ouço se gabarem de ter sua vontade
tão virginal e tão fria, zombo delas: estão recuando longe demais. Se for uma velha desdentada e decrépita, ou
uma jovem seca e tísica, embora isso não seja totalmente
plausível elas têm, pelo menos, a aparência condizente.
Mas as que ainda se movem e respiram, estas pioram seu
caso, porque as desculpas inconsideradas mais servem de
acusação. Como aconteceu com um fidalgo meu vizinho,
que se desconfiava ser impotente:

Languidior tenera cui pendens sicula beta,
  *Nunquam se mediam sustulit ad tunicam,**
[Cujo bacamarte, pendendo mais flácido que uma acel-
ga mole, nunca se levantou no meio de sua túnica,]

e que três ou quatro dias depois de seu casamento foi
se justificar, muito atrevido, jurando que tinha montado

---

* Catulo, LXVII, 21-2.

na mulher vinte vezes na noite anterior, o que serviu depois para acusá-lo de absoluta ignorância e para anular seu casamento. Além disso, o que essas mulheres alegam de nada vale, pois não há continência nem virtude se não há esforço em sentido contrário. Devem dizer: "Essa tentação existe, mas não estou disposta a me entregar". Os próprios santos falam assim. Refiro-me às que se orgulham seriamente da própria frieza e insensibilidade, e que querem que se acredite nelas pela seriedade de seu rosto. Pois quando é um semblante afetado, em que os olhos desmentem as palavras, e quando é com o jargão de suas frases que dizem tudo a contrapelo, acho isso bom. Sou o servo obediente da ingenuidade e da franqueza, mas aí não há remédio: a menos que a candura seja totalmente inocente ou infantil, ela não combina com as damas e é pouco adequada a esse comércio, pois resvala incontinente para a impudência. Seus disfarces e trejeitos só enganam os tolos: a mentira aí ocupa lugar de honra, é um desvio que nos conduz à verdade por uma porta falsa. Se não podemos conter-lhes a imaginação, o que queremos das mulheres? Ações? Mas muitas das ações delas que corrompem a castidade escapam ao conhecimento dos outros.

*Illud saepe facit, quod sine teste facit.**
[Amiúde ela faz o que faz sem testemunha.]

E os atos que menos tememos são talvez os que mais devam ser temidos: os pecados mudos são os piores.

*Offendor moecha simpliciore minus.***
[Uma puta mais franca me choca menos.]

* Marcial, VII, LXI, 6.
** Marcial, VI, VII, 6.

Há ações que, sem impudicícia, podem fazê-las perder a pudicícia: e além do mais, sem o conhecimento das próprias mulheres. *Obstetrix virginis cujusdam integritatem manu velut explorans, sive malevolentia, sive inscitia, sive casu, dum inspicit, perdidit.* [Algumas vezes, uma parteira verificando com a mão a virgindade de uma moça deflorou-a durante o exame, por maldade, incompetência ou acidente.] Uma perdeu a virgindade por tê-la procurado: outra, brincando, rompeu-a. Não saberíamos circunscrever-lhes exatamente as ações que lhes proibimos. Temos de formular nossa lei em termos gerais e vagos. A própria ideia que fazemos sobre a castidade delas é ridícula: pois entre os exemplos extremos que tenho estão Fátua, mulher de Fauno, que depois das bodas nunca mais se deixou ver por nenhum varão; e a mulher de Hiéron, que não sentia o fedor do marido, considerando que fosse uma característica comum a todos os homens. Seria preciso que elas se tornassem insensíveis e invisíveis para nos satisfazer. Ora, admitamos que o nó do julgamento sobre esse dever reside principalmente na vontade. Houve maridos que sofreram esse infortúnio, não só sem reprimenda nem ofensa às esposas, mas com singular estima e reconhecimento pela virtude delas. Uma, que preferia a própria honra à sua vida, diante do desejo desenfreado de um inimigo mortal prostituiu-se para salvar a vida do marido, e fez por ele o que de maneira nenhuma faria por si. Aqui não é o lugar para nos estendermos nesses exemplos, que são muito elevados e muito ricos para ser apresentados neste capítulo: guardemo-los para lugar mais nobre. Mas como exemplos de brilho mais corrente, não há todos os dias mulheres entre nós que, só para ser úteis aos maridos, se emprestam a outros, e por ordem expressa e intermediação deles mesmos? E na Antiguidade, Fáulio de Argos ofereceu a sua ao rei Filipe

---

* Santo Agostinho, *Cidade de Deus*, I, xviii.

por ambição; assim como, por civilidade, o fez aquele Galba, que oferecera uma ceia a Mecenas: vendo que sua mulher e ele começavam a trocar olhares e sinais, deixou-se escorregar sobre sua almofada, simulando um homem prostrado pelo sono, para dar uma mãozinha aos amores deles. O que confessou de muito bom grado, pois a certa altura, quando um criado teve a ousadia de passar a mão nos vasos que estavam sobre a mesa, ele lhe gritou abertamente: "Como assim, patife? Não vês que só estou dormindo para Mecenas?". Certa mulher pode ter costumes levianos mas uma vontade mais rigorosa do que outra, que se comporta de um jeito mais regrado. Assim como vemos as que se queixam de se terem votado à castidade antes da idade da razão, outras também vi que se queixam, de verdade, de se terem votado à libertinagem antes da idade da razão. O vício dos pais é talvez a causa disso: ou a força da necessidade, que é uma dura conselheira. Nas Índias Orientais, sendo a castidade uma singular recomendação, o uso admitia, porém, que uma mulher casada pudesse entregar-se a quem lhe oferecesse um elefante: e isso, com certa glória por ter sido avaliada a tão alto preço. Fédon, o filósofo, homem de nobre família, depois da conquista de seu país de Élida, exerceu o ofício de prostituir a beleza de sua juventude, enquanto ela durou, a quem a quisesse, em troca de dinheiro para viver. E Sólon, dizem, foi o primeiro na Grécia que, em suas leis, deu liberdade às mulheres, à custa da própria pudicícia, para prover às necessidades de suas vidas: costume que Heródoto diz ter sido admitido antes dele, em vários Estados. E afinal, que fruto esperar dessa penosa inquietude do ciúme? Pois, por mais justificada que seja essa paixão, ainda seria preciso ver se ela nos arrasta de modo útil. Há alguém que pense ser esperto a ponto de trancar as mulheres a chave?

SOBRE VERSOS DE VIRGÍLIO   425

Pone seram, cohibe, sed quis custodiet ipsos
*Custodes? cauta est, et ab illis incipit uxor.**
[Põe uma tranca, aprisiona-a, mas quem vigiará teus
guardas? Tua mulher é esperta, começa por eles.]

Que ocasião não lhes é suficiente, num século tão engenhoso? A curiosidade é um vício por toda parte, mas aqui
ela é perniciosa. É loucura querer conhecer um mal para
o qual não existe remédio que não o piore e agrave, cuja
vergonha aumenta e torna-se pública pelo ciúme, e cuja
vingança fere mais nossos filhos do que nos cura. Vós defi-
nhais e morreis em busca de uma comprovação tão escondida. Quão lastimáveis ficaram os que em minha época a
conseguiram? Se o informante não apresenta ao mesmo
tempo o remédio e sua ajuda, a advertência é injuriosa e
ele mais merece uma punhalada do que um simples desmentido. Zomba-se igualmente daquele que é incapaz de
resolver o caso e daquele que o ignora. A marca da traição
é indelével: em quem uma vez é posta, permanece para
sempre. O castigo a expressa mais que o próprio erro. Bela
coisa é ver arrancar da sombra e da dúvida nossos infortúnios particulares para trombeteá-los em palcos trágicos!
E infortúnios que só ferem porque se fala deles! Pois diz-se
"boa mulher" e "bom casamento" não dos que o são, mas
daqueles dos quais não falamos. É preciso ser engenhoso
para esquivar esse conhecimento inútil e desagradável. E
os romanos tinham o costume, ao voltarem de viagem, de
enviar alguém na frente para que comunicasse às mulheres
sua chegada ao lar e não as surpreendessem. E por isso
certa nação introduziu o costume de que o sacerdote abra
a passagem da noiva no dia das bodas: a fim de tirar do
noivo a dúvida e a curiosidade de constatar, nessa primeira tentativa, se ela lhe chegou virgem ou já ferida por um
amor alheio. "Sim, mas as pessoas falam." Conheço cem

* Juvenal, VI, 347.

homens honestos traídos, mas honradamente e de forma pouco indecente. Lastimamos que um cavalheiro passe por isso mas não o desestimamos. Fazei que vossa virtude abafe vossa desgraça: que as pessoas de bem amaldiçoem quem a causou: que quem vos ofende estremeça só de pensar nisso. E afinal, de quem é que não se fala nesse sentido, desde o menor até o maior?

> *tot qui legionibus imperitavit,*
> *Et melior quam tu multis fuit, improbe, rebus.**
> [aquele que comandou tantas legiões e era superior a ti, patife, em muitos aspectos.]

Vês quantos homens honestos são envolvidos, em tua presença, nessa torpeza? Pensa que, em outros lugares, também não serás poupado. "Mas até as mulheres vão caçoar." E de que caçoam com mais gosto, atualmente, que de um casamento tranquilo e bem-composto? Cada um de vós já fez alguém cornudo: ora, a natureza é toda feita de alternâncias, compensações e vicissitudes. A frequência desse infortúnio deve, doravante, ter lhe moderado o gosto amargo: ei-lo em breve tornando-se um costume. Miserável paixão, que ainda tem o fato de ser incomunicável.

> *Fors etiam nostris invidit questibus aures.***
> [A própria sorte recusa ouvidos a nossas queixas.]

Pois a que amigo ousarias confiar tuas queixas? O qual, se delas não rir, não as aproveite como caminho e indicação para pegar ele mesmo parte do butim? As pessoas sábias mantêm secretas as agruras e doçuras do casamento. E para um homem falante como eu, entre as ou-

---

* Lucrécio, III, 1028 e 1026. Montaigne transformou o fim do verso 1028 juntando-lhe um verso de Horácio, *Sátiras*, I, VI, 4, que por sua vez era uma imitação de Lucrécio.
** Catulo, LXIV, 170.

tras desvantagens que existem no casamento, uma das principais é que o costume torna indecente e prejudicial que se comunique a alguém tudo o que se sabe e que se sente sobre isso. Seria tempo perdido dar o mesmo conselho às mulheres para desviá-las do ciúme: a natureza delas é tão impregnada de suspeita, frivolidade e curiosidade que não se deve esperar curá-las por vias normais. Costumam emendar-se desse inconveniente por uma forma de saúde bem mais temível que a própria doença. Pois assim como há feitiços que não sabem eliminar o mal senão jogando-o em outro, assim também elas jogam com muito gosto essa febre em seus maridos quando a perdem. Todavia, para falar a verdade não sei se é possível suportar algo pior do que o ciúme delas: é a mais perigosa de suas características, assim como é a cabeça em relação aos membros. Pítaco dizia que cada um tinha seu defeito: que o dele era a cabeça ruim de sua mulher: fora isso, ele se estimaria feliz em todos os pontos. É um inconveniente um tanto pesado, pelo qual uma personagem tão justa, tão sábia, tão valente, sentia estragada toda a sua vida: então, que devemos fazer, nós, pobres homenzinhos? O Senado de Marselha teve razão ao deferir o requerimento daquele que lhe pedia permissão para se matar a fim de livrar-se das fúrias da mulher: pois é um mal que jamais se suprime a não ser suprimindo o indivíduo, e que não tem outra solução válida além da fuga ou do sofrimento: ambas, embora, muito difíceis. Parece-me que foi um entendido quem disse que um bom casamento era feito entre uma mulher cega e um marido surdo. Cuidemos também para que essa grande e violenta severidade das obrigações que impomos a elas não produza dois efeitos contrários ao nosso objetivo: a saber, que isso aguce os pretendentes e torne as mulheres mais fáceis de se entregarem. Pois quanto ao primeiro ponto, elevando o preço do reduto elevamos o preço e o desejo da conquista. Não seria a própria Vênus quem teria assim habilmente elevado o preço de sua mercadoria por intermédio das leis, sabendo como é tolo esse prazer amoroso se não fosse valorizado pela fantasia e pela raridade? Afinal, "tudo é carne de porco, que o molho diversifica", como dizia o hospedeiro de Flamínio. Cupido é um deus traiçoeiro: faz seu jogo lutando contra a lealdade e a justiça: sua glória é que seu poder se choque com qualquer outro poder, e que todas as outras regras cedam às suas.

> *Materiam culpae prosequiturque suae.*[*]
> [Ele procura sem cessar matéria para seu pecado.]

E quanto ao segundo ponto: seríamos menos cornudos se tivéssemos menos medo de sê-lo, de acordo com o temperamento das mulheres, já que a proibição as incita e impele?

> *Ubi velis nolunt, ubi nolis volunt ultro:*[**]
> [Queres? Elas não querem. Não queres? Elas querem mais:]
> *Concessa pudet ire via.*[***]
> [Elas têm vergonha de seguir a estrada permitida.]

Que melhor interpretação encontraríamos para a história de Messalina? No início ela enganou o marido às escondidas, como se faz: mas dedicando-se às suas travessuras com demasiada facilidade, por causa da estupidez dele, desprezou de súbito esse modo de agir: ei-la fazendo amor às claras, reconhecendo seus amantes, sustentando-os e favorecendo-os à vista de todos. Queria que ele o sentisse. Como esse animal não conseguisse despertar para tudo isso, o que tor-

---

[*] Ovídio, *Tristia*, IV, I, 34.
[**] Terêncio, *Eunuco*, 813.
[***] Lucano, II, 446.

nava seus prazeres inexpressivos e insípidos devido a
essa facilidade tão indolente com que ele parecia auto-
rizá-los e legitimá-los, que fez ela? Mulher de um imperador saudável e vivo, num dia em que o marido estava fora da cidade, ela, em Roma, teatro do mundo,
numa festa e cerimônia pública, em pleno meio-dia,
casa-se com Sílio, de quem desde muito tempo desfru-
tava. Não parece que se encaminhava para tornar-se
casta, por desleixo do marido? Ou que procurava outro marido que lhe aguçasse o apetite por seu ciúme e
que, abraçando-a com força, a estimulasse? Mas a primeira dificuldade que encontrou foi também a última.
Aquele bruto acordou sobressaltado. Os piores negócios costumam ser com esses desastrados dorminho-
cos. Vi por experiência que essa tolerância extrema,
quando chega a estourar, produz as vinganças mais
ferozes: pois pegando fogo de repente, a cólera e o furor se concentram em um só e explodem todas as suas
munições na primeira investida;

> *irarumque omnes effundit habenas.*[*]
> [ele solta completamente as rédeas à sua cólera.]

Ele a mandou matar, e a grande número dos seus cúmplices: até um tal que não tivera escolha porque ela o
convidara para seu leito a chicotadas. O que Virgílio diz
de Vênus e de Vulcano, Lucrécio dissera mais apropriadamente de um prazer secreto entre ela e Marte.

> *belli fera moenera Mavors*
> *Armipotens regit, in gremium qui saepe tuum se*
> *Rejicit, aeterno devinctus vulnere amoris:*
> *Pascit amore avidos inhians in te Dea visus,*
> *Eque tuo pendet resupini spiritus ore:*

---

[*] Virgílio, *Eneida*, XII, 499.

Hunc tu Diva tuo recubantem corpore sancto
Circunfusa super, suaveis ex ore loquelas
*Funde.**

[Marte poderoso nas armas, que rege os cruéis trabalhos da guerra, costuma vir se refugiar sobre teu seio,
vencido pela eterna ferida do amor: ele sacia de amor
seus olhos ávidos fixados em ti, deusa, e deitado de bru-
ços, sua respiração fica suspensa de teus lábios; e tu, divina, deitada sobre ele, enlaça-o com teu corpo sagrado,
exala de tua boca doces gemidos.]

Quando rumino esses *rejicit, pascit, inhians, molli, fovet, medullas, labefacta, pendet, percurrit,* e essa nobre
circunfusa, mãe do gracioso *infusus,* sinto desprezo por
esses pequenos jogos de palavras e alusões verbais que
surgiram mais tarde. Aquela boa gente não precisava de
tiradas agudas e sutis: sua linguagem é densa e plena de
um vigor natural e constante: tudo aí é epigrama: não só
a cauda, mas também a cabeça, o peito e os pés. Não há
nada de forçado, nada que se arraste: tudo progride no
mesmo teor. *Contextus totus virilis est, non sunt circa
flosculos occupati.*** [Seu discurso é totalmente másculo,
eles não se divertiram com floreios.] Não é uma eloquência branda, sem nada que choque: é nervosa e sólida, que
não apenas agrada como enche e extasia: e mais extasia
os espíritos mais fortes. Quando vejo essas belas formas
de expressão, tão vivas, tão profundas, não digo que isso
é dizer bem, digo que é pensar bem. É o vigor da imaginação, que eleva e amplia as palavras. *Pectus est quod
disertum facit.**** [É o coração que torna eloquente.] Nossos contemporâneos chamam de "julgamento" o que é

* Lucrécio, I, 32-4 e 36-40.
** Sêneca, *Cartas a Lucílio,* XXXIII, I, a respeito dos grandes
da Antiguidade.
*** Quintiliano, X, VII, 15.

SOBRE VERSOS DE VIRGÍLIO   431

linguagem, e de "belas palavras" as riquezas do espírito.
Aquela pintura é feita não tanto por destreza da mão
como por terem o objeto mais vivamente marcado na
alma. Galo fala com simplicidade porque concebe com
simplicidade: Horácio não se contenta com uma expressão superficial, pois ela o trairia: vê mais claro e mais
fundo dentro das coisas: seu espírito arromba e esqua-
drinha todo o armazém das palavras e das figuras para
se exprimir, e exige que sejam além das correntes, assim
como sua concepção está além da corrente. Plutarco diz
que aprendeu a língua latina pelas coisas. Aqui é o mesmo: o sentido esclarece e apresenta as palavras: que não
são mais de vento, mas de carne e osso. Significam, mais
do que dizem. Mesmo os imbecis* também sentem alguma imagem disso. Pois na Itália eu dizia o que queria em
prosas comuns, mas nas conversas sérias não me atreve-
ria a confiar num idioma que eu não era capaz de manejar nem dominar fora de seu uso corrente. Quero poder
colocar algo de meu. O manejo e emprego da língua pelos belos espíritos lhe dão valor. Não tanto a inovando
como a enchendo de serventias mais vigorosas e mais
variadas, esticando-a e vergando-a. Eles não lhe fornecem palavras, mas enriquecem as próprias, reforçando e
aprofundando seu significado e seu uso: ensinam-lhe
movimentos inabituais, mas prudente e engenhosamente. E quão pouco isso é dado a todos, vê-se por tantos
escritores franceses de nosso século. São um tanto ousados e desdenhosos para não seguirem o caminho comum: mas a falta de invenção e de discernimento os perde. Nada se vê entre eles além de uma infeliz afetação de
estranheza, disfarces frios e absurdos, que em vez de elevar rebaixam a matéria. Contanto que se deleitem com a
novidade, pouco se lhes dá a eficácia: para empregar
uma palavra nova, largam a palavra corrente, quase

* Os que dominam mal uma língua.

sempre mais forte e mais nervosa. Em nossa língua encontro bastante pano, mas um pouco de falta de feitio. Pois não há nada que não se possa fazer com o jargão de nossas caçadas e de nossas guerras, que é um fértil terreno para empréstimos. E, assim como as plantas, as formas de falar melhoram e fortificam-se ao serem transplantadas. Acho nossa língua abundante o suficiente, mas não flexível e vigorosa o suficiente: em geral, sucumbe a um conceito poderoso. Se ficamos tensos, costumamos sentir que ela esmorece sob nós e cede: e que na sua falta o latim se apresenta em seu socorro, e o grego em socorro de outras. Temos mais dificuldade em perceber a força de algumas dessas palavras que acabo de escolher porque o uso e a frequência, de certa forma, aviltaram e vulgarizaram sua graça. Da mesma forma, em nossa linguagem comum se encontram frases excelentes e metáforas cuja beleza murchou de velhice e cuja cor desbotou por um manuseio muito corrente. Mas isso nada retira do gosto dos que têm bom faro: nem tira a glória desses autores antigos, que, como é plausível, foram os primeiros a dar brilho a essas palavras. As ciências tratam das coisas muito sutilmente, e de um modo muito artificial, diferente do comum e natural. Meu pajem faz amor e compreende o que faz. Leia-se para ele Leão Hebreu e Ficino: estão falando dele, do que pensa, de suas ações, mas disso ele nada entende. Não reconheço em Aristóteles a maioria de minhas ações correntes. Foram cobertas e revestidas por outra roupagem, para uso da escola. Deus permita que tenham feito bem: se eu fosse da profissão, naturalizaria a arte tanto quanto eles artificializam a natureza. E deixemos de lado Bembo e Equícola. Quando escrevo, dispenso a companhia e a lembrança dos livros: de medo de que interrompam meu pensamento. E também porque, na verdade, os bons autores me abatem demais e quebram meu ânimo. Recorro de bom grado ao truque daquele pintor que, tendo mise-

SOBRE VERSOS DE VIRGÍLIO

ravelmente representado uns galos, proibia seus aprendizes de deixarem entrar em seu ateliê qualquer galo natural. E para me dar um pouco de brilho eu mais precisaria da invenção do músico Antinônides,* que, quando devia tocar, dava ordem para que, antes ou depois dele, seu auditório fosse alimentado por alguns outros cantores ruins. Porém mais dificilmente consigo me desfazer de Plutarco: é tão universal e tão completo que em todas as ocasiões e em qualquer assunto extravagante que tenhamos escolhido ele se ingere em nosso trabalho e estende--nos a mão liberal e inesgotável de riquezas e embelezamentos. Irrita-me, por isso mesmo, que aqueles que o estão pilhando podem também me estar pilhando. Não consigo frequentá-lo, por pouco que seja, sem arrancar--lhe uma coxa ou uma asa. Para esse meu objetivo, também me vem muito a propósito escrever em minha casa, em minha terra selvagem onde ninguém me ajude nem me corrija: onde eu não frequente nenhum homem que entenda ao menos o latim de seu padre-nosso, e menos ainda o francês. Eu a teria feito melhor em outro lugar, mas a obra teria sido menos minha: e ser minha imagem exata é sua finalidade principal e sua perfeição. Eu corrigiria um erro acidental, e estou repleto deles, pois escrevo ao correr da pena, desatento, mas seria traição retirar as imperfeições que em mim são ordinárias e constantes. Quando me dizem ou eu mesmo me digo: "És demasiado opaco nas imagens; eis uma palavra que cheira a Gasconha; eis uma frase perigosa (não rejeito nenhuma das que se usam pelas ruas francesas: querer combater o uso pela gramática é uma pilhéria); eis um discurso ignorante; eis um discurso paradoxal; eis outro disparatado demais; gracejas muitas vezes, considerarão que falas a sério o que falas para rir", respondo: "Sim, mas corrijo os erros de inadvertência, não os habituais. Não é assim

---

* Também conhecido como Antigênidas.

que falo em qualquer lugar? Não me represento ao natural? Basta isso. Fiz o que quis: todo mundo me reconhece em meu livro, e meu livro em mim". Ora, tenho propensão a macaquear e imitar: quando me metia a fazer versos (e nunca os fiz exceto em latim), eles evidentemente traíam o poeta que eu acabara de ler por último: e de meus primeiros *Ensaios* alguns cheiram um pouco a algo alheio. Em Paris falo uma linguagem um tanto diferente da que falo em Montaigne. Quem quer que seja que eu observe com atenção me imprime facilmente algo de seu. Aquilo que observo, usurpo: uma atitude tola, uma careta desagradável, uma forma ridícula de falar. Os defeitos, mais: pois me instigam, agarram-se a mim, e só se vão se eu me sacudir. Mais vezes viram-me praguejar por imitação do que por temperamento. Imitação mortífera, como a dos macacos horríveis por seu tamanho e sua força, que o rei Alexandre encontrou em certa região das Índias. Teria sido difícil vencê-los de outro jeito. Mas eles forneceram os meios para isso pela tendência que tinham a arremedar tudo o que viam fazer. Pois assim os caçadores aprenderam a calçar, à vista deles, sapatos com muitos nós e laços; a se enfarpelarem com atavios de cabeça com nós corredios e a fingir que untavam os olhos com cola. Então, imprudentemente, a tendência macaqueadora liquidou com aqueles pobres animais. Eles mesmos se enviscavam, se emaranhavam e se garroteavam. A outra faculdade, de arremedar engenhosamente os gestos e palavras de outro, que costuma causar prazer e admiração, não existe em mim mais do que em um cepo. Quando juro de meu jeito, é apenas "por Deus", que é o mais correto de todos os juramentos. Conta-se que Sócrates jurava pelo cachorro; Zenão, com essa mesma interjeição que serve atualmente aos italianos: "*Cappari*";* Pitágoras, pela água e pelo ar. Sou

---

* Alcaparras, em latim.

SOBRE VERSOS DE VIRGÍLIO

tão inclinado a receber, sem pensar, essas impressões superficiais que se tive na boca três dias seguidos "*Sire*" ou "Alteza", oito dias depois eles me escapam, em vez de "Excelência" ou "Senhoria". E o que terei dito brincando ou debochando, amanhã direi a sério. Por isso, ao escrever acato mais a contragosto os assuntos batidos, por receio de tratá-los como outro já tratou. Todo assunto é para mim igualmente fértil. Tomo-os até de uma mosca. E queira Deus que este que tenho aqui em mãos não haja sido escolhido por ordem de uma vontade tão volúvel. Começo por aquele que me agradar, pois as matérias estão todas encadeadas umas nas outras. Mas meu espírito me descontenta por produzir em geral seus mais profundos, mais loucos devaneios, e que mais me agradam, de improviso e quando menos os procuro: assim, eles se desvanecem de repente, não tendo eu no momento onde anotá-los quando estou a cavalo, à mesa, na cama. Porém, mais a cavalo, quando se passam minhas conversas mais longas. Quando falo intensamente, tenho o discurso um pouco melindroso e cioso de atenção e silêncio. Quem me interrompe me emudece. Em viagem, a própria dificuldade dos caminhos corta as conversas. Além disso, no mais das vezes viajo sem companhia adequada a essas conversas continuadas, o que me permite ter todo o tempo para me entreter comigo mesmo. Acontece-me então como em meus sonhos: ao sonhar, confio-os à minha memória (pois costumo sonhar que estou sonhando), mas no dia seguinte recordo muito bem o colorido deles, se era alegre ou triste ou estranho; mas quanto ao resto, saber como eram, mais me esfalfo em encontrar e mais os afundo no esquecimento. Também das cogitações fortuitas que me vêm à fantasia só resta em minha memória uma vaga imagem: apenas quanto basta para me remoer e agastar-me ao procurá--los, em vão. Ora, pois, deixando de lado os livros e falando mais material e simplesmente: acho, afinal, que o amor não é outra coisa além da sede desse gozo num objeto desejado: nem Vênus é outra coisa além do prazer de descarregar os próprios vasos, assim como o prazer que nos dá a natureza de descarregar outras partes, e que se torna vicioso por imoderação ou falta de discrição. Para Sócrates, o amor é apetite de procriação por intermédio da beleza. E considerando muitas vezes a ridícula titilação desse prazer, os movimentos absurdos, estouvados e irrefletidos com que ele agita Zenão e Crátipo, essa fúria desmedida, esse rosto inflamado de furor e crueldade no mais doce ato do amor, e depois essa atitude grave, severa e extática num ato tão louco; e que tenham alojado juntas, misturadas, nossas delícias e nossas imundícies, e que a suprema volúpia tenha algo de agonia e gemidos, como a dor, creio que é verdade o que diz Platão, que o homem foi feito pelos deuses para ser seu joguete,

> *quaenam ista jocandi*
> *Saevitia!**
> [cruel maneira de se divertir!]

E que é por escárnio que a natureza nos deixou isso de que o mais comum de nossos atos é o mais perturbador; para, assim, igualar-nos e assimilar os loucos e os sensatos, nós e os animais. Quando imagino nessa postura o homem mais contemplativo e sábio, considero-o um farsante quando ele se faz de sábio e contemplativo: são as pernas do pavão que abatem seu orgulho;

> *ridentem dicere verum,*
> *Quid vetat?***
> [dizer a verdade, rindo, o que vos impede?]

* Claudiano, *Contra Eutropo*, I, 24-5.
** Horácio, *Sátiras*, I, 1, 24.

SOBRE VERSOS DE VIRGÍLIO

Disse alguém: aqueles que, em meio às distrações, recusam as opiniões sérias, fazem como quem teme adorar a estátua de um santo se ela estiver sem roupagens.
Comemos e bebemos como os animais: mas essas não
são atividades que impedem nossa alma de cumprir sua
função. Portanto, nessas mantemos nossa vantagem sobre eles. Mas aquela outra atividade põe qualquer outro
pensamento sob seu jugo: por sua imperiosa autoridade embrutece toda a teologia e bestializa toda a filosofia que há em Platão, que no entanto não se queixa.
Em qualquer outra circunstância podeis manter certa
decência: todas as outras atividades toleram regras de
decoro: esta não podemos sequer imaginar senão viciosa ou ridícula. Tente-se encontrar um jeito sensato e
discreto de fazê-la! Alexandre dizia que sabia ser mortal principalmente por esse ato, e por dormir: o sono
abafa e suprime as faculdades de nossa alma, o ato sexual as absorve e igualmente as dissipa. Sem dúvida,
é uma marca não só de nossa corrupção original mas
também de nossa inanidade e deformidade. De um lado,
a natureza incita-nos a isso, tendo ligado a tal desejo a
mais nobre, útil e agradável de todas as suas funções; e,
de outro lado, deixa-nos acusá-la e evitá-la como algo
indecente e desonesto, fazendo que nos envergonhemos
e recomendemos sua abstinência. Não somos um tanto brutos ao chamarmos de brutal ao ato que nos cria?
Os povos, nas suas religiões, têm coincidido em várias
tradições, como sacrifícios, círios, incensos, jejuns, oferendas: e, entre outras, na condenação desse ato. Todas
as opiniões convergem, além do uso tão difundido das
circuncisões. Temos talvez razão de nos criticarmos por
criarmos uma obra tão parva como o homem: de chamar de vergonhoso esse ato, e de vergonhosas as partes
que servem para isso (atualmente as minhas são propriamente vergonhosas). Os essênios de que fala Plínio
mantiveram-se por vários séculos sem ama de leite e

sem enfaixar os bebês:* graças à chegada dos estrangeiros que, seguindo essa bela atitude, se juntavam continuamente a eles; pois todo aquele povo arriscou-se a se exterminar em vez de envolver-se com um abraço de mulher, e a perder a linhagem dos homens em vez de engendrar um. Dizem que Zenão só teve relações com mulher uma vez na vida. E que foi por civilidade, para não parecer desprezar o sexo com muita obstinação. Todos evitam ver nascer um homem, todos acorrem para vê-lo morrer. Para destruí-lo, procuramos um campo espaçoso em plena luz; para construí-lo, escondemo-nos num canto escuro e o mais estreito possível. É dever esconder-se para fazê-lo, e é uma glória, da qual nascem várias virtudes, saber desfazê-lo. Num caso, é desonra, no outro, é favor: pois Aristóteles diz, segundo certa expressão de seu país, que "favorecer alguém" quer dizer "matá-lo". Os atenienses, para igualar o desfavor desses dois atos, ao terem de purificar a ilha de Delos e justificar-se perante Apolo, proibiram no recinto da ilha qualquer enterro e qualquer parto também. *Nostri nosmet poenitet.*** [Temos vergonha de nós mesmos.] Há nações em que as pessoas se escondem ao comer. Conheço uma senhora, e das maiores, que tem essa mesma opinião de que mastigar é um gesto desagradável: que rebaixa muito a graça e a beleza das mulheres: e não gosta de se apresentar em público com fome. E conheço um homem que não tolera ver os outros comerem nem que o vejam, e foge da presença deles muito mais quando se enche do que quando se esvazia. E no império do grão-turco se encontra grande número de homens que, para se mostrarem superiores aos outros, nunca se deixam ver quando fazem suas refeições; que só fazem uma por

---

* A seita judaica dos essênios, que vivia nos arredores do mar Morto, praticava uma vida austera e contrária ao casamento.
** Terêncio, *Fórmion*, 172.

semana; que se cortam e trincham o rosto; que nunca falam com ninguém. Pessoas fanáticas, que pensam honrar sua natureza desnaturando-se; que se prezam pelo próprio menosprezo e melhoram-se piorando-se. Que monstruoso animal que causa horror a si mesmo, que renega seus prazeres, que se considera um desgraçado! Há homens que dissimulam sua vida,

> *Exilioque domos et dulcia limina mutant,*[*]
> [E, exilados, abandonam o lar e a soleira que lhes é doce,]

e a escondem da vista dos outros homens: que evitam a saúde e a alegria como qualidades hostis e prejudiciais. Não só diversas seitas mas diversos povos amaldiçoam o nascimento e abençoam a morte. Há aqueles para quem o sol é abominado, as trevas, adoradas. Só somos engenhosos para nos maltratarmos: somos a verdadeira presa caçada pela força de nosso espírito, esse perigoso instrumento quando está desregulado.

> *O miseri! quorum gaudia crimen habent!*[**]
> [Ó infelizes! que de suas alegrias fazem um crime!]

Ei, pobre homem, tens suficientes dissabores necessários sem aumentá-los por tua invenção: e és bastante miserável por tua condição natural sem sê-lo por tua arte: tens feiuras reais e essenciais suficientes sem forjares outras, imaginárias! Achas que és muito feliz se a metade de tua felicidade não te contraria? Achas que cumpriste todas as tarefas necessárias que a natureza te propõe, e que ela esteja ociosa se não te impuseres novas obrigações? Não temas ofender suas leis uni-

---

[*] Virgílio, *Geórgicas*, ii, 511.
[**] Pseudo-Galo, i, 108.

versais e indubitáveis, e te agarres nas tuas, parciais e imaginárias: e quanto mais particulares, incertas e contraditórias elas sejam, mais tu lhes dedicas teus esforços. As regras positivas de tua invenção, as de tua paróquia, te prendem: as do mundo não te afetam. Percorre um pouco os exemplos dessas considerações: tua vida está cheia deles! Os versos desses dois poetas* tratando da lascívia com reserva e discrição, como fazem, parecem-me revelá-la e esclarecê-la mais de perto. As senhoras cobrem o seio com um véu, os padres, várias coisas sacras, os pintores sombreiam sua obra para dar-lhe mais brilho. E dizem que o efeito do sol e do vento é mais intenso quando refletido do que quando direto. A quem perguntava a um egípcio: "Que levas aí, escondido sob teu manto?", ele respondeu sensatamente: "Escondo-o sob meu manto a fim de que não saibas o que é". Mas há certas outras coisas que escondemos para mostrá-las. Escutai este agora, mais solto:

*Et nudam pressi corpus adusque meum.***
[E nua apertei-a contra meu corpo.]

Parece-me que ele me castra! Quando Marcial arregaça a roupa de Vênus a seu jeito, não consegue mostrá-la tão inteiramente. Quem diz tudo nos farta e nos enjoa. Quem se expressa com receio leva-nos a pensar em mais do que existe de fato. Há revelação nessa espécie de modéstia: e notadamente quando nos entreabrem, como fazem aqueles dois, um tão belo caminho para a imaginação: tanto o ato como sua descrição devem ser como que furtados. O amor dos espanhóis e dos italianos, mais respeitoso e temeroso, mais de dengos e disfarces, agrada-me. Não sei quem, antiga-

* Virgílio e Lucrécio, citados acima.
** Ovídio, *Amores*, I, v, 24.

mente, desejava ter a goela comprida como o pescoço de um grou para saborear mais tempo o que engolia. Esse desejo vem mais a calhar na volúpia rápida e apressada: até mesmo em naturezas como a minha, que tenham o defeito da precipitação. Para deter sua fuga e prolongá-lo em preâmbulos, entre eles tudo serve de favor e recompensa: uma olhadela, uma inclinação, uma palavra, um sinal. Não faria uma bela economia quem pudesse jantar só a fumaça do assado? É essa uma paixão que mescla bem pouca essência sólida com muito devaneio febril e vão: é preciso pagá-la e servi-la da mesma maneira. Ensinemos as mulheres a se valorizarem, a se estimarem, a nos divertir e a nos embair. Nós, franceses, fazemos nossa última investida primeiro: há sempre a impetuosidade francesa. Se elas vão tecendo seus favores, oferecendo-os a varejo, então cada um de nós, de acordo com seu valor e seu mérito, aí encontrará uma ponta de ourela onde se segurar, até sua velhice miserável. Quem só tem a fruição na fruição, quem só ganha se ganhar tudo, quem na caça só gosta da captura, não lhe cabe intrometer-se em nossa escola. Quanto mais escadas e degraus houver, mais altura e honra haverá no último assento. Deveríamos nos comprazer em ser levados a ele, como se faz nos palácios magníficos, por diversos pórticos e corredores, longas e agradáveis galerias e vários desvios. Esse escalonamento de favores aumentaria nosso prazer, nele nos deteríamos e amaríamos mais tempo: sem esperança e sem desejo não fazemos nada que valha. As mulheres têm infinitamente a temer nossa dominação e nossa posse integral: depois que se entregaram totalmente à mercê de nossa fé e de nossa constância estão um tanto em perigo: essas duas virtudes são raras e difíceis, e, no caso das mulheres, assim que são nossas já não somos mais delas.

442 MONTAIGNE — OS ENSAIOS

Postquam cupidae mentis satiata libido est,
*Verba nihil metuere, nihil perjuria curant.**
[Depois que é saciado o desejo de sua imaginação ávida,
eles não mais temem o efeito de suas palavras, pouco
lhes importam os perjúrios.]

E Trasônides, jovem grego, depois de conquistar o coração de uma amante ficou tão apaixonado pelo amor
que se recusou a possuí-la: para não amortecer, saciar
e enlanguescer pelo gozo aquele ardor inquieto de que
se glorificava e se nutria. O preço alto dá sabor à carne.
Vede como a forma das saudações, que é particular à
nossa sociedade, abastardiza por sua facilidade a graça
dos beijos, que Sócrates diz serem tão poderosos e perigosos para roubarem nossos corações. É um costume
desagradável e injurioso para as senhoras terem de emprestar seus lábios a qualquer um que tiver três lacaios
em seu séquito, por repugnante que seja,

Cujus livida naribus caninis,
Dependet glacies, rigetque barba:
*Centum occurrere malo culilingis.***
[Daquele que, de seu focinho de cão, pendem pedaços
de gelo esverdeados e cuja barba se eriça, prefiro cem
vezes lamber-lhe o cu.]

E nós mesmos nada ganhamos com isso: pois como o
mundo está assim repartido, para três belas cumpre
-nos beijar cinquenta feias, e para um estômago sensível, como são os de minha idade, um beijo ruim significa pagar caro demais por um bom. Na Itália, eles
cortejam e fazem-se de amantes enlevados até mesmo

* Catulo, LXIX, 147-8.
** Marcial, VII, XCV, 10-1 e 14. O texto de Marcial trazia no
último verso o termo *cunnilinguis*.

SOBRE VERSOS DE VIRGÍLIO   443

com aquelas que estão à venda, e desculpam-se dizendo que há graduações no prazer e que eles, mediante
seus serviços, querem obter para si o que for o mais
completo. Elas só vendem o corpo: a vontade não
pode ser posta à venda, é livre demais e só pertence
a si mesma. Assim, dizem eles que é a vontade que
conquistam, e têm razão. É a vontade que devemos
cortejar e convencer. Tenho horror a imaginar que
possa ser meu um corpo privado de afeto. E parece-
-me que essa loucura é análoga à do rapaz que foi po-
luir por amor a bela estátua de Vênus que Praxíteles
fizera; ou à daquele egípcio furioso, inflamado pelo
cadáver de uma morta que ele estava embalsamando
e amortalhando, e que motivou a lei feita depois no
Egito, pela qual os corpos das mulheres jovens e bonitas e daquelas de família nobre seriam guardados três
dias antes de passarem às mãos dos encarregados de
cuidar do enterro. Periandro agiu mais horrivelmente:
estendeu o amor conjugal (mais regrado e legítimo) ao
gozo com Melissa, sua mulher morta. E não parece ter
sido um capricho lunático da Lua, por não poder de
outra forma desfrutar de Endimião, seu favorito, fazê-
-lo adormecer por vários meses e alimentar-se com o
gozo de um rapaz que só se mexia em sonho? Da mesma maneira, digo que amamos um corpo sem alma
quando amamos um corpo sem seu consentimento
e sem seu desejo. Nem todos os gozos são iguais: há
gozos éticos e lânguidos. Mil outras razões além do
bem-querer podem conceder-nos esse favor das damas. Isso não é prova suficiente de afeição. Nisso pode
caber traição, como em qualquer coisa: às vezes elas só
chegam com a metade do traseiro;*

* De pé atrás.

*tanquam thura merumque parent:**
[como se elas preparassem o incenso e o vinho:]
*absentem marmoreamve putes.***
[pareceria ausente ou de mármore.]

Conheço umas que preferem emprestar aquilo a emprestar seu coche, e que só se comunicam dessa forma. É
preciso ver se vossa companhia agrada-lhes para mais
algum outro fim ou somente para aquele, como a de um
robusto cavalariço qualquer; saber em que nível e a que
preço sois estimado por ela,

tibi si datur uni
*Quo lapide illa diem candidiore notet.****
[se ela só se dá a ti, e com que pedra mais branca marca
esse dia.]

E que dizer então se ela come vosso pão com o molho de
um pensamento mais agradável?

*Te tenet, absentes alios suspirat amores.*****
[Ela te abraça mas seus suspiros vão para amores ausentes.]

Como? Não vimos em nossos dias alguém ter usado esse
ato para uma terrrível vingança, para assim envenenar e
matar uma mulher honesta?***** Os que conhecem a Itália
jamais acharão estranho se, para esse assunto, não pro-

---

* Marcial, XI, CIV, 12.
** Marcial, XI, LX, 8.
*** Catulo, LXVIII, 147.
**** Tibulo, I, VI, 35.
***** Pierre de Brantôme conta o caso de um nobre francês que
envenenou a mulher por seus órgãos genitais para se casar
com outra.

SOBRE VERSOS DE VIRGÍLIO   445

curo exemplos em outros lugares. Pois essa nação pode se
considerar a regente do mundo nesses assuntos. Eles têm
correntemente mais mulheres belas e menos mulheres
feias do que nós, mas quanto às belezas raras e extraordinárias, considero que estamos par a par. E considero o
mesmo quanto aos espíritos: dos de qualidade corrente
têm muito mais, é evidente. Lá, a estupidez é, sem comparação, mais rara, mas em almas singulares e do mais
alto nível, não lhes devemos nada. Se eu tivesse de prolongar esse paralelo, me pareceria poder dizer a respeito
da valentia que, ao contrário, ela é, em comparação com
eles, popular e natural entre nós, mas por vezes a vemos,
entre eles, tão plena e tão vigorosa que supera todos os
exemplos mais tenazes que temos. Os casamentos desse
país falham no seguinte: seus costumes fazem em geral
a lei tão dura para as mulheres e tão escravizante que
a mais remota relação com um estranho é considerada
tão grave quanto a mais íntima. Essa lei faz que todas
as abordagens se tornem necessariamente carnais: e já
que tudo para elas vem a dar no mesmo, podem escolher
com facilidade. E terão elas quebrado essas barreiras?
Pode-se acreditar em mim, elas pegam fogo: *Luxuria ip-
sis vinculis, sicut fera bestia, irritata, deinde emissa.*[*] [A
luxúria irritada pelos ferros é como uma fera que solta-
mos.] É preciso soltar-lhes um pouco as rédeas.

Vidi ego nuper equum contra sua frena tenacem
    Ore reluctanti fulminis ire modo.[**]
[Vi outrora um cavalo rebelde ao freio lançar-se, com a
boca rebelde, como um raio.]

Atenua-se o desejo de companhia dando-lhes certa liberdade. É um belo costume de nosso país que nossos filhos

* Tito Lívio, XXIV, IV.
** Ovídio, *Amores*, III, IV, 13-4.

sejam recebidos como pajens nas boas casas para aí serem criados e educados como em uma escola de nobreza. E dizem que é descortesia e injúria recusar-se um fidalgo. Observei (pois cada casa tem seus estilos e formas diferentes) que as senhoras que quiseram dar às donzelas de seu séquito as regras mais austeras não tiveram mais êxito. Nisso é preciso moderação. É preciso deixar boa parte de sua conduta à própria sensatez delas, pois assim não há disciplina que consiga refreá-las de todo. Mas é bem verdade que aquela que escapou, com os anéis salvos, de uma educação livre inspira bem mais confiança do que outra que saiu incólume de uma escola severa e semelhante a uma prisão. Nossos pais formavam o comportamento de suas filhas para a vergonha e o medo (os corações e os desejos sempre foram iguais), e nós, para a segurança: mas nada entendemos do assunto. Isso é coisa para as sármatas, que só têm direito de deitar com um homem se com as próprias mãos tiverem matado outro na guerra. Para mim, que nisso não tenho direitos senão o de ser ouvido, basta que elas me retenham como conselheiro, de acordo com o privilégio de minha idade. Aconselho-as então, e a nós também, a abstinência: mas se este século é grande inimigo dela, pelo menos que mostrem discrição e modéstia. Pois, como reza a história de Aristipo falando a rapazes que enrubesciam ao vê-lo entrar na casa de uma cortesã: "Vício não é entrar aqui, mas não sair daqui". Quem não quiser salvar sua consciência, que salve ao menos seu renome: se o fundo não vale muito, pelo menos que a aparência resista. Louvo a gradação e a demora com que elas dispensam seus favores. Platão mostra que em toda espécie de amor a facilidade e a presteza são proibidas aos jovens cortejados. Entregar-se assim por inteiro, de modo temerário e irrefletido, é sinal de gula, que elas devem encobrir com toda a sua arte. Comportando-se em suas concessões de forma ordenada e comedida, aguçam bem mais nosso desejo e escondem o seu. Que

SOBRE VERSOS DE VIRGÍLIO 447

fujam sempre diante de nós: refiro-me até mesmo àquelas
que pretendem se deixar apanhar. Elas nos vencem melhor fugindo, como os citas. Na verdade, segundo a lei
que a natureza lhes dá não lhes cabe propriamente querer
e desejar: seu papel é suportar, obedecer, consentir. É por
isso que a natureza lhes deu uma disponibilidade permanente; e a nós, rara e incerta. Para elas sempre é hora,
a fim de que estejam sempre prontas para a nossa: *Pati
natae*. [Nascidas para suportar.]

E enquanto a natureza quis que nossos apetites
fossem visíveis e proeminentes, fez que os delas fossem ocultos e internos. E muniu-as de partes impró-
prias à ostentação e simplesmente para a defensiva.
Devem ser deixados para a licenciosidade das amazonas os exemplos que se seguem. Passando Alexandre pela Hircânia, Talestris, rainha das amazonas, foi
encontrá-lo com trezentos soldados de seu sexo, bem
montados e bem armados, tendo deixado o restante
de um grande exército que a seguia para lá das montanhas vizinhas. E ela lhe disse bem alto e em público
que o rumor de suas vitórias e de seu valor a levara
até lá para vê-lo, oferecer-lhe seus meios e sua força
a serviço de suas empreitadas: e que, achando-o tão
belo, jovem e vigoroso, ela, que era perfeita em todas
as suas qualidades, o aconselhava a que deitassem juntos a fim de que da mais valente mulher do mundo e
do homem mais valente que então houvesse em vida
alguma coisa grande e rara nascesse para o futuro.
Alexandre agradeceu-lhe as propostas restantes: mas
para dar tempo à realização de seu último pedido,
deteve-se treze dias naquele lugar, festejando-os da
maneira mais alegre que pôde, em favor de tão corajosa princesa. Somos em quase tudo juízes iníquos das
ações das mulheres, como elas são das nossas. Confesso
igualmente a verdade quando me prejudica e quando me
serve. É um detestável desregramento que as leva com

tanta frequência às mudanças e as impede de firmar sua afeição em qualquer objeto que seja: como nos mostra essa deusa a quem se atribuem tantas mudanças e amantes.* Mas é verdade que é contra a natureza do amor não ser violento, e contra a natureza da violência ser constante. E os que se espantam e clamam contra isso, e nas mulheres procuram as causas dessa doença, considerando-a desnaturada e inacreditável, por que não veem quão frequentemente são atacados por ela, sem se apavorarem e sem achar que é milagre? Seria talvez mais estranho ver no amor a constância. Não é ele uma paixão simplesmente corporal. Se a avareza não tem fim, nem a ambição, tampouco tem fim a devassidão. Ela ainda vive depois da saciedade: e não é possível prescrever-lhe satisfação constante nem término: sempre vai além do que possui. E a inconstância delas é talvez um pouco mais perdoável que a nossa. Podem alegar, como nós, a tendência que nos é comum à variedade e à novidade. E alegar, em segundo lugar, que, à diferença de nós, compram gato por lebre. Joana, rainha de Nápoles, mandou estrangular Andreosso, seu primeiro marido, nas grades de sua janela com um laço de ouro e seda, tecido por suas próprias mãos: porque nos deveres matrimoniais não encontrava nele as partes nem os esforços que respondessem o suficiente à esperança que sentira ao ver seu tamanho, sua beleza, sua juventude e disposição, razão pela qual fora seduzida e enganada. Podem alegar que a ação demanda mais esforço que a passividade: assim, que da parte delas, ao menos, fornecem o necessário, mas que de nossa parte pode acontecer outra coisa. Por isso, Platão estabeleceu sabiamente em suas leis que antes de qualquer casamento, para decidir sobre sua oportunidade, os juízes vejam os rapazes pre-

* Vênus.

SOBRE VERSOS DE VIRGÍLIO 449

tendentes totalmente nus, e as moças, nuas só até a
cintura. Pondo-nos à prova, elas talvez não nos achem
dignos de sua escolha:

*experta latus madidoque simillima loro
Inguina, nec lassa stare coacta manu,
Deserit imbelles thalamos.*[*]
[depois de apalpar seu flanco e seu sexo muito parecido com couro molhado, cansada de não ter conseguido
erguê-lo com sua mão, ela abandona o leito nupcial,
sem combate.]

Não basta ter vontade para que tudo ande direito: pela
lei, a impotência e a inabilidade anulam um casamento:

*Et quaerendum aliunde foret nervosius illud,
Quod posset Zonam solvere virgineam.*[**]
[Seria preciso procurar em outro lugar algum objeto
mais membrudo que pudesse desatar o cinto virginal.]

Por que não, e de acordo com a expectativa feminina,
um comportamento amoroso mais licencioso e mais
ativo?

si blando nequeat superesse labori.[***]
[se ele não consegue executar essa doce tarefa.]

Mas não é grande impudência levar nossas imperfeições
e fraquezas a um lugar onde desejamos agradar e deixar
de nós boa estima e boa reputação? Para o pouco de que
preciso atualmente,

---

[*] Marcial, VII, LVII, 3.
[**] Catulo, LXVII, 27.
[***] Virgílio, *Geórgicas*, III, 127.

> *ad unum*
> *Mollis opus,*[*]
> [mole, mesmo para um só trabalho,]

não gostaria de importunar uma pessoa que devo reverenciar e temer.

> *Fuge suspicari,*
> *Cujus undenum trepidavit aetas*
> *Claudere lustrum.*[**]
> [Não desconfias daquele cuja idade se apressou em completar seu décimo primeiro lustro.]

A natureza devia contentar-se em ter tornado miserável essa idade, sem torná-la também ridícula. Detesto ver a velhice, por um pingo de mísero vigor que a esquenta três vezes por semana, apressar-se e armar-se com a mesma veemência como se tivesse no ventre uma grande e legítima proeza: verdadeiro fogo de palha. E admira-me que sua chama tão viva e impaciente, em um instante seja tão gravemente congelada e extinta. Esse apetite só deveria pertencer à flor de uma bela juventude. Só para ver, fiai-vos nisso para sustentar esse ardor incansável, pleno, constante e magnânimo que existe em vós: e vereis que ele vos deixará, realmente, bem no meio do caminho! Devolvei o ardor de preferência a alguma terna, assustada e ignorante juventude, que ainda trema diante da férula e que ainda enrubesça,

> *Indum sanguineo veluti violaverit ostro*
> *Si quis ebur, vel mista rubent ubi lilia, multa*
> *Alba rosa.*[***]

[*] Horácio, *Epodos*, XII, 15-6.
[**] Horácio, *Odes*, II, IV, 22.
[***] Virgílio, *Eneida*, XII, 67.

[Como se tivéssemos impregnado um marfim indiano de um púrpura sangrento ou que lírios brancos se avermelhassem mesclados a uma braçada de rosas.]

Quem conseguir, sem morrer de vergonha, enfrentar no dia seguinte o menosprezo daqueles lindos olhos, testemunhas de sua flacidez e de sua impotência,

Et taciti fecere tamen convitia vultus,*
[E seus olhares mudos estão porém carregados de censura,]

este jamais terá sentido a alegria e o orgulho de tê-los golpeado e embaçado pelo vigoroso exercício de uma noite bem ocupada e ativa. Quando vi uma mulher entediar-se comigo, não a acusei imediatamente de leviandade: fiquei na dúvida se não seria mais razoável acusar, de preferência, a natureza. Sem a menor dúvida, ela me tratou de modo descortês e ilegítimo,

Si non longa satis, si non bene mentula crassa:
Nimirum sapiunt videntque parvam
Matronae quoque mentulam illibenter,**
[Se meu sexo não é longo o bastante nem muito grosso: seguramente elas entendem disso, e veem com desprazer, as matronas também, um sexo pequeno,]

e causou-me um dano enorme. Cada uma de minhas partes é igualmente minha, como qualquer outra. E nenhuma outra me faz mais propriamente homem do que

---

* Ovídio, *Amores*, I, VII, 21.
** *Diversorum veterum poetarum in Priapum lusus*, Veneza, Alde, 1517, peça 72, 1, fº 15 vº; e peça 7, 4-5, fº 4 vº. Montaigne modificou o texto do primeiro verso, e inverteu o sentido dos dois seguintes.

esta. Devo dar ao público meu retrato completo. A sabedoria de minha lição está toda na verdade, na liberdade, na essência, desprezando, no rol de seus verdadeiros
deveres, essas pequenas regras falsas, usuais, provincia-
nas; ela é toda natural, constante, geral. Dela são filhas,
mas bastardas, a civilidade e a cerimônia. Venceremos
os vícios da aparência quando tivermos vencido os da
essência. Quando tivermos liquidado com estes, correre-
mos contra os outros, se acharmos que é preciso correr.
Pois há o perigo de inventarmos deveres novos para desculpar nossa negligência com os deveres naturais e para
criar confusão entre eles. Vê-se que é assim porque nos
lugares onde os erros são crimes os crimes são apenas
erros. E nas nações onde as leis das regras sociais são
mais raras e frouxas, as leis primitivas da razão comum
são mais bem observadas, pois a inumerável multidão
de tantos deveres sufoca nosso zelo, enfraquecendo-o e
dissipando-o. A atenção às coisas pequenas afasta-nos
das graves. Oh, como esses homens superficiais pegam
um caminho fácil e aprovado, comparado com o nosso! São sombras com que nos cobrimos e nos pagamos
mutuamente. Mas com elas não pagamos, ao contrário
agravamos nossa dívida com esse Grande Juiz que arregaça nossas fraldas e farrapos em torno de nossas partes
pudendas: e não hesita em ver-nos por inteiro, até nossas
imundícies mais íntimas e secretas: nosso pudor virginal
seria útil em sua decência se conseguisse proibi-lo de nos
descobrir. Afinal, quem liberasse o homem de uma superstição verbal tão escrupulosa não acarretaria grande
perda ao mundo. Nossa vida consiste parte em loucura,
parte em sensatez. Quem só escreve sobre ela com reverência e pelas regras deixa para trás mais da metade. Não me desculpo comigo mesmo: e se o fizesse, me
desculparia mais de minhas desculpas que de outro erro
meu. Peço desculpas a certos temperamentos, que estimo
mais numerosos do que os que estão do meu lado. Em

SOBRE VERSOS DE VIRGÍLIO   453

consideração a eles, direi ainda isto (pois desejo contentar a todos, coisa, porém, difícil, *esse unum hominem
accomodatum ad tantam morum ac sermonum et vo-
luntatum varietatem** [[desejo] ser um homem capaz de
se adaptar a uma variedade tão grande de costumes, de
discursos, de sentimentos]): que não devem censurar-me
pelo que faço dizerem os autores aceitos e aprovados há
vários séculos; e que não é justo que, por falta de rimas,
eles me recusem a liberdade de que gozam neste século
até mesmo homens eclesiásticos, dos nossos. Aqui estão
dois deles, e dos mais eminentes:

> *Rimula, dispeream, ni monogramma tua est.***
> [Que eu morra se tua fenda não for mais que uma
> linha estreita.]
> *Un vit d'amy la contente et bien traitte.*
> [Um pênis de amigo a contenta e a trata bem.]****

E que dizer de tantos outros? Gosto da modéstia, e não
foi por meu julgamento que escolhi esse modo de falar escandaloso: foi a natureza que o escolheu por mim.
Não o louvo, não mais que a todas as formas contrárias
ao uso consagrado: mas desculpo-o: e por circunstâncias tanto gerais como particulares atenuo sua condenação. Continuemos. Da mesma forma, de onde pode vir
essa autoridade soberana e usurpada que nos arroga-
mos sobre as mulheres que, à própria custa, nos garan-
tem seus favores?

* Quinto Cícero, *A petição do consulado*, XIV, 54.
** Théodore de Bèze, *Th. Bezae Vezelii Poemata*, s. l. s. d. [v.
1548; contrafação da edição original, Paris, C. Badius, 1548],
fº 54, epigrama "*Ad quandam*", 10.
*** Saint-Gelais, "Rondeau sur la dispute des vits par quatre
dames", *Oeuvres poétiques françaises*, organização de Do-
nald Stone, STFM, 1993, t. I, rondó 17, pp. 276-7.

Si furtiva dedit nigra munuscula nocte,[*]
[Se, numa noite negra, ela concedeu pequenos favores
furtivamente.]

A ponto de investirmos imediatamente os direitos,
a frieza e a autoridade de um marido? O amor é uma
convenção livre, por que não nos ligarmos a ele como
desejamos que elas o façam? Não há regras prescritas
para as coisas voluntárias. Isso é contra a praxe, mas a
verdade é que em meu tempo conduzi essa negociação,
tanto quanto sua natureza pode tolerar, tão consciencio-
samente como qualquer outra negociação, e com alguma
aparência de justiça: e que só manifestei a elas a afeição
que sentia; e mostrei-lhes com sinceridade sua decadência, seu vigor e seu nascimento, os acessos e as calma-
rias. Pois nisso não se anda sempre na mesma toada. Fui
tão avaro em prometer que penso ter mais cumprido do
que prometido ou devido. Elas encontraram fidelidade,
até mesmo a serviço de sua inconstância: refiro-me à inconstância confessa e às vezes múltipla. Nunca rompi
com elas enquanto estava preso, ainda que fosse pela
ponta de um fio. E nas poucas ocasiões que me deram
para isso, jamais rompi até o desprezo e o ódio. Pois tais
intimidades, mesmo quando adquiridas pelos conluios
mais vergonhosos, ainda me obrigam a certa benevolência. Por vezes demonstrei-lhes cólera e impaciência um
pouco exagerada, devido às suas artimanhas e esquivas.
Pois sou por temperamento sujeito a exaltações bruscas
que, embora sejam leves e curtas, costumam prejudicar
meus negócios. Se quiseram pôr à prova minha liberdade
de julgamento, não hesitei em dar-lhes opiniões paternais e mordazes nem em cutucá-las ali onde lhes doía.
Se deixei se queixarem de mim foi mais por terem achado meu amor, se comparado com a prática moderna,

[*] Catulo, LXVIII, 145.

tolamente consciencioso. Respeitei minha palavra em coisas de que facilmente teriam me dispensado. Nessa época, às vezes se entregavam, salvaguardando sua reputação, mediante cláusulas que facilmente tolerariam que o vencedor infringisse. Mais de uma vez, no interesse da honra delas, fiz ceder meu prazer quando ele estava no auge. E quando a razão me pressionava até as armei contra mim, de tal modo que se comportavam com mais segurança e severidade por minhas regras, às quais se remetiam sinceramente, do que o teriam feito por suas próprias. Tanto quanto pude assumi sozinho o risco de nossos encontros para desobrigá-las disso; e organizei nossas intrigas amorosas sempre pelo caminho mais difícil e mais inesperado, por ser o menos suspeito e também, em minha opinião, o mais prático. Muitos são descobertos principalmente pelos lugares que consideram os mais escondidos. As coisas menos temidas são as menos proibidas e as menos observadas. Podemos ousar mais facilmente aquilo que ninguém pensa que ousaremos, e que se torna fácil por sua dificuldade. Nunca um homem teve como eu suas abordagens mais impertinentemente genitais. Esse modo de amar é mais consoante às boas regras. Mas quanto é ridículo e pouco eficaz para os nossos contemporâneos, quem o sabe melhor que eu? Todavia, não me virá o arrependimento. Nada mais tenho a perder,

> *me tabula sacer*
> *Votiva paries, indicat uvida,*
> *Suspendisse potenti*
> *Vestimenta maris Deo.*[*]

[o quadro votivo que suspendi na parede do templo mostra que fiz oferenda ao poderoso deus do mar de minhas roupas ainda molhadas.]

---

[*] Horácio, *Odes*, I, v, 13.

Chegou a hora de falar sobre isso abertamente. Mas assim como a um outro eu talvez dissesse: "Meu amigo, estás sonhando, o amor no teu tempo tem pouco comércio com a lealdade e a honestidade",

> *haec si tu postules*
> *Ratione certa facere, nihilo plus agas,*
> *Quam si des operam, ut cum ratione insanias:**
> [se pretendesses sobmeter tudo isso à regra da razão, seria exatamente como se te esforçasses para delirar racionalmente:]

assim, ao contrário, se me coubesse recomeçar seria sem dúvida da mesma maneira e no mesmo ritmo, por infrutífero que me pudesse ser. A incapacidade e a tolice são louváveis numa atividade não louvável. Quanto mais me afasto dos humores dos outros, mais me aproximo do meu. Aliás, nesse negócio eu não me deixava levar por completo, deliciava-me mas não esquecia de mim mesmo, conservava intacto esse pouco de discernimento e de julgamento que a natureza me deu, para o serviço delas e para o meu: um pouco de emoção mas nada de loucura. Minha consciência também se envolvia até a libertinagem e a devassidão, mas não até a ingratidão, a traição, a maldade e a crueldade. Eu não comprava por qualquer preço o prazer desse vício: e contentava-me com seu custo próprio e simples. *Nullum intra se vitium est.*** [Nenhum vício é fechado em si mesmo.] Detesto quase na mesma medida uma ociosidade estagnada e sonolenta e uma azáfama espinhosa e cansativa. Esta me atazana, a outra me entorpece. E gosto tanto dos ferimentos como das contusões, e dos golpes cortantes como dos que não rasgam a pele. Nesse mercado encontrei, quando ele me

---

* Terêncio, *Eunuco*, 61-3.
** Sêneca, *Cartas a Lucílio*, xcv, 33.

SOBRE VERSOS DE VIRGÍLIO   457

era mais propício, uma justa moderação entre esses dois
extremos. O amor é uma agitação esperta, viva e alegre.
Não me deixava perturbado nem aflito, mas inflamado e
também alterado; é preciso parar aí: ele só é nocivo para
os loucos. Um jovem perguntava ao filósofo Panécio se
ficaria bem para o sábio estar apaixonado: "Deixemos
de lado o sábio", ele respondeu, "mas tu e eu, que não
o estamos, não nos envolvamos em coisa tão tumultuada e violenta, que nos escraviza aos outros e nos torna
desprezíveis para nós mesmos". Dizia a verdade: não se
deve confiar coisa em si tão impetuosa a uma alma que
não tenha como resistir às investidas e como refutar em
atos a palavra de Agesilau, de que "o siso e o amor não
podem andar juntos". É uma vã ocupação, é verdade,
indecente, vergonhosa e ilegítima. Mas conduzida desse
jeito considero-a saudável, própria a desentorpecer um
espírito e um corpo pesados. E como médico eu a recei-
taria a um homem de meu temperamento e condição,
com tanto gosto quanto qualquer outro remédio: para
despertá-lo e mantê-lo forte bem avançado nos anos e
retardar os efeitos da velhice. Enquanto ainda estamos
só nas suas redondezas, enquanto o pulso ainda bate,

> *Dum nova canities, dum prima et recta senectus,*
> *Dum superest Lachesi quod torqueat, Et pedibus me*
> *Porto meis, nullo dextram subeunte bacillo,*[*]
> [Enquanto meus cabelos apenas estão grisalhos, enquan-
> to ainda ereto começo minha velhice, enquanto ainda
> resta o que fiar a Láquesis e me aguento sobre minhas
> pernas, sem a ajuda de nenhum cajado na mão direita,]

precisamos ser solicitados e estimulados por certa agitação mordicante como é essa. Vede o quanto ela restituiu
de juventude, vigor e alegria ao sábio Anacreonte. E Só-

---

* Juvenal, *Sátiras*, III, 26.

crates, mais velho que eu, falando de um objeto amoroso, dizia: "Tendo apoiado meu ombro contra o seu, e aproximado da sua a minha cabeça, quando líamos juntos um livro senti de repente, sem mentir, uma picada no ombro, como de alguma mordida de bicho; e durante mais de cinco dias ela me formigou derramando-me no coração uma coceira contínua". Um toque tão fortuito, e no ombro, foi aquecer e alterar uma alma esfriada e enfraquecida pela idade, e, de todas as humanas, a primeira em reformação.* Por que não? Sócrates era homem e não queria ser nem parecer outra coisa. A filosofia não luta contra os prazeres naturais, desde que acompanhados pelo comedimento: e prega sua moderação, não seu abandono. Seu poder de resistência aplica-se contra os prazeres bastardos e estranhos à natureza. Ela diz que os apetites do corpo não devem ser ampliados pelo espírito. E adverte-nos habilmente para não querermos despertar nossa fome pela saciedade, não querermos nos empanturrar em vez de matar a fome; para evitarmos qualquer gozo que nos faça sentir sua escassez, e qualquer comida e bebida que nos traga sede ou fome. Da mesma forma, para o serviço do amor ela nos ordena pegar um objeto que simplesmente satisfaça a necessidade do corpo, que não perturbe muito a alma, a qual não deve levar isso em conta, mas seguir e auxiliar o corpo. Porém, acaso não tenho razão de julgar que esses preceitos, a meu ver, aliás, um tanto rigorosos, se referem a um corpo capaz de fazer seu trabalho: e que é desculpável para um corpo prostrado, como para um estômago deteriorado, aquecê-lo e sustentá-lo por um artifício e por intermédio da fantasia, fazê-lo recuperar o apetite e a alegria, já que por si mesmo ele os perdeu? Acaso não podemos dizer que enquanto estamos nesta prisão terrestre não há nada

---

* Sócrates teria nascido, como contou ao fisionimista Zopiro, com uma "forma" (alma) viciosa e inferior, mas a "reformou".

em nós puramente corporal nem espiritual, e que separar os dois é injustamente desmembrar um homem vivo, e que parece haver razão em nos comportarmos diante do prazer de modo tão favorável, pelo menos, como o fazemos diante da dor? A dor violenta até a perfeição, pela penitência, na alma dos santos (por exemplo). O corpo participava naturalmente disso, pelo direito de sua aliança com a alma, e podia, porém, estar pouco em causa; os santos não se contentaram em vê-lo simplesmente acompanhar e assistir a alma maltratada. Eles mesmos o maltrataram com castigos atrozes e apropriados, a fim de que, alma e corpo à porfia, mergulhassem o homem na dor, tanto mais salutar quanto mais dura. No caso dos prazeres corporais, não será injustiça esfriar a alma e só arrastá-la como para alguma obrigação, uma necessidade imposta e servil? Mais cabe a ela incubá-los e aquecê-los, oferecer-se a eles e apresentar-se: cabendo-lhe a tarefa de dirigi-los. Como também, a meu ver, incumbe-lhe, nos prazeres que lhe são próprios, insuflá-los e infundir no corpo todas as sensações inerentes à sua condição e esforçar-se para que lhe sejam doces e salutares. Pois é muito justo, como dizem, que o corpo não obedeça a seus apetites em prejuízo do espírito. Mas por que não será igualmente justo que o espírito não obedeça aos seus em prejuízo do corpo? Não tenho outra paixão que me mantenha na expectativa. O que a cupidez, a ambição, as contendas, os processos fazem com outros que, como eu, não têm ocupação determinada o amor faria mais agradavelmente. Devolver-me-iam a vigilância, a sobriedade, a graça, o cuidado com minha pessoa: fortaleceriam meu comportamento para que as caretas da velhice, essas caretas disformes e lastimáveis, não fossem estragá-lo. Pôr-me-iam de novo nos estudos saudáveis e sábios, pelos quais eu poderia me tornar mais estimado e mais querido, tirando de meu espírito o desespero de si próprio e de sua utilidade, e devolvendo-o a si mesmo. Desviar-me-iam de mil pensamentos tediosos, de mil tristezas melancólicas com que a ociosidade e o mau estado de nossa saúde nos prostram em tal idade. Reaqueceriam, pelo menos em sonho, esse sangue que a natureza abandona; sustentariam o queixo e prolongariam um pouco os nervos, e o vigor e a alegria da vida deste pobre homem que vai a toda a caminho da ruína. Mas compreendo que o amor é uma vantagem muito difícil de recuperar. Por fraqueza e longa experiência, nosso gosto tornou-se mais delicado e mais caprichoso. Pedimos mais quando menos oferecemos. Queremos escolher mais quando menos merecemos ser aceitos. Sabendo como somos, tornamo-nos menos ousados e mais desconfiados: nada pode nos garantir que seremos amados, tendo em vista nossa condição e a delas. Tenho vergonha de me encontrar entre essa viçosa e fervilhante juventude,

Cujus in indomito constantior inguine nervus,
   Quam nova collibus arbor inhaeret.*
[Cujo membro está mais solidamente implantado na sua virilha indomada do que uma árvore nova nas colinas.]

Por que iríamos expor nossa miséria no meio dessa alegria?

Possint ut juvenes visere fervidi
   Multo non sine risu,
Dilapsam in cineres facem.**
[Para que a fervilhante juventude possa ver com grandes risadas nossa tocha reduzida a cinzas.]

Eles têm a seu favor a força e a razão: cedamos lugar a eles; não temos mais como resistir. E esse germe de bele-

* Horácio, *Epodos*, XII, 19.
** Horácio, *Odes*, IV, XIII, 26.

SOBRE VERSOS DE VIRGÍLIO

za nascente não se deixa manipular por mãos tão entor-
pecidas nem se seduz por motivos meramente materiais.
Pois, como respondeu aquele filósofo antigo a quem dele
debochava por não ter sabido conquistar as boas graças
de uma mocinha a quem perseguia: "Meu amigo, o anzol
não morde queijo tão fresco". Ora, o amor é um comércio
que precisa de relação e reciprocidade. Os outros prazeres
que recebemos podem ser agradecidos com recompensas
de natureza diversa: mas este só se paga com a mesma espécie de moeda. Na verdade, nesse divertimento o prazer
que provoco estimula mais docemente minha imaginação
do que o prazer que me dão. Ora, nada tem de generoso um homem que pode receber prazer quando não dá:
é uma alma vil aquela que quer ser devedora em tudo e
que se deleita em alimentar relações com pessoas para as
quais é uma carga. Não há beleza, nem graça, nem intimidade tão preciosa que um cavalheiro deva desejar a
esse preço. Se elas só nos podem fazer bem por piedade,
prefiro não viver a viver de esmola. Gostaria de ter o direito de pedir-lhes isso, no estilo em que vi esmolarem na
Itália: *Fate ben per voi*, [Fazei o bem por vós mesmos,]
ou do jeito como Ciro exortava seus soldados: "Quem
me amar me siga". Juntai-vos, me dirão, com as de vossa
condição,* que um mesmo destino vos tornará as mulheres mais fáceis. Oh, que tola e insípida combinação!

Nolo
*Barbam vellere mortuo leoni.***
[Não pretendo arrancar a barba de um leão morto.]

A objeção e a acusação que Xenofonte faz contra Menon
são o fato de em seus amores ele ter lidado com mulheres
passadas da flor da idade. Encontro mais prazer em ver

* As mulheres da mesma idade.
** Marcial, X, XC, 9-10.

apenas a justa e doce união de duas jovens belezas, ou em somente imaginá-la pela fantasia, que em tornar-me eu mesmo a segunda pessoa numa união triste e disforme. Deixo esse apetite fantástico ao imperador Galba, que só era dado às carnes duras e envelhecidas. E a esse pobre miserável,

> O ego di faciant talem te cernere possim,
>   Charaque mutatis oscula ferre comis,
> Amplectique meis corpus non pingue lacertis!*
> [Oh, permitam os deuses que eu te possa ver assim, beijar ternamente teus cabelos grisalhos e estreitar em meus braços teu corpo emagrecido!]

E entre as piores feiuras, conto as belezas artificiais e forçadas. Êmones, jovem de Quíos, pensando adquirir por belos atavios a beleza que a natureza lhe recusava, apresentou-se ao filósofo Arcesilau e perguntou-lhe se um sábio poderia ficar apaixonado. "Sim", respondeu o outro, "contanto que não seja de uma beleza enfeitada e sofisticada como a tua." A feiura de uma velhice confessa é menos velha e menos feia, a meu ver, do que outra pintada e bem polida. Direi isso, contanto que não me agarrem pelo pescoço? O amor não me parece própria e naturalmente em seu tempo a não ser numa idade próxima da infância:

> Quem si puellarum insereres choro,
> Mille sagaces falleret hospites,
>   Discrimen obscurum, solutis
>   Crinibus, ambiguoque vultu.**
> [Quem, misturado a um coro de moças, eliminando qualquer diferença com seus cabelos soltos e seus traços delicados, enganaria mil anfitriões sutis.]

* Ovídio, Pônticas, I, IV, 49.
** Horácio, Odes, II, V, 21.

SOBRE VERSOS DE VIRGÍLIO   463

E tampouco a beleza. Pois se Homero a prorroga até que o queixo comece a sombrear-se, o próprio Platão observou que é flor rara. E é notória a causa pela qual o sofista Díon chamava os pelos esparsos da adolescência de aristogitonos e harmodianos.* Na virilidade acho que o amor já está fora do lugar, e não falemos na velhice.

> *Importunus enim transvolat aridas*
> *Quercus.***
> [Intratável, de fato, ele afasta seu voo dos carvalhos sem seiva.]

E Margarida, rainha de Navarra, sendo mulher, prolonga muito além a vantagem das mulheres, prescrevendo que aos trinta anos é tempo de trocarem o título de "belas" pelo de "boas". Quanto mais curta a posse que dermos a Cupido em nossas vidas, mais valeremos. Vede seu aspecto: é um queixo pueril. Quem não sabe que em sua escola se faz tudo às avessas de qualquer ordem? O estudo, o exercício, a prática são caminhos para o fracasso: ali os noviços são professores. *Amor ordinem nescit.**** [O amor ignora a ordem.] Certamente, sua conduta tem mais elegância quando é mesclada à inadvertência e ao distúrbio: os erros, os insucessos dão-lhe malícia e graça. Contanto que seja violento e esfomeado, pouco importa que seja prudente. Vede como lá ele vai cambaleando, tropeçando,

---

* Aristogíton e Harmódio foram dois jovens heróis atenienses que mataram Hiparco, filho de Pisístrato, o governante que introduziu a tirania na Grécia no século VI a.C. Eram amantes e rejeitaram uma proposta de Hiparco, de caráter sexual. Assim como libertaram a Grécia da tirania, a barba nascente libertaria os jovens da "tirania" da pederastia. Homero estendeu a idade da pederastia até os jovens começarem a ter barba.
** Horácio, *Odes*, IV, XIII, 9.
*** São Jerônimo, *Cartas*, VII, 6.

brincando; quando o guiam com arte e sabedoria, colocam-lhe a peia. E reprimem sua divina liberdade quando o submetem a mãos calosas e peludas. Aliás, volta e meia ouço as mulheres pintarem esse entendimento totalmente espiritual, desprezando levar em consideração o interesse que nossos sentidos têm nele. Tudo lhes serve. No entanto, posso dizer ter visto muitas vezes perdoarmos nelas a fraqueza do espírito em benefício de suas belezas corporais, mas ainda não vi nenhuma que, em benefício da beleza do espírito, por mais maduro e distinto ele seja, queira estender a mão a um corpo que cai, um mínimo que seja, em decadência. Por que uma delas não tem vontade de fazer essa nobre troca socrática, do corpo pelo espírito, comprando pelo preço de suas coxas um relacionamento filosófico e uma fecundidade espiritual: o mais alto preço a que possa ser guindada? Platão ordena em suas leis que quem tiver realizado uma façanha útil e notável na guerra não pode, durante a expedição, ver recusado, e sem considerar-se sua feiura ou idade, um beijo ou outro favor amoroso de quem ele quiser. O que ele acha tão justo como retribuição do valor militar não pode ser também recompensa de um outro valor? E por que alguma outra mulher não tem vontade de conquistar antes de suas companheiras a glória desse amor casto? Casto, digo bem,

> *nam si quando ad praelia ventum est,*
> *Ut quondam in stipulis magnus sine viribus ignis*
> *Incassum furit.*[*]
> [pois se por acaso se chegar ao combate, ele é às vezes como um grande fogo de palha desprovido de força: é em vão que causa estragos.]

Os vícios que se sufocam no pensamento não são os piores. Para concluir este comentário apreciável, que

---

* Virgílio, *Geórgicas*, iii, 98.

me escapou de um fluxo de tagarelice, fluxo às vezes impetuoso e nocivo,

> *Ut missum sponsi furtivo munere malum,*
> *Procurrit casto virginis e gremio:*
> *Quod miserae oblitae molli sub veste locatum,*
> *Dum adventu matris prosilit, excutitur,*
> *Atque illud prono praeceps agitur decursu,*
> *Huic manat tristi conscius ore rubor,**
> [Assim como a maçã, presente furtivo de seu amado, escapa do casto seio da jovem: sem pensar que ela a colocara nas dobras de sua túnica, à chegada de sua mãe, a pobrezinha se ergue de um pulo e deixa cair a fruta que prossegue obstinada sua viva corrida. Seu rosto desolado ganha o rubor da vergonha,]

digo que os homens e as mulheres são jogados no mesmo molde; salvo a educação e os costumes, a diferença não é grande. Platão, em sua *República*, chama indiferentemente uns e outros para uma comunidade de todos os estudos, exercícios, cargos e ocupações guerreiras e pacíficas. E o filósofo Antístenes negava qualquer distinção entre a virtude delas e a nossa. É bem mais fácil acusar um sexo do que desculpar o outro. É como dizem: "O roto rindo do esfarrapado".

---

* Catulo, LXV, 19-24.

Sobre os coches

Capítulo VI

O título, como o de outros ensaios, refere-se a uma pequena parte do leque de temas aqui tratados. Montaigne relaciona o fantástico luxo e a magnificência principesca com a crueldade, a vulgaridade e a ostentação dos que nos governam. Por falar das vicissitudes da história da humanidade, do Novo e do Velho Mundo, o capítulo ficou famoso e valeu a Montaigne parte de sua reputação de espírito esclarecido numa época em que não havia muitos assim. Os coches (que incluem todos os tipos de veículos com rodas, até os carros extravagantes dos imperadores romanos) eram símbolo do luxo. São comparados com a simplicidade das culturas dos índios americanos, que nunca inventaram a roda, não tinham cavalos e usavam o ouro apenas por sua beleza. A simplicidade dos incas e astecas enfatizava ainda mais os horrores da conquista espanhola, imbuída de missão evangelizadora mas na verdade cruel e interessada no ouro. Montaigne se une à crítica que então se fazia às despesas suntuárias do rei Henrique III. As três principais fontes do capítulo são De honesta disciplina, de Pietro Crinito; De amphitheatro, de Justo Lipso; e Histoire générale des Indes, de Francisco López de Gómara, que ele leu na tradução francesa.

É muito fácil verificar que os grandes autores, escritores de causas, não se servem apenas das que consideram verdadeiras mas também daquelas em que não acreditam, contanto que tenham alguma invenção e beleza. O que dizem é engenhoso e pensam que falam de modo útil e verídico. Não podemos nos assegurar da causa última, portanto acumulamos várias para ver se, por acaso, ela estará entre esse total,

> *Namque unam dicere causam,*
> *Non satis est, verum plures unde una tamen sit.*[*]
> [Indicar uma só causa não basta, é preciso dar muitas, das quais uma só será a verdadeira.]

Perguntais-me de onde vem esse costume de dar a bênção a quem espirra? Produzimos três tipos de vento; o que sai por baixo é muito sujo, o que sai pela boca traz certa pecha de gula, o terceiro é o espirro. E porque vem da cabeça e é sem desonra, fazemos-lhe essa honrosa acolhida. Não caçoeis dessa sutileza, que (dizem) é de Aristóteles. Parece-me ter visto em Plutarco (que é de todos os autores que conheço aquele que melhor misturou a arte e a natureza, e o julgamento e a erudição), quando

---

[*] Lucrécio, VI, 704.

trata da causa dos engulhos do estômago que sofrem os que viajam por mar, que isso lhes é provocado pelo medo: tendo encontrado alguma razão pela qual prova que o medo pode produzir esse efeito. Eu, que sou muito sujeito a isso, bem sei que essa causa não me afeta. E sei não por argumento mas por experiência indiscutível. Sem mencionar o que me disseram, que o mesmo costuma acontecer com os bichos, especialmente com os porcos, portanto fora de qualquer apreensão de perigo; e o que um conhecido meu atestou-me sobre si mesmo, que, sendo muito sujeito a isso, a vontade de vomitar lhe passara, duas ou três vezes, quando estava transido de pavor numa grande tormenta. Como aconteceu com esse homem da Antiguidade: *Pejus vexabar quam ut periculum mihi succurreret.*[*] [Eu estava muito rudemente sacudido para perceber o perigo.] Na água, como tampouco em outro lugar (e com frequência muitos medos se ofereceram a mim, se a morte é um desses), nunca tive medo que me haja perturbado ou assustado. Às vezes ele nasce da falta de julgamento, como da falta de coragem. Todos os perigos que vi, foi de olhos abertos, com a vista livre, sã e íntegra. Ainda assim, é preciso coragem para ter medo. Outrora a coragem me serviu, tanto quanto a outros, para conduzir e manter em ordem minha fuga, a fim de que fosse, se não sem medo, pelo menos sem pavor e sem atordoamento. Era alvoroçada, mas não desorientada nem desesperada. As grandes almas vão bem mais além e organizam fugas não só calmas e saudáveis como briosas. Mencionemos a que Alcibíades conta de Sócrates, seu companheiro de armas: "Encontrei-o", diz ele, "depois da debandada de nosso exército, ele e Laquete, entre os últimos a fugir: e observei-o à vontade e em segurança, pois eu estava montado num bom cavalo, e ele a pé, e assim tínhamos combatido. Ob-

---

[*] Sêneca, *Cartas a Lucílio*, LIII, 3.

servei primeiramente como mostrava presença de espírito e resolução, em comparação com Laquete; e depois, a
bravura de seu andar, em nada diferente do usual: sua
vista firme e tranquila, considerando e julgando o que se
passava ao redor, olhando ora uns, ora outros, amigos e
inimigos, de um jeito que encorajava uns e indicava aos
outros que estava decidido a vender bem caro seu sangue
e sua vida a quem ensaiasse tirá-los, e assim se salvaram,
pois não se costuma atacar a estes: corre-se atrás dos
apavorados". Eis o testemunho desse grande comandante, que nos ensina o que ensaiamos todos os dias: que
não há nada que tanto nos atire aos perigos quanto a
fome inconsiderada de deles escapar. *Quo timoris minus
est, eo minus ferme periculi est.** [Menos se sente temor,
menos se corre, é claro, do perigo.] Nosso povo está errado ao dizer: "aquele teme a morte", quando quer dizer
que ele pensa nela e a prevê. A previdência convém igualmente ao que nos afeta no bem e no mal. Considerar e
julgar o perigo não é de jeito nenhum o contrário de as-
sustar-se com ele. Não me sinto forte o suficiente para
aguentar o choque e a impetuosidade dessa emoção do
medo, tampouco de outra emoção veemente. Se uma só
vez eu fosse por ele vencido e aterrado, jamais tornaria a
me levantar por completo. Quem tivesse feito minha
alma perder pé nunca a reporia direito em seu lugar. Ela
se reapalpa e se examina muito vigorosa e profundamente. E no entanto, nunca deixaria cicatrizar e consolidar a
ferida que a tivesse perfurado. Felizmente para mim,
ainda nenhuma doença a abateu. A cada investida que
recebo, apresento-me e oponho-me todo armado. Assim,
a primeira que me vencesse me deixaria sem recurso.
Não posso enfrentar duas: em qualquer lugar que a en-
chente arrebentasse meu dique, eis-me exposto e irreme-
diavelmente afogado. Diz Epicuro que o sábio jamais

---

* Tito Lívio, XXII, 5.

pode passar a um estado contrário à sabedoria. Tenho certa ideia do oposto dessa sentença: quem tiver sido uma vez muito louco nunca será muito sábio uma outra vez. Deus me dá frio conforme a roupa e me concede as paixões segundo os meios que tenho de suportá-las. Tendo a natureza me descoberto de um lado, cobriu-me de outro: tendo-me desarmado de força, armou-me de insensibilidade e de uma apreensão do perigo moderada ou enfraquecida. Agora não consigo suportar muito tempo (e na juventude os suportava mais dificilmente) nem coche, nem liteira, nem barco, e odeio qualquer outro transporte que não o cavalo, tanto na cidade como nos campos. Mas consigo tolerar a liteira menos que um coche: e, pela mesma razão, mais facilmente uma forte agitação na água, que provoca o medo, do que o marulho que sentimos em tempo calmo. Com aquela ligeira sacudida dada pelos remos, escondendo o barco sob nós, sinto, não sei como, minha cabeça e o estômago se embrulharem: da mesma forma, não consigo suportar debaixo de mim uma cadeira trepidante. Quando a vela ou a corrente nos carregam da mesma maneira, ou nos rebocam, essa agitação por igual não me perturba de jeito nenhum. É a agitação ininterrupta que me faz mal: e mais quando é lenta. Eu não saberia pintar sua forma de outra maneira. Os médicos prescreveram-me apertar e enfaixar o baixo-ventre com uma toalha para remediar esse mal: o que não experimentei, tendo-me acostumado a lutar contra os defeitos que existem em mim e domá-los por mim mesmo. Se tivesse na memória informação suficiente, não empregaria meu tempo para listar aqui a infinita variedade de exemplos históricos do uso dos coches a serviço da guerra: diferentes segundo as nações, segundo os séculos: de grande efeito, parece-me, e necessidade. Por isso é espantoso que tenhamos perdido qualquer conhecimento disso. Direi apenas que, muito recentemente, no tempo de nossos pais, os húngaros puseram-se a lutar com muita eficácia contra os turcos: em cada um dos coches havia um soldado armado com um escudo redondo e um mosqueteiro, e inúmeros arcabuzes enfileirados, prontos e carregados: tudo isso coberto por uma fileira de paveses à moda de uma galeota. Dispunham à frente de suas tropas 3 mil coches desses: e, depois que o canhão tinha atuado, faziam que os inimigos atirassem e engolissem essa salva, antes de provarem o resto: o que não era um leve avanço; ou arremessavam os ditos coches contra os esquadrões deles para desmantelá-los e abrir uma brecha. Além do auxílio que podiam obter deles para flanquear em lugar crítico as tropas que marchavam no campo, ou para proteger às pressas um acampamento e fortificá-lo. No meu tempo, em uma de nossas fronteiras um fidalgo, incapacitado de corpo, não encontrou cavalo capaz de suportar seu peso; e, tendo se envolvido numa rixa, andava pela região em coche semelhante ao que pintei, e sentia-se muito bem. Mas deixemos esses carros guerreiros. Os últimos reis de nossa primeira dinastia, como se não fosse já bem conhecida por melhores títulos a vadiagem deles, andavam pelo país numa carroça puxada por quatro bois. Marco Antônio foi o primeiro que se fez transportar em Roma, e junto com ele uma moça menestrel, por leões atrelados a um carro. Heliogábalo fez o mesmo depois, dizendo ser Cibele, a mãe dos deuses, e também foi transportado por tigres, imitando o deus Baco; certas vezes também atrelou dois cervos a seu carro, e uma outra vez, quatro cães; e ainda quatro raparigas nuas, fazendo-se puxar por elas, com pompa, todo nu. O imperador Firmo fez seu carro ser levado por avestruzes de maravilhoso tamanho, de maneira que parecia mais voar do que rodar. A estranheza dessas invenções traz-me à mente esta outra ideia: é uma espécie de pobreza de espírito dos monarcas e uma prova de não perceberem o bastante o que são eles se esforçarem para se valorizar e aparecer por meio de despesas excessivas. Seria coisa desculpável em país estrangeiro: mas entre seus súditos, onde o monarca pode tudo, é de sua própria dignidade que tira o mais alto grau de honra a que possa chegar. Assim como, parece-me, para um fidalgo é supérfluo vestir-se com requinte na intimidade: sua casa, sua criadagem, sua cozinha, respondem o suficiente por ele. O conselho que Isócrates dá a seu rei não me parece injustificado: que ele seja esplêndido em móveis e utensílios, tanto mais que é uma despesa duradoura, que passa até para seus sucessores. E que fuja de todas as magnificências que se esvaem imediatamente do uso e da memória. Eu gostava de me enfeitar quando era cadete, na falta de outro ornamento, e aquilo me caía bem. Mas há aqueles sobre quem as belas roupas choram.* Temos histórias extraordinárias sobre a frugalidade de nossos reis em torno de suas pessoas e quanto a seus dons: grandes reis em prestígio, em valor e em destino. Demóstenes combate impiedosamente a lei de sua cidade, que atribuía o dinheiro público às pompas dos jogos e suas festas: quer que a grandeza da cidade se mostre em quantidade de barcos bem equipados e em bons exércitos bem providos. E tem-se razão de acusar Teofrasto, que expõe em seu livro *Sobre as riquezas* uma opinião contrária e defende tal natureza de despesa como o verdadeiro fruto da opulência. São prazeres, diz Aristóteles, que só tocam o populacho: que se desvanecem na lembrança assim que deles nos saciamos, e pelos quais nenhum homem judicioso e sério pode ter estima. O dispêndio me pareceria bem mais régio, assim como mais útil, justo e duradouro se feito em portos, embarcadouros, fortificações e muralhas, em edificações suntuosas, em igrejas, hospitais, colégios, reforma de ruas e estradas, naquilo que fez a re-

---

* Provérbio antigo que diz: "Belas roupas choram sobre ombros indignos".

comendável reputação do papa Gregório XIII por muito tempo: e no que nossa rainha Catarina mostraria por longos anos sua liberalidade natural e sua munificência se seus recursos bastassem ao seu gosto. O destino causou-me grande desprazer ao interromper a bela estrutura da Pont Neuf, de nossa grande cidade, e tirar-me a esperança de vê-la em serviço antes de morrer. Além disso, aos súditos espectadores desses triunfos parece que estão lhes mostrando suas próprias riquezas e que as estão festejando à custa deles. Pois os povos costumam presumir sobre os reis, como fazemos com nossos criados, que eles devem ter o cuidado de nos fornecer em abundância tudo o que nos for necessário, mas jamais devem tocar em nada disso para si mesmos. E no entanto, o imperador Galba, tendo tomado gosto em ouvir um músico durante sua ceia, mandou buscar seu cofre e deu em mãos um punhado de escudos que ali pegou, com estas palavras: "Não são do povo, são meus". Seja como for, no mais das vezes acontece de o povo ter razão: o dinheiro serve para encher os olhos, e não a barriga. A própria liberalidade não mostra todo o seu brilho em mãos soberanas: as mãos privadas têm mais direito a ela. Pois se o figuramos com exatidão, um rei não tem nada propriamente seu: ele mesmo se deve aos outros. A jurisdição não se dá em favor do juiz: é em favor do jurisdicionado. Faz-se um superior jamais para proveito próprio mas para proveito do inferior. E um médico para o doente, não para si. Toda magistratura, assim como toda arte, projeta seus fins para fora de si. *Nulla ars in se versatur.*[*] [Nenhuma arte tem seu fim em si.] É por isso que os preceptores da infância dos príncipes, que insistem em lhes imprimir essa virtude da generosidade e os exortam a não saber negar e a estimar nada tão bem empregado como o que darão (ensinamento que, em

---

* Cícero, *De finibus*, V, 6.

meu tempo, vi ser muito prezado), ou estão mais preocupados com seu próprio proveito que com o de seu senhor ou não entendem direito para quem estão falando. É muito fácil inculcar a liberalidade em quem tem com que aplicá-la tanto quanto deseje, às expensas de outro. E como ela é avaliada não pela medida do presente mas pela medida dos meios de quem a exerce, vem a ser nula em mãos tão poderosas. Eles se mostram pródigos antes de ser generosos. Portanto, é virtude de pouca recomendação se comparada com outras virtudes régias. É a única, como dizia o tirano Dionísio, que se dá bem com a própria tirania. Eu antes ensinaria a um monarca este verso do lavrador antigo:

Τῆ Χεφὶ δεῖ σπεφέειν, ἀλλὰ μὴ δλψ τῷ θυλαχῷ,[*]

"quem quiser colher fruto, deve semear com a mão, e não despejar do saco". É preciso espalhar a semente, não entorná-la. E quando um rei tem de dar, ou melhor, tem de pagar e devolver a tantas pessoas segundo cada uma tiver merecido, deve ser leal e prudente distribuidor. Se a liberalidade de um príncipe é indiscriminada e imoderada, prefiro que ele seja avaro. A virtude régia parece consistir, mais que em tudo, na justiça. E de todas as espécies de justiça, a que melhor distingue os reis é a que acompanha a generosidade. Pois eles a reservaram particularmente a seu cargo: ao passo que exercem qualquer outra justiça por intermédio de outros. A generosidade imoderada é um meio fraco para adquirir a benquerença deles, pois repugna a mais gente do que satisfaz. *Quo in plures usus sis; minus in multos uti possis. Quid autem est stultius, quam, quod libenter*

---

[*] Traduzido por Montaigne logo em seguida. Verso da poeta Corina, citado por Justo Lipso, *De amphitheatro*, VII (Antuérpia, C. Plantin, 1584, p. 29).

SOBRE OS COCHES

*facias, curare ut id diutius facere non possis?** [Quanto mais tiver sido usada com uma multidão de pessoas, menos será possível usá-la para muitos. O que há de mais estúpido do que se empenhar em não mais poder fazer por muito tempo o que se sente prazer em fazer?] E se é empregada sem respeito ao mérito, envergonha a quem recebe: e é recebida sem gratidão. Tiranos foram sacrificados à ira do povo pelas mãos daqueles mesmos que eles tinham iniquamente favorecido: homens dessa espécie estimam garantir a posse dos bens indevidamente recebidos quando mostram ter desprezo e ódio por aquele de quem os receberam, e nisso se aliam ao julgamento e à opinião comuns. Os súditos de um príncipe excessivo em dons tornam-se excessivos em demandas: moldam-se não pela razão, mas pelo exemplo. Certamente, muitas vezes há motivo para enrubescermos de nossa impudência. Para sermos justos, já somos sobrepagos quando a recompensa iguala nosso serviço: pois acaso não devemos nada aos nossos príncipes, por obrigação natural? Se nosso príncipe suporta nossas despesas, já faz muito; basta que as ajude: o excedente chama-se benefício, o qual não se pode exigir, pois a própria palavra liberalidade soa como liberdade. Ao nosso modo, isso nunca termina: o recebido não se leva mais em conta: só gostamos da liberalidade futura. Por isso, quanto mais um príncipe se esgota ao dar, mais se empobrece em amigos. Como saciaria os desejos que crescem à medida que se satisfazem? Quem tem o pensamento em tomar não pensa mais no que tomou. A cobiça nada tem de tão próprio como ser ingrata. Aqui o exemplo de Ciro virá a calhar para servir aos reis deste tempo como pedra de toque e permitir-lhes saber se seus dons estão bem ou

---

* Cícero, *De officiis*, II, xv, 52 e 54. Montagem de duas frases, uma sobre a benevolência do príncipe, outra sobre sua generosidade.

mal empregados: e para fazê-los ver como esse imperador os outorgava de forma mais feliz do que o fazem.
Por isso ficam reduzidos a fazer seus empréstimos junto
a súditos desconhecidos, e mais junto àqueles a quem
fizeram o mal do que junto àqueles a quem fizeram o
bem; e as ajudas que deles recebem só têm de gratuitas o
nome. Creso criticava a generosidade de Ciro e calculava a quanto montaria seu tesouro se tivesse tido as mãos
mais fechadas. Ciro teve vontade de justificar sua liberalidade: despachou mensagens para todos os lados, para
os grandes de seu Estado, que favorecera especialmente,
e pediu a cada um que o socorresse com tanto dinheiro quanto pudesse, para uma necessidade sua: e que de
tudo lhe enviassem uma declaração. Quando todos esses
registros foram levados a ele, cada um de seus amigos,
considerando que não era fazer o suficiente oferecer-lhe
somente tanto quanto recebera de sua munificência,
mas aí incluindo muito de sua própria riqueza, viu-se
que essa soma montava a bem mais do que se calculava
como pecúlio de Creso. Diante disso, disse Ciro: "Não
sou menos amante das riquezas que os outros príncipes,
e antes sou mais econômico. Estás vendo com que tão
pouca despesa adquiri o tesouro inestimável de tantos
amigos: e o quanto me são mais fiéis tesoureiros do que
o seriam homens mercenários, sem obrigação, sem afeição: e minha fortuna está mais bem guardada do que
em cofres, que atraem para mim o ódio, a inveja e o desprezo dos outros príncipes". Os imperadores buscavam
desculpa para a superfluidade de seus jogos e demons-
trações públicas no fato de que sua autoridade depen-
dia de certa forma (ao menos na aparência) da vontade
do povo romano, o qual desde sempre se acostumara a
ser presenteado com espetáculos e excessos desse tipo.
Mas eram pessoas privadas que tinham alimentado esse
costume de gratificar seus concidadãos e companheiros,
principalmente com a própria bolsa, com tal profusão e

magnificência. Esse hábito teve um sabor muito diferente quando os soberanos vieram a imitá-lo. *Pecuniarum translatio a justis dominis ad alienos non debet liberalis videri.*[*] [A transferência de dinheiro do legítimo proprietário para outro não deveria ser vista como uma liberalidade.] Pelo fato de seu filho ter tentado angariar com presentes a simpatia dos macedônios, Filipe repreendeu-o por carta, da seguinte maneira: "Como? Tens vontade de que teus súditos te considerem seu banqueiro, não seu rei? Queres ganhá-los? Ganha-os pelos benefícios de tua virtude, não pelos benefícios de teu cofre". Era, porém, uma bela coisa mandar trazer e plantar nas arenas uma profusão de grandes árvores, muito frondosas e muito verdes, representando uma grande floresta sombria, arrumada em bela simetria: e, no primeiro dia, jogar ali dentro mil avestruzes, mil cervos, mil javalis e mil camurças, abandonando-os à pilhagem do povo; e, no dia seguinte, mandar matar em sua presença cem grandes leões, cem leopardos e trezentos ursos; e para o terceiro dia, fazer combater à morte cem pares de gladiadores, como fez o imperador Probo. Era tão bonito ver aqueles grandes anfiteatros incrustados, por fora, de mármore decorado com lavores e estátuas, e dentro reluzindo com raros enriquecimentos,

Baltheus en gemmis, en illita porticus auro.[**]
[Eis o deambulatório coberto de pedrarias, eis o pórtico reluzindo de ouro.]

E todos os lados daquele vasto espaço, ocupados e rodeados de alto a baixo por sessenta ou oitenta fileiras de assentos também de mármore, cobertos de almofadas,

---

[*] Cícero, *De officiis*, I, 14.
[**] Calpúrnio, *Bucólicas*, VII, 47.

478   MONTAIGNE — OS ENSAIOS

exeat, inquit,
Si pudor est, et de pulvino surgat equestri,
Cujus res legi non sufficit,*
[fora daqui, exclama, se ele ainda sente alguma vergonha, que deixe as almofadas reservadas aos cavaleiros,
ele cujos bens são insuficientes perante a lei,]

onde poderiam acomodar-se 100 mil homens sentados à
vontade. E a praça abaixo, onde se praticavam os jogos,
fazê-la primeiramente entreabrir-se, por arte, e fender-se
em cavernas representando antros que vomitavam os animais destinados ao espetáculo; e depois, em segundo lugar,
inundá-la com um mar profundo que carregava muitos
monstros marinhos, cheio de navios armados a representar
uma batalha naval; e em terceiro lugar, aplainá-la e secá-la
de novo para o combate dos gladiadores; e, para o quarto
ato, espargi-la com vermelhão e estoraque, em vez de areia,
para ali organizar um banquete solene para toda aquela
infinita multidão do povo: o último ato de um só dia.

Quoties nos descendentis arenae
Vidimus in partes, ruptaque voragine terrae
Emersisse feras, et iisdem saepe latebris
Aurea cum croceo creverunt arbuta libro.
Nec solum nobis silvestria cernere monstra
Contigit, aequoreos ego cum certantibus ursis
Spectavi vitulos, et equorum nomine dignum,
Sed deforme pecus.**
[Quantas vezes vimos arena que se abaixava em cer-
tos pontos e do abismo que se abria no solo surgir
feras selvagens; e com frequência daquelas mesmas
profundezas se erguerem árvores de ouro com casca
de açafrão? Não só pudemos olhar os monstros das

* Juvenal, III, 153-5.
** Calpúrnio, *Éclogas*, VII, 69-72 e 64-7.

SOBRE OS COCHES 479

florestas, mas observei de meu lado focas combatendo com ursos, e o tropel de cavalos dos rios, dignos
de seu nome, mas horrendos.]

Certas vezes fizeram nascer uma alta montanha cheia
de árvores frutíferas e árvores verdejantes, de cujo cume
vertia um riacho como da boca de uma nascente viva.
Outras vezes passava por ali um grande navio que se
abria e se desmanchava por si mesmo, e depois de ter
lançado de seu ventre quatrocentos ou quinhentos animais de combate fechava-se de novo e sumia, sem nenhuma ajuda. Outra vez, do fundo daquela praça faziam
jorrar fontes e filetes de água, que esguichavam para o
alto e, naquela altura infinita, iam regando e perfuman-
do a multidão infinita. Para se protegerem da inclemên-
cia do tempo, estendiam sobre aquele imenso espaço
toldos ora de púrpura com trabalhos de agulha, ora de
seda, de uma ou outra cor, e os colocavam e retiravam
num instante, conforme sua fantasia,

   Quamvis non modico caleant spectacula sole,
     Vela reducuntur cum venit Hermogenes.[*]
[Mesmo se os degraus queimam sob um sol implacável,
retiram-se os toldos à chegada de Hermógenes.]

Também as redes que punham diante do povo, para defendê-lo da violência daquelas feras arrebatadas, eram
tecidas de ouro,

          auro quoque torta refulgent
  Retia.[**]
[as redes também brilham do ouro de que são feitas.]

_____

[*] Marcial, XII, XXVIII, 15-6.
[**] Calpúrnio, *Éclogas*, VII, 53.

Se existe alguma coisa que seja desculpável em tais excessos, é quando a invenção e a novidade causam admiração, e não a despesa. Mesmo nessas inutilidades descobrimos como aqueles séculos eram férteis em outros espíritos diferentes dos nossos. Dá-se com essa espécie de fertilidade o que se dá com todas as outras produções da natureza. Isso não quer dizer que, na época, ela tenha empregado nessa finalidade seu derradeiro esforço. Nós não avançamos, antes giramos e rodopiamos aqui e ali: passeamos sobre nossos passos. Temo que nosso conhecimento seja fraco em todos os sentidos. Não enxergamos muito longe nem muito para trás. Ele abrange pouco e vive pouco, curto tanto em extensão de tempo como em extensão de matéria:

> *Vixere fortes ante Agamemnona*
> *Multi, sed omnes illacrymabiles*
> > *Urgentur, ignotique longa*
> *Nocte.*[*]
> [Houve vários heróis antes de Agamenon, mas uma longa noite esmaga a todos, ignorados, sem que tenham sido pranteados.]

> > *Et supera bellum Trojanum et funera Trojae,*
> *Multi alias alii quoque res cecinere poetae.*[**]
> [E antes da guerra troiana e da ruína de Troia, vários outros poetas cantaram também outras gestas.]

E a narrativa de Sólon sobre o que aprendera com os sacerdotes do Egito a respeito da longa vida de seu Estado e a maneira de conhecer e conservar as histórias estrangeiras não me parece prova rejeitável nessa consideração. *Si interminatam in omnes partes magnitudinem*

---

[*] Horácio, *Odes*, IV, IX, 25.
[**] Lucrécio, V, 327.

SOBRE OS COCHES

*regionum videremus, et temporum, in quam se iniciens
animus et intendens, ita late longeque peregrinatur, ut
nullam oram ultimi videat, in qua possit insistere: In
hac immensitate infinita, vis innumerabilium appareret
formarum.* [Se nos fosse dado ver a vastidão sem fim
de todos os lados, do espaço e do tempo, onde, aplicado
e atento, nosso espírito viajasse por todas as direções
sem ver limite último onde pudesse parar, nessa infinidade sem limites apareceria uma multidão de formas
inumeráveis.] Ainda que tudo o que veio do passado até
nós fosse verdade e fosse conhecido de alguém, seria
menos que nada em comparação com o que é ignorado.
E dessa mesma imagem do mundo, que flui enquanto
aqui estamos, como é ínfimo e raquítico o conhecimento dos mais curiosos? Não só dos acontecimentos particulares, que o acaso muitas vezes torna exemplares e
importantes, mas do estado das grandes sociedades e
nações escapam-nos cem vezes mais do que chega ao
nosso conhecimento. Proclamamos o milagre da invenção de nossa artilharia, de nossa imprensa: outros
homens, num outro extremo do mundo, na China, já
desfrutavam delas mil anos antes. Se víssemos do mundo tanto quanto não vemos, perceberíamos, como é de
crer, uma perpétua multiplicação e sucessão de formas.
Não há nada de único e raro em relação à natureza,
mas sim em relação a nosso conhecimento: que é um
deplorável alicerce de nossas regras e que naturalmente
nos apresenta uma imagem muito falsa das coisas. Assim como em vão inferimos hoje o declínio e a decrepitude do mundo, pelos argumentos que tiramos de nossa
própria fraqueza e decadência,

* Cícero, *De natura deorum*, I, 11, 54. Montaigne retocou
a frase colocando-a na primeira pessoa do plural e não na
segunda, e interrompendo-a com as duas últimas palavras,
de sua lavra.

Jamque adeo affecta est aetas, affectaque tellus: *
[E já nossa época é tão enfraquecida, e tão enfraquecida
a terra:]

assim incertamente aquele poeta inferia seu nascimento e
juventude pelo vigor que via nos espíritos de seu tempo,
abundantes em novidades e invenções de diversas artes:

Verum, ut opinor, habet novitatem, summa, recensque
Natura est mundi, neque pridem exordia coepit:
Quare etiam quaedam nunc artes expoliuntur,
Nunc etiam augescunt, nunc addita navigiis sunt
Multa. **
[Mas em minha opinião tudo é novo, o mundo é recente
e seu começo não é remoto; assim, certas artes ainda
se aperfeiçoam, e mesmo ainda se enriquecem; e a arte
náutica ainda conhece muitos aperfeiçoamentos.]

Nosso mundo acaba de descobrir um outro (e quem nos
responde se é o último de seus irmãos, já que até agora
os Demônios, as Sibilas e nós ignoramos este?), não menos vasto, pleno e bem-dotado do que ele; todavia, tão
novo e tão criança que ainda lhe ensinam o seu á-bê-cê.
Não faz cinquenta anos ele não conhecia as letras, nem
os pesos, nem as medidas, nem as roupas, nem o trigo,
nem as vinhas. Ainda estava todo nu, no colo, e só vivia
dos recursos de sua mãe nutriz. Se inferimos corretamente nosso fim, assim como aquele poeta inferiu a juventude de seu século, este outro mundo apenas estará
vindo à luz quando o nosso sair dela. O universo cairá
em paralisia: um de seus membros ficará entrevado, o
outro, vigoroso. Receio que tenhamos apressado muito
fortemente seu declínio e sua ruína por nosso contágio, e

* Lucrécio, II, 1150.
** Lucrécio, V, 331.

que lhe tenhamos vendido muito caro nossas opiniões e nossas artes. Era um mundo criança: porém, não o açoitamos nem o submetemos à nossa disciplina apenas pela virtude de nosso valor e de nossas forças naturais, nem o conquistamos por nossa justiça e bondade, nem o subjugamos por nossa magnanimidade. A maioria das respostas deles e das negociações feitas com eles atestam que nada nos devem em natural clareza de espírito e em pertinência. A espantosa magnificência das cidades de Cuzco e México, e entre muitas coisas semelhantes o jardim daquele rei onde todas as árvores, as frutas e todas as plantas, segundo a ordem e a grandeza que ocupam num jardim, eram excelentemente figuradas em ouro, assim como o eram em seu gabinete todos os animais que nasciam em seu Estado e em seus mares; e a beleza de seus trabalhos em pedraria, plumas, algodão e em pintura mostram que na indústria eles também não eram inferiores a nós. Mas quanto a devoção, observância das leis, bondade, liberalidade, lealdade, franqueza, muito nos valeu não termos tanto quanto eles: pois perderam-se por essa vantagem e venderam-se e traíram a si mesmos. Quanto à audácia e à coragem, quanto à firmeza, à constância, à resolução contra as dores e a fome e a morte, eu não recearia em contrapor os exemplos que encontrasse entre eles e os mais famosos exemplos dos antigos que guardamos nos anais de nosso mundo de cá. Pois quanto aos que os subjugaram, que retirem os ardis e as artimanhas de que se serviram para enganá-los, e o justo espanto que provocava naquelas nações ver chegar tão inopinadamente pessoas barbudas, diferentes na língua, religião, na forma e na aparência, de um lugar do mundo tão afastado e onde eles não sabiam que houvesse qualquer habitação, montados sobre grandes monstros desconhecidos confrontando aqueles que nunca tinham visto não só um cavalo mas nenhum animal adestrado para carregar e transportar homem ou outra carga; homens guarnecidos de uma pele reluzente e dura, de uma arma cortante e resplandecente; confrontando os que pelo milagre do reflexo de um espelho ou de uma faca iam trocando uma grande riqueza em ouro e em pérolas e que não tinham conhecimento nem material com que, com todo o vagar, soubessem furar nosso aço; acrescentem-se a isso os raios e trovões de nossos canhões e arcabuzes, capazes de desorientar o próprio César, se hoje o surpreendessem tão inexperiente a esse respeito, e opondo-se a povos nus, salvo ali onde havia chegado a invenção de algum tecido de algodão; sem, na maioria, outras armas além de arcos, pedras, porretes e escudos de madeira; povos surpreendidos por aquela aparência de amizade e boa-fé, e com curiosidade de ver coisas estrangeiras e desconhecidas: retire-se, digo, dos conquistadores essa disparidade e tirada lhes será qualquer ocasião de tantas vitórias. Quando olho para esse ardor indomável com que tantos milhares de homens, mulheres e crianças apresentam-se e atiram-se tantas vezes aos perigos inevitáveis, para a defesa de seus deuses e de sua liberdade: essa generosa obstinação em sofrer todos os extremos e as dificuldades, e a morte, com mais gosto do que em se submeterem à dominação daqueles por quem foram tão vergonhosamente iludidos: e alguns, ao serem pegos, preferindo se deixar matar de fome e de jejum a aceitar víveres das mãos de seus inimigos tão vilmente vitoriosas, prevejo que se os tivessem atacado de igual para igual, tanto em armas como em experiência e em número, teria sido um conflito tão perigoso, ou mais, que outra guerra que conhecemos. Por que não caiu nas mãos de Alexandre, ou nas dos antigos gregos e romanos, uma tão nobre conquista? E uma tão grande mutação e alteração de tantos impérios e povos, em mãos que tivessem suavemente polido e desbravado o que ali havia de selvagem, e tivessem fortalecido e fomentado as boas sementes que a natureza ali produzira, mesclando não só ao cultivo das terras e ao ornamento das cidades as artes de cá, conforme fossem necessárias, mas também mesclando as virtudes gregas e romanas às originais do país? Que conserto teria sido, e que aperfeiçoamento para toda a máquina deste mundo se os primeiros exemplos e comportamentos nossos que se apresentaram no lado de lá tivessem convidado aqueles povos à admiração e à imitação da virtude, e tivessem construído entre eles e nós uma fraternal aliança e compreensão? Como teria sido fácil tirar proveito de almas tão novas, tão famintas de aprendizado, tendo na maioria tão belas disposições naturais? Ao contrário, nós nos servimos da ignorância e da inexperiência deles para dobrá-los mais facilmente à traição, à luxúria, à avareza, e a todo tipo de desumanidade e de crueldade, seguindo o exemplo e modelo de nossos costumes. Quem jamais fixou em tal preço o serviço da mercancia e do tráfico? Tantas cidades arrasadas, tantas nações exterminadas, tantos milhões de indivíduos passados pelo fio da espada, e a mais rica e bela parte do mundo tumultuada pela negociação das pérolas e da pimenta: ignóbeis vitórias! Nunca a ambição, nunca as inimizades públicas impeliram os homens, uns contra os outros, a tão horríveis hostilidades e calamidades tão miseráveis. Costeando o mar em busca de suas minas, alguns espanhóis pisaram terra numa região fértil e amena, muito habitada, e fizeram àquele povo suas advertências costumeiras: que eram pessoas pacíficas, vindas em longuíssimas viagens, enviadas pelo rei de Castela, o maior príncipe da terra habitável, a quem o papa, representando Deus na Terra, dera o principado de todas as Índias. Que se eles quisessem lhe ser tributários seriam muito bondosamente tratados: pediam-lhes víveres para sua alimentação e ouro para a necesssidade de algum remédio. Anunciavam-lhes, de resto, a crença em um só Deus e a verdade de nossa religião, que os aconselhavam a aceitar, e a isso acrescentando certas ameaças.

A resposta foi esta: que quanto a serem pacíficos, eles não tinham essa aparência, se é que o eram. Quanto ao rei deles, já que estava pedindo devia ser indigente e necessitado; e aquele que lhe fizera essa distribuição de terras era homem amante da dissensão, por ir dar a um terceiro coisa que não era sua e metê-lo em contenda contra os antigos possuidores. Quanto aos víveres, que lhes forneceriam; ouro, tinham pouco, e que era coisa pela qual não tinham nenhuma estima, visto que era inútil para o serviço de sua vida, a qual só se preocupavam em passar de modo feliz e agradável: portanto, o que eles conseguissem encontrar, salvo o que era empregado no serviço de seus deuses, que o tomassem sem medo. Quanto a um só Deus, o discurso lhes agradara mas não queriam mudar de religião, tendo dela se servido tão utilmente e por tanto tempo: e que só estavam acostumados a receber conselho de seus amigos e conhecidos. Quanto às ameaças, era sinal de falta de juízo ir ameaçando aqueles cuja natureza e recursos eram desconhecidos. Assim, que se apressassem prontamente em sair de sua terra pois não estavam acostumados a ver com bons olhos as cortesias e advertências de gente armada e estrangeira: do contrário, fariam com eles o mesmo que com aqueles outros, e mostraram-lhes as cabeças de uns homens justiçados em volta da cidade. Eis um exemplo do balbucio dessa infância. Mas o certo é que os espanhóis nem se detiveram nem fizeram ataques naquele lugar nem em vários outros onde não encontraram as mercadorias que procuravam, quaisquer que fossem as outras vantagens que lá houvesse: como provam meus Canibais. Os dois mais poderosos monarcas daquele mundo de lá e talvez deste aqui, reis de tantos reis, foram os últimos que eles expulsaram. O do Peru foi preso numa batalha e posto a um resgate tão excessivo que ultrapassa tudo o que é crível, mas que ele fielmente pagou: e tendo dado por sua conversação sinal de uma coragem franca, livre e constante e de um entendimento claro e tranquilo, os vencedores, depois de terem tirado 1 325 500 onças de ouro, além da prata e outras coisas que não montaram a menos (tanto assim que os cavalos deles só andavam ferrados de ouro maciço), tiveram vontade de ver também, à custa de qualquer traição que fosse, qual podia ser o resto dos tesouros daquele rei e aproveitar-se livremente do que ele preservara. Assacaram-lhe uma falsa acusação e uma falsa prova: que ele tramava fazer suas províncias se sublevarem para reconquistar a liberdade. Com isso, por um belo julgamento feito por aqueles mesmos que lhe tinham imputado essa traição, condenaram-no a ser enforcado e estrangulado publicamente, tendo-o feito remir-se do tormento de ser queimado vivo pelo batismo que lhe deram durante o próprio suplício. Acontecimento horrível e inaudito, que ele suportou, porém, sem se desmentir, nem por atitude nem por palavra, de forma e gravidade verdadeiramente régias. E depois, para aplacar os povos espantados e estarrecidos com coisa tão estranha, simularam um grande luto por sua morte e ordenaram para ele suntuosos funerais. O outro, rei do México, tendo por muito tempo defendido sua cidade sitiada e mostrado nesse cerco tudo o que podem tanto a resistência como a perseverança, se algum dia príncipe e povo as demonstraram; e tendo seu infortúnio o entregado vivo nas mãos dos inimigos, com o compromisso de ser tratado como rei, de modo que na prisão ele nada demonstrou de indigno desse título; e não encontrando eles, em seguida a essa vitória, todo o ouro que tinham prometido a si mesmos, depois de tudo remexer e revistar, começaram a buscar informações infligindo aos prisioneiros que mantinham as mais acerbas torturas que conseguiram imaginar. Mas, nada tendo obtido, pois encontraram coragens mais fortes que seus tormentos, chegaram no final a tamanha raiva que, contra sua fé e contra qualquer direito das gentes, condenaram à tortura o próprio rei e um dos principais senhores de sua corte, em presença um do outro. Esse senhor, achando-se dominado pela dor, cercado de braseiros ardentes, voltou no final os olhos lamentosos para seu amo, como para lhe pedir perdão por não aguentar mais: o rei, cravando altiva e severamente os olhos nele, como crítica à sua covardia e pusilanimidade, disse-lhe somente estas palavras, com uma voz dura e firme: "E eu, estou no banho? Estarei mais à vontade que tu?". O outro, logo em seguida, sucumbiu às dores e morreu no local. O rei, semiassado, foi levado dali, não tanto por piedade (pois que piedade jamais tocou almas tão bárbaras que, pela duvidosa informação de alguma botija de ouro a pilhar, faziam grelhar diante dos próprios olhos um homem, e ainda mais um rei tão grande em fortuna e em mérito?), mas sim porque sua constância tornava mais e mais vergonhosa a crueldade deles. Depois, enforcaram-no, tendo ele corajosamente tentado se livrar, armado, de tão longo cativeiro e sujeição: no que tornou seu fim digno de um príncipe magnânimo. Em outra ocasião, puseram para queimar de uma só vez, na mesma fogueira, 460 homens vivos, quatrocentos do povo, sessenta entre os principais senhores de uma província, que eram simplesmente prisioneiros de guerra. Deles mesmos é que nos vêm essas narrativas: pois não só as confessam como delas se vangloriam e as publicam. Seria como prova de sua justiça, ou zelo por sua religião? Certamente, são vias muito diversas e muito hostis para um objetivo tão sagrado. Se tivessem se proposto propagar nossa fé, teriam considerado que não é com a possessão de terras que ela se amplia, mas com a possessão de homens, e teriam se contentado o suficiente com as mortes que as necessidades da guerra impõem, sem a isso acrescentar indiscriminadamente uma carnificina universal, como se fossem animais selvagens, de tantos quantos o ferro e o fogo conseguiram atingir, e só conservando, voluntariamente, os que quiseram transformar em miseráveis escravos para o trabalho e o serviço em suas minas. E vários chefes foram punidos com a morte no próprio local de sua conquista, por decreto dos reis de Castela, com justa razão ofendidos pelo horror de seu comportamento, e quase todos desestimados e detestados. Deus permitiu merecidamente que essas grandes pilhagens fossem tragadas pelo mar ao ser transportadas, ou pelas guerras intestinas com que eles se devoraram entre si: e a maior parte foi enterrada ali mesmo, sem nenhum fruto de sua vitória. Quanto ao fato de a receita, mesmo colocada nas mãos de um príncipe econômico e prudente, corresponder tão pouco à esperança dada a seus predecessores e àquela primeira abundância de riquezas que se encontrou ao abordarem as novas terras (pois mesmo que retirem muito, vemos que não é nada em comparação com o que era de esperar), foi porque o uso da moeda era lá inteiramente desconhecido e, por conseguinte, o ouro deles estava todo acumulado, não tendo outro uso além da ostentação e da pompa, como um móvel preservado de pai para filho por vários reis poderosos, que sempre esgotavam suas minas para fazer aquele grande amontoado de vasos e estátuas que ornam seus palácios e templos, ao passo que nosso ouro está todo empregado ou no comércio. Nós o fragmentamos e alteramos de mil formas, o espalhamos e dispersamos. Imaginemos se nossos reis acumulassem assim todo o ouro que conseguissem encontrar em vários séculos e o guardassem inativo! Os do reino do México eram de certo modo mais civilizados e mais artistas do que as outras nações de lá. Assim, julgavam, como nós, que o universo estivesse próximo do fim, e interpretaram como sinal a devastação que lhes levamos. Acreditavam que a existência do mundo se reparte em cinco idades, cada uma tão longa como a vida de cinco sóis consecutivos, dos quais quatro já tinham esgotado seu tempo, e aquele que os iluminava era o quinto. O primeiro morreu junto com todas as outras criaturas por uma inundação universal das águas. O segundo, pela queda do céu sobre nós, que sufocou todas as coisas vivas: atribuíam a essa idade os gigantes cujas ossadas mostraram aos espanhóis, em tal proporção que a estatura deles vinha a ser vinte palmos de altura. O terceiro, pelo fogo que incendiou e consumiu tudo. O quarto, por uma fúria de ar e vento que abateu até mesmo várias montanhas: os homens não morreram mas foram transformados em macacos (a que imaginações não se sujeita a frouxidão da credulidade humana!). Depois da morte desse quarto sol, o mundo ficou por 25 anos em perpétuas trevas, sendo que no 15º foram criados um homem e uma mulher que refizeram a raça humana. Dez anos depois, em determinado dia que observaram, o sol apareceu, tendo sido recriado, e desde então começa a contagem de seus anos, a partir daquele dia. No terceiro dia da criação morreram os deuses antigos: os novos foram nascendo depois, de vez em quando. De como eles consideram o modo como este último sol perecerá, meu autor nada soube.[*] Mas a data dessa quarta mudança confere com a grande conjunção dos astros que produziu há oitocentos e tantos anos, segundo estimam os astrólogos, várias grandes alterações e novidades no mundo. Quanto à pompa e à magnificência, pelas quais entrei neste assunto, nem a Grécia, nem Roma e nem o Egito podem, seja em utilidade, seja em dificuldade ou nobreza, comparar nenhuma de suas construções com a estrada que se vê no Peru, aberta pelos reis do país desde a cidade de Quito até a de Cuzco (são trezentas léguas), reta, plana, larga de 25 passos, pavimentada, guarnecida dos dois lados por belas e altas muralhas, e, ao longo destas, por den-

[*] Francisco López de Gómara, *Histoire générale des Indes*, traduzido para o francês em 1578 e 1587.

tro, dois riachos perenes margeados de belas árvores a que chamam de *molly*. Onde encontraram montanhas e rochedos eles os talharam e aplainaram, e encheram os charcos de pedra e cal. Ao término de cada jornada encontram-se belos palácios abastecidos de víveres, roupas e armas, tanto para os viajantes como para os exércitos que por ali devem passar. Ao apreciar essa obra, computei as dificuldades, particularmente relevantes naquele lugar. Não construíam com pedras menores de dez pés quadrados: não tinham outro meio de carregá-las senão com a força dos braços, arrastando a carga, e não conheciam sequer a arte dos andaimes: assim, não tinham outro método além de amontoar muita terra encostada no edifício, à medida que ele ia subindo, para retirá-la depois. Retomemos nossos coches. Em vez de usarem coches ou qualquer outro veículo, faziam-se transportar nos ombros dos homens. No dia em que foi preso, esse último rei do Peru estava no meio de sua tropa, sentado numa cadeira de ouro e sendo transportado numa padiola de ouro. Tantos quantos desses carregadores eram mortos, para fazê-lo cair ao chão (pois os espanhóis queriam pegá-lo vivo), tantos outros à porfia ocupavam o lugar dos mortos: de modo que jamais conseguiram abatê--lo, por maior morticínio que se fizesse daquelas pessoas, até que um homem a cavalo foi agarrá-lo pelo corpo e o jogou no chão.

Sobre os coxos

Capítulo XI

A mente humana é capaz de grandes decepções consigo mesma. É capaz de encontrar razões para qualquer coisa, até mesmo para fenômenos inexistentes e "fatos" irreais. A experiência não é uma proteção contra o erro, pois pode ser condicionada por expectativas prévias. Aqui Montaigne fala da feitiçaria e mostra-se determinado a subordinar as próprias opiniões aos ensinamentos da Igreja católica. É um dos ensaios pelos quais Montaigne foi celebrado como o protótipo do homem das Luzes: um intelectual que desconfia dos rumores públicos, incrédulo em assuntos de bruxaria, numa sociedade em que a maioria acreditava nisso e em que parte da intelligentsia *escrevia ou lia livros de demonologia; um ex-parlamentar partidário da exclusão da pena de morte se houvesse a menor dúvida sobre a culpa ou o grau de culpa dos réus. Como as opiniões dos homens nunca são certezas, deveríamos queimar pessoas baseando-nos nelas? O problema era mais sério ainda na medida em que os tribunais, temerosos de perder a autoridade, evitavam reconhecer os próprios erros.*

Na França, há dois ou três anos encurtaram o ano em dez dias.* Quantas mudanças devem se seguir a essa reforma! Foi propriamente revirar o céu e a terra ao mesmo tempo. No entanto, nada saiu de seu lugar. Meus vizinhos encontram no mesmo ponto, exatamente onde os haviam fixado desde sempre, a hora das semeaduras e da colheita, a oportunidade de seus negócios, os dias nocivos e os propícios. Nem o erro afetava nosso modo de fazer, nem sua melhora nos afeta. De tal forma há incerteza em tudo, de tal forma nossa percepção é grosseira, obscura e obtusa. Dizem que esse ajuste podia ser conduzido de maneira menos incômoda: a exemplo de Augusto, subtraindo por alguns anos o dia do ano bissexto, pois é um dia de embaraço e confusão, até que se tivesse chegado a equilibrar esse descompasso. O que nem sequer se fez com essa correção, pois ainda permanecemos atrasados de alguns dias. E, seja como for, pelo mesmo meio se poderia prever o futuro, ordenando que, depois de completado este ou aquele número de anos, esse dia extraordinário fosse sempre eclipsado, de tal modo que nosso erro de cálculo não pudesse, daí em diante, exceder 24 horas. Não temos outra medida do

* Referência à reforma do calendário imposta por bula do papa Gregório XIII em 24 de fevereiro de 1582.

tempo além dos anos. Há tantos séculos o mundo se serve deles! E é, porém, uma medida que ainda não terminamos de fixar. E a tal ponto que todo dia temos dúvida sobre a forma que as outras nações lhe deram, diferente da nossa, e como costumam aplicá-la. Que pensar do que dizem alguns, que os céus, ao envelhecer, estão se contraindo em nossa direção e nos jogam na incerteza quanto às próprias horas e os dias? E quanto aos meses, já que Plutarco diz que ainda em seu tempo a astrologia não soubera determinar o movimento da Lua? Estamos bem-arranjados para fazer o registro das coisas passadas! Recentemente eu devaneava, como costumo fazer, sobre como a razão humana é um instrumento livre e vago. Em geral vejo que os homens se distraem com mais gosto ao procurar a razão dos fatos que lhes são propostos do que ao procurar saber se são verdade. Passam por cima das pressuposições mas examinam cuidadosamente suas consequências. Deixam as coisas e correm para as causas. Engraçados causadores! O conhecimento das causas afeta somente aquele que tem o governo das coisas: não a nós, que devemos apenas suportá-las. E que temos o pleno uso delas, em função de nossas necessidades, sem penetrar-lhes na origem e na essência. Nem sequer o vinho é mais agradável para quem conhece suas qualidades primeiras. Ao contrário: alegando pretensões de ciência, tanto o corpo como a alma infringem e alteram por si mesmos o direito que têm de desfrutar das coisas do mundo. Os efeitos nos afetam, mas os meios, de jeito nenhum. Determinar e distribuir as coisas cabe aos mestres e aos que comandam, assim como aceitá-las cabe aos subordinados e aos aprendizes. Retornemos aos nossos costumes. Em geral eles começam assim: "Como é que isso se faz?". Deveriam perguntar: "Mas isso se faz?". Nossa razão é capaz de tecer cem outros mundos, e depois de descobrir seus princípios e sua construção. Não precisa de matéria nem de suporte. Deixai-a correr:

ela constrói tanto no vazio como no pleno, e tanto com a inanidade como com a matéria,

*dare pondus idonea fumo.**
[capaz de dar peso à fumaça.]

Acho que em quase tudo seria preciso dizer: "Não é nada disso". E eu empregaria muitas vezes essa resposta, mas não me atrevo porque eles gritam que é uma evasiva produzida pela fraqueza de espírito e pela ignorância. Habitualmente, em sociedade preciso fingir-me de ator, tratando de assuntos e de relatos frívolos dos quais descreio totalmente. Acresce que, para falar a verdade, é um tanto brutal e provocativo negar secamente um fato que nos apresentam. E poucas pessoas deixam de afirmar, em especial nas coisas difíceis de se crer, que elas as viram, ou de citar testemunhas cuja autoridade sustará nossa contradição. Seguindo esse costume, sabemos os fundamentos e os meios de mil coisas que jamais existiram. E o mundo se escaramuça em mil questões cujos prós e contras são falsos. *Ita finitima sunt falsa veris, ut in praecipitem locum non debeat se sapiens committere.*** [O falso é tão próximo do verdadeiro que o sábio não deve se aventurar em terreno escarpado.] A verdade e a mentira têm rostos conformes, o porte, o gosto e o jeito iguais: olhamos para elas com os mesmos olhos. Acho que não somos apenas frouxos ao nos defendermos contra a impostura, mas que procuramos nos afundar nela e convidamos os outros a fazê-lo. Gostamos de nos embrulhar no que é vão, pois é algo que corresponde a nosso ser. Em minha época, vi o nascimento de vários prodígios. Ainda que sejam sufocados ao nascer, não deixamos de prever o curso que tomariam se tivessem

* Pérsio, v, 20.
** Cícero, *Academica priora*, II, XXI, 68.

sobrevivido. Pois basta encontrar a ponta do fio para o desenrolarmos tanto quanto quisermos. E há mais distância entre o nada e a menor coisa do mundo do que há entre esta e a maior. Ora, os primeiros que bebem esse começo de coisas estranhas, vindo a difundir sua história, sentem, pelas resistências que lhes são feitas, onde se aloja a dificuldade da persuasão e vão calafetando esse local com algum falso elemento. Além do mais, *insita hominibus libidine alendi de industria rumores,*[*] [pela tendência natural dos homens a alimentar deliberadamente os rumores,] naturalmente temos escrúpulos em devolver o que nos foi emprestado sem nenhum juro nem acréscimos de nossa lavra. Primeiramente, o erro individual gera o erro público, e depois, por sua vez, o erro público gera o erro particular. Assim, de mão em mão, vai toda essa construção tomando corpo e se formando, de maneira que a testemunha mais longínqua está mais bem informada que a mais próxima: e a última informada, mais convencida que a primeira. É um avanço natural. Pois quem quer que acredite em alguma coisa considera que é obra de caridade convencer o outro. E para fazê-lo não receia acrescentar algo de sua invenção, tanto quanto imagina ser necessário à sua história, para vencer a resistência e suprir a falha que pensa existir no julgamento do outro. Eu mesmo, que tenho singular escrúpulo em mentir e que pouco me preocupo em dar crédito e autoridade ao que digo, percebo todavia que nos assuntos que tenho em mãos, inflamando-me com a resistência do outro ou com o próprio calor de minha narração, aumento e incho meu assunto, pela voz, pelos gestos, pelo vigor e força das palavras, e também por extensão e amplificação: e não sem prejuízo da simples verdade. Mas o faço com a ressalva de que deixo de lado minha exaltação e apresento a verdade, sem exagero,

---

[*] Tito Lívio, XXVIII, xxiv.

SOBRE OS COXOS

sem ênfase e sem conversa fiada, ao primeiro que me acalmar e pedir-me a verdade nua e crua. A fala viva e ruidosa, como é a minha usual, deixa-se levar de bom grado para a hipérbole. Não há nada a que os homens comumente sejam mais inclinados do que a transmitir suas opiniões. Quando nos faltam os meios correntes, acrescentamos o comando, a força, o ferro e o fogo. É uma infelicidade estarmos nessa situação em que o melhor critério de verdade seja a profusão das pessoas que acreditam, e numa multidão onde os loucos ultrapassam de muito o número dos sensatos. *Quasi vero quidquam sit tam valde, quam nil sapere vulgare. Sanitatis patrocinium est, insanientium turba.*[*] [Como se seguramente não houvesse nada mais comum que ser desprovido de julgamento. Como avalistas do bom-senso, uma multidão de insensatos.] É coisa difícil manter seu julgamento contra as opiniões comuns. A primeira convicção que se apodera das pessoas simples resulta do próprio assunto: daí se expande aos que têm certo saber e julgamento, com a autoridade que adquiriu pelo número e pela antiguidade dos testemunhos. Quanto a mim, se não acreditasse em um não acreditaria em cem. E não julgo as opiniões por sua antiguidade. Há pouco tempo, um de nossos príncipes, cuja gota o fizera perder uma bela constituição e um caráter alegre, se deixou fortemente convencer pelo relato que se fazia das maravilhosas intervenções de um sacerdote que, pela via das palavras e dos gestos, curava todas as doenças, e fez uma longa viagem para ir encontrá-lo. E pela força de sua imaginação persuadiu e adormeceu as pernas por algumas horas, tanto assim que conseguiu que lhe prestassem o serviço que tinham desaprendido muito tempo antes. Se o acaso tivesse deixado acumularem-se cinco ou seis aventuras

---

* A primeira oração, Cícero, *De divinatione*, II, xxxix, 81; a segunda, Santo Agostinho, *A Cidade de Deus*, VI, x.

assim, seria suficiente para dar vida a um milagre. Depois, descobriram tanta ingenuidade e tão pouca arte no arquiteto dessas obras que não o consideraram digno sequer de castigo. Como faríamos com a maioria dessas coisas se as observássemos ali onde ocorrem. *Miramur ex intervallo fallentia.** [Nós nos admiramos, enganados pela distância.] Nossa vista costuma produzir, assim de longe, imagens estranhas que se desvanecem quando se aproximam. *Nunquam ad liquidum fama perducitur.*** [Nunca o rumor atinge a verdade límpida.] É espantoso como convicções tão fortes nascem em geral de começos vãos e causas frívolas. É exatamente isso que impede que nos informemos a respeito delas, pois enquanto procuramos as causas e os fins de peso e importantes, e dignos de um tão grande nome, perdem-se as verdadeiras. Elas escapam de nossa vista por sua pequenez. E na verdade tais investigações demandam um inquiridor bem prudente, atento e sutil: indiferente e sem prevenção. Até esta hora, todos os milagres e acontecimentos estranhos têm se escondido de mim. Não vi no mundo monstro e milagre mais manifesto do que eu mesmo. O costume e o tempo nos familiarizam com qualquer estranheza: quanto mais me examino e me conheço, mais minha deformidade me espanta e menos me compreendo. O principal direito de suscitar e propagar tais acontecimentos está reservado ao acaso. Passando anteontem por uma aldeia a duas léguas de minha casa, encontrei o lugar ainda inflamado por um milagre que acabava de fracassar, mas que ocupara a vizinhança por vários meses e levara as províncias vizinhas a começarem a se agitar e acorrer em grandes grupos de todas as condições. Numa noite, em sua casa, um rapaz do lugar se divertira em simular a voz de um espírito, sem pensar em outro obje-

---

* Sêneca, *Cartas a Lucílio*, cxviii, 7.
** Quinto Cúrcio, IX, ii.

tivo além do de se distrair com uma brincadeira; como a coisa lhe saiu um pouco melhor do que esperava, para reforçar sua farsa com mais recursos associou-se a uma moça da aldeia absolutamente simplória e boba: e no final eram três, da mesma idade e igualmente estúpidos: e das pregações domésticas passaram às pregações públicas, escondendo-se sob o altar da igreja, só falando de noite e proibindo que para lá se levasse qualquer luz. Das palavras que visavam a conversão do mundo e da iminência do dia do juízo final (pois a impostura esconde-se mais facilmente atrás de nosso respeito pela autoridade desses assuntos), chegaram a certas visões e a atos tão bobos e tão ridículos que nem nos jogos das crianças pequenas há nada tão grosseiro. No entanto, se a fortuna tivesse desejado conceder um pouco de seus favores, quem sabe até onde iria essa brincadeira? Atualmente esses pobres-diabos estão na prisão; e receberão talvez o castigo pela estupidez geral: e não sei se algum juiz se vingará neles da sua própria. Nesse incidente que foi descoberto, vemos claramente, mas em várias coisas do mesmo tipo, que superam nosso conhecimento, sou da opinião de que devemos suspender nosso julgamento, nem as rejeitando nem as aceitando. Comete-se muito abuso no mundo: ou, para dizer mais ousadamente, todos os abusos do mundo são gerados pelo fato de que nos ensinam a temer confessarmos nossa ignorância; e somos obrigados a aceitar tudo o que não conseguimos refutar. Falamos de todas as coisas por preceitos e formas categóricas. O estilo jurídico em Roma rezava que até mesmo o depoimento de uma testemunha que viu com os próprios olhos e a sentença de um juiz baseada em seu mais seguro saber fossem expressos com esta forma de falar: "parece-me". Fazem-me odiar as coisas verossímeis quando as apresentam como infalíveis. Gosto destas palavras que amolecem e moderam a temeridade de nossas proposições: "talvez", "de certa forma", "algum", "dizem", "penso", e semelhantes. E se tivesse de educar crianças, tanto lhes teria posto na boca esse modo de responder inquiridor e não decisivo: "o que quer dizer?", "não estou entendendo", "poderia ser", "é verdade?", que elas mais teriam conservado o jeito de aprendizes aos sessenta anos do que se apresentado como doutores aos dez anos, como fazem. Quem quer curar a ignorância deve confessá-la. Íris é filha de Taumante. O assombro é o fundamento de toda filosofia; a inquirição é como ela avança; a ignorância, seu final. Mas há, sim, certa ignorância forte e digna que em honra e em coragem nada deve ao conhecimento. Ignorância que exige tanto conhecimento para ser concebida quanto se exige para conceber o conhecimento. Vi em minha infância um processo que Coras, conselheiro de Toulouse, mandou imprimir de um acontecimento estranho, dois homens que se apresentavam um se passando pelo outro:* lembro-me (e não me lembro de mais outra coisa) de que me pareceu que ele fez da impostura daquele que julgou culpado algo tão espantoso e ultrapassando de tão longe nosso conhecimento e o dele, que era juiz, que achei grande ousadia a sentença que o condenara a ser enforcado. Admitamos uma forma de sentença que diga: "A Corte não está entendendo nada". Mais livre e ingenuamente do que fizeram os areopagitas, que, vendo-se pressionados por uma causa que não conseguiam elucidar, ordenaram que as partes retornassem dali a cem anos. As bruxas de minha vizinhança correm risco de vida segundo a opinião de cada nova autoridade que vem dar substância às visões delas. A palavra de Deus oferece-nos exemplos de tais fenômenos, exemplos muito seguros e irrefutáveis, mas para adaptá-los e ligá-los aos nossos acontecimentos modernos, já que não vemos

* Segundo Pierre Villey, trata-se do processo do falso Martin Guerre.

SOBRE OS COXOS

suas causas nem seus meios, precisamos de outro talento que não o nosso. Talvez caiba a essa todo-poderosa testemunha nos dizer: "Este é um feiticeiro; e aquela; mas não aquela outra". Nisso, devemos acreditar em Deus: o que, de fato, está muito certo. Mas não em um dentre nós, que se espanta com a própria narrativa (e espanta-se necessariamente se não estiver fora de seu juízo), seja que conte um fato de outro, seja que conte de si mesmo. Sou lento e apego-me um pouco ao sólido e ao verossímil, evitando essas recriminações antigas: *Majorem fidem homines adhibent iis quae non intelligunt. Cupidine humani ingenii libentius obscura creduntur.** [Os homens creem mais no que não compreendem. A propensão do espírito humano faz que se atribua mais facilmente fé aos mistérios.] Bem vejo que os outros se enfurecem e proíbem-me de duvidar dessas coisas, sob pena de injúrias execráveis. Novo modo de persuasão! Graças a Deus, ninguém maneja minha crença a socos. Que repreendam os que acusam de falsidade suas opiniões: só as acuso de atrevimento e de serem difíceis de se crer. E condeno a afirmação oposta, juntamente com eles, embora de modo menos imperioso. Quem impõe seu discurso como um desafio e um comando mostra que sua razão é fraca. Numa altercação verbal e escolástica, que eles tenham tanta aparência de razão quanto seus objetores. *Videantur sane, non affirmentur modo.*** [Que se atenham às aparências, sem nada afirmar.] Mas quanto à consequência efetiva que daí tiram, os segundos levam muita vantagem. Para matar as pessoas precisa-se de uma clareza luminosa e pura. E nossa vida é demasiado real e essencial para avalizar esses acontecimentos sobrenaturais e fantásticos. Quanto às drogas e aos venenos, excluo-os de minha consideração: são homicídios, e da

* Tácito, *Histórias*, I, XXII, 4.
** Cícero, *Academica priora*, II, XXVII, 87.

pior espécie. Todavia, até nisso dizem que nem sempre devemos nos prender à própria confissão dessas pessoas, pois vez por outra as vimos se acusarem de ter matado gente que era encontrada saudável e viva. Quanto a outras acusações extravagantes, eu diria de bom grado que é suficiente que um homem, seja qual for sua reputação, seja acreditado a respeito do que é humano. A respeito do que está além de sua compreensão e que tenha um efeito sobrenatural ele só deve ser acreditado quando uma autoridade sobrenatural o confirmar. Esse privilégio que aprouve a Deus dar a alguns testemunhos nossos não deve ser aviltado e comunicado levianamente. Tenho os ouvidos martelados por mil histórias assim: "Três o viram tal dia, a leste: três o viram no dia seguinte, a oeste: a tal hora, em tal lugar, vestido assim". Na verdade, eu mesmo não acreditaria em mim. E como é mais natural e mais plausível dois homens que mentem do que um homem que em doze horas passa, como os ventos, do oriente para o ocidente! Como é mais natural que nosso entendimento seja transportado de seu lugar pela volubilidade de nosso espírito avariado, do que, devido a um espírito estranho, um de nós em carne e osso poder voar numa vassoura ao longo do conduto de sua chaminé! Nós, que somos perpetuamente transtornados por ilusões internas e nossas, não procuremos as ilusões externas e desconhecidas. Parece-me que somos perdoáveis por não acreditar numa maravilha, pelo menos tanto quanto somos perdoáveis por recusar e eludir a prova de que ela se realizou por um caminho não milagroso. E sigo a opinião de Santo Agostinho: mais vale tender para a dúvida do que para a certeza nas coisas de difícil comprovação e perigosa crença. Há alguns anos, eu passava pelas terras de um príncipe soberano que, para me fazer um favor e combater minha incredulidade, me fez a graça de me mostrar em sua presença e em local particular dez ou doze prisioneiros desse gênero, e entre outros

SOBRE OS COXOS

uma velha, realmente uma bruxa pela feiura e pela dis-
formidade, e muito famosa de longa data nessa profissão. Vi tanto provas como confissões voluntárias e também uma marca insensível* naquela pobre velha: e
indaguei e falei o quanto quis, prestando a mais saudável atenção que pude: e não sou homem que me deixe
garrotear o julgamento por preconceito. No final e em sã
consciência, eu mais teria lhes prescrito o heléboro do
que a cicuta.** *Captisque res magis mentibus, quam
consceleratis similis visa.**** [O caso parecia limitar-se
mais à loucura do que ao crime.] A justiça tem seus próprios corretivos para tais doenças.**** Quanto às objeções
e aos argumentos que homens honestos me apresentaram, tanto lá como, muitas vezes, em outros lugares,
não os ouvi que me tenham convencido: para eles, não
há explicação mais convincente do que suas conclusões.
É bem verdade que as provas e razões que se baseiam na
experiência e no fato, estas não as desato; elas não têm
ponta, e costumo cortá-las, assim como Alexandre a seu
nó.***** Afinal de contas, pôr um homem para ser queimado
vivo é conferir um preço bem alto às próprias conjecturas. Diz Prestâncio, e temos diversos exemplos dessas

* Segundo os teóricos da bruxaria, ter uma parte do corpo insensível às agulhas e picadas era uma "violenta presunção" de
possessão pelo demônio. Era a "marca do diabo", que os inquisi-
dores procuravam no corpo de quem fosse acusado de bruxaria.
** A planta heléboro, preta ou verde, era empregada na Antiguidade para tratar da loucura; quanto à cicuta, como demonstra a morte de Sócrates, era usada para a execução da
pena de morte.
*** Tito Lívio, VIII, XVIII, 11.
**** As penas infligidas aos doentes mentais eram mais brandas
que as reservadas aos bruxos, sempre condenados à fogueira,
ainda que com mínimas provas.
***** Dizia-se que quem desatasse o nó do templo de Górdio con-
quistaria a Ásia Menor: Alexandre cortou-o com sua espada.

histórias, que seu pai, sonolento e adormecido muito mais pesadamente do que num sono perfeito, fantasiou ser um jumento e servir de burro de carga a seus soldados: e ele se tornava aquilo que fantasiava. Se os sonhos dos feiticeiros assim se materializam, se os sonhos às vezes podem incorporar-se em realidades, ainda assim não creio que nossa vontade possa ser responsável por isso perante a justiça. Digo-o como quem não é juiz nem conselheiro dos reis, e que se considera bem longe de ser digno disso, mas como homem comum, nascido e educado para a obediência à razão pública, tanto em seus feitos como em seus ditos. Quem levasse em conta meus devaneios, em prejuízo da mais mísera lei de sua aldeia, ou de sua opinião, ou de seu costume, faria grande mal a si mesmo e outro tanto a mim. Pois do que digo não garanto outra certeza senão que é o que naquele momento eu tinha no pensamento. Pensamento tumultuado e vacilante. É por meio da conversa que falo de tudo, e de nada por meio de opinião. *Nec me pudet, ut istos, fateri nescire, quod nesciam.** [Nada de vergonha, como aquelas pessoas, em confessar ignorar o que ignoro.] Eu não seria tão ousado para falar se me coubesse ser acreditado. E foi o que respondi a um grande personagem, que se queixava da dureza e do ardor de minhas exortações. "Como vos sinto propenso e preparado de um lado, proponho-vos o outro com todo o cuidado que posso, para esclarecer vosso julgamento, não para forçá-lo: Deus detém vossos sentimentos e vos fornecerá a escolha." Não sou tão presunçoso para desejar sequer que minhas opiniões possam pesar para as pessoas em coisa de tamanha importância. Meu destino não as preparou para conclusões tão poderosas e tão elevadas. Certamente, tenho não só humores em grande número, mas também opiniões suficientes das quais eu gostaria de desinteres-

---

* Cícero, *Tusculanas*, I, xxv.

sar meu filho, se tivesse um. Por quê? Pois se as mais verdadeiras nem sempre são as mais agradáveis para o homem, de tal forma ele é de natureza selvagem! Se a propósito ou fora de propósito, pouco importa. Dizem na Itália, num provérbio corrente, que não conhece Vênus em sua perfeita doçura quem não se deitou com uma mulher coxa. A fortuna ou algum fato particular puseram, há muito tempo, essas palavras na boca do povo; e isso se diz tanto dos machos como das fêmeas. Pois a rainha das amazonas respondeu ao cita que a convidava para o amor: ἄριστα χολὸζ οἰφεῖ, "o coxo é quem faz isso melhor". E nessa república das mulheres, para fugir da dominação dos machos elas os estropiam desde a infância, braços, pernas e outros membros que lhes davam vantagem sobre si, e serviam-se deles apenas para aquilo de que nos servimos delas em nossa terra. Eu diria que o movimento defeituoso da mulher manca forneceria um novo prazer à função e uma ponta de doçura aos que a ensaiam: mas acabo de aprender que até mesmo a filosofia antiga decidiu sobre isso. Ela diz que as pernas e coxas das mancas não recebem, por causa de sua imperfeição, o alimento que lhes é devido, e então ocorre que as partes genitais que ficam acima são mais desenvolvidas, mais nutridas e vigorosas. Ou então que aqueles que são marcados por esse defeito, como estão impedidos para o exercício, dissipam menos suas forças e chegam mais inteiros aos jogos de Vênus. Que é também a razão pela qual os gregos proclamavam que as tecelãs eram mais quentes que as outras mulheres: devido ao ofício sedentário que exercem, sem grande exercício do corpo. Nessa toada, a que não podemos dar razão? Destas eu também poderia dizer que o vaivém que o trabalho delas impõe, quando estão assim sentadas, desperta-as e as solicita, como fazem com as senhoras o balanço e os solavancos de seus coches. Esses exemplos não servem para o que eu dizia no começo: que frequentemente nossas razões antecipam o fato e que sua jurisdição é tão extensa e infinita que elas são usadas até para fazer julgamentos da própria inanidade e da inexistência! Além da flexibilidade de nosso poder inventivo ao forjar razões para sonhos de toda espécie, nossa imaginação acha-se igualmente apta a receber impressões de falsidade quando se apresentam sob aparências bem frívolas. Pois só pela autoridade do uso antigo e corrente desse provérbio acreditei outrora ter recebido mais prazer de uma mulher pelo fato de ser ela deformada, o que pus na conta de suas graças. Torquato Tasso, na comparação que faz entre a França e a Itália, diz ter observado que temos as pernas mais finas que as dos fidalgos italianos; o que atribui a estarmos continuamente a cavalo. É a mesma constatação da qual Suetônio tira uma conclusão totalmente oposta. Pois diz ele, ao contrário, que Germânico engrossara as suas pela prática constante desse mesmo exercício. Não há nada tão maleável e errático quanto nosso entendimento. É o sapato de Terâmenes, bom para qualquer pé.[*] E é duplo e diverso, e as matérias são duplas e diversas. "Dá-me um dracma de prata", dizia um filósofo cínico a Antígono. "Não é um presente de rei", ele respondeu. "Dá-me então um talento." "Não é presente para um cínico."

> *Seu plures calor ille vias, et caeca relaxat*
> *Spiramenta, novas veniat qua succus in herbas:*
> *Seu durat magis, Et venas astringit hiantes,*
> *Ne tenues pluviae, rapidive potentia solis*
> *Acrior, aut Boreae penetrabile frigus adurat.*[**]
> [Seja que esse calor abre [na terra] passagens mais numerosas e poros imperceptíveis por onde sobe a seiva nas plantas novas; seja que ele endurece o solo e aí es-

---

[*] Terâmenes era um retórico ateniense capaz de encontrar argumentos para qualquer uma das partes em confronto.
[**] Virgílio, *Geórgicas*, I, 89-93.

treita os canais abertos, retendo as chuvas finas, impedindo de queimarem o chão o ardor forte demais do sol que devora ou o frio penetrante.]

Ogni medaglia ha il suo reverso. [Toda medalha tem seu reverso.] Eis por que Clitômaco dizia antigamente que Carnéades superara os trabalhos de Hércules por ter arrancado dos homens o consentimento: isto é, conjectura e temeridade ao julgar. Essa ideia de Carnéades, tão vigorosa, a meu ver é muito antiga, nasceu contra a impudência dos que professam o saber e suas pretensões desmedidas. Puseram Esopo à venda, junto com dois outros escravos: o comprador indagou do primeiro o que ele sabia fazer, e este, para se valorizar, respondeu "montanhas e milagres", pois sabia isso e aquilo: o segundo respondeu tanto ou mais: quando foi a vez de Esopo, e que também lhe perguntaram o que sabia fazer, disse: "Nada, pois estes dois já disseram tudo: sabem tudo". Assim aconteceu na escola da filosofia. O orgulho dos que atribuíam ao espírito humano a capacidade de todas as coisas produziu em outros, por irritação e emulação, a opinião de que ele não é capaz de coisa nenhuma. Uns baseiam na ignorância esses mesmos extremismos que os outros baseiam no conhecimento. A fim de que ninguém possa negar que o homem é imoderado em tudo, e que não tem outro limite além da necessidade e da impossibilidade de ir mais longe.

Sobre a experiência

Capítulo XIII

O *capítulo final* de Os ensaios *fornece o fruto do julgamento de Montaigne sobre o lugar de nossa humanidade na vida de cada um de nós. Ele o amarra firmemente ao contexto aristotélico. A frase inicial ecoa a primeira frase de um dos livros mais famosos de Aristóteles, que diz que não há desejo mais natural do que o desejo de conhecimento. As últimas palavras de Os ensaios eram, na primeira edição, "diversidade e discordância". Oito anos depois, Montaigne escolhe concluir sua obra com a experiência. Assim, é tentador ver aqui seu testamento intelectual. Montaigne fala de si mesmo. Como envelhecer? Como enfrentar a doença e a dor? A morte? Suas respostas vêm não tanto da leitura dos grandes filósofos, mas do convívio com as pessoas, da observação do real. A sabedoria já não vem do alto, já não é dita pela razão; resulta de observações e ensinamentos acumulados ano após ano: quanto mais envelhece, mais Montaigne se convence de que não erra em seguir a natureza e em fugir tanto dos conselhos dos moralistas como das consultas dos médicos. Apesar da dívida com Aristóteles, não acredita que a experiência que existe por trás de Metafísica ou Física substitua sua própria experiência: "Estudo a mim mesmo mais que a outro assunto. É a minha metafísica, é a minha física".*

Não há desejo mais natural que o desejo de conhecimento. Ensaiamos todos os meios que podem levar-nos a ele. Quando nos falta a razão, empregamos a experiência,

Per varios usus artem experientia fecit:
*Exemplo monstrante viam,**
[A experiência tem por diversas práticas produzido as artes, com o exemplo mostrando o caminho,]

que é um meio muito mais fraco e menos digno. Mas a verdade é coisa tão grande que não devemos desprezar nenhum intermediário que nos leve a ela. A razão tem tantas formas que não sabemos a qual recorrer. Não menos tem a experiência. A consequência que queremos tirar da comparação entre os acontecimentos é pouco segura, visto que eles são sempre dessemelhantes. Nessa comparação que fazemos sobre as coisas, nenhuma qualidade é tão universal quanto sua diversidade e variedade. Os gregos, os latinos e nós servimo-nos do exemplo dos ovos como sendo o da mais perfeita semelhança. Entretanto, houve homens, e em especial um em Delfos, que reconheciam sinais de diferença entre os ovos, tanto assim que jamais confundia um com o outro. E havendo ali várias galinhas, sabia julgar de

* Manílio, I, LIX.

qual delas era o ovo. A própria dessemelhança se introduz em nossas obras, nenhuma arte pode alcançar a semelhança. Nem Perroset* nem nenhum outro consegue com tanto cuidado polir e branquear o reverso de suas cartas a ponto de certos jogadores não as diferenciarem ao vê-las simplesmente passar pelas mãos de outro. A semelhança não torna as coisas tão "unas", assim como a diferença as torna "outras". A natureza obrigou-se a nada fazer "outro" que não fosse dessemelhante. Por isso, não me agrada a opinião daquele** que pensava frear, pela profusão das leis, a autoridade dos juízes, dando-lhes mastigados os pedaços de que precisariam. Ele não percebia que há tanta liberdade e amplitude na interpretação das leis como em sua elaboração. E os que pensam enfraquecer nossos debates e sustá-los ao nos lembrarem as palavras expressas da Bíblia não podem ser sérios. Tanto mais que o campo que se oferece a nosso espírito para examinar o pensamento de outro não é menos vasto do que o campo em que ele expõe o seu. E seria como se houvesse menos animosidade e virulência em glosar do que em inventar. Vemos como aquele homem se enganava. Pois temos na França mais leis do que todo o resto do mundo junto; e mais do que seria necessário para regular todos os mundos de Epicuro: *Ut olim flagitiis, sic nunc legibus laboramus.**** [Como outrora sofríamos com os crimes, hoje estamos esmagados pelas leis.] E no entanto deixamos tão bem nossos juízes opinarem e decidirem que nunca houve liberdade tão poderosa e tão licenciosa. O que ganharam nossos legisladores em

* Os Perroset eram fabricantes de cartas estabelecidos em Avignon desde o século xv. Na época, o verso das cartas era branco e sem nenhuma decoração.
** Triboniano, jurista e ministro do imperador bizantino Justiniano, cujo Código previa tantos casos que reduzia o papel dos juízes a apenas aplicá-lo.
*** Tácito, *Anais*, III, xxv, 1.

distinguir 100 mil categorias e fatos específicos e a eles ligar 100 mil leis? Esse número não tem a menor relação com a diversidade infinita das ações humanas. A multiplicação de nossas invenções não conseguirá igualar a diversidade dos exemplos. Somem-se a isso mais cem vezes e ainda assim não será possível que entre os acontecimentos futuros haja só um que, em todo esse grande número de milhares de acontecimentos selecionados e repertoriados, possa se juntar e emparelhar com outro tão exatamente que não reste entre eles a menor particularidade e diferença e que não requeira um julgamento específico. Há pouca relação entre nossas ações, que estão em perpétua mutação, e as leis fixas e imóveis. As leis mais desejáveis são as mais raras, mais simples e gerais. E mesmo assim creio que seria melhor não ter nenhuma delas do que tê-las em tal número como as temos. A natureza sempre as elabora bem melhores que aquelas que elaboramos para nós. A prova é a idade de ouro pintada pelos poetas: e o estado em que vivem as nações que não têm outras leis. Eis que algumas nações empregam em suas causas, como únicos juízes, o primeiro viajante que estiver cruzando suas montanhas. E outras elegem, no dia de mercado, alguém entre eles que decide na hora todos os seus processos. Que perigo haveria se os mais sábios viessem assim decidir os nossos, dependendo dos casos, e depois de um exame com os próprios olhos, sem obrigação de se referirem a precedentes e de criar outros? Para cada pé seu sapato. O rei Fernando, quando enviou colonos para as Índias, providenciou sabiamente que não se levassem especialistas da jurisprudência: temendo que os processos proliferassem naquele novo mundo, por se tratar de ciência por natureza geradora de altercação e divisão, e julgando, como Platão, que prover o país de jurisconsultos e médicos é ruim. Por que é que nossa linguagem corrente, tão cômoda para qualquer outro uso, torna-se obscura e ininteligível nos contratos

e testamentos? E por que quem se expressa tão claramente em tudo o que diz e escreve não encontra nenhuma maneira de fazer declarações que não caia na dúvida
e na contradição? Talvez seja porque os príncipes dessa
arte, aplicando-se com peculiar atenção na seleção de
palavras solenes e fórmulas artificiais, tanto pesaram
cada sílaba e esquadrinharam tão minuciosamente cada
tipo de ligação que ei-los atrapalhados e enrolados na
infinidade de figuras e partes do discurso tão picotadas
que desafiam qualquer regra ou prescrição, ou uma compreensão segura. *Confusum est quidquid usque in pul-
verem sectum est.** [Tudo o que é reduzido a pó torna-se
confuso.] Quem viu crianças tentando dividir em certo
número de segmentos uma massa de mercúrio? Quanto
mais o apertam e amassam, e tentam submetê-lo à sua
lei, mais exasperam a liberdade desse nobre metal: ele
escapa às manipulações e vai se dividindo e se espalhando além de qualquer conta. O mesmo acontece aqui,
pois subdividindo essas sutilezas ensina-se aos homens
aumentarem suas dúvidas: colocam-nos em posição de
estender e diversificar as dificuldades: prolongam-nas,
dispersam-nas. Semeando as questões e retalhando-as,
fazem frutificar e pulular no mundo as incertezas e as
querelas, assim como a terra torna-se mais fértil à medida que é esmigalhada e profundamente revolvida. *Diffi-
cultatem facit doctrina.*** [É a ciência que cria a dificuldade.] Duvidávamos de Ulpiano, e duvidamos também
de Bartolo e Baldo.*** Seria preciso apagar os traços dessa

---

* Sêneca, *Cartas a Lucílio*, LXXXIX, 3.
** Quintiliano, *Instituição oratória*, X, III, 16.
**** Ulpiano (170-228), famoso jurisconsulto romano, escreveu
quase duzentos livros de direito. Suas opiniões tinham força de lei antes de se codificar o direito romano. Bartolo de
Sassoferrato (1313-1357) e seu aluno Pietro Baldo (1327-1400)
foram influentes glosadores de textos jurídicos no século XIV.

SOBRE A EXPERIÊNCIA

inumerável diversidade de opiniões, e não apossar-se dela e encher a cabeça da posteridade. Não sei o que dizer disso, mas sentimos por experiência que tantas interpretações dissipam a verdade e a quebram. Aristóteles escreveu para ser compreendido; se não conseguiu, menos conseguirá um menos hábil, e um terceiro, menos que quem traduz o próprio pensamento. Abrimos nossa matéria e, macerando-a, a expandimos. De um assunto fazemos mil: e multiplicando e subdividindo caímos na infinidade dos átomos de Epicuro. Nunca dois homens julgaram da mesma maneira a mesma coisa. E é impossível ver duas opiniões exatamente iguais: não só em diversos homens mas no mesmo homem, em horas diferentes. Normalmente encontro do que duvidar naquilo que o comentário não se dignou tocar. Tropeço mais facilmente em terreno plano, como certos cavalos que conheço, que mais amiúde pisam em falso em caminho uniforme. Quem negaria que as glosas aumentam as dúvidas e a ignorância, já que não se vê nenhum livro, seja humano, seja divino, em que os homens trabalharam e cujas dificuldades tenham sido vencidas por suas interpretações? O centésimo comentarista transmite àquele que o sucede um livro mais espinhoso e mais escarpado do que o primeiro que o comentou. Quando concordaremos entre nós que tal livro tem suficientes comentários e que de agora em diante não há mais nada a dizer? Isso pode ser mais bem-visto nas chicanas. Confere-se força de lei a infinitos doutores, a infinitos decretos e a outras tantas interpretações. Porventura encontramos por isso alguma finalidade em nossa necessidade de interpretar? Porventura vemos progresso e avanço com respeito à serenidade? Precisamos de menos advogados e juízes do que quando essa massa de direito ainda estava em sua primeira infância? Ao contrário, obscurecemos e enterramos a inteligência. Não mais a discernimos senão à mercê de tantas cercas e barreiras. Os homens desconhecem a doença natural de seu espírito. Este apenas bisbilhota e procura; e vai incessantemente rodopiando, construindo, como nossos bichos-da-seda, e emaranhando-se em seu trabalho: nele se sufoca. *Mus in pice.*[*] [Um camundongo no piche.] Pensa notar de longe não sei que aparência de clareza e de verdade imaginárias: mas enquanto corre para lá, tantas dificuldades lhe atravessam o caminho, tantos obstáculos e novas pesquisas, que elas o extraviam e inebriam. Não é muito diferente do que acontece com os cães de Esopo, que, avistando o que parecia um corpo morto boiando no mar, e não conseguindo aproximar-se, resolveram beber aquela água, secar a passagem, e ali se afogaram. E isso coincide com o que dizia um certo Crates sobre os escritos de Heráclito, que precisavam de um leitor bom nadador a fim de que a profundidade e o peso de sua doutrina não o tragassem e sufocassem. É só nossa fraqueza individual que faz que nos contentemos com o que outros ou nós mesmos encontramos nessa caça ao conhecimento: um mais hábil não se contentará. Há sempre lugar para um sucessor, e até para nós mesmos, e um caminho por outro lugar. Não há fim em nossas investigações. Nosso fim está no outro mundo. É sinal de estreiteza quando o espírito se satisfaz: ou sinal de lassidão. Nenhum espírito poderoso se detém em si mesmo. Sempre se empenha em ir mais longe e vai além de suas forças. Seus impulsos vão além de seus feitos. Se não avança e não se apressa, e não se força e não se choca e se revira, só está vivo pela metade. Suas buscas não têm término nem forma. Seu alimento é o espanto, a caça, a incerteza. Como declarava Apolo, falando sempre conosco de forma ambígua, obscura e oblíqua: não nos saciando mas nos divertindo e nos ocupando. É um movimento irregular,

---

[*] Velho adágio publicado na edição francesa dos *Adágios*, de Erasmo, 1571.

SOBRE A EXPERIÊNCIA 515

perpétuo, sem modelo e sem objetivo. Suas invenções excitam-se, seguem-se e engendram-se uma à outra.

Ainsi voit l'on, en un ruisseau coulant,
Sans fin l'une eau apres l'autre roulant,
Et tout de rang, d'un eternel conduict,
L'une suit l'autre, et l'une l'autre fuyt.
Par cette-cy celle-là est poussée,
Et cette-cy par l'autre est devancée:
Tousjours l'eau va dans l'eau, et tousjours est-ce
Mesme ruisseau, et toujours eau diverse.
[Assim se vê num riacho correndo, sem fim uma água após outra rolando, e perpetuamente num eterno conduto; uma segue a outra, e uma da outra foge. Por esta a outra é impelida, e esta pela outra é precedida: a água sempre indo na água, e sempre é o mesmo riacho, e sempre água diferente.]*

Há mais trabalho em interpretar as interpretações do que em interpretar as coisas: e mais livros sobre os livros do que sobre outro assunto: não fazemos mais que glosar uns aos outros. Tudo fervilha de comentários, mas de autores há grande escassez. O principal e mais famoso saber de nossos séculos não é saber compreender os sábios? Não é essa a finalidade comum e última de todos os estudos? Nossas opiniões enxertam-se umas nas outras. A primeira serve de caule à segunda: a segunda à terceira. Assim escalamos, degrau a degrau. E resulta que quem sobe mais alto costuma ter mais honra do que mérito. Pois só subiu um bocadinho, sobre os ombros do penúltimo. Quão frequentemente, e talvez tolamente, estendi meu livro até que ele falasse de si? Tolamente, quanto mais não fosse por esta razão: eu devia me lembrar do

* La Boétie, "À Marguerite de Carle sur la traduction des Plantes de Bradamant", 109-6.

que digo dos outros que fazem o mesmo; de que essas olhadelas tão frequentes para suas obras provam que o coração estremece de amor por elas; e de que mesmo as asperezas e o menosprezo com que as castigam são apenas mimos e repreensões de uma solicitude maternal, seguindo Aristóteles, para quem tanto prezar como desprezar costumam nascer do mesmo ar de arrogância. Pois não sei se todos aceitarão minha desculpa de que devo ter nisso mais liberdade que os outros porque, justamente, escrevo sobre mim, e sobre meus escritos e sobre minhas outras ações, já que meu tema se revira sobre si mesmo. Vi na Alemanha que Lutero deixou tantas, e mesmo mais, discórdias e desacordos sobre suas opiniões do que ele mesmo levantou a respeito das Sagradas Escrituras. Nossa contestação é verbal. Pergunto o que são natureza, prazer, círculo, fideicomisso. A questão é sobre palavras e é paga na mesma moeda. Uma pedra é um corpo: mas se pressionássemos: "E corpo, o que é?", "Uma substância", "E substância, o que é?", e assim por diante, encurralaríamos o interlocutor até o fim de seu dicionário. Troca-se uma palavra por outra e quase sempre por uma mais desconhecida ainda. Sei melhor o que é "homem" do que sei o que é "animal", ou "mortal", ou "racional". Para esclarecer uma dúvida, dão-me três: é a cabeça da Hidra. Sócrates perguntou a Mênon o que era a virtude: "Há", disse Mênon, "virtude de homem e de mulher, de magistrado e de cidadão particular, de criança e de velho". "Ah, isso é muito bom", exclamou Sócrates, "estávamos em busca de uma virtude e nos trazes um enxame." Fazemos uma pergunta e nos devolvem uma colmeia. Como nenhum fato e nenhuma forma se parecem inteiramente com outros, assim nenhum difere inteiramente de outro. Engenhosa mescla da natureza. Se nossas faces não fossem semelhantes, não se saberia discernir o homem do animal: se não fossem dessemelhantes, não se saberia discernir um homem de outro. Todas

SOBRE A EXPERIÊNCIA   517

as coisas se ligam por certa semelhança. Todo exemplo é
falho. E a relação que se estabelece a partir da experiência é sempre falha e imperfeita. Todavia, juntamos as
comparações por alguma ponta. Assim as leis adaptam-
-se e assim combinam com cada um de nossos casos por
alguma interpretação escusa, forçada e oblíqua. Já que as
leis éticas, que se referem aos deveres particulares de
cada um consigo, são tão difíceis de se estabelecer, como
vemos que são, não é de espantar que o sejam ainda mais
as leis que governam tantos indivíduos. Considerai a forma dessa justiça que nos rege; é uma verdadeira prova da
imbecilidade humana, de tal forma há contradição e
erro. O que encontramos em matéria de favoritismo e de
rigor na justiça (e encontramos tanto que não sei se o
meio-termo entre eles é frequente) são partes doentias e
membros anormais do próprio corpo e da essência da
justiça. Camponeses vêm me avisar, apressados, que deixaram ainda há pouco, numa floresta que é minha, um
homem ferido por cem golpes, que ainda respira e pediu-
-lhes água, por piedade, e socorro para ser levantado. Dizem que não ousaram se aproximar e fugiram, temendo
que as pessoas da justiça os pegassem, como acontece
com os que são encontrados perto de um homem morto,
e que tivessem de prestar contas desse acidente, para sua
total desgraça, pois não têm competência nem dinheiro
para defender sua inocência. O que lhes poderia dizer? É
certo que esse ato de humanidade lhes teria causado
aborrecimento. Quantos inocentes descobrimos que foram punidos? Digo: sem que tenha sido por culpa dos
juízes? E quantos houve que não descobrimos? Eis o que
aconteceu em meu tempo: uns homens são condenados à
morte por um homicídio, com a sentença, se não proferi-
da, ao menos concluída e decidida. Nessa altura, os juízes são avisados pelos oficiais de um tribunal subalterno,
vizinho, de que eles detêm alguns prisioneiros que confessam eloquentemente o homicídio e jogam sobre os fa-

tos uma luz indubitável. Deliberam se por isso devem interromper e diferir a execução da sentença dada contra os primeiros. Consideram a novidade da situação e suas consequências para suspender o julgamento; e como a condenação está juridicamente feita, os juízes ficam privados de arrependimento. Em suma, aqueles pobres-diabos são sacrificados às formas da justiça. Filipe, ou algum outro, evitou um inconveniente parecido da seguinte maneira: condenara um homem a pagar pesadas multas a outro, por um julgamento proferido. Descobrindo-se a verdade certo tempo depois, viu-se que ele julgara de forma iníqua. De um lado estavam as razões da causa: de outro lado, as razões dos procedimentos judiciais. De certo modo ele satisfez a ambas, deixando a sentença como estava e recompensando com o próprio dinheiro o prejuízo do condenado. Mas estava lidando com um fato reparável, ao passo que os meus foram irreparavelmente enforcados. Quantas condenações vi mais criminosas que o crime? Tudo isso me faz relembrar estas opiniões dos antigos: que é obrigado a agir mal no varejo quem quiser agir bem no atacado, e a cometer injustiça nas pequenas coisas quem quiser fazer justiça nas grandes; que a justiça humana é formada segundo o modelo da medicina, segundo o qual tudo o que é útil é também justo e honesto; e, como afirmam os estoicos, que a própria natureza age contra a justiça na maioria de suas obras; e, como afirmam os cirenaicos, que não há nada justo em si, e que são os costumes e as leis que fazem a justiça; e o que os teodorianos dizem: que é justo para um sábio o furto, o sacrilégio e toda espécie de indecência se ele vir que isso lhe é proveitoso. Não há remédio. Estou no mesmo ponto em que Alcibíades, que jamais comparecerei, se puder, perante um homem que decida a respeito de minha cabeça, e que minha honra e minha vida dependam mais da habilidade e do cuidado de meu procurador que de minha inocência. Eu me arriscaria perante uma

SOBRE A EXPERIÊNCIA

justiça que me reconhecesse tanto uma boa ação como uma má ação, e da qual tivesse tanto a esperar como a temer. Manter-se ileso não é retribuição suficiente para um homem que faz melhor do que não errar. Nossa justiça só nos apresenta uma das mãos; e ainda assim, a esquerda. Seja quem for, qualquer um sai dela com alguma perda. Na China, cujas leis e artes, sem contato e conhecimento dos nossos, superam nossos exemplos em vários terrenos de excelência, e cuja história me ensina quão mais amplo e mais diverso é o mundo, o que nem os antigos nem nós imaginamos, os oficiais designados pelo príncipe para inspecionar o estado de suas províncias punem aqueles que cometeram no cargo malversações mas também remuneram por mera liberalidade os que se portaram bem, além da norma habitual e além da necessidade de seu dever. As pessoas se apresentam a eles não só para se defenderem mas para ganhar alguma coisa: não simplesmente para serem pagas, mas para receber dons. Graças a Deus, nenhum juiz já falou comigo como juiz por qualquer causa que seja, minha ou de terceiros, criminal ou civil. Nenhuma prisão me recebeu, nem sequer para passear ali dentro. A imaginação torna-me desagradável até sua visão, mesmo de fora. Tenho tamanha queda pela liberdade que se alguém me proibisse o acesso a algum canto das Índias eu viveria de certa forma menos à vontade. E enquanto encontrar terra ou céu aberto em outra parte, não apodrecerei em lugar onde precise me esconder. Meu Deus, como suportaria mal a condição em que vejo tantas pessoas que, por terem questionado nossas leis, vivem cravadas num canto deste reino, privadas de entrada nas cidades principais e nas cortes e do uso das vias públicas. Se essas leis a que sirvo me ameaçassem somente a ponta do dedo, eu iria de imediato procurar outras, onde quer que fosse. Toda minha pequena sabedoria, nestas guerras civis em que estamos, é aplicada para que elas não interrompam minha liberdade de ir e vir. Ora, as leis mantêm-se em vigor não porque são justas mas porque são leis. É o fundamento místico de sua autoridade: não têm outro. O que muito lhes serve. É frequente que sejam feitas pelos tolos. Mais frequentemente por pessoas que, em seu ódio à igualdade, têm falta de equidade. Mas sempre por homens, autores vãos e incertos. Não há nada tão grosseira e amplamente, nem tão correntemente falível como as leis. Quem lhes obedece porque são justas não lhes obedece justamente pelo que deveria. As nossas francesas, por sua imperfeição e deformidade, auxiliam de certa forma a desordem que vemos em sua aplicação e a corrupção que vemos em sua execução. A autoridade delas é tão confusa e inconsistente que, de certo modo, desculpa tanto a desobediência como o vício de interpretação, de administração e de observância. Portanto, seja qual for o fruto que podemos tirar da experiência, o que tirarmos dos exemplos estrangeiros mal servirá para nossas instituições se não tirarmos proveito da experiência que temos de nós mesmos, que nos é mais familiar: e decerto suficiente para nos instruir no que precisamos. Estudo a mim mesmo mais que a outro assunto. É a minha metafísica, é a minha física.

> *Qua Deus hanc mundi temperet arte domum,*
> *Qua venit exoriens, qua defecit, unde coactis*
> *Cornibus in plenum menstrua luna redit:*
> *Unde salo superant venti, quid flamine captet*
> *Eurus, et in nubes unde perennis aqua?*
> *Sit ventura dies mundi quae subruat arces.*
> *Quaerite quos agitat mundi labor.**
> [Por qual arte Deus governa nossa morada, o mundo;
> de onde vem a lua quando se levanta, onde ela desaparece; e de onde, reunindo todo mês seus crescentes,

---

* Os seis primeiros versos: Propércio, III, v, 26-31; o último: Lucano, I, 417.

SOBRE A EXPERIÊNCIA

torna a ser cheia; de onde vêm os ventos que comandam o mar com o que o Eurus leva com seu sopro; e de onde vem que, sem cessar, a água retorna às nuvens? quando vier o dia que derrubar as alturas do mundo, procurai, vós que vos atormentais com os labores do mundo.]

Nesse universo, deixo-me manejar com ignorância e negligência pela lei geral do mundo. Hei de conhecê-la o suficiente quando a sentir. Minha ciência não pode fazê-la mudar de caminho. Ela não se diversificará para mim: é loucura esperá-lo. E maior loucura sentir pesar por isso, já que ela é necessariamente a mesma, pública e comum. A bondade e a capacidade do governante devem nos dispensar por completo e sem reserva da preocupação com seu governo. As inquirições e contemplações filosóficas servem apenas de alimento à nossa curiosidade. Os filósofos, com muita razão, remetem-nos às regras da natureza: mas elas pouco se importam com tão sublime conhecimento. Eles as falsificam e apresentam-nos da natureza um rosto pintado, colorido demais e sofisticado demais: donde nascem retratos tão diversos de um objeto tão uniforme. Assim como a natureza nos forneceu pés para andar, assim tem sabedoria para guiar-nos na vida. Sabedoria não tão engenhosa, robusta e pomposa como a que os filósofos inventam: mas afável, fácil, sossegada e salutar. E a quem tem a felicidade de saber empregá-la simples e ordenadamente, isto é, naturalmente, ela faz muito bem o que outra diz que faz. Entregar-se o mais simplesmente à natureza é entregar-se o mais sabiamente. Oh! como a ignorância e a despreocupação são um suave, macio e saudável travesseiro para repousar uma cabeça bem formada. Eu preferiria compreender bem a mim mesmo a compreender Cícero. Se eu fosse um bom aluno, na experiência que tenho de mim encontraria o suficiente para me tornar sábio. Quem conserva na memória o excesso de sua cólera passada, e até onde essa febre o arrastou, vê a feiura dessa paixão melhor que em Aristóteles e nutre por ela um ódio mais justo. Quem se lembra dos males que sofreu, dos que o ameaçaram, das ocasiões irrelevantes que o fizeram passar de um estado a outro, prepara-se com isso para as mutações futuras e para o reconhecimento de sua condição. A vida de César não é mais exemplo para nós do que a nossa. Tanto de um imperador como de um homem do povo, é sempre uma vida, à qual todos os acontecimentos humanos dizem respeito. Nós nos dizemos tudo de que mais precisamos: basta escutarmos. Quem se lembra de ter se enganado tantas e tantas vezes sobre seu próprio julgamento não é um tolo se não adotar para sempre a desconfiança? Quando vejo que me convenci, pela razão de outro, de uma ideia falsa, o que aprendo não é tanto o que ele me disse de novo, nem é de grande proveito a minha ignorância especial, mas em geral aprendo minha debilidade e a traição de meu entendimento, e com isso posso melhorar todo o conjunto. Com todos os meus outros erros faço o mesmo: e sinto nessa regra grande utilidade para a vida. Não olho para a espécie de erro nem para o erro indivividual como uma pedra em que tropecei. Aprendo a temer meu comportamento em qualquer lugar e trato de melhorá-lo. Saber que dissemos ou fizemos uma tolice é apenas isso; precisamos aprender que não passamos de um tolo, ensinamento bem mais amplo e importante. Os passos em falso que minha memória me causou tão amiúde, quando justamente me parecia mais segura de si, não foram perdidos em vão. Por mais que agora ela me jure e me garanta, eu balanço a cabeça: a primeira objeção que fizerem a seu testemunho deixa-me em suspenso. E nela não ousaria me fiar em coisa de peso, nem avaliá-la a respeito de outrem. E se não fosse porque o que faço por falta de memória os outros o fazem ainda mais frequentemente por falta de sinceridade, eu sempre consideraria como coisa de fato a verdade na boca de

SOBRE A EXPERIÊNCIA

outro, mais que na minha. Se cada um de nós observasse de perto os efeitos e circunstâncias das paixões que o animam, como fiz com a que me coube como quinhão, ele as veria chegarem e lhes retardaria um pouco a impetuosidade e a corrida. Nem sempre elas nos saltam ao pescoço na primeira investida, há ameaças e graus.

Fluctus uti prim coepit cum albescere ponto,
Paulatim sese tollit mare, et altius undas
Erigit, inde imo consurgit ad aethera fundo. *
[Assim, quando a torrente começa a branquear com a primeira onda, pouco a pouco o mar se revolta e levanta suas ondas mais alto, e logo se ergue do abismo até os céus.]

O julgamento ocupa em mim uma cátedra magistral, pelo menos se esforça cuidadosamente para isso. Deixa meus sentimentos seguirem seu curso: tanto o ódio como a amizade, e até a que sinto por mim mesmo, sem se alterar nem se corromper. Se não consegue melhorar a seu jeito as outras partes, ao menos não se deixa deformar por elas: faz seu jogo à parte. O preceito para que cada um conheça a si mesmo deve ser de grande importância, posto que aquele deus da ciência e da luz mandou colocá-lo no frontispício de seu templo, ** como que contendo tudo o que tinha para nos aconselhar. Platão diz também que a sabedoria não é outra coisa senão a execução dessa ordem: e Sócrates a verifica detalhadamente em Xenofonte. Só os que tiveram acesso a cada ciência percebem suas dificuldades e sua obscuridade. Pois ainda é preciso certo grau de inteligência para poder observar o que ignoramos, e é preciso empurrar uma porta para saber que ela nos está fechada. Donde nasce essa sutileza platônica de

* Virgílio, *Eneida*, VII, 528-30.
** O Templo de Apolo, em Delfos.

que nem os que sabem têm de inquirir, posto que sabem, nem os que não sabem, pois para inquirir há que saber o que se quer inquirir. Assim, nessa ciência de conhecer a si mesmo o fato de cada um se ver tão seguro de si e satisfeito, de cada um pensar ser entendido o suficiente no assunto significa que ninguém entende nada disso, como Sócrates ensina a Eutidemo. Eu, que não professo outra coisa, nisso encontro uma profundidade e uma variedade tão infinitas que meu aprendizado não tem outro fruto além de me fazer sentir quanto me resta a aprender. À minha fraqueza tão frequentemente reconhecida devo a tendência que tenho à modéstia, a obedecer às crenças que me são prescritas, a uma constante frieza e moderação de opiniões, e devo o ódio a essa arrogância importuna e combativa, que acredita e confia totalmente em si mesma e é inimiga absoluta da disciplina e da verdade. Escutai essas pessoas fingindo-se de professores. As primeiras idiotices que propõem são no estilo em que se estabelecem as religiões e as leis. *Nihil est turpius quam cognitioni et perceptioni, assertionem approbationemque praecurrere.*[*] [Nada é mais vergonhoso do que colocar a asserção e a decisão antes do conhecimento e da percepção.] Aristarco dizia que na Antiguidade mal se encontravam sete sábios no mundo, e que em sua época mal se encontravam sete ignorantes. Não teríamos mais razão que ele de dizer isso em nossa época? A afirmação e a obstinação são sinais manifestos de tolice. Este homem aqui deu com o nariz no chão cem vezes num só dia: ei-lo levantando a crista, tão decidido e inteiro como antes. Dir-se-ia que lhe infundiram desde então uma nova alma e um entendimento vigoroso. E que acontece com ele o que aconteceu com aquele antigo filho da Terra[**] que recuperava nova firmeza e fortalecia-se com sua queda,

---

[*] Cícero, *Academica posteriora*, I, XII, 45.
[**] Anteu, filho de Netuno e da Terra.

SOBRE A EXPERIÊNCIA

cui cum tetigere parentem,
Jam defecta vigent renovato robore membra.[*]
[mal tocaram a Terra-Mãe, seus membros enfraquecidos encheram-se do vigor de uma força renovada.]

Será que esse teimoso indócil pensa em retomar um
novo espírito porque retoma uma nova disputa? É por
minha experiência que acuso a ignorância humana, que
é, a meu ver, a lição mais certa da escola do mundo.
Os que não a querem reconhecer em si mesmos por um
exemplo tão fútil como o meu, ou como o deles, que a
reconheçam por Sócrates, o mestre dos mestres. Pois o
filósofo Antístenes dizia a seus discípulos: "Vamos, vós
e eu, ouvir Sócrates. Lá serei discípulo junto convosco". E afirmando este dogma de sua seita estoica, de que
para tornar uma vida plenamente feliz e sem necessidade de coisa nenhuma bastava a virtude, acrescentava:
"exceto da força de Sócrates". Essa atenção que dedico
longamente a me estudar leva-me também a julgar os
outros razoavelmente bem: e há poucas coisas de que
fale com mais felicidade e de modo mais justificado.
Não raro acontece-me ver e analisar mais exatamente as condições de meus amigos do que eles mesmos o
fazem. Surpreendi um deles pela pertinência de minha
descrição, e o adverti sobre ele mesmo. Por ter, desde
minha infância, treinado em mirar minha vida na do
outro, adquiri uma estudiosa disposição para fazer isso.
E quando penso no assunto, deixo escapar poucas coisas ao meu redor que contribuem para tanto: comportamentos, humores, discursos. Estudo tudo: o que devo
esquivar, o que devo seguir. Assim, com meus amigos
descubro por seus comportamentos externos suas tendências internas. Não porém para classificar essa infinita variedade de ações tão diversas e tão desconexas em

* Lucano, IV, 599.

certos gêneros e capítulos, distribuindo claramente minhas seções e distinções em classes e áreas conhecidas,

Sed neque quam multae species, et nomina quae sint,
Est numerus.*
[Quantas espécies elas contam, quais diferentes nomes têm, não saberíamos enumerar.]

Os eruditos falam e anotam suas ideias mais precisa e minuciosamente. Eu, que só vejo as que a experiência me informa, sem ordem, apresento as minhas no geral, e tateando. Como aqui: profiro minhas sentenças por elementos desconexos: é coisa que não se pode dizer de repente e em bloco. Em almas como as nossas, inferiores e correntes, não se encontram organização e consistência. A sabedoria é um edifício sólido e inteiro, em que cada peça tem seu lugar e traz sua marca. *Sola sapientia in se tota conversa est.*** [Só a sabedoria é toda inteira voltada para si mesma.] Deixo aos instruídos, e não sei se o conseguem em coisa tão intrincada, tão miúda e fortuita, o cuidado de arrumar em grupos essa infinita diversidade de aspectos; e de pôr um fim em nossa inconstância e ordená-la. Acho difícil não só ligar nossas ações umas às outras, mas acho difícil designar corretamente cada uma delas em separado, de acordo com alguma qualidade principal, de tal forma são ambíguas e de cores diferentes sob luzes diferentes. O que se observa como sendo raro em Perseu, rei da Macedônia, de que seu espírito, não se prendendo a nenhuma condição, ia errante por todo tipo de vida, e manifestando comportamentos tão inconstantes e vagabundos que nem ele nem outro sabiam que tipo de homem era, parece-me convir mais ou menos a todo mundo. E, acima de todos, vi outro de

* Virgílio, *Geórgicas*, II, 103.
** Cícero, *De finibus*, III, VII, 24.

sua estatura a quem essa conclusão se aplicaria ainda mais apropriadamente, creio eu: nunca numa posição mediana, sempre se arrebatando de um extremo a outro, por causas imprevisíveis, nenhuma espécie de atitude sem surpreendente desvio ou recuo, nenhuma faculdade simples, tanto assim que o retrato mais verossímil que será possível fazer dele um dia mostrará que fingia e esforçava-se em se tornar conhecido como irreconhecível.* Precisamos de ouvidos bem fortes para ouvirmos nos julgarem francamente. E porque há poucos que possam suportá-lo sem sentir uma estocada, os que se arriscam a empreendê-lo conosco dão-nos uma singular demonstração de amizade. Pois é amar saudavelmente empreender arriscar-se a ferir e ofender para prestar serviço. Acho duro julgar alguém em quem as más qualidades ultrapassam as boas. Platão prescreve três elementos para quem quer examinar a alma de outro: conhecimento, benevolência, ousadia. Perguntaram-me certa vez em que eu imaginaria ter sido bom se alguém tivesse pensado em me empregar enquanto eu tinha idade para isso:

Dum melior vires sanguis dabat, aemula necdum Temporibus geminis canebat sparsa senectus.**
[Quando um sangue mais vivo tornava-me vigoroso e a velhice inimiga ainda não semeava sua brancura em minhas duas têmporas.]

Em nada, respondi. E desculpo-me com gosto por não saber fazer alguma coisa que me escravize a outro. Mas

---

* No Exemplar de Bordeaux, Montaigne primeiro escreveu "vi um outro rei", antes de riscar "rei" e substituir por "de sua estatura". A troca leva a pensar que se trata de Henrique de Navarra (1572-1610), sagrado rei da França como Henrique IV em 1589.
** Virgílio, *Eneida*, V, 415.

teria dito umas verdades a meu amo e teria controlado seus hábitos se ele quisesse. Não integralmente, por lições escolares, que não conheço; e não vejo surgir nenhuma verdadeira melhora nos que as conhecem. Mas observando-os passo a passo, em toda ocasião: e julgando-os com uma olhadela, um a um, simples e naturalmente. Fazendo-o ver como ele é para a opinião pública: opondo-me a seus aduladores. Não há nenhum de nós que poderia ser pior que nossos reis se fosse assim continuamente corrompido por essa canalha, como são. Como, se nem mesmo Alexandre, esse grande rei e filósofo, conseguiu defender-se dela? Eu teria tido bastante lealdade, julgamento e liberdade para isso. Seria uma função sem nome, do contrário perderia sua eficácia e sua graça. E é um papel que não pode pertencer a todos indiferentemente. Pois a própria verdade não tem esse privilégio de ser usada a qualquer hora e de qualquer jeito: seu uso, por nobre que seja, tem suas fronteiras e seus limites. Sendo o mundo como é, volta e meia acontece de soltarem a verdade no ouvido do príncipe, não só sem proveito mas de modo prejudicial e também injusto. E não me farão crer que uma correta repreensão não possa ser aplicada de modo errado: nem que considerações sobre o assunto não devam frequentemente ceder às considerações sobre a forma. Gostaria, para essa função, de um homem satisfeito com seu destino,

Quod sit, esse velit, nihilque malit,[*]
[Que ele deseje ser o que é e não queira mais nada,]

e nascido de fortuna média. Tanto mais que, de um lado, poderia tocar viva e profundamente o coração de seu senhor, sem temer com isso o curso de seu próprio avanço. E, de outro lado, por ser de condição média teria comunicação mais fácil com todo tipo de pessoas. Gostaria

---

[*] Marcial, X, XLVII, 12.

que fosse um homem só: pois estender o privilégio dessa liberdade e intimidade a vários geraria uma irreverência nociva. Sim, e deste eu requereria sobretudo a fidelidade do silêncio. Não se deve acreditar num rei quando ele se vangloria de sua coragem ao esperar o encontro com o inimigo para sua própria glória, se para seu proveito e seu aperfeiçoamento não consegue suportar a liberdade das palavras de um amigo, que não têm outro poder além de aguçar-lhe os ouvidos, estando em suas mãos o restante do resultado. Ora, não há nenhuma espécie de homem que tenha tão grande necessidade quanto estes de verdadeiras e livres advertências. Enfrentam uma vida pública e têm de agradar à opinião de tantos espectadores que, como se costuma esconder-lhes tudo o que os desvia de seu caminho, se veem, sem perceber, confrontados com seus povos que os odeiam e detestam por motivos que quase sempre eles poderiam ter evitado, sem sequer comprometer seus prazeres, se tivessem sido avisados e os tivessem corrigido a tempo. Comumente seus favoritos cuidam de si mais que de seu senhor. E para eles isso é bom, pois na verdade a maioria das funções da verdadeira amizade com o soberano são uma dura e perigosa prova. De maneira que se precisa não só de muita afeição e franqueza, mas também de coragem. Enfim, toda essa mixórdia que vou rabiscando aqui é apenas um registro dos ensaios de minha vida: que é bastante exemplar, no que se refere à saúde do espírito, por pouco que se tome a contrapelo seu ensinamento. Mas no que se refere à saúde corporal, ninguém pode fornecer experiência mais útil que eu: apresento-a pura, de modo nenhum corrompida ou alterada pelos artifícios ou por opiniões. No caso da medicina, a experiência está realmente em seu terreno ali onde a razão lhe deixa todo o espaço. Tibério dizia que quem vivera vinte anos devia responder pelas coisas que lhe eram nocivas ou salutares e saber portar-se sem a medicina. E podia ter aprendido isso com Sócrates, que, aconselhando a seus discípulos, devotadamente e como um estudo primordial, o estudo da própria saúde, acrescentava que era difícil que um homem inteligente, tomando cuidado com seus exercícios, sua bebida e sua comida, não discernisse melhor que qualquer médico o que lhe era bom ou ruim. A medicina professa ter sempre a experiência como pedra de toque de seus resultados. Assim, Platão tinha razão ao dizer que para ser um verdadeiro médico seria necessário que quem escolhesse essa prática tivesse passado por todas as doenças que quer curar, e por todos os sintomas e circunstâncias que teria de julgar. Deveriam contrair sífilis se quisessem saber curá-la. Realmente, eu confiaria nesse aí. Pois os outros nos guiam como aquele que, sentado diante de sua mesa, pinta os mares, os escolhos e os portos, e faz passar entre eles, com total segurança, o modelo de um navio. Jogai-o na prática e ele não sabe o que fazer. Os médicos fazem uma descrição de nossos males tal qual um corneteiro urbano que grita que um cavalo ou um cão se perdeu, com tal pelame, tal altura, tal orelha: mas apresentai-o a ele e não o reconhecerá. Por Deus, que a medicina me preste um dia um bom e perceptível auxílio, e verá como proclamarei de boa-fé,

Tandem efficaci do manus scientiae.*
[Enfim rendo as armas a uma ciência eficaz.]

As disciplinas que prometem manter nosso corpo com saúde e a alma com saúde prometem-nos muito, mas também são as que cumprem menos o que prometem. E em nossa época os que entre nós professam essas artes mostram seus efeitos menos que todos os outros homens. Deles pode-se dizer, no máximo, que vendem drogas me-

---

* Horácio, *Epodos*, XVII, I.

SOBRE A EXPERIÊNCIA

dicinais: mas que sejam médicos, isso não se pode dizer. Já vivi o bastante para fazer um balanço do regime que me conduziu tão longe. Para quem quiser experimentá--lo, fiz a experiência como sendo seu escanção. Aqui estão alguns princípios, como minha memória os fornecerá. Não tenho um modo de me comportar que não fosse variando segundo as circunstâncias. Mas registro os que vi mais frequentemente em uso, que estiveram mais presentes em mim até este momento. Minha forma de vida é parecida na doença como na saúde: mesma cama, mesmos horários, mesmas comidas me são servidas, e mesma bebida. A isso não acrescento absolutamente nada, a não ser a moderação do mais e do menos, segundo minha força e meu apetite. Minha saúde é manter sem perturbá--lo meu estado costumeiro. Vejo que a doença me desaloja por um lado: a acreditar nos médicos, hão de me desviar dela pelo outro lado: e eis-me fora de minha estrada, pelo destino ou pela arte deles. Em nada acredito com tanta certeza como nisto: que o uso das coisas a que me acostumei há tanto tempo não poderia me fazer mal. Cabe ao hábito dar forma à nossa vida, tal como lhe agrada; nisso ele pode tudo. É a beberagem de Circe* que diversifica nossa natureza, como bem entende. Quantos povos, e a três passos de nós, consideram ridículo o medo do sereno, que tão visivelmente nos afeta? E nossos barqueiros e nossos camponeses riem disso. Faça-se um alemão dormir sobre um colchão e ele cairá doente, assim como um italiano sobre plumas e um francês sem cortinado e sem lareira. O estômago de um espanhol não resiste à nossa forma de comer, nem o nosso à de beber de um suíço. Em Augsburgo um alemão me divertiu ao combater o desconforto de nossas lareiras com o mesmo

---

* A feiticeira da *Odisseia*, que faz os companheiros de Ulisses beberem uma poção que os transforma em porcos, a fim de ficar com o herói perto de si.

argumento de que nos servimos habitualmente para condenar os aquecedores deles. Pois na verdade aquele calor parado, e depois o odor do material de que são feitos, quando aquecido, entontecem a maioria dos que não estão acostumados: eu, não. Mas, pensando bem, sendo esse calor igual, constante e geral, sem clarão, sem fumaça, sem o vento que a abertura de nossas chaminés nos traz, tem de fato com que se comparar ao nosso. Por que não imitamos a arquitetura romana? Pois dizem que, antigamente, só se acendia o fogo das casas do lado de fora, e ao pé destas: daí se aspirava o calor para todo o lar, através dos canos postos na espessura da parede, os quais iam abraçando os lugares que deviam ser aquecidos. Vi isso claramente expresso, não sei onde, em Sêneca. Aquele alemão, ouvindo-me elogiar as vantagens e as belezas de sua cidade, que de fato o merece, começou a lastimar-se por mim porque eu devia deixá-la. E dos primeiros inconvenientes que me citou foi o peso na cabeça que me trariam as lareiras em outros lugares. Ele ouvira alguém fazer essa queixa e atribuía-nos esse inconveniente, não podendo, pelo costume, percebê-lo em sua casa. Todo calor que vem do fogo enfraquece-me e pesa-me. No entanto, Eveno dizia que o melhor condimento da vida era o fogo. Adoto, porém, qualquer outro modo bem diferente de escapar do frio. Receamos o vinho do fundo do tonel; em Portugal, esse sabor é considerado uma delícia e é a bebida dos príncipes. Em suma, cada nação tem vários costumes e usos, que são não só desconhecidos mas selvagens e surpreendentes para qualquer outra nação. Que faremos com esse povo que só leva em conta testemunhos impressos, que não acredita nos homens se não estiverem em um livro, nem na verdade se não for de uma época fidedigna? Damos dignidade a nossas tolices quando as imprimimos. Para esse povo tem outro peso dizer: "eu li", em vez de: "ouvi falar disso". Mas eu, que não descreio mais da boca que da mão dos homens, e que sei que

SOBRE A EXPERIÊNCIA

se escreve tão levianamente como se fala, e que estimo este século como qualquer outro passado, menciono de bom grado tanto um amigo meu quanto Aulo Gélio e Macróbio, e tanto o que vi como o que eles escreveram. E assim como afirmam que a virtude não é maior por ser mais duradoura, assim considero que a verdade não é mais sábia por ser mais velha. Costumo dizer que é pura tolice que nos faz correr atrás dos exemplos estrangeiros e dos ensinados na escola. A fertilidade deles é a mesma neste momento como era no tempo de Homero e Platão. Mas não será porque procuramos mais a honra da citação do que a verdade do discurso? Como se fosse mais importante tomar emprestadas nossas provas na loja de Vascosan ou de Plantin* do que naquilo que vemos em nosso vilarejo. Ou então, decerto, porque não temos o espírito de esmiuçar e valorizar o que se passa diante de nós nem de julgá-lo argutamente a ponto de tomá-lo como exemplo. Pois se dizemos que nos falta autoridade para dar fé a nosso testemunho, dizemos algo fora de propósito. É por isso que, em minha opinião, as coisas mais extraordinárias e mais comuns e conhecidas podem constituir, se soubéssemos vê-las sob o enfoque adequado, os maiores milagres da natureza e os mais maravilhosos exemplos, notadamente sobre o tema das ações humanas. Ora, sobre meu tema, deixando de lado os exemplos que conheço pelos livros e o que diz Aristóteles sobre Andrônio de Argos, que atravessava sem beber os áridos desertos da Líbia, um fidalgo que desempenhou dignamente vários cargos disse em minha presença que tinha ido de Madri a Lisboa, em pleno verão, sem beber. Ele é muito vigoroso para sua idade e sua prática de vida nada tem de extraordinária, a não ser que ele pode ficar

* Michel de Vascosan era impressor em Paris, em especial da tradução de Plutarco à qual Montaigne se refere diversas vezes. Plantin era impressor na Antuérpia.

dois ou três meses, e mesmo um ano, pelo que me disse, sem beber. Sente sede mas deixa-a passar, e afirma que é um desejo que se atenua facilmente por si mesmo, e bebe mais por capricho que por necessidade ou por prazer. E eis o exemplo de um outro. Não faz muito tempo encontrei um dos homens mais sábios da França, um desses de destino nada medíocre, estudando no canto de uma sala que lhe tinham isolado com tapeçarias, e ao seu redor havia uma algazarra de seus criados totalmente à vontade.* Disse-me, e Sêneca quase poderia dizer o mesmo de si, que se aproveitava daquela algazarra, como se, atordoado pelo barulho, se fechasse e se encolhesse mais em si, para a contemplação, e aquela tempestade de vozes repercutisse em seus pensamentos interiores. Quando era estudante em Pádua, teve seu gabinete de estudo por tanto tempo exposto ao ruído dos coches e do tumulto da praça que se habituou não só a desprezar mas a usar o barulho a serviço de seus estudos. Quando Alcibíades, espantado, perguntou a Sócrates como conseguia suportar o contínuo alarido da teimosia de sua mulher, ele respondeu: "Como os que estão acostumados ao barulho corrente das rodas de tirar água". Sou o extremo oposto: tenho o espírito leve e fácil de levantar voo. Quando ele está concentrado em si mesmo, o menor zumbido de mosca o assassina. Em sua juventude Sêneca adotou com fervor, a exemplo de Séxtio, não comer carne que tivesse sido morta, e dela se privou durante um ano com prazer, como diz. E a isso renunciou somente para não ser suspeito de ter tomado essa regra de certas religiões novas que a disseminavam. E adotou ao mesmo tempo os preceitos de Átalo de não mais deitar-se em colchões que afundam: e usou até a velhice os que não cedem ao corpo. O que o costume de seu tempo o leva a considerar

* Esse personagem seria Jean de Vivonne, marquês de Pisanny, embaixador na Espanha e em Roma.

SOBRE A EXPERIÊNCIA

como austeridade o nosso leva-nos a considerar como indolência. Observai a diferença entre o modo de viver de meus trabalhadores braçais e o meu; os citas e os índios não têm nada que seja mais distante de minha força e de minhas maneiras. Sei que tirei da mendicância crianças para me servirem e que pouco depois deixaram a mim, à minha cozinha e à sua libré somente para retornarem à vida anterior. E, depois, encontrei uma delas colhendo caracóis, no caminho, para seu jantar, e que nem por meus pedidos nem por ameaças eu soube desviar do sabor e da doçura que ela encontrava na indigência. Os miseráveis têm suas magnificências e seus prazeres, como os ricos: e, dizem, seus dignitários políticos e suas ordens. São os efeitos do hábito. Ele pode levar-nos não só a uma forma que lhe agrade (por isso, dizem os sábios, devemos adotar a melhor, que o hábito nos facilitará de imediato) mas também moldar-nos para a mudança e a variação: que é o mais nobre e o mais útil de seus aprendizados. A melhor de minhas disposições corporais é ser flexível e pouco teimoso. Tenho tendências mais pessoais e correntes, e mais agradáveis que outras. Mas com bem pouco esforço delas me desvio e deslizo facilmente para o estilo oposto. Um rapaz deve sacudir as regras para despertar seu vigor e impedi-lo de mofar e relaxar. E não há modo de vida tão estúpido e tão fraco como aquele guiado pelas regras e pela disciplina.

Ad primum lapidem vectari cum placet, hora
Sumitur ex libro, si prurit frictus ocelli
*Angulus, inspecta genesi collyria quaerit.**
[Deseja ele ser transportado até o próximo marco? Procura a hora propícia no seu almanaque de astrologia. O canto do olho lhe coça por tê-lo esfregado demais? Ele só pede um colírio depois de ter consultado seu horóscopo.]

* Juvenal, VI, 576.

Se acreditar em mim, ele se jogará com frequência até nos excessos: do contrário, a menor licensiosidade irá arruiná-lo, e em sociedade há de se tornar incômodo e desagradável. A qualidade mais oposta a um homem bem-educado é a delicadeza extrema e a submissão a certa maneira específica. E ela é específica se não for flexível e maleável. Há vergonha em deixar de fazer por incapacidade ou por não ousar o que vemos fazer os companheiros. Que pessoas assim fiquem na cozinha! Em qualquer outro lugar, esse comportamento é inconveniente: mas para um soldado, é vicioso e insuportável. Pois o soldado, como dizia Filopêmen, deve se acostumar a qualquer diversidade e desigualdade na vida. Embora eu tenha sido educado, tanto quanto foi possível, para a liberdade e a flexibilidade, é verdade que, por indolência, ao envelhecer fixei-me mais em certas formas (passei da idade da educação e agora não tenho mais que olhar para outra coisa senão para me conservar), e o hábito já imprimiu tão bem em mim, sem eu saber, sua marca para certas coisas, que chamo de excesso renunciar a elas. E sem me fazer violência, não consigo dormir de dia nem fazer uma colação entre as refeições, nem tomar o desjejum, nem ir me deitar depois da ceia sem um grande intervalo, algo como três horas, nem fazer filhos a não ser antes de dormir, nem fazê-los de pé, nem suportar meu suor, nem beber água pura ou vinho puro, nem ficar muito tempo com a cabeça descoberta, nem cortar o cabelo depois do almoço. E seria igualmente difícil passar sem minhas luvas como sem minha camisa, e sem me lavar ao sair da mesa* e ao me levantar, e sem dossel e cortina em minha cama, coisas bem necessárias. Eu almoçaria sem toalha, mas à moda alemã, sem guardanapo bran-

---

* Na época, na França ainda se comia com os dedos. O uso do garfo, que Montaigne conheceu na Itália, apenas começava a se difundir entre os franceses.

SOBRE A EXPERIÊNCIA

co, é muito desconfortável. Sujo-os mais que os alemães e que os italianos, e sirvo-me pouco da colher e do garfo. Lamento que não se tenha seguido um costume que vi começar com nossos reis: que nos trocassem de guardanapos, assim como de prato, de acordo com cada serviço. Sabemos que Mário, aquele rude soldado, ao envelhecer tornou-se exigente com sua bebida: e só a tomava numa taça pessoal sua. Da mesma maneira, deixo-me levar por certo formato de copos, e não bebo com gosto num copo comum, tampouco servido por mãos comuns. Qualquer metal me desagrada em comparação com uma matéria clara e transparente, que meus olhos também saboreiam, segundo sua capacidade. Devo várias dessas fraquezas ao hábito. Por outro lado, a natureza também trouxe as suas: como já não aguentar duas refeições completas por dia sem sobrecarregar meu estômago, nem a abstinência total de uma das refeições sem me encher de gases, secar minha boca, perturbar meu apetite. Nem tolerar um longo sereno. Pois de uns anos para cá, nas corveias da guerra, quando a noite inteira se passa assim, como é corrente acontecer, depois de cinco ou seis horas o estômago começa a me perturbar, com veemente dor de cabeça: e não chego ao dia sem vomitar. Quando os outros vão tomar o café da manhã, vou dormir: e depois disso, tão alegre como antes. Sempre soube que o sereno só se espalhava ao cair da noite, mas nesses anos recentes frequentei intimamente e por muito tempo um senhor imbuído da crença de que o sereno é mais severo e perigoso quando o sol baixa, uma ou duas horas antes de se pôr (sereno que ele evita cuidadosamente, embora despreze o da noite), e ele acabou me comunicando não tanto seu discurso como sua sensação. E o que dizer do fato de que a própria dúvida e a inquirição atingem nossa imaginação e nos modificam? Os que cedem de repente a essas tendências atraem para si um desastre completo. E lamento que vários fidalgos, pela estupidez de seus médicos, tenham se confinado, perfeitamente jovens e saudáveis, em seus quartos. Ainda seria melhor suportar um resfriado do que perder para sempre, por falta de hábito, o comércio da vida em comum, num ato tão usual.* Deplorável ciência, que nos deprecia as horas mais doces do dia. Estendamos nosso domínio sobre as coisas com todos os meios que temos. Se nos obstinamos, usualmente endurecemos e corrigimos nossa compleição, de tanto desprezá-la e aniquilá-la, como fez César com a epilepsia. Devemos entregar-nos aos melhores preceitos mas não nos sujeitarmos a eles: exceto àqueles, se houver algum, em que a obrigação e a sujeição sejam úteis. E os reis e os filósofos defecam, e as damas também. As vidas públicas são devotadas à etiqueta: a minha, obscura e privada, goza de qualquer atividade que lhe permita a natureza. Soldado e gascão também são qualidades um pouco sujeitas à imprudência. Assim sendo, direi o seguinte sobre essa atividade: que é preciso remetê-la a certas horas, prescritas e noturnas, e forçar--se a isso pelo hábito, e sujeitar-se, como fiz. Mas não sujeitar-se, como fiz ao envelhecer, ao conforto particular de um local e de um assento para essa função, nem torná-la incômoda prolongando-a ou por ser fastidiosa. Todavia, para nossas funções mais sujas não é de certa forma desculpável requerer mais cuidado e limpeza? *Natura homo mundum et elegans animal est.*** [O homem é por natureza um animal limpo e elegante.] De todos os atos naturais, é esse em que menos suporto ser interrompido. Vi muitos homens de guerra incomodados pelo desarranjo de seu ventre: ao passo que o meu e eu nunca falhamos no momento de nosso encontro, que é ao pular da cama se alguma ocupação urgente ou doença não nos perturbam. Então, como eu estava dizendo, não imagino

* De sair de casa, especialmente à noite.
** Sêneca, *Cartas a Lucílio*, XCII, 12.

SOBRE A EXPERIÊNCIA   539

que os doentes possam se sentir mais seguros do que se
mantendo sossegados no modo de vida em que se criaram e se educaram. A mudança, seja qual for, espanta e
machuca. Quem pode acreditar que as castanhas façam
mal a um homem do Périgord ou de Lucca? E o leite e o
queijo às pessoas da montanha? Vão lhes prescrevendo
uma forma de vida não só nova mas oposta: mutação
que ninguém saudável conseguiria tolerar. Prescrevei
água a um bretão de setenta anos: trancai numa estufa
um marinheiro: proibi um lacaio basco de passear: eles
são privados de movimento, e enfim de ar e de luz.

> *An vivere tanti est?**

> *Cogimur a suetis animum suspendere rebus,*
> *Atque ut vivamus, vivere desinimus:*

> *Hos superesse rear quibus Et spirabilis aer,*
> *Et lux qua regimur, redditur ipsa gravis.***
> [Viver vale tanto assim? Obrigam-nos a manter nosso
> espírito longe de nossos hábitos, e para continuar a vi-
> ver cessamos de viver. É supor ainda vivos aqueles para
> quem o ar que respiramos e a luz que nos governa nos
> tornam eles mesmos insuportáveis.]

Se os médicos não fazem outro bem, fazem ao menos
este: preparam bem cedo os pacientes para a morte, sola-
pando-os pouco a pouco e cortando-lhes o uso da vida.
Tanto saudável como doente, deixei-me levar com gosto pelos apetites que me pressionavam. Concedo grande
autoridade a meus desejos e propensões. Não gosto de
curar o mal pelo mal. Detesto os remédios que importu-

---

* Frase atribuída por Montaigne a seu amigo La Boétie
agonizante.
** Pseudo-Galo ou Maximiano, I, 155-6 e 247-8.

nam mais que a doença. Ser sujeito à cólica e estar sujeito a me abster do prazer de comer ostras são dois males em vez de um. O mal belisca-nos de um lado, a norma, de outro. Já que há um risco de nos enganarmos, arrisquemo-nos de preferência na busca do prazer. O mundo faz o contrário e pensa que tudo o que é útil é penoso. A facilidade lhe é suspeita. Em diversas coisas meu apetite, felizmente, acomodou-se por si mesmo e adaptou-se com a saúde de meu estômago. Quando jovem, o azedo e o picante dos molhos agradavam-me: meu estômago rejeitando-os depois, o paladar o seguiu incontinente. O vinho é nocivo para os doentes: é a primeira coisa de que minha boca enjoa, e com um enjoo invencível. Tudo o que provo com desagrado me faz mal; e nada me faz mal que eu coma com fome e alegria. Nunca sofri um dano com uma ação que me foi muito prazerosa. E assim fiz ceder a meu prazer, bem amplamente, toda prescrição médica. E, jovem,

Quem circumcursans huc atque huc saepe Cupido
Fulgebat crocina splendidus in tunica,[*]
[Enquanto, correndo sem cessar, aqui e ali, ao meu redor, o Amor lançava seus raios, resplandecente em sua túnica amarela,]

entreguei-me tão licenciosa e irrefletidamente quanto qualquer outro ao desejo que me esmagava:

Et militavi non sine gloria.[**]
[E combati não sem glória.]

Mais, todavia, em duração e em constância do que em investidas.

[*] Catulo, LXVI, 133.
[**] Horácio, *Odes*, III, XXVI, 2.

SOBRE A EXPERIÊNCIA   541

Sex me vix memini sustinuisse vices.[*]
[Seis vezes apenas, em minha memória.]

É certamente uma infelicidade e uma maravilha confessar como eu era jovem quando me vi pela primeira vez sob a sujeição de Cupido. Foi realmente por acaso, pois foi muito tempo antes da idade das escolhas e do conhecimento. Tão longe que não me lembro de mim na época. E pode-se unir meu destino ao de Quartila,[**] que não tinha lembrança de ter sido virgem.

Inde tragus celeresque pili, mirandaque matri
Barba meae.[***]
[Daí aquelas axilas de bode, aqueles pelos precoces e aquela barba que espantava minha mãe.]

Os médicos em geral adaptam utilmente suas regras à violência dos desejos incoercíveis que sobrevêm aos doentes. Não se pode imaginar que a natureza não se envolva nesse grande desejo tão estranho e vicioso. E além disso, o que custa contentar a imaginação? Em minha opinião essa faculdade é importante em tudo: pelo menos, mais que qualquer outra. Os males mais graves e correntes são os que a fantasia nos impõe. Essa expressão espanhola me agrada em vários aspectos: *Defienda me Dios de my.* [Defenda-me Deus de mim mesmo.] Estando doente, queixo-me de não ter nenhum desejo que me dê a satisfação de saciá-lo: dificilmente a medicina me desviaria dele. O mesmo me acontece sadio: já não vejo muita coisa a esperar e querer. É triste estar abatido

---

[*] Adaptação de um verso de Ovídio, *Amores*, III, VII, 26: *Et memini numeros sustinuisse novem.* [E tenho a lembrança de ter chegado a nove.]
[**] Personagem de *Satíricon*, de Petrônio.
[***] Marcial, XI, XXII, 7.

e enfraquecido até no desejo. A arte da medicina não é tão segura a ponto de, o que quer que façamos, não termos nenhuma autoridade para fazê-lo. Muda segundo os climas e as luas: segundo Farnel e segundo L'Escale.* Se vosso médico não acha bom que durmais, que bebais vinho ou comais tal alimento, não vos importeis: hei de encontrar-vos outro que não será da mesma opinião. A diversidade dos argumentos e opiniões médicas abrange formas de todo tipo. Vi um pobre doente morrer de sede até desmaiar, para se curar, e depois ser ridicularizado por outro médico, que condenava esse conselho como nocivo. Seu sofrimento serviu para alguma coisa? Morreu recentemente, de cálculo, um homem dessa profissão que se servira da abstinência extrema para combater seu mal: dizem seus companheiros que, inversamente, esse jejum o ressecou e cozinhou-lhe a areia nos rins. Percebi que falar me perturba e me prejudica quando tenho ferimentos ou doenças, tanto quanto qualquer outro excesso que eu cometa. A voz me custa e me cansa, pois a minha é forte e estrondosa. Tanto assim que, quando me aconteceu falar ao ouvido dos grandes homens sobre negócios graves, muitas vezes os levei a pedir-me que moderasse minha voz. Essa história merece uma digressão. Alguém, em certa escola grega, falava alto igual a mim: o mestre de cerimônias pediu-lhe que falasse mais baixo. "Que ele me envie", disse, "o tom em que quer que eu fale." O outro lhe replicou que adotasse o tom dos ouvidos daquele com quem falava. Foi bem dito, contanto que ele tivesse compreendido assim: "Falai de acordo com o que estais tratando com vosso ouvinte". Pois se isso queria dizer: "basta que ele vos ouça", ou "regulai--vos por ele", não acho que fosse certo. O volume e a entonação da voz têm certa expressão e é um significado

---

* Farnel era médico de Henrique II. Jules Cesar Scaliger, ou L'Escale, era outro famoso médico da época.

SOBRE A EXPERIÊNCIA   543

do que penso: cabe a mim controlá-los para ser compreendido. Há voz para educar, voz para adular, ou para repreender. Quero que minha voz não só chegue a ele, mas
eventualmente o atinja e o trespasse. Quando repreendo
meu lacaio num tom acre e brutal, seria bom que ele
viesse me dizer: "Meu senhor, falai mais suavemente,
ouço-vos bem". *Est quaedam vox ad auditum accom-
modata, non magnitudine, sed proprietate.*[*] [Existe um
tipo de voz que bate particularmente no ouvido, menos
por sua intensidade do que por suas qualidades intrínse-
cas.] A palavra é metade de quem fala, metade de quem
a escuta. Este deve se preparar para recebê-la, segundo o movimento que ela faz. Assim como, entre os que
jogam pela, quem recebe a bola recua e prepara-se, de
acordo com os movimentos de quem lhe manda a bola e
com o modo de lançamento. A experiência também me
ensinou isto: que nos perdemos por causa da impaciência. Os males têm sua vida e seus limites, suas doenças
e sua saúde. A constituição das doenças é feita segundo o modelo da constituição dos animais. Elas têm seu
destino e seus dias limitados desde o nascimento. Quem
tenta abreviá-las imperiosamente, à força, bem no meio
de seu curso, prolonga-as e multiplica-as, e as atormenta
em vez de acalmá-las. Sou da opinião de Crantor, de que
não devemos nos opor às doenças de forma obstinada e
irrefletida, nem a elas sucumbir por fraqueza: mas devemos ceder-lhes naturalmente, segundo a condição delas
e a nossa. Devemos dar passagem às doenças, e acho
que permanecem menos em mim, que as deixo agir. E
por seu próprio declínio me livrei daquelas consideradas
mais teimosas e tenazes, sem ajuda e sem arte, e contra
as regras da medicina. Deixemos um pouco a natureza
agir: ela entende de seu negócio melhor que nós. "Mas
fulano morreu disso!" "Morrereis também: se não des-

---

* Quintiliano, *Instituição oratória*, XI, III, 40.

se mal, de outro." E quantos não deixaram de morrer disso, tendo três médicos agarrrados em seu traseiro? O exemplo é um espelho vago, universal, e abrange todos os sentidos. Se o medicamento for prazeroso, aceitemo--lo; é sempre um bem no momento. Não me deterei no nome nem na cor, se ele for delicioso e apetitoso: o prazer é uma das principais espécies de proveito. Deixei envelhecer e morrer em mim, de morte natural, resfriados, defluxos gotosos, diarreias, palpitações cardíacas, enxaquecas e outros acidentes que desapareceram quando eu já estava semiacostumado a alimentá-los. Conjuramo--los melhor por cortesia do que por bravata. Temos de sofrer calados as leis de nossa condição. A despeito de qualquer medicina, estamos fadados a envelhecer, enfraquecer, cair doentes. É a primeira lição que os mexicanos ensinam a seus filhos, quando, ao saírem do ventre das mães, saúdam-nos assim: "Filho, vieste ao mundo para suportar: suporta, sofre e cala-te". É uma injustiça lamentar-se de que ocorreu a alguém o que pode acontecer com cada um. *Indignare si quid in te inique proprie constitutum est.** [Queixa-te se só a ti infligiram um tratamento injusto.] Vede um velho que pede a Deus que lhe mantenha sua saúde intacta e vigorosa; isto é, que o recoloque na juventude:

*Stulte quid haec frustra votis puerilibus optas?***
[Tolo, para que essas esperanças vãs, nutridas de votos pueris?]

Não é loucura? Sua condição não comporta. A gota, o cálculo, a indigestão, são sintomas dos longos anos, como das longas viagens o calor, as chuvas e os ventos. Platão não crê que Esculápio tivesse se dado ao traba-

* Sêneca, *Cartas a Lucílio*, XLI, 15.
** Ovídio, *Tristia*, III, VIII, 11.

SOBRE A EXPERIÊNCIA 545

lho de procurar, pelos regimes, prolongar a vida num
corpo gasto e débil: inútil a seu país, inútil à sua ocupação, e inútil para produzir filhos saudáveis e robustos; e
não pensa que esse cuidado seja conveniente à justiça e
à sabedoria divinas, que deve governar todas as coisas
para um objetivo útil. "Meu bom homem, acabou-se:
não conseguiríamos recuperar-vos: no máximo vamos
remendar-vos e escorar-vos um pouco, e prolongaremos
de algumas horas vossa miséria."

> *Non secus instantem cupiens fulcire ruinam,*
> *Diversis contra nititur obicibus,*
> *Donec certa dies omni compage soluta,*
> *Ipsum cum rebus subruat auxilium.*[*]

[Assim como aquele que deseja consolidar uma construção ameaçando ruir luta contra o desabamento na base
de escoras, até o dia em que toda a estrutura se desfaz e
os próprios reforços desmoronam com o conjunto.]

É preciso aprender a sofrer o que não se pode evitar.
Nossa vida é composta, como a harmonia do mundo,
de coisas contrárias e também de diversos tons, doces e
ásperos, agudos e graves, fracos e fortes. O músico que
só gostasse de uns, o que quereria cantar? Ele tem de saber utilizá-los em conjunto e misturá-los. E nós também,
os bens e os males que são consubstanciais à nossa vida.
Sem essa mescla nosso ser nada pode: e um lado não é
menos necessário que o outro. Tentar escoucear essa necessidade natural é imitar a loucura de Ctesifonte, que
tentava desafiar sua mula a trocarem pontapés. Consul-
to pouco para os distúrbios que sinto. Pois essas pessoas
aproveitam-se de suas vantagens quando nos têm à sua
mercê. Martelam nossos ouvidos com seus prognósticos, e, flagrando-me um dia enfraquecido pela doença,

* Pseudo-Galo ou Maximiano, I, 171-4.

maltrataram-me com seus dogmas e suas carantonhas doutorais, ameaçando-me ora de grandes dores ora de morte iminente. Não fui derrubado nem desalojado de minha fortaleza mas fui sacudido e empurrado. Se por causa disso meu juízo não mudou nem se perturbou, ao menos ficou atrapalhado. É sempre um alvoroço e um combate. Ora, trato minha imaginação com a maior doçura possível, e se pudesse a livraria de qualquer sofrimento e contestação. É preciso socorrê-la e adulá-la, e tapeá-la se possível. Meu espírito presta-se a esse serviço. Não lhe faltam boas razões para tudo. Se ele convencesse assim como prega, me daria uma feliz ajuda. Quereis um exemplo? Ele diz que é para meu bem que tenho cálculos. Que as construções de minha idade têm naturalmente problemas com alguma goteira. É hora de começarem a se estragar e se degradar. É uma necessidade comum a todos. E não teriam feito para mim um novo milagre. Pago com isso o aluguel devido à velhice; e não conseguiria ter algo mais em conta. Que ter companhia deveria me consolar, tendo caído na doença mais corrente dos homens de meu tempo. Por todo lado vejo homens afligidos por doença da mesma natureza. E a companhia deles é para mim honrosa, visto que esse mal ataca mais facilmente os grandes: sua essência tem nobreza e dignidade. Que dos homens atingidos há poucos que fiquem quites por melhor preço: isso lhes custa o sofrimento de um desagradável regime e o aborrecimento de tomar diariamente drogas medicinais, ao passo que devo meu estado de saúde puramente à minha boa fortuna. Pois as poucas infusões rotineiras de cardo do campo e de erva-turca que duas ou três vezes engoli, para agradar às damas que me ofereciam a metade das suas mais graciosamente do que a gravidade de meu mal, pareceram-me igualmente fáceis de tomar e inúteis nos efeitos. Esses homens têm de pagar mil promessas a Esculápio e outros tantos escudos a seus médicos pela fácil e abundante expulsão de areia

SOBRE A EXPERIÊNCIA

que costuma me ocorrer por bondade da natureza. No convívio nem mesmo a decência de meu comportamento é perturbada, e prendo minha urina dez horas ou tanto tempo quanto uma pessoa saudável. "O medo desse mal", diz-me meu espírito, "te apavorava outrora quando te era desconhecido. Os gritos e o desespero dos que o exacerbam com sua impaciência geravam em ti o horror. É uma doença que te ataca os membros pelos quais tu mais erraste. És homem de consciência:

*Quae venit indigne paena, dolenda venit.**
[Quando o castigo sobrevém imerecido, sobrevém na dor.]

Olha este castigo: ele é bem suave em comparação com outros, como um favor paternal. Olha como tardou: só incomoda e ocupa a fase de tua vida que, quer queira, quer não, está doravante perdida e estéril, depois de ter dado livre curso, como por contrato, à licensiosidade e aos prazeres de tua juventude. O temor e a piedade que o povo têm diante desse mal te servem de matéria de vaidade. Embora tenhas purgado teu julgamento e curado tua razão, é esta uma qualidade de que teus amigos ainda reconhecem, porém, algum traço em teu comportamento. Há prazer em ouvir dizer de si: que força ele tem, que resistência ele tem. Veem-te transpirar, empalidecer, enrubescer, tremer, vomitar até sangue, sofrer contrações e convulsões estranhas, derramar às vezes grandes lágrimas dos olhos, ficar com a urina espessa, negra e pavorosa, ou vê-la bloqueada por alguma pedra eriçada de espinhos que te espeta e te esfola cruelmente o canal do pênis, mantendo porém com os presentes uma atitude normal, gracejando vez por outra com tua gente: desempenhando teu papel numa conversa séria,

* Ovídio, *Heroides*, v, 8.

desculpando tua dor com palavras e atenuando teu sofrimento. Lembras-te daquelas pessoas de antigamente que procuravam as doenças com tanto apetite para manter suas virtudes em ordem, exercitando-as? Imagina se a natureza está te carregando e te impelindo para essa gloriosa escola na qual não terias jamais entrado por tua vontade. Se me dizes que se trata de um mal perigoso e mortal, quais outros não o são? É uma impostura médica excetuar alguns e dizer que não levam diretamente à morte. Pois que importa, se levam por acaso, esgueirando-se e desviando-se facilmente para o mesmo caminho que nos leva até lá? Mas não morres porque estás doente, morres porque estás vivo. A morte te mata sem o auxílio da doença. E em alguns casos as doenças retardaram a morte: os doentes viveram mais porque lhes parecia que estavam morrendo. Acresce que, assim como as feridas, também há doenças medicinais e salutares. A cólica costuma ser não menos tenaz do que nós. Veem-se homens em quem ela durou desde a infância até a extrema velhice; e se eles não a tivessem abandonado, lá estaria para acompanhá-los mais longe. Vós a matais com mais frequência do que ela vos mata. E quando ela te apresentasse a imagem da morte próxima, não seria um bom serviço prestado a um homem dessa idade levá-lo às cogitações de seu fim? E, o que é pior, não tens mais por que curar-te. Assim, mais dia menos dia o destino comum vai te convocar. Considera quão hábil e suavemente ela te faz desgostar da vida e te desprende do mundo: não te forçando por uma sujeição tirânica, como tantos outros males que vês nos velhos e que os mantêm continuamente entrevados e sem trégua nas fraquezas e dores: mas por advertências e instruções intermitentes, entremeando longas pausas de repouso, como para dar-te um meio de meditares e repetires sua lição à vontade. Para dar-te uma maneira de julgar saudavelmente e tomar partido como homem de coragem, ela te apresenta o

SOBRE A EXPERIÊNCIA   549

estado integral de tua condição, no bem e no mal; e, no
mesmo dia, uma vida ora muito alegre, ora insuportável.
Se não abraças a morte, pelo menos tocas sua mão uma
vez por mês. Assim podes, ademais, esperar que ela te
agarrará um dia sem ameaça. E que, tendo te conduzido
tantas vezes ao porto, certa manhã, inopinadamente,
quando ainda confiares que estás nas condições habituais, levarão a ti e a tua confiança para atravessardes o
rio.* Não devemos nos queixar das doenças que dividem
lealmente o tempo com a saúde." Sou grato à fortuna
por me atacar com tanta frequência com o mesmo tipo
de armas. Amolda-me e treina-me pelo uso, enrijece-me
e habitua-me: agora sei mais ou menos com que devo
estar quite. Na falta de memória natural, forjo a de papel e, quando sobrevém um novo sintoma de meu mal,
escrevo-o: do que decorre que, nessa hora, tendo passado por quase todo tipo de exemplos de tais sintomas, se
algum distúrbio me ameaça não deixo de encontrar, ao
folhear estas pequenas notas descosidas como as folhas
das Sibilas, com que me consolar graças a um prognóstico favorável de minha experiência passada. O hábito
também me serve para esperar algo melhor no futuro.
Pois tendo esse processo de eliminação continuado por
tanto tempo, é de crer que a natureza não mudará esse
ritmo e não ocorrerá outra crise pior do que aquela que
sinto. Além disso, a condição dessa doença não é inapropriada a meu temperamento vivo e brusco. Quando me
assalta de mansinho, amedronta-me, pois é por longo
tempo. Mas habitualmente tem surtos vigorosos e enér-
gicos. Sacode-me exageradamente por um dia ou dois.
Meus rins aguentaram um tempo sem alteração; breve
haverá outro, pois mudaram de condição. Os males têm
uma fase, assim como os bens: talvez essa desgraça esteja em seu fim. A idade enfraquece o calor de meu estô-

* O rio Aqueronte, que leva ao Hades.

mago; sua digestão estando menos perfeita, ele envia essa matéria crua a meus rins. Por que o calor de meus rins não poderá estar, depois de certo ciclo, igualmente enfraquecido, de modo a não poderem mais petrificar minha fleuma e obrigarem a natureza a encaminhar-se para outro caminho de purgação? Evidentemente os anos me fizeram esgotar certos resfriados; por que não essas excreções que fornecem matéria para as pedras? Mas há algo mais doce do que essa mudança súbita, quando de uma dor extrema venho, pela expulsão de minha pedra, a recuperar como num raio a bela luz da saúde, tão livre e tão plena, como acontece em nossas cólicas súbitas e mais violentas? Há algo nessa dor sofrida que possa contrabalançar o prazer de tão pronta melhora? Como a saúde parece-me mais bela depois da doença, tão próxima e tão contígua que posso identificá-las uma em presença da outra, em seus mais belos trajes, quando se põem à porfia como para se enfrentarem e se opor! Assim como os estoicos dizem que os vícios foram utilmente introduzidos para dar valor e apoio à virtude, podemos dizer, com mais razão, e fazendo uma conjectura menos ousada, que a natureza nos emprestou a dor para honrar e servir ao prazer e à ausência de dor. Quando Sócrates, depois que o soltaram de suas correntes, sentiu o deleite daquela coceira nas pernas causada pelo peso, divertiu-se em pensar sobre a estreita aliança entre a dor e o prazer: como são associados por uma ligação necessária, de tal modo que se seguem alternadamente e engendram-se mutuamente. E exclamava que o bom Esopo deveria ter tirado dessa consideração substância adequada a uma bela fábula. O pior que vejo nas outras doenças é que não são tão graves em seus efeitos como são em suas consequências. Levamos um ano para convalescer, sempre cheios de fraqueza e temor. Há tanto risco e tantos degraus no caminho que nos reconduz à saúde que isso nunca termina. Antes que vos tenham livrado de um boné e depois de um barrete, antes que vos tenham devolvido o acesso ao ar fresco, ao vinho e à vossa mulher, e aos melões, é o diabo se não tiverdes recaído em alguma nova desgraça. Esta aqui tem o privilégio de que vai embora de vez, ali onde as outras deixam sempre um rastro e uma alteração que torna o corpo suscetível a novas doenças, que se dão as mãos umas às outras. Os males que se contentam com o direito de posse sobre nós, sem estendê-lo e sem introduzir suas sequelas, são desculpáveis. Mas corteses e graciosos são aqueles cuja passagem nos traz algum resultado útil. Desde minha cólica, ando livre de outros transtornos: mais, parece-me, do que estava antes, e desde então não tive nenhuma febre. Argumento que os vômitos extremos e frequentes de que sofro me purgam: e, por outro lado, meus fastios e os jejuns incríveis que faço digerem meus humores ruins, e a natureza esvazia nessas pedras o que tem de supérfluo e nocivo. Que não me digam que é um remédio que custa caro demais. Pois o que se poderia dizer de tantas bebidas fedorentas, cautérios, incisões, suadouros, drenos, dietas e tantas formas de curar que costumam nos trazer a morte por não conseguirmos aguentar sua violência e inoportunidade? Assim sendo, quando sou atacado por minha doença considero-a um remédio: quando estou ileso, considero isso uma libertação completa e duradoura. Eis mais um favor, específico, de meu mal. É que mais ou menos ele faz seu jogo à parte e deixa-me fazer o meu; ou, se não o faço, é por falta de coragem. Em sua maior manifestação aguentei-o, montado a cavalo, dez horas. "Suportai apenas, não tendes que fazer outro regime: jogai, jantai, correi, fazei isto e fazei também aquilo, se for possível; vossos abusos mais servirão que prejudicarão." Dizei o mesmo a um sifilítico, a um gotoso, a um hernioso! As outras doenças têm restrições mais gerais; atrapalham bem mais nossas ações; perturbam todo o nosso comportamento e forçam-nos a levá-las em consideração durante todo o estado de nossa vida. Esta apenas belisca a pele; deixa à vossa disposição a inteligência e a vontade e a língua, e os pés e as mãos. Mais vos desperta que vos adormece. A alma é que é atingida pelo calor de uma febre, e abatida por uma epilepsia, e despedaçada por uma violenta enxaqueca, e enfim combalida por todas as doenças que ferem o conjunto e os órgãos nobres. Aqui, ela não é atacada. Se as coisas vão mal para minha alma, a culpa é dela. Ela mesma se trai, abandona-se e desarma-se. Só os loucos se deixam persuadir de que esse corpo duro e maciço que se forma em nossos rins pode se dissolver por beberagens. Então, depois que ele se moveu, basta lhe dar passagem e assim ele passará. Também observo esta vantagem particular: que é uma doença sobre a qual temos pouco a adivinhar. Somos dispensados do transtorno em que os outros males nos jogam pela incerteza de suas causas e condições e progressão. Confusão infinitamente penosa. Não temos o que fazer com consultações e interpretações doutorais: os sentidos mostram-nos o que é e onde é. Com tais argumentos, tanto fortes como fracos, como os de Cícero sobre o mal de sua velhice, esforço-me em dormir e distrair minha imaginação e ungir suas feridas. Se amanhã elas piorarem, amanhã providenciaremos outras vias de escape. E isso é bem verdade. Pois eis que recentemente os mais leves movimentos expeliram puro sangue de meus rins. Que dizer disso? Não deixo de me mover como antes e de galopar atrás de meus cães com um ardor juvenil e insolente. E creio que não pago caro por um problema tão importante, que só me custa uma dor surda e uma alteração nessa parte. É uma pedra grande que comprime e consome a substância de meus rins, é minha vida que pouco a pouco vai se esvaziando, não sem certa doçura natural, como uma excreção de agora em diante supérflua e incômoda. Agora sinto algo que desmorona em

SOBRE A EXPERIÊNCIA

mim: não espereis que eu vá me divertir em examinar
meu pulso e minha urina em busca de alguma previsão
desagradável. Já terei tempo bastante para sentir o mal
sem prolongá-lo com o mal do medo. Quem teme sofrer
já sofre porque teme. Acresce que a dúvida e a ignorância dos que se metem a explicar as engrenagens da natureza e suas progressões internas, e tantos falsos prognósticos da arte deles, obrigam-nos a reconhecer que ela
tem meios infinitamente desconhecidos. Há grande incerteza, diversidade e obscuridade no que ela nos promete ou do que nos ameaça. Salvo a velhice, que é um sinal
indubitável da aproximação da morte, de todos os outros infortúnios vejo poucos sinais do futuro em que devemos basear nossa adivinhação. Só me julgo por verdadeiras sensações, e não por raciocínio. O que isso
adiantaria, já que nada posso fazer além de me preparar
para a espera e a resistência? Quereis saber quanto ganho com isso? Olhai para os que fazem de outra forma e
dependem de tantos diversos conselhos e opiniões: quão
frequente a imaginação os pressiona sem que o corpo
interfira! Muitas vezes tive prazer, estando em segurança e livre dessas crises perigosas, em comunicá-las aos
médicos como se estivessem nascendo em mim naquele
momento. Eu suportava, muito à vontade, o veredicto de
suas conclusões horrorosas; e ficava ainda mais grato a
Deus por sua graça e mais bem instruído sobre a inutili-
dade dessa arte. Não há nada que se deva tanto recomendar à juventude como ser ativo e enérgico. Nossa
vida é apenas movimento. Mexo-me com dificuldade e
sou moroso em tudo: para me levantar, para me deitar,
em minhas refeições. Sete horas é madrugada para mim:
e ali onde decido não almoço antes das onze nem janto
antes das seis horas. Outrora atribuí a causa das febres e
das doenças que me acometeram ao peso e ao entorpecimento que o sono prolongado me trouxe. E sempre me
arrependi de cair novamente no sono de manhã. Platão

enxerga mal maior no excesso de sono que no excesso de bebida. Gosto de dormir numa cama dura, e sozinho; e mesmo sem mulher, à moda dos reis, e um tanto bem coberto. Nunca aquecem minha cama, mas desde a velhice me dão, quando preciso, cobertores para esquentar os pés e o estômago. Criticava-se o grande Cipião por ser dorminhoco, a meu ver apenas porque os homens se irritavam que só nele não houvesse nenhuma coisa para se criticar. Se tenho algum cuidado especial em meus hábitos é mais na hora de deitar-me do que em qualquer outra coisa; mas aceito e em geral me acomodo com a necessidade, tanto quanto qualquer outro. O sono ocupou grande parte de minha vida, e ainda ocupa, nesta idade, oito ou nove horas, de uma assentada. Se necessário dispenso-me dessa propensão à preguiça, e evidentemente me sinto melhor. Ressinto-me um pouco do choque dessa mutação, mas isso se acaba em três dias. E não vejo muitos que vivam com menos quando surge a necessidade, e que trabalhem mais constantemente e sintam menos que eu o peso das corveias. Meu corpo é capaz de uma agitação firme, mas não repentina e violenta. Agora fujo dos exercícios violentos e que me levam à transpiração: meus membros se cansam antes de se aquecerem. Mantenho-me de pé, durante um dia todo, e não me aborreço de caminhar. Mas na rua pavimentada, desde minha tenra idade, só gosto de ir a cavalo. A pé fico enlameado até o traseiro: e as pessoas baixas estão sujeitas, nessas ruas, a serem empurradas e a levarem cotoveladas por falta de uma presença imponente. E sempre gostei de me repousar, seja deitado, seja sentado, com as pernas tão ou mais altas que a cadeira. Não há ocupação tão agradável como a militar: ocupação nobre tanto em sua prática (pois a mais forte, generosa e fantástica de todas as virtudes é a valentia) como nobre em sua causa. Não há serviço mais justo nem mais completo do que a proteção da paz e da grandeza de seu país. Agradam-vos

SOBRE A EXPERIÊNCIA

a companhia de tantos homens jovens, nobres e ativos, a visão corrente de tantos espetáculos trágicos, a liberdade dessa conversa sem artifícios, e um modo de vida viril e sem cerimônia, a variedade de mil ações diversas, essa corajosa harmonia da música marcial que vos entretém e vos aquece tanto os ouvidos como a alma, a honra desse exercício, sua própria dureza e sua dificuldade, que Platão estima tão pouco que, em sua *República*, faz dela participar as mulheres e as crianças. Escolheis vossos papéis e riscos particulares, de acordo com vosso julgamento sobre o esplendor e a importância deles: soldado voluntário. E ao verdes quando a própria vida aí é exposta, justificavelmente,

*pulchrumque mori succurrit in armis.**
[vem ao vosso espírito que é belo morrer em combate.]

Ter medo dos riscos comuns, que ameaçam tão grande multidão, não ousar o que tantos tipos de almas ousam, e até mesmo todo um povo, é coisa para um coração frouxo e extremamente baixo. A camaradagem tranquiliza até mesmo os garotos. Se outros vos superam em conhecimento, graça, força e fortuna, podeis incriminar causas terceiras; mas se lhes cedeis em firmeza de alma, só tendes a incriminar a vós mesmos. A morte é mais abjeta, mais demorada e mais dolorosa numa cama do que num combate; as febres e os catarros, tão dolorosos e mortais como tiros de arcabuzes. Quem fosse feito para suportar valorosamente os infortúnios da vida ordinária não precisaria aumentar sua coragem para tornar-se soldado. *Vivere, mi Lucilli, militare est.*** [Viver, meu caro Lucílio, é portar armas.] Não me lembro de jamais ter me visto com sarna. No entanto, a coceira é das mais deliciosas grati-

* Virgílio, *Eneida*, II, 317.
** Sêneca, *Cartas a Lucílio*, XCVI, 5.

ficações da natureza, e ao alcance da mão. Mas ela tem como vizinha, muito inconvenientemente, o arrependimento. Exerço-a mais nas orelhas, em cujo interior sinto de vez em quando umas comichões. Nasci com todos os meus sentidos intactos quase à perfeição. Meu estômago é saudavelmente bom, como é minha cabeça: e no mais das vezes resistem às minhas febres. E meu fôlego também. Passei da idade* em que certos povos, não sem boa razão, fixavam um fim de vida tão justo que não permitiam que ele fosse ultrapassado. Entretanto, ainda tenho períodos de remissão: embora variáveis e curtos, tão nítidos que pouco ficam a dever à saúde e à ausência de dor de minha juventude. Não falo do vigor e da alegria: não há razão para que me sigam além de seus limites:

> *Non hoc amplius est liminis, aut aquae*
> *Coelestis, patiens latus.***
> [A dureza de uma soleira, os temporais do céu, meu corpo não mais os suporta.]

Meu rosto e meus olhos revelam-me de imediato. Todas as minhas mudanças começam por aí: e um pouco mais agudas do que são de fato. Costumo inspirar pena a meus amigos antes mesmo que eu sinta a causa disso. Meu espelho não me espanta: pois mesmo na juventude aconteceu-me mais de uma vez exibir assim uma cor e um jeito estranhos e de mau prognóstico, sem maiores complicações, em matéria que os médicos, não encontrando internamente causa que respondesse àquela alteração externa, atribuíam à minha mente e a alguma paixão secreta que me corroía por dentro. Enganavam-

---

* No Exemplar de Bordeaux, Montaigne escreve: "Ultrapassei há pouco, de seis anos, os cinquenta [...]". Tinha, portanto, 56 anos ao escrever este texto.
** Horácio, *Odes*, III, x, 19-20.

-se. Se o corpo me obedecesse tanto quanto minha alma, caminharíamos um pouco mais à vontade. Na época, ela não só estava isenta de transtorno mas ainda cheia de satisfação e júbilo, como é mais comumente: metade por temperamento, metade por vontade:

Nec vitiant artus aegrae contagia mentis.[*]
[Não há contágio entre meu espírito doente e meu corpo.]

Penso que essa disposição de minha alma muitas vezes sustentou o corpo contra suas quedas: volta e meia ele está abatido; se ela não está jovial, ao menos está tranquila e descansada. Durante quatro ou cinco meses tive febre quartã, que me desfigurou completamente: o espírito sempre esteve não só sossegado, mas contente. Se a dor está longe de mim, o enfraquecimento e o langor não me entristecem. Vejo várias deficiências corporais que horrorizam só ao serem citadas, e que eu temeria menos que mil paixões e agitações de espírito que vejo na prática. Tomo o partido de não mais correr, basta que me arraste; nem me queixo da decadência natural que me afeta,

Quis tumidum guttur miratur in Alpibus?[**]
[Quem se espanta ao ver um bócio nos Alpes?]

e não me lamento que minha vida não seja tão longa e forte como a de um carvalho. Não tenho por que me queixar de minha imaginação: tive poucos pensamentos em minha vida que hajam sequer interrompido o curso de meu sono, salvo os que eram do desejo, que me acordavam sem me afligir. Sonho com pouca frequência; e

[*] Ovídio, *Tristia*, III, VIII, 25.
[**] Juvenal, XIII, 162.

então é com coisas fantásticas e com quimeras, produzidas comumente por pensamentos agradáveis, mais ridículos que tristes. E tomo como verdade que os sonhos são leais intérpretes de nossas inclinações; mas há arte em combiná-los e entendê-los.

Res quae in vita usurpant homines, cogitant, curant,
vident,]
Quaeque agunt vigilantes, agitantque, ea sicut in
somno accidunt,]
Minus mirandum est.*
[As coisas que os homens utilizam na vida corrente, e o que acordados eles pensam, acertam, veem, fazem, examinam, também aparecem em sonho: nada de espantoso nisso.]

Platão diz mais: que é função da sabedoria tirar dos sonhos instruções divinatórias para o futuro. Nada tenho a dizer sobre isso, exceto as maravilhosas experiências que contam Sócrates, Xenofonte, Aristóteles, personagens de irrepreensível autoridade. As histórias dizem que os atlantes nunca sonham: que também não comem nada que tenha sido morto, o que acrescento porque talvez seja a razão para que não sonhem. Pois Pitágoras ordenava certa preparação da comida para ter sonhos apropriados. Os meus são suaves: e não me trazem nenhuma agitação do corpo nem expressão de voz. Vi vários em minha época serem fantasticamente agitados pelos sonhos. Téon, o filósofo, passeava sonhando, e o criado de Péricles, em cima das próprias telhas e da cumeeira da casa. À mesa, praticamente não escolho, e pego a primeira coisa e a mais próxima: e não gosto de passar de um gosto a outro. Desagrada-me a multidão

* Fragmento de Brutus, tragédia de Ácio, citado por Cícero, De divinatione, I, XXII, 45.

de pratos e de serviços, tanto quanto qualquer multidão. Contento-me facilmente com poucos pratos e detesto a opinião de Favorino de que num banquete é preciso que vos retirem a iguaria que estais apreciando e que a substituam sempre por uma nova. E que é uma mísera ceia se os presentes não forem empanturrados de traseiros de aves diversas, e que só o papa-figo merece que o comamos inteiro. Em família, como pratos salgados: mas prefiro o pão sem sal. E o padeiro de minha casa não serve outro em minha mesa, ao contrário do uso da terra. Em minha infância tiveram de corrigir principalmente minha recusa das coisas que em geral preferimos nessa idade: açúcar, geleias, doces de forno. Meu preceptor combateu essa aversão aos pratos delicados como se fosse uma espécie de delicadeza. No entanto, nada mais é do que um gosto difícil, em qualquer coisa em que se manifeste. Quem tira de uma criança certa afeição especial e obstinada por pão de centeio, toucinho ou alho, tira-lhe a gulodice. Há os que se fazem de pesarosos e sofredores e sentem saudades do boi e do presunto quando comem perdizes. Têm sorte: isso é a delicadeza dos delicados; é o gosto de uma fortuna indolente, que acha insípidas as coisas correntes e costumeiras, *Per quae luxuria divitiarum taedio ludit.** [Graças às quais o luxo quer escapar do tédio das riquezas.] A essência desse vício é privar-se de apreciar os bons pratos porque outros os apreciam, e ter um cuidado exagerado com a própria alimentação;

*Si modica coenare times olus omne patella.***
[Se hesitas cear só legumes num prato modesto.]

Há realmente uma diferença, no sentido de que mais vale sujeitar seu desejo às coisas mais fáceis de se obter, mas é

* Sêneca, *Cartas a Lucílio*, XVIII.
** Horácio, *Epístolas*, I, V, 2.

sempre um vício sujeitar-se a isso. Antigamente eu chamava de delicado um parente meu que desaprendera em nossas galés a servir-se de nossas camas e a despir-se para se deitar. Se eu tivesse filhos homens, lhes desejaria com gosto a minha sorte. O bom pai que Deus me deu (que de mim só tem o reconhecimento por sua bondade, mas certamente muito vigoroso) enviou-me desde o berço para ser criado num vilarejo pobre de sua senhoria, e ali me manteve enquanto eu estava sendo amamentado e mesmo mais tarde, habituando-me assim ao mais modesto e ordinário modo de viver: *Magna pars libertatis est bene moratus venter.*[*] [Um ventre sóbrio garante uma boa parte de liberdade.] Jamais deveis assumir, e menos ainda vossas mulheres, o encargo de educá-los: deixai os garotos formarem-se pela fortuna, segundo leis populares e naturais, deixai aos costumes criá-los na frugalidade e na austeridade; que tenham de descer de uma vida rude em vez de subir a ela. A conduta de meu pai ainda visava a outra finalidade: ligar-me ao povo e àquele gênero de homens que precisam de nossa ajuda, e considerava que eu devia olhar mais para quem me estende os braços do que para quem me vira as costas. E foi também essa a razão pela qual me entregou na pia batismal a pessoas de fortuna mais modesta, para me obrigar e ligar-me a elas. Seu objetivo não foi malsucedido: dedico-me com gosto aos humildes; seja porque há mais glória nisso, seja por compaixão inata, que em mim é infinitamente poderosa. O partido que condeno em nossas guerras, eu condenarei mais duramente quando for florescente e próspero. E de certa forma hei de me conciliar com ele quando o vir miserável e esmagado. Como aprecio com gosto o belo comportamento de Queilônis, filha e mulher de reis de Esparta! Enquanto Cleômbroto, seu marido, durante as desordens de sua cidade levou vantagem sobre Leônidas, seu pai, ela agiu como

[*] Sêneca, *Cartas a Lucílio*, CXXIII, 3.

boa filha; e juntou-se ao pai em seu exílio, em sua miséria, opondo-se ao partido vitorioso. A sorte veio a mudar? Ei-la mudando de vontade junto com a fortuna, alinhando-se corajosamente com o marido, ao qual seguiu por onde sua ruína o levou. Não tendo, parece-me, outra escolha senão escolher o partido onde era mais necessária e mostrava-se mais compassiva. Deixo-me naturalmente atrair pelo exemplo de Flamínio, que se ocupava mais dos que precisavam dele que daqueles que podiam lhe ser úteis; prefiro-o ao exemplo de Pirro, que se rebaixava diante dos grandes e glorificava-se diante dos pequenos. As longas refeições entediam-me e me fazem mal, pois, talvez por ter me acostumado em criança, na falta de melhor comportamento, fico comendo enquanto estou ali. Na minha casa, porém, embora elas sejam curtas, gosto de sentar-me à mesa um pouco depois dos outros, como fazia Augusto. Mas não o imito saindo da mesa também antes dos outros. Ao contrário, gosto de descansar muito tempo depois e ouvir os outros conversarem. Contanto que eu não me meta nisso, pois me canso e me faz mal falar de estômago cheio, ao passo que acho muito salutar e agradável o exercício de argumentar e discutir antes da refeição. Os antigos gregos e romanos tinham melhor comportamento que nós, dedicando à alimentação, que é uma ação primordial da vida, várias horas do dia e a melhor parte da noite, se outra ocupação extraordinária não os desviasse disso, comendo e bebendo menos apressadamente que nós, que fazemos todas as nossas ações correndo; e estendendo o tempo e o proveito desse prazer natural, e entremeando-o de várias conversas sociais úteis e agradáveis. Os que devem cuidar de mim poderiam, por muito pouco, esconder-me o que pensam me ser nocivo, pois nunca desejo nem solicito as coisas que não vejo. Mas das que se apresentam a mim, perdem seu tempo ao me pedir que delas me abstenha. De tal modo que quando quero jejuar preciso ficar afastado dos que jantam, e que me apresentem justo o que é necessário para uma colação moderada, pois se me sento à mesa esqueço minha resolução. Quando mando que mudem o preparo de algum prato, meu pessoal sabe que isso quer dizer que meu apetite está fraco e que não tocarei nele. Gosto de comer pouco cozidas as carnes que se prestam a isso. E gosto delas muito maceradas, e em várias até o cheiro se alterar. Só a sua dureza é que geralmente me desagrada (quanto a qualquer outra qualidade sou tão indiferente e tolerante como todas as pessoas que conheci), mas, ao contrário do gosto comum, mesmo entre os peixes me ocorre achá-los uns frescos demais e outros firmes demais. Não é culpa de meus dentes, que sempre tive bons e mesmo excelentes, e que a idade só agora começa a ameaçar. Aprendi desde a infância a esfregá-los com meu guardanapo, tanto de manhã como antes de sentar-me e depois de sair da mesa. Deus concede uma graça àqueles a quem subtrai a vida pouco a pouco. É o único benefício da velhice. A derradeira morte será menos completa e menos nociva, não matará mais que a metade ou um quarto de homem. Eis um dente que acaba de me cair, sem dor, sem esforço: era o término natural de sua duração. E essa parte de meu ser e várias outras já estão mortas, outras, semimortas, das mais ativas e que ocupavam o primeiro lugar no vigor de minha juventude. É assim que me dissolvo e escapo a mim mesmo. Não será uma estupidez para minha inteligência sentir o salto dessa queda como se fosse completa, quando ela já está avançada? Não desejo isso. Na verdade, recebo um consolo primordial dos pensamentos sobre minha morte: que ela seja justa e natural, e que doravante eu não possa exigir nem esperar do destino nenhum favor ilegítimo. Os homens imaginam que outrora a duração da vida, assim como a estatura, era maior. Mas enganam-se, e Sólon, que é desses velhos tempos, fixa a duração extrema da vida em setenta anos. Eu, que tanto adorei e tão completamente essa ἄριστον μέτρον* [perfeita medida] de tempos passados, e que tanto considerei como a mais perfeita a medida média, pretenderei ter uma velhice desmedida e anormal? Tudo o que vai contra a corrente da natureza pode ser desagradável: mas o que vem de acordo com ela deve ser sempre agradável. *Omnia, quae secundum naturam fiunt, sunt habenda in bonis.*** [Tudo o que se faz em conformidade com a natureza deve ser posto na categoria de bens.] Por isso, admite Platão, a morte que os ferimentos ou as doenças trazem é violenta, mas aquela que nos surpreende quando a velhice nos conduz a ela é de todas a mais leve e de certo modo deliciosa. *Vitam adolescentibus, vis aufert, senibus maturitas.**** [A vida dos homens jovens é a violência que a leva, a dos velhos é a ação do tempo.] A morte intromete-se e confunde-se com tudo em nossa vida: o declínio adianta sua chegada e ingere-se até no curso de nosso envelhecimento. Tenho retratos meus aos 25 anos e aos 35 anos: comparo-os com o de hoje. Em quantos aspectos não sou mais eu! Como minha imagem presente está mais longe daquelas que da imagem de minha morte. É abusar demais da natureza importuná-la tanto que, cansada de nos seguir, ela seja obrigada a deixar-nos e abandonar nossa condução, nossos olhos, nossos dentes, nossas pernas e o resto à mercê de uma ajuda externa e mendigada, e nos resignarmos entre as mãos da arte médica. Não sou excessivamente guloso de saladas nem de frutas, exceto de melões. Meu pai detestava qualquer tipo de molhos: gosto de todos eles. Comer demais me incomoda: mas ainda não estou muito certo de que, por sua qualidade, algum prato me faça mal, como também não observo a lua cheia ou minguante, nem distingo

---

* Forma do filósofo grego Cleóbulo, um dos Sete Sábios, encontrada em Diógenes Laércio, I, 93.
** Cícero, *De senectude*, XIX, 71.
*** Cícero, *De senectude*, XIX, 71.

o outono da primavera. Há em nós movimentos inconstantes e desconhecidos. Pois a raiz-forte, por exemplo, primeiro a achei agradável, depois enjoativa, agora, novamente agradável. Em várias coisas sinto meu estômago e meu apetite irem assim se diversificando. Troquei o vinho branco pelo clarete, e depois do clarete para o branco. Gosto muito de peixe e faço dos dias magros meus dias gordos: e dos dias de jejum, meus dias de festas. Creio no que alguns dizem de que ele é de digestão mais fácil que a carne. Como tenho escrúpulo em comer carne no dia de peixe, assim tem meu gosto de misturar o peixe com a carne. Essa diferença parece-me grande demais. Desde a juventude, às vezes pulava uma refeição, a fim de aguçar meu apetite para o dia seguinte (pois assim como Epicuro jejuava e fazia refeições magras para acostumar sua volúpia a dispensar a abundância, eu, ao contrário, jejuo para preparar minha volúpia a tirar mais proveito e servir-se mais alegremente da abundância) ou para manter meu vigor a serviço de uma ação do corpo ou do espírito: pois tanto um quanto outro ficam cruelmente preguiçosos em mim com a repleção (e, sobretudo, odeio essa tola associação de uma deusa tão saudável e tão alegre com esse pequeno deus indigesto e arrotador, todo inchado com o vapor de seu vinho),* ou para curar meu estômago doente, ou por estar sem companhia apropriada. Pois digo como esse mesmo Epicuro que não se deve tanto olhar o que se come mas com quem se come. E louvo Quílon pela recusa de prometer ir ao banquete de Periandro antes de ser informado sobre quem eram os outros convidados. Para mim não há preparo tão suave nem molho tão apetitoso como o que se tira da companhia. Creio que é mais saudável comer mais folgadamente e menos: e comer com maior frequência. Mas quero valorizar o apetite e a fome:

* Referência a Vênus e Baco, cuja aliança era tradiconal desde a Antiguidade.

não teria nenhum prazer em arrastar três ou quatro magras refeições por dia ordenadas por prescrição médica. Quem me garantiria que o apetite aberto que tenho esta manhã ainda o encontraria no jantar? Agarremos, sobretudo os velhos, agarremos o primeiro momento favorável que nos vier. Deixemos as esperanças e os prognósticos para os fazedores de almanaques. O fruto mais perfeito de minha saúde é a volúpia: abracemos a primeira conhecida que se apresente. Evito a constância nessas regras do jejum. Quem deseja que um regime lhe sirva, foge de prolongá-lo; com ele endurecemos, nossas forças adormecem: seis meses depois, tereis acostumado tão bem vosso estômago que vosso proveito será apenas ter perdido a liberdade de usá-lo de outro jeito sem dano. Cubro minhas pernas e coxas não mais no inverno que no verão, com uma meia de seda bem simples. Para remediar meus resfriados aceitei manter a cabeça mais aquecida, e para a minha cólica, o ventre. Mas em poucos dias meus males se habituaram a isso e desprezaram minhas precauções costumeiras. Eu tinha passado de uma touca para um boné, e de um gorro para um chapéu forrado. O acolchoado de meu gibão já não me serve senão como adorno: de nada adianta se eu não acrescentar uma pele de lebre ou de abutre, com um boné na cabeça. Seguindo nessa toada, isso pode ir longe. Não farei nada disso. E com gosto desistiria, se me atrevesse, do começo que fiz. "Estais sentindo um novo desconforto? Essa providência já não vos serve: a ela vos acostumastes, buscai outra." Assim arruínam-se os que se deixam atrapalhar por regimes severos a que se sujeitam supersticiosamente: precisam de outros, e depois de ainda mais, e de outros mais adiante: isso nunca termina. Para nossas ocupações e para o prazer, é muito mais cômodo, como faziam os antigos, saltar o almoço e recomeçar a comer bem na hora do recolhimento e do repouso, sem quebrar o dia: assim eu fazia antigamente. Desde então, acho por experiência que, para a saúde, mais vale almoçar, pois a digestão se faz melhor quando estamos acordados. Não sou muito dado a ter sede, nem saudável nem doente, quando costumo então ter a boca seca, mas sem sede. E normalmente só bebo pelo desejo que me vem ao comer, e quando a refeição está bem avançada. Para um homem de condição comum, bebo bastante bem: no verão, e numa refeição apetitosa, não apenas ultrapasso os limites de Augusto, que só bebia precisamente três copos, mas, para não infringir a regra de Demócrito, que proibia parar-se em quatro por ser um número azarado, esvazio se necessário até cinco: três meios sesteiros* aproximadamente. Pois os copos pequenos são os meus favoritos. E agrada-me esvaziá-los, o que outros evitam como coisa indelicada. Em geral batizo meu vinho com metade, às vezes um terço, de água. E quando estou em casa, por um antigo hábito que um médico prescrevia a meu pai e a si mesmo, misturam o que me convém já na copa, duas ou três horas antes de servirem. Dizem que Cranau, rei dos atenienses, foi o inventor desse costume de batizar o vinho: vi discutirem a favor e contra sua utilidade. Considero mais decente e mais saudável que as crianças só o tomem depois de dezesseis ou dezoito anos. O modo de vida mais usual e corrente é o mais belo: qualquer particularidade deve ser evitada, parece-me: e detestaria tanto um alemão que pôs água no vinho como um francês que o bebesse puro. A lei dessas coisas é o uso comum. Temo o ar parado e fujo da fumaça como da morte (a primeira reforma que fiz em minha casa foi nas chaminés e nas retretes, defeito comum nas velhas construções, e insuportável), e entre as dificuldades da guerra incluo essa poeira espessa em que nos mantêm enterrados, no calor, durante um dia inteiro. Tenho a respiração livre e fácil, e no mais das vezes meus resfriados se passam sem dano para o pulmão e sem tosse. Os rigores do

---

* Um meio sesteiro equivalia a um quarto de litro.

verão me são mais inimigos que os do inverno: pois além
do incômodo do calor, menos remediável que o do frio, e
além do golpe que os raios de sol dão na cabeça, meus
olhos ferem-se com qualquer luz muito brilhante: agora
não conseguiria almoçar sentado diante de um fogo ar-
dente e luminoso. Na época em que estava mais acostumado a ler, para amortecer a brancura do papel eu colocava sobre meu livro uma placa de vidro e sentia-me
muito aliviado. Ignoro até hoje o uso de lentes, e enxergo
tão longe como sempre enxerguei e como qualquer outro.
É verdade que no declínio do dia começo a sentir turva-
ção e dificuldade para ler: o exercício sempre atormentou
meus olhos, mas sobretudo o noturno. Eis um passo
atrás, embora apenas sensível. Recuarei mais um, do segundo para o terceiro, do terceiro para o quarto, tão cal-
mamente que deverei estar totalmente cego antes de sentir
a decadência e a velhice de minha vista, de tal forma as
Parcas desfazem habilmente nossa vida. Ainda estou em
dúvida se ando prestes a ficar duro de ouvido: e vereis que
quando o tiver perdido pela metade ainda estarei culpan-
do a voz dos que falam comigo. Deve-se de fato compri-
mir a alma para fazê-la sentir como a vida se esvai. Meu
andar é ligeiro e firme, e não sei qual dos dois, se o espírito ou o corpo, consigo mais dificilmente parar no mesmo
lugar. O pregador que consegue prender minha atenção
durante todo um sermão deve ser um de meus amigos.
Nos lugares de cerimonial, em que cada um está tão rígi-
do em sua postura, em que vi as senhoras manterem até
mesmo seus olhos tão fixos, jamais consegui que alguma
parte de mim não fique divagando: embora esteja sentado, estou pouco assentado. Como a camareira do filósofo
Crísipo dizia de seu amo, que ele só estava bêbado nas
pernas, pois tinha o costume de mexê-las em qualquer situação em que estivesse: e ela dizia que enquanto o vinho
perturbava seus amigos, ele não sentia a menor alteração.
Também se pôde dizer, desde minha infância, que eu ti-

nha loucura nos pés, ou mercúrio, de tal forma os movimento numa inconstância natural, em qualquer lugar onde os coloque. É indecente, além de ser prejudicial à saúde, e mesmo ao prazer, comer gulosamente como faço. Costumo morder a língua, às vezes meus dedos, por causa da pressa. Encontrando uma criança que comia assim, Diógenes deu um tabefe em seu preceptor. Em Roma havia homens que ensinavam a mastigar, como a andar, com graça. Perco a ocasião de falar, que é um doce tempero das mesas desde que sejam tópicos igualmente agradáveis e curtos. Há ciúme e inveja entre nossos prazeres, eles se chocam e atrapalham-se mutuamente. Alcibíades, homem bem entendido na boa mesa, expulsava da mesa até mesmo a música para que não perturbasse a doçura das conversas, justificando isso pela razão que Platão lhe atribui de que é um hábito dos homens do povo chamar instrumentistas e cantores para os banquetes, na falta de bons discursos e conversas agradáveis com que as pessoas inteligentes sabem festejar entre si. Varrão pede ao banquete isto: a reunião de pessoas com bela presença e conversa agradável, que não sejam mudas nem tagarelas; limpeza e delicadeza nas iguarias, e tempo sereno. Um bom tratamento à mesa é uma festa que exige muita arte e voluptuosidade. Nem os grandes chefes de guerra nem os grandes filósofos desprezaram seu uso e sua ciência. Minha imaginação entregou três delas à guarda de minha memória: ocorreram em diversas épocas de minha idade mais florescente e a fortuna tornou-as de uma doçura soberana para mim. Meu estado atual priva-me delas. Pois cada um por si lhes fornece seu encanto principal e sabor, segundo a boa disposição do corpo e da alma em que então se encontra. Eu, que tenho os pés na terra, detesto essa sapiência desumana que quer nos tornar desdenhosos e inimigos da cultura do corpo. Considero igual injustiça aceitar a contragosto os prazeres naturais quanto tomá-los demasiado a peito: Xerxes era um insensato, pois envolto em todos os prazeres humanos ia propor um prêmio a quem lhe encontrasse outros. Mas não menos insensato é aquele que poda os que a natureza lhe encontrou. Não devemos persegui-los nem fugir deles: devemos aceitá-los. Aceito-os com um pouco mais de deleite e gratidão que outros e deixo-me com mais gosto me levar por minha tendência natural. Não há por que exagerar-lhes a inanidade: ela se faz bastante sentir e manifesta-se o suficiente graças a nosso espírito doentio e desmancha-prazeres, que nos desgosta deles como de si mesmo. Ele trata de si e de tudo o que absorve ora como um bem, ora como um mal, segundo seu ser insaciável, vadio e versátil:

> Sincerum est nisi vas, quodcunque infundis, acescit.*
> [Se o vaso não estiver limpo, tudo o que aí se verter azedará.]

Eu, que me gabo de abraçar tão cuidadosa e individualmente os encantos da vida, quando os olho assim com atenção praticamente só encontro vento. Mas, ora, somos vento em tudo! E o vento, mais sábio que nós, ainda se apraz em sussurrar, em se agitar. E contenta-se com suas próprias funções, sem desejar a estabilidade e a solidez, qualidades que não são suas. Dizem alguns que os puros prazeres da imaginação, assim como os desprazeres, são os maiores: como expressava a balança de Critolau.** Não é de espantar. Ela os compõe a seu gosto e corta-os em plena matéria. Disso vejo todos os dias exemplos insignes e talvez desejáveis. Mas eu, de constituição mista e rústica, não posso apenas saborear de modo tão completo esse

---

* Horácio, *Epístolas*, I, ii, 54.
** Critolau, filósofo peripatético, imaginou uma balança em que num dos pratos haveria os bens temporais, entre eles a terra e o mar, que pesariam muito menos que os bens espirituais do outro prato.

objeto do espírito, tão simples, a ponto de não me deixar levar pesadamente pelos prazeres que me apresenta a lei humana e comum: intelectualmente sensuais, sensualmente intelectuais. Os filósofos cirenaicos pretendem que, como as dores, também os prazeres corporais são os mais poderosos, por serem duplos e mais justos. Há homens de uma estupidez feroz, como diz Aristóteles, que se fazem de enfastiados diante deles. Conheço outros que o fazem por ambição. Por que não renunciam também a respirar? Por que não vivem apenas do que é seu e não rejeitam a luz, já que ela é gratuita e não lhes custa invenção nem esforço? Que se alimentem de Marte, ou Palas, ou Mercúrio, para ver o que acontece, em vez de Vênus, de Ceres e de Baco. Procurarão a quadratura do círculo quando estão empoleirados sobre suas mulheres? Detesto que nos mandem ter o espírito nas nuvens, enquanto temos o corpo à mesa. Não quero que nela o espírito se pregue, nem que chafurde, mas quero que se aplique, que se sente à mesa, não que se deite. Aristipo defendia só o corpo, como se não tivéssemos alma: Zenão só abraçava a alma, como se não tivéssemos corpo. Ambos errados. Pitágoras, dizem, seguiu uma filosofia toda de contemplação: Sócrates, toda de moral e de ação: Platão encontrou o meio-termo entre as duas. Mas dizem isso para nos iludir. E a verdadeira justa medida encontra-se em Sócrates; e Platão é mais socrático do que pitagórico, o que lhe cai melhor. Quando danço, danço, quando durmo, durmo. Mesmo quando passeio solitário por um belo pomar, se durante parte do tempo meus pensamentos estão entretidos com acontecimentos externos, durante outra parte os trago de volta ao passeio, ao pomar, à doçura dessa solidão, e a mim. A natureza observou isso maternalmente: que as ações que nos impôs como nossas necessidades nos fossem também prazerosas. E a isso nos convida não só pela razão como também pelo desejo: é injustiça infringir suas regras. Quando, no meio de seus grandes esforços, vejo tanto César como

SOBRE A EXPERIÊNCIA   571

Alexandre desfrutar tão plenamente dos prazeres humanos e corporais, não digo que isso é relaxar a alma, digo
que é enrijecê-la, submetendo aos hábitos da vida corrente, pelo vigor e pela coragem, aquelas graves ocupações
e os laboriosos pensamentos. Sábios, se acreditassem que
aquela era sua vocação normal, e esta, a extraordinária.
Somos grandes loucos. "Ele passou a vida na ociosidade",
dizemos. "Hoje não fiz nada." "Como? Não vivestes? É
esta não só a fundamental, mas a mais ilustre de vossas
ocupações." "Se tivessem me confiado grandes manobras,
eu teria mostrado o que sabia fazer." "Soubestes examinar
e manobrar vossa vida? Realizastes a maior tarefa de todas." A natureza não precisa ter um grande destino para
se mostrar e agir. Mostra-se igualmente em todos os ní-
veis, e tanto atrás da cortina como sem ela. "Soubestes
compor vossa moral? Fizestes bem mais que aquele que
compôs livros. Soubestes conquistar o repouso? Fizestes mais que aquele que conquistou impérios e cidades."
A gloriosa obra-prima do homem é viver como convém.
Todas as outras coisas: reinar, entesourar, construir, não
passam de apendículos e adminículos, no máximo. Tenho
prazer em ver um general de exército ao pé de uma brecha
que ele quer atacar brevemente, mas entregando-se por inteiro ao seu almoço e à conversa livre com os amigos. E
em ver Bruto, tendo o céu e a terra conspirado contra ele
e contra a liberdade romana, furtar de suas rondas algumas horas noturnas para ler e anotar seu Políbio em total
segurança. É próprio das pequenas almas soterradas sob
o peso dos negócios não saber se desprender totalmente
deles, não saber largá-los e retomá-los.

o fortes pejoraque passi,
Mecum saepe viri, nunc vino pellite curas,
*Cras ingens iterabimus aequor.**

* Horácio, *Odes*, I, VII, 30-2.

[ó bravos heróis, que com frequência suportastes a meu lado o pior, afogai por ora no vinho vossas preocupações; amanhã partiremos para o mar imenso.]

Que seja de brincadeira ou a sério, a expressão "vinho teologal e sorbônico" tornou-se proverbial nos banquetes deles,* mas acho que está certo que jantem tanto mais cômoda e agradavelmente na medida em que gastaram de modo útil e sério a manhã no exercício de seu magistério. A consciência de ter bem empregado as outras horas é um justo e saboroso condimento das mesas. Assim viveram os sábios. E esse inimitável empenho voltado para a virtude, que nos espanta tanto em um quanto em outro Catão, esse caráter severo beirando a inconveniência submeteu-se assim suavemente e curvou-se às leis da condição humana, às de Vênus e de Baco, seguindo os preceitos de sua escola, que pedem ao sábio perfeito que seja tão experiente e entendido na prática dos prazeres como em qualquer outro dever da vida. *Cui cor sapiat, ei et sapiat palatus.*** [Quem tem o espírito aguçado deve ter o palato aguçado.] Para uma alma forte e generosa é, parece-me, maravilhosamente honroso estar relaxada e afável, e o que melhor lhe convém. Epaminondas não considerava que misturar-se à dança dos rapazes de sua cidade, cantar e tocar e preocupar-se com isso atentamente fosse coisa que invalidasse a honra de suas gloriosas vitórias e a perfeita correção de costumes que tinha. E entre tantas admiráveis ações de Cipião, o Velho, personagem digno de se crer que tivesse uma genitura divina, não há nada que lhe dê mais graça do que vê-lo displicente e pueril divertindo-se em apanhar e es-

---

* Eram proverbiais a qualidade e a quantidade de bebida que tomavam os professores da faculdade de teologia da Sorbonne.
** Cícero, *De finibus*, II, VIII, 24.

SOBRE A EXPERIÊNCIA

colher conchas e brincar de "pepino vai na frente"* ao
longo da praia com Lélio. E se o tempo estivesse ruim,
distraindo-se e deleitando-se em representar por escrito,
em comédias, as ações mais comuns e baixas dos homens. E, com a cabeça repleta dessa sua extraordinária
expedição africana contra Aníbal, visitando as escolas
na Sicília e seguindo as aulas dos filósofos, até que seus
inimigos de Roma afiassem os dentes da inveja cega. Não
se viu coisa mais notável em Sócrates do que o fato de
que, bem velho, encontrasse tempo para aprender a dan-
çar e tocar instrumentos, e o considerasse bem empregado. Foi visto em êxtase, de pé, um dia e uma noite inteiros, em presença de todo o exército grego, surpreendido
e capturado por algum pensamento profundo. Foi o primeiro entre tantos homens valentes do exército a correr
em socorro de Alcibíades, prostrado pelos inimigos; co-
briu-o com seu corpo e livrou-o da multidão à viva força
e com armas. E na batalha de Delos, levantou e salvou
Xenofonte, derrubado de seu cavalo. E de todo o povo de
Atenas, revoltado da mesma forma que ele com tão indigno espetáculo, foi o primeiro a apresentar-se para libertar Terâmenes, que os trinta tiranos mandavam os
esbirros conduzir à morte; e, conquanto apenas dois homens no total o tivessem seguido, só desistiu dessa ousada iniciativa diante da admoestação do próprio Terâmenes. Foi visto, procurado por uma beldade por quem
estava apaixonado, manter quando necessário uma severa abstinência. Foi visto continuamente marchando na
guerra e pisando no gelo de pés descalços, usando a mesma roupa no inverno e no verão, superando todos os
companheiros em resistência ao cansaço, não comendo
no banquete de outra forma que não a habitual. Foi visto
durante 27 anos, com o mesmo semblante, suportar a

* Uma espécie de jogo de bola de gude em que o "pepino"
seria a bola de buxo ou metal lançada inicialmente.

fome, a pobreza, a indocilidade dos filhos, as garras da mulher. E no fim, a calúnia, a tirania, a prisão, as correntes e o veneno. Mas esse homem, que por dever de cortesia aceitou, como convidado, beber de um só gole,* era também aquele do exército que teve melhor desempenho. E não se recusava a brincar de pedrinhas com as crianças nem a correr com elas num cavalo de madeira, o que fazia de boa vontade, pois todas as ações, diz a filosofia, caem igualmente bem no sábio e igualmente o honram. Nunca devemos nos cansar de apresentar a imagem desse personagem para todos os modelos e formas de perfeição, e temos razões para isso. Há pouquíssimos exemplos de vida plenos e puros. E prejudicamos nossa educação ao nos propormos todos os dias exemplos fracos e falhos: bons apenas por um só lado, que mais nos puxam para trás, corrompendo mais que corrigindo. O povo engana-se: usando mais o artifício do que a natureza, anda-se bem mais facilmente pelas margens, onde a extremidade serve de limite, de parada e de guia, do que pela pista do meio, larga e aberta; mas também é menos nobre e menos recomendável. A grandeza de alma consiste não tanto em puxar para o alto e puxar para a frente, mas em saber acomodar-se e circunscrever-se. Ela considera grande tudo o que é suficiente. E mostra sua elevação ao preferir as coisas médias às eminentes. Não há nada tão belo e legítimo quanto agir como um homem deve agir, nem ciência tão árdua como saber viver esta vida. E de nossas doenças a mais selvagem é desprezar nosso ser. Quem quiser afastar sua alma para livrá-la do contágio, que o faça corajosamente, se puder, quando o corpo se portar mal. Se não, ao contrário, que ela o assista e o favoreça, e não se recuse a participar de seus prazeres naturais, e neles se delicie como que de um jeito conjugal, trazendo, se for mais sábia, a moderação,

* Durante uma brincadeira para se ver quem bebia mais.

SOBRE A EXPERIÊNCIA

ao temer que, por exagero, esses prazeres se confundam com o desprazer. A intemperança é a peste do prazer, e a temperança não é seu flagelo: é seu tempero. Eudoxo, que fazia do prazer o soberano bem, e seus companheiros, que lhe atribuíram um valor tão alto, o saborearam em sua mais graciosa doçura por meio da temperança que neles foi notável e exemplar. Ordeno à minha alma que contemple a dor e o prazer com olhos igualmente contidos: *eodem enim vitio est effusio animi in laetitia, quo in dolere contractio*,* [a dilatação da alma na alegria não é menos um defeito do que sua contração na dor,] e com a mesma firmeza, mas um alegremente, a outra severamente. E dependendo de como puder contribuir, tão preocupada em extinguir um como em estender a outra. Ver saudavelmente os bens acarreta ver saudavelmente os males. E a dor tem algo de inevitável em seu suave início, e o prazer, algo de evitável em seu fim excessivo. Platão os associa: e quer que o papel da coragem seja igualmente combater a dor e as imoderadas e enfeitiçantes blandícias do prazer. São duas fontes de água nas quais é um afortunado quem se abeberar, seja cidade, seja homem, seja animal, e onde for, quando for, quanto for. A primeira, devemos tomá-la como remédio e por necessidade, mais parcimoniosamente. A outra, por sede, mas não até a embriaguez. A dor, o prazer, o amor, o ódio são as primeiras coisas que sente uma criança: se, depois que lhes chega a razão, as crianças a ela se conformam, isto é a virtude. Tenho um dicionário todo meu: passo o tempo quando ele está ruim ou desagradável; quando está bom, não quero passá-lo, quero degustá-lo, deter-me nele. É preciso correr do mau e permanecer no bom. Essas expressões banais de *passatempo* e de *passar o tempo* representam o uso dessas pessoas prudentes, que não pensam ter nada melhor a fazer com

---

* Cícero, *Tusculanas*, IV, XXXI.

sua vida do que deixá-la esvair-se e escapar: deixá-la passar, esquivá-la e, enquanto puderem, ignorá-la e fugir dela, como coisa de qualidade enfadonha e desprezível. Mas conheço-a como outra coisa e acho-a tão apreciável como agradável, e até mesmo em seu derradeiro decurso, onde estou agora. E a natureza colocou-a em nossas mãos, dotada de tais e tão favoráveis circunstâncias que só temos de nos queixar de nós mesmos se ela nos pesa e nos escapa, inútil. *Stulti vita ingrata est, trepida est, tota in futurum fertur.*[*] [A vida do estulto é repleta de dissabores e transtornos: volta-se totalmente para o futuro.] No entanto, disponho-me a perdê-la sem pesar. Mas como perdível por sua própria condição e não como molesta e insuportável. Além disso, considerar que não é desagradável morrer só cabe propriamente aos que acham agradável viver. Desfrutar a vida é toda uma arte: desfruto-a o dobro dos outros, pois a medida da fruição depende do maior ou menor apego que lhe temos. Principalmente a esta hora, quando percebo que o tempo da minha é tão curto, quero aumentar seu peso. Quero deter a rapidez de sua fuga pela rapidez com que a agarro, e pelo vigor do uso compensar a pressa com que se esvai. À medida que a posse da vida é mais curta, devo torná-la mais profunda e mais plena. Os outros sentem a doçura de um contentamento e da prosperidade; sinto assim como eles: mas não só passando e deslizando sobre ela. Tenho de estudá-la, saboreá-la e ruminá-la, para render graças condignas àquele que a outorga. As pessoas desfrutam dos outros prazeres como o fazem com o do sono, sem conhecê-los. Com o objetivo de que o sono não me escapasse assim estupidamente, outrora achei bom que o interrompessem a fim de que eu o entrevisse. Medito comigo mesmo sobre um prazer que sinto; não o afloro, sondo-o, e agora que minha razão se tornou tris-

* Sêneca, *Cartas a Lucílio*, xv, 10.

tonha e perdeu o gosto por ele, curvo-a para aceitá-lo. Se me encontro num estado tranquilo e há algum prazer que me estimula, não deixo que os sentidos o roubem: associo-lhe minha alma. Não para nele se envolver, mas para comprazer-se; não para nele se perder, mas para encontrar-se. E faço-a, de seu lado, mirar-se nesse feliz estado e avaliar e considerar essa felicidade, e ampliá-la. Ela calcula o quanto deve a Deus por estar em paz com a própria consciência e suas outras paixões intestinas; por ter o corpo em sua disposição natural, desfrutando de modo ordenado e apropriado as funções suaves e lisonjeiras com as quais apraz-Lhe compensar com Sua graça as dores que Sua justiça, por sua vez, nos inflige; o quanto lhe vale estar alojada nesse lugar em que, para onde virar os olhos, o céu está calmo ao seu redor: nenhum desejo, nenhum temor ou dúvida que lhe perturbe o ar, nenhuma dificuldade passada, presente, futura, por cima da qual sua imaginação não possa passar sem sofrer. Essa consideração que faço ganha grande esplendor na comparação com condições diferentes da minha. Assim, passo em revista, entre mil aspectos, aqueles que o destino ou que seus próprios erros arrastam e sacodem. E também estes que, mais perto de mim, aceitam sua boa fortuna tão mole e indiferentemente. São pessoas que de fato *passam* seu tempo; ultrapassam o presente e o que possuem, em proveito da esperança, das sombras e imagens vãs que a fantasia põe à sua frente,

> *Morte obita quales fama est volitare figuras,*
> *Aut quae sopitos deludunt somnia sensus,*[*]
> [Como esses fantasmas que voejam, dizem, depois da morte, ou esses sonhos que enganam nossos sentidos adormecidos,]

---

[*] Virgílio, *Eneida*, x, 641.

as quais apressam e prolongam sua fuga à medida que as seguimos. O fruto e o objetivo de sua perseguição é perseguir, assim como Alexandre dizia que a finalidade de seu trabalho era trabalhar.

Nil actum credens cum quid superesset agendum.[*]
[Considerando nada ter feito se lhe restasse a fazer.]

Quanto a mim, portanto, amo a vida e cultivo-a tal como aprouve a Deus nos outorgá-la. Não estou desejando que lhe faltasse a necessidade de beber e comer. E me pareceria cometer um erro não menos desculpável se desejasse que ela a tivesse em dobro. *Sapiens divitiarum naturalium quaesitor acerrimus.*[**] [O sábio indaga com a mais viva paixão sobre as riquezas da natureza.] Nem que nos sustentássemos metendo na boca só um pouco daquela droga com que Epimênides se privava de apetite e se mantinha. Nem que produzíssemos estupidamente filhos pelos dedos ou pelos calcanhares, mas, salvo o devido respeito, que os produzíssemos também pelos dedos e pelos calcanhares, voluptuosamente. Nem que o corpo fosse sem desejo e sem excitação. Seriam queixas ingratas e iníquas. Aceito de bom grado e reconhecido o que a natureza fez por mim, e alegro-me e sinto-me satisfeito com isso. Somos injustos com esse grande e todo-poderoso Doador ao recusarmos Seu dom, anulá-lo e desfigurá-lo: tudo é bom, Ele fez tudo bom. *Omnia quae secundum naturam sunt; aestimatione digna sunt.*[***] [Tudo o que é conforme à natureza é digno de consideração.] Abraço com mais gosto os princípios da filosofia que são os mais sólidos: isto é, os mais humanos e nossos. Minhas opiniões correspondem ao meu comportamento, humildes e modestas.

[*] Lucano, II, 657.
[**] Sêneca, *Cartas a Lucílio*, CXIX, 5.
[***] Cícero, *De finibus*, III, VI, 20.

SOBRE A EXPERIÊNCIA 579

A meu ver, a filosofia finge-se de criança quando levanta
a crista para nos pregar que é uma aliança selvagem casar o divino com o terrestre, o sensato com o insensato,
o severo com o indulgente, o honesto com o desonesto.
Que o prazer é qualidade bestial, indigna de ser provada
pelo sábio. E que o único prazer que ele tira da fruição
de uma bela jovem esposa é o prazer de sua consciência
por estar praticando uma ação segundo as regras. Como
calçar suas botas para uma cavalgada útil. Possam os
sequazes dessa filosofia ter, no desvirginamento de suas
mulheres, tão pouca firmeza, e nervos e suco quanto têm
seus argumentos! Não é o que diz Sócrates, preceptor deles e nosso. Ele aprecia, como deve ser, o prazer corporal,
mas prefere o do espírito, por ter mais força, constância, facilidade, variedade, dignidade. Este não anda sozinho, segundo ele (que não é tão fantasioso assim), mas
é apenas o primeiro. Para ele, a temperança é modera-
dora, não adversária dos prazeres. A natureza é um guia
gentil, mas não mais gentil do que sábio e justo. *Intran-
dum est in rerum naturam, et penitus quid ea postulet,
pervidendum.** [É preciso progredir do conhecimento da
natureza e proceder a um exame muito aprofundado do
que ela exige.] Procuro por toda parte sua pista: nós a
confundimos com rastros artificiais. E esse "soberano
bem" da Academia e dos peripatéticos, que é viver segundo a natureza, torna-se por isso difícil de delimitar
e demonstrar, e também o dos estoicos, próximo dele, e
que consiste em estar de acordo com a natureza. Não será
um erro considerar certas ações menos dignas porque são
necessárias? Não me tirarão da cabeça que é muito conveniente o casamento do prazer com a necessidade, com
a qual, diz um antigo, os deuses vivem conspirando. Por
que desmembramos uma construção tecida com uma cor-
respondência tão fraterna e estreita, levando-a ao divór-

* Cícero, *De finibus*, V, XVI.

cio? Ao contrário, reatemo-la por serviços mútuos: que o espírito desperte e vivifique o peso do corpo, que o corpo detenha a leveza do espírito e a fixe. *Qui velut summum bonum, laudat animae naturam, et tanquam malum, naturam carnis accusat, profecto et animam carnaliter appetit, et carnem carnaliter fugit, quoniam id vanitate sentit humana, non veritate divina.** [Aquele que exalta a alma como um soberano bem e condena a carne como um mal, com certeza a um só tempo acaricia a alma carnalmente e foge da carne carnalmente, pois tal opinião nasce da vaidade humana, não da verdade divina.] Não há elemento indigno de nosso cuidado nesse presente que Deus nos deu: dele devemos prestar contas até cada fio de cabelo. E não é uma missão meramente formal do homem conduzir a si mesmo de acordo com a condição do homem: ela é expressa, inata e primordial, e o Criador confiou-a a nós séria e severamente. Só uma autoridade pode convencer as inteligências comuns: e pesa mais se em língua estrangeira. Portanto, neste trecho, voltemos à carga: *Stultitiae proprium quis non dixerit, ignave et contumaciter facere quae facienda sunt: et alio corpus impellere, alió animum: distrahique inter diversissimos motus?*** [Quem não reconheceria que é próprio da estupidez fazer com moleza e reticência o que deve ser feito, empurrar o corpo de um lado, o espírito de outro, e deixar-se puxar entre movimentos contraditórios?] Ora, então, só para ver, fazei que vos contem um dia as reflexões e as ideias que um homem põe na cabeça, e pelas quais desvia seu pensamento de uma boa refeição e lamenta-se do tempo que passa a se alimentar: descobrireis que não há nada tão insípido em todos os pratos de vossa mesa quanto essa bela conversa de sua alma (quase sempre seria melhor dormirmos profundamente do que ficar acor-

---

* Santo Agostinho, *Cidade de Deus*, XIV, v.
** Sêneca, *Cartas a Lucílio*, LXXIV, 32.

SOBRE A EXPERIÊNCIA 581

dados para ouvi-la) e descobrireis que seu discurso e suas intenções não valem vosso ensopado. E se fossem os arroubos do próprio Arquimedes, o que seria? Não incluo aqui e não meto nessa cambada de homens que somos e nessa vaidade de desejos e cogitações que nos desviam do essencial as almas veneráveis, que se elevam pelo ardor da devoção e da religião a uma meditação constante e conscienciosa sobre as coisas divinas, e que provam de antemão, pelo esforço de uma esperança viva e veemente, o alimento eterno, objetivo final e última etapa dos desejos cristãos, único prazer constante e incorruptível, e desprezam a atenção a nossos bens necessitosos, flutuantes e ambíguos, e abandonam facilmente ao corpo o cuidado e o uso do alimento temporal e dos sentidos. Esse é um esforço das almas privilegiadas. Entre nós, há coisas que sempre vi em singular concórdia: os pensamentos supercelestes e os comportamentos subterrâneos. Esopo, esse grande homem, viu seu amo urinando ao passear. "Como assim", disse ele, "teremos de defecar ao correr?" Organizemos nosso tempo: ainda nos resta muito dele, ocioso e mal empregado. Nosso espírito não tem talvez outras horas suficientes para fazer seus deveres sem se dissociar do corpo durante esse pouco tempo de que este precisa para suas necessidades? Os filósofos querem escapar a si mesmos e escapar ao homem. Isso é loucura: em vez de se transformarem em anjos, transformam-se em animais, em vez de se elevarem, rebaixam-se. Esses humores transcendentes apavoram-me, como os lugares altos demais e inacessíveis. E nada me é tão desagradável digerir na vida de Sócrates quanto seus êxtases e suas demonices. Nada me é tão humano em Platão quanto a razão pela qual dizem que é chamado de "divino". E de nossas ciências, parecem-me mais terrestres e baixas aquelas que estão colocadas mais alto. E não acho nada tão humilde e tão mortal na vida de Alexandre como suas fantasias em torno de sua imortalidade. E Filotas, numa resposta que lhe deu por carta, alfinetou-o divertidamente quando congratulou Alexandre por ter sido colocado entre os deuses pelo oráculo de Júpiter Amon: "Quanto a ti, estou muito feliz; mas há motivo para lamentar pelos homens, que terão de conviver e obedecer a um homem que ultrapassa e não se contenta com a medida de um homem". *Diis te minorem quod geris, imperas.** [É porque te submetes aos deuses que reinas.] A nobre inscrição com que os atenienses honraram a chegada de Pompeu à sua cidade corresponde a meu modo de pensar:

> *Tanto mais és Deus*
> *Quanto te reconheces como homem.***

É uma perfeição absoluta, e como divina, saber gozar lealmente de seu ser. Procuramos outros atributos por não compreendermos a prática dos nossos, e saímos de nós mesmos por não sabermos o que nele se passa. No entanto, pouco adianta subir em pernas de pau, pois mesmo sobre pernas de pau ainda temos de andar com nossas pernas. E no trono mais elevado do mundo ainda estamos, porém, sentados sobre nosso traseiro. As mais belas vidas são, a meu ver, as que se conformam ao modelo comum e humano, bem ordenadas, mas sem milagre, sem extravagância. Ora, a velhice tem certa necessidade de ser tratada mais ternamente. Recomendemo-la àquele deus protetor da saúde e da sabedoria: sim, mas alegre e sociável:

> *Frui paratis et valido mihi*
> *Latoe dones, et precor integra*
> *Cum mente, nec turpem senectam*
> *Degere, nec Cythara carentem.****

---

* Horácio, *Odes*, III, vi, 5.
** Plutarco, *Vida de Pompeu*, xlii.
*** Horácio, *Odes*, I, xxxi, 17-20.

[Concede-me, filho de Latona, desfrutar dos bens que adquiri, a um só tempo em plena saúde e com o espírito intacto, suplico-te, e não arrastar uma velhice vergonhosa, privada da lira.]

Cronologia

1477   Ramon Eyquem, bisavô de Michel de Montaigne, abastado comerciante de Bordeaux, compra as propriedades nobres de Montaigne e Belbeys, na baronia de Montravel e, mais tarde, o título de Seigneur de Montaigne. O Castelo de Montaigne, no Périgord, foi parcialmente reconstruído depois de um incêndio em 1885, salvando-se porém a torre da biblioteca, onde foram escritos *Os ensaios.*

1495   Nascimento, em Montaigne, de Pierre Eyquem, pai de Montaigne.

1513   Nascimento, em Toulouse, de Antonine de Louppes, mãe de Montaigne. Os Louppes, originariamente López, são ricos comerciantes de uma família de Saragoça que se estabeleceu em Toulouse no final do século XV.

1529   Casamento, em Toulouse, de Pierre Eyquem de Montaigne e Antonine de Louppes.

1530   Pierre Eyquem de Montaigne é nomeado primeiro magistrado e preboste de Bordeaux.
Nasce em Sarlat o poeta Étienne de la Boétie, o maior amigo de MM.

1533   28 DE FEVEREIRO: nascimento de Michel Eyquem no Castelo de Montaigne, terceiro filho e primeiro sobrevivente do casal. Será o mais velho de sete irmãos e irmãs. Dias depois é batizado e levado para o povoado vizinho de Papassus, onde ficará com a ama de leite.

1536   Pierre Eyquem de Montaigne é eleito subprefeito de Bordeaux. Em casa, Montaigne aprende latim, única língua em que seus pais, o preceptor e os domésticos lhe dirigem a palavra.

c. 1539 Entra para o Colégio de Guyenne, escola-modelo cujos professores são conhecidos eruditos e humanistas europeus, como o escritor Nicolas de Grouchy e o historiador escocês George Buchanan. Permanece no colégio por seis anos.

1544 Nascimento de Françoise de La Chassaigne, filha de um conselheiro do parlamento de Bordeaux, futura esposa de Montaigne.

1546 Ano provável da entrada de Montaigne na Faculdade de Artes em Bordeaux.

1548 AGOSTO: Revolta da Gabela (imposto sobre o sal) em Bordeaux. A cidade perde seus privilégios, e seus magistrados, entre eles o pai de Montaigne, são suspensos.

1549 Aos dezesseis anos, compra livros de Virgílio, Terêncio, Júlio César. Começa os estudos de direito, talvez em Toulouse.

1554 Pierre Eyquem de Montaigne é eleito prefeito de Bordeaux, coroamento da ascensão de uma família da burguesia mercantil associada à pequena nobreza.

1555 Montaigne é nomeado conselheiro da Cour des Aides do Périgueux. No ano seguinte a Cour é suprimida e seus membros são nomeados para o parlamento de Bordeaux, onde Montaigne permanecerá quinze anos. Epidemia de peste em Bordeaux.

1558 Ano provável do encontro de Montaigne com Étienne de La Boétie, também membro do parlamento de Bordeaux.

1559 10 DE JULHO: morte do rei Henrique II.
SETEMBRO: Montaigne visita Paris e acompanha a corte do rei Francisco II a Bar-le-Duc.
Tradução de Plutarco pelo abade Jacques Amyot, a que Montaigne faz inúmeras referências nos *Ensaios*.

1561 Montaigne pede uma licença "para alguns negócios seus". Viaja a Paris, onde também cuidará de missões do parlamento.

1562 1º DE MARÇO: massacre dos huguenotes em Wassy, que marca o início da primeira guerra de religião entre católicos e protestantes.

CRONOLOGIA

JUNHO: recebido pelo parlamento de Paris, Montaigne professa publicamente sua fé católica.

OUTUBRO: acompanha a corte a Rouen, quando os franceses recuperam a cidade que caíra nas mãos dos huguenotes. Lá conversa com índios do Brasil.

1563 14 DE AGOSTO: La Boétie dita seu testamento e lega seus livros a "seu íntimo irmão e inviolável amigo". Quatro dias depois, morre de disenteria, talvez em consequência da peste.

1565 9 DE ABRIL: entrada do rei Carlos IX em Bordeaux.

22 DE SETEMBRO: casamento com Françoise de La Chassaigne.

6 DE OUTUBRO: nascimento, em Paris, de Marie Le Jars, filha do senhor de Gournay, tesoureiro e secretário da casa do rei. Marie, "filha por aliança" de Montaigne, será a responsável pela primeira edição póstuma de *Os ensaios*.

1568 18 DE JUNHO: morte de Pierre Eyquem de Montaigne, aos 73 anos. Montaigne herda uma grande fortuna, o castelo, as terras e o título de senhor de Montaigne. Seu sogro, Joseph de La Chassaigne, é nomeado presidente do parlamento de Bordeaux.

1569 Montaigne publica a tradução, feita a pedido do pai, de *Theologia naturalis*, do teólogo catalão Raimon Sebon (Raymond Sebond). Nesse ano ou no seguinte sofre uma queda de cavalo, experiência que o teria confrontado com a proximidade da morte e estaria na origem de seu projeto autobiográfico.

1570 Vende seu cargo de conselheiro do parlamento de Bordeaux.

28 DE JUNHO: nascimento de Antoinette, sua primeira filha, que viverá só dois meses.

NOVEMBRO: encaminha a uma gráfica em Paris as *Oeuvres* de La Boétie, que serão publicadas no ano seguinte.

1571 21 DE JUNHO: abandona "a escravidão dos cargos públicos" para se dedicar à reflexão e à leitura dos cerca de mil livros de sua biblioteca, instalada no último andar da torre do castelo.

Provável início da redação de *Os ensaios*.

Recebe do rei Carlos IX a Ordem de Saint-Michel, cujo colar figurará em seu brasão.

9 DE SETEMBRO: nascimento de Léonor, a única sobrevivente de suas seis filhas.

1572 MARÇO: redação do capítulo "Que filosofar é aprender a morrer".

24 DE AGOSTO: Noite de São Bartolomeu, quando foram massacrados os protestantes em Paris.

OUTUBRO: massacre dos protestantes em Bordeaux, início da quarta guerra civil entre católicos e huguenotes.

1573 5 DE JUNHO: nascimento da filha Anne, que morre com poucas semanas.

1574 MARÇO: início da quinta guerra civil.

27 DE DEZEMBRO: nascimento da quarta filha, morta aos três meses.

1576 Montaigne manda cunhar medalhas com seu brasão. No reverso, uma balança com dois pratos em equilíbrio, significando a dificuldade de decidir, e a divisa pirroniana: "Abstenho-me".

1577 16 de maio: nascimento da quinta filha, que morre dias depois.

29 DE NOVEMBRO: é nomeado gentil-homem da Câmara do Rei. Serve fielmente a Henrique III.

1578 Primeira crise de cólica renal, mal herdado do pai e na época chamado "doença da pedra".

Escreve a maior parte dos ensaios do Livro II de sua obra.

1580 PRIMAVERA: publicação dos *Ensaios* (Bordeaux, Simon Millanges). Na corte, em Paris, Montaigne apresenta um exemplar ao rei Henrique III.

SETEMBRO: acompanhado do irmão e de três jovens nobres, inicia uma longa viagem, de dezoito meses, por Suíça, Alemanha, Áustria, Itália. Faz tratamentos nas estações de água de Plombières, Baden, Lucca. Em Roma, onde passa cinco meses, vê Torquato Tasso, já louco, visita a Biblioteca Vaticana e tem uma audiência com o papa Gregório XIII. Aprende italiano. Visita Ferrara, Bolonha, Florença, Pisa.

1581 Prossegue seu *Journal de voyage*, que só será descoberto e publicado em 1774.

CRONOLOGIA

MARÇO: o exemplar dos *Ensaios* confiscado junto com seus outros livros pela alfândega italiana é devolvido a Montaigne pelo Mestre del Sacro Palazzo, que lhe explica a censura formal de que foi objeto. Teriam lhe criticado o abuso da palavra "fortuna" e as citações de poetas hereges.

SEMANA SANTA: recebe, por bula pontifical, o título de nobre cidadão romano.

AGOSTO: é eleito, em sua ausência, prefeito de Bordeaux. Um exemplar dos *Ensaios* é exposto na feira de Frankfurt.

1582 Segunda edição dos *Ensaios* (Bordeaux, Simon Millanges), que leva em conta parcialmente a censura romana e vem enriquecida de acréscimos.

AGOSTO: Montaigne vai à Corte defender os privilégios da cidade de Bordeaux.

1583 21 DE FEVEREIRO: nascimento de Marie, sua última filha, morta dois dias depois.

Montaigne é reeleito prefeito por mais dois anos.

1584 DEZEMBRO: recebe no castelo o rei Henrique de Navarra, que como herdeiro do trono da França passará a se chamar Henrique IV.

1585 JULHO: epidemia de peste em Bordeaux. Montaigne, ausente, não retorna à cidade; expira seu mandato e ele passa, com a família, algum tempo fora.

1587 24 DE OUTUBRO: o rei Henrique de Navarra janta no Castelo de Montaigne.

Montaigne escreve o terceiro livro dos *Ensaios* entre 1586 e 1587.

Quarta edição dos *Ensaios* (Paris, J. Richer.)

1588 24 DE JANEIRO: partida para Paris. No caminho, é roubado pelos soldados da Ligue Catholique, partido ultracatólico formado em reação aos éditos favoráveis aos protestantes, apoiado pelo papa e pelos jesuítas.

Primeiro encontro de Montaigne com Marie Le Jars de Gournay, ele com 55 anos, ela com 23.

JUNHO: quinta edição dos *Ensaios* (Paris, L'Angelier), agora com um terceiro volume e seiscentas adições aos dois primeiros.

10 DE JULHO: é preso e levado para a prisão da Bastilha, em represália à prisão em Rouen de um fidalgo da Ligue. É solto na própria noite por intervenção da rainha-mãe, Catarina de Médicis.

Passa o verão na Picardia, na casa de Marie de Gournay.

1589   5 DE JANEIRO: morte de Catarina de Médicis.

2 DE AGOSTO: assassinato do rei Henrique III; o sucessor, Henrique de Navarra, agora rei Henrique IV, convida Montaigne para integrar seu serviço como conselheiro. Em carta, ele diz estar doente e declina do convite.

Começa a trabalhar numa edição aumentada dos *Ensaios*.

1590   27 DE MAIO: casamento de Léonor de Montaigne com François de La Tour.

Primeira tradução italiana dos *Ensaios*, por Girolamo Naselli.

1591   31 DE MARÇO: nascimento de Françoise de La Tour, neta de Montaigne.

1592   VERÃO: última carta escrita por Montaigne, dirigida a Anthony Bacon.

13 DE SETEMBRO: morte de Michel Eyquem de Montaigne, aos 59 anos, durante uma missa celebrada em seu quarto, no castelo. Seguindo o uso da alta nobreza, a família deposita seu coração na igreja de Saint-Michel de Montaigne e sepulta o corpo em Bordeaux.

1593   O editor A. L'Angelier, beneficiário por dez anos do privilégio real de editar os *Ensaios*, entra com um recurso no parlamento de Paris para protestar contra as edições clandestinas feitas em gráficas de Lyon.

1594   Marie de Gournay recebe da sra. de Montaigne a "Cópia" (um exemplar da edição de 1588 com as correções e anotações feitas pelo autor) destinada à nova edição dos *Ensaios*.

L'Angelier renova o privilégio de dez anos para a publicação da obra.

1595   Publicação da primeira edição póstuma de *Os ensaios*, com prefácio de Marie de Gournay e incorporação das últimas adições e mudanças. O texto é um terço maior

CRONOLOGIA

que o da edição de 1588, e precedido por longo prefácio de Marie de Gournay.

No final do ano ela se instala no Castelo de Montaigne e corrige a edição póstuma de *Os ensaios*, cotejando-a com a "outra cópia" que havia na casa.

Em Lyon é publicada mais uma edição falsa da obra.

1596   Marie de Gournay escreve ao filósofo e humanista flamengo Justo Lipsio, encaminhando-lhe três exemplares da edição póstuma para que ele as transmita "às mais famosas gráficas" da Europa.

1598   Segunda edição póstuma de *Os ensaios*, organizada por Marie de Gournay, com novo prefácio.

1601   4 DE ABRIL: morte de Antonine de Louppes, mãe de Montaigne.

1603   Primeira tradução em inglês de *Os ensaios* (Londres, E. Blount), feita por John Florio.

1676   *Os ensaios* entram no Índex, condenados por obscenidade, mas sem considerações teológicas ou filosóficas, e aí permanecem até 1783.

Outras leituras

BIRCHAL, Telma de Souza. *O eu nos ensaios de Montaigne.* Belo
Horizonte: UFMG, 2007.

BURKE, Peter. *Montaigne.* São Paulo: Loyola, 2006.

COELHO, Marcelo. *Folha explica Montaigne.* São Paulo: Pu-
blifolha, 2001.

EVA, Luiz Antonio Alves. *A vaidade de Montaigne.* São Paulo: Discurso Editorial, 2003.

LACOUTURE, Jean. *Montaigne a cavalo.* Rio de Janeiro: Re-
cord, 1998.

LIMA, Luiz Costa. *Limites da voz: Montaigne. Schlegel.* Rio de
Janeiro: Topbooks, 2005.

STAROBINSKI, Jean. *Montaigne em movimento.* São Paulo:
Companhia das Letras, 1993.

Índice remissivo

Academia, 579
Adriano, imperador romano, 316
Adriático, mar, 75
adulação, 192, 231, 253, 543
advogados, 331, 513
afetação, 122, 123, 351, 370, 431
África, 142
Agamenon, 480
Agesilau, 290, 291, 351, 457
Agostinho, santo, 136, 161, 188, 205, 259, 392, 412, 423, 497, 502, 580
agrigentinos, 205, 282
Albuquerque, Afonso de, 164
Alcibíades, general ateniense, 116, 468, 518, 534, 568, 573
Alcméon de Crotona, 321
Alemanha, alemães, 56, 116, 136, 214, 216, 218, 221, 269, 281, 329, 516, 537
Alésia, 151
Alexandre III, o Grande, 45, 46, 65, 111, 115, 209, 232,

260, 279, 353, 414, 434, 437, 447, 484, 503, 528, 571, 578, 581, 582
Aljubarrota, 135
alma, 44, 49, 60, 75, 92, 94, 96, 106-7, 110, 113, 121, 124, 126, 128, 132, 138, 152-3, 155, 161, 164, 16-8, 172, 174-8, 181, 183, 189-92, 196-7, 208-9, 212, 217, 221-2, 225, 229, 231, 238, 241, 244, 250, 255-6, 263-8, 270, 274, 279, 286, 301, 306-9, 313, 331, 340, 346, 348-50, 353, 356-7, 364-8, 370, 373-4, 380, 383, 389, 391, 407, 414, 431, 437, 443, 457-9, 461, 469, 494, 524, 527, 530, 552, 555, 557, 567-8, 570-2, 574-5, 577, 580
almas, 43, 44, 97, 99-100, 114, 147-8, 170, 196, 207, 224, 242, 262-3, 267-8, 275, 277, 279, 318-9, 353, 362-3, 365, 367, 372-3, 400, 416, 419, 445, 468, 485, 488, 526, 555, 571, 581

Alpes, 557
ama de leite, 110, 124, 241, 256, 271, 437
Amadis, 127
amantes, 108, 212, 263, 375, 376, 398, 402, 403, 428, 442, 448, 463
Amazonas, 447, 505
ambição, 85, 97, 104, 123, 163, 165, 176, 177, 211, 331, 379, 424, 448, 459, 485, 570
Amiano Marcelino, 53
amizade, 90, 128, 130, 148, 170, 246, 249, 337, 350, 368, 371, 373, 376, 399, 484, 523, 527, 529
amor, 69, 84, 95, 108, 130, 155-6, 219, 222, 236-7, 240, 247, 256-8, 260, 274, 293-5, 299, 301, 333, 338, 374-6, 381, 388, 394-7, 399, 401-3, 406, 408-9, 411, 419-20, 425, 428, 430, 432, 436, 440, 442-3, 446, 448, 454, 456-64, 505, 516, 540, 575
Amor *ver* Cupido
Anacreonte, 105, 457
Anaxarco, 224
Andreosso, 448
Andrônico, imperador, 186
Angélica, heroína de Orlando Furioso, 108
Aníbal, 193
animais, 67, 76-7, 81, 177, 237, 249, 255-6, 261, 278-82, 332, 335-6, 375, 411, 416, 434, 436-7, 478-9, 483, 488, 543, 581
antecipação, 171, 385

Anteu, 524
Antígono (general de Alexandre), 206
Antígono Gonato (rei da Macedônia), 398, 506
Antinônides, 433
Antístenes, 164, 167, 271, 306, 361, 408, 465, 525
Antônio, Marco, 471
Apolo, 115, 191, 438, 514, 523
Apolodoro (filósofo grego), 230
Apolodoro (gramático ateniense), 87
Aragão, rainha de, 404
Arcesilau, 91, 172, 222, 262, 462
areopagitas, 500
Aretino, 407
Argenterius, 322
Ário, 161
Aristarco de Samotrácia, 524
Aristides, 178, 290
Aristipo, 98, 116, 121, 267, 271, 408, 446, 570
Aristófanes, 123
Aríston de Quíos, 391
Aristóteles, 73, 76, 85, 93, 110-1, 125, 143-4, 225, 240, 242, 259, 273, 310, 321, 352, 366, 394, 397, 432, 438, 467, 472, 513, 516, 522, 533, 558, 570
Arquelau, rei da Macedônia, 392
Arquimedes, 581
arrebatamento, 212

arrependimento, 179, 183, 250, 345, 347-51, 353, 355, 357-61, 363, 402, 455, 518, 556
Árria, 295, 297
Asa, rei de Judá, 333
Asclepíades, 321
Ásia, 101, 111, 142, 409, 503
Ásia Menor, 409, 503
astrologia, 158, 159, 490, 494, 535
astronomia, 85, 107, 158
Átalo, 216, 534
Ataxerxes, 217, 277
Atenas, atenienses, 101, 120, 124, 140, 142, 281, 359, 402, 438, 463, 566, 573, 582
Atlântida, 142
Augusto, César, 95, 155, 193, 195, 203, 215, 493, 561, 566
Aulo Gélio, 202, 381, 533
Ausônio, 330

Baco, 471, 564, 570, 572
Baldo, Pietro, 512
banquete, 63, 68, 73, 113, 152, 478, 559, 564, 568, 572, 573
Bartolo, 512
bebidas, 148, 212, 220, 300, 323, 458, 530, 531, 532, 537, 551, 554, 572; ver também vinho
beleza, 99, 108-9, 144-6, 151, 155-6, 174, 254, 257, 259-60, 266, 299, 301, 329, 362, 366, 373, 375-6, 381,

385, 396-8, 401, 424, 432, 436, 438, 448, 461-4, 466-7, 483
Bétis, 45
Bias, 163, 164, 351
Boccaccio, 110, 407
bocejo, 182
Bodin, Jean, 41, 283, 285, 287, 289, 290
Boleslau, 405
Bonifácio VIII, papa, 202
Bordeaux, 42, 51, 54, 59, 65, 66, 84, 118, 124, 127, 131, 135, 139, 158, 162, 183, 212, 216, 234, 303, 527, 556
Bourbon, Charles, duque de, 55, 56
brâmanes, 374
bravura, 42, 45, 51, 111, 117, 209, 212, 469
Bretanha, 65, 186
Brissac, marechal de, 125
Bruto, Marcos, 223, 258, 571
bruxaria, 492, 503
Buchanan, George, 125, 129, 389
Bussaguet, senhor de, 312

cabras, 256
caçadas, 432
cálculos renais, 303, 311, 324, 325, 542, 544, 546
calendário gregoriano, 493
Calístenes, 115
Calvino, 179
canibalismo, 486
Carlos IX, rei da França, 64, 156, 284
Carlos V, imperador, 243, 244

Carnéades, 112, 507
Carondas, 52, 164
Cartago, 58, 100, 136, 144
casamento, 89, 220, 242,
292-3, 381, 396-405, 421-2,
425-7, 438, 448-9, 579
Cássio Severo, 258
Castela, 135, 485, 489
castidade, 206, 219, 220,
268, 362, 405, 414, 415,
420, 422, 423, 424
castigo, 53, 114, 161, 227,
229, 241, 255, 280, 289,
425, 498, 499, 547
Catão de Útica (o Moço),
194, 205, 265, 290
Catão, o Censor (o Velho),
120, 178, 212, 217, 231,
249, 261, 266, 267, 290,
315, 365, 417
Catarina de Médicis, 473
Caupène, barão de, 330
cavalos, 111, 113, 228, 282,
377, 386, 410, 466, 479,
487, 513
Celso, 339
cemitérios, 72
Ceres, 570
China, 481, 519
Cibele, 471
Cícero, Marco Túlio, 47, 57,
60, 61, 63, 91, 94, 96, 98,
110, 117, 119-21, 132, 134,
137, 173, 176, 178, 205, 209,
223-4, 263, 266-7, 276, 280,
285-6, 290, 308-9, 319, 350,
366, 373, 386-7, 390, 410,
453, 473, 475, 477, 481, 495,
497, 501, 504, 521, 524, 526,

552, 558, 563, 572, 575,
578, 579
Ciro, o Grande, 173, 212,
217, 461, 475, 476
ciúme, 69, 155, 239, 416,
417, 418, 419, 424, 425,
427, 429, 568
Cláudio, imperador
romano, 295
Cleanto, 86, 121, 408
Clemente v, papa, 65
Cleômbroto, 560
Cleômenes I, rei de Esparta,
119, 291
Clitômaco, 507
Clódia Laeta, 405
Cneu Fúlvio, 53
coches, 466, 469, 470,
471, 473, 475, 477, 479,
481, 483, 485, 487, 489,
491, 505, 534
Colégio de Guyenne, 124,
127, 129, 201
cólica, 96, 193, 223, 259,
265, 303-7, 320, 326, 340,
362, 388, 540, 548, 550,
551, 565
comer/comida, 57, 92, 112,
114, 148, 150, 246, 258,
313, 322, 327, 329, 332,
438, 458, 530, 531, 534,
540, 558, 562, 564, 565,
566, 568, 578
condição humana, 75,
146, 347, 572
confissão, 152, 153, 287,
345, 390, 392, 502
conhecimento, 90, 91, 115,
124, 126, 193, 238, 335,

367, 425, 480, 481, 494,
500, 507-9, 514, 521, 524,
527, 541, 555, 579
conquistadores, 139, 484
Conrado III, imperador
alemão, 41, 43
consciência, 52, 99, 152,
170, 182, 184, 218-9, 227-
33, 300, 338, 348-9, 352-3,
357, 360, 362, 376, 390-2,
397, 413, 446, 456, 503,
547, 572, 577, 579
conversação, conversa, 95,
97, 113, 157, 168, 246, 250,
337, 348, 364, 367-70, 372,
486, 497, 504, 526, 547,
555, 568, 571, 580
convívio social, 364
coragem *ver* bravura
Coras, Jean de, 500
Cordo, Cremúcio, 258
cortesãos, 257
covardia, 51, 52, 53, 57, 67,
88, 154, 307, 334, 414, 488
Cranau, 566
Crantor, 543
Crasso, Marco, 389
Crátipo, 436
crença, 132, 181, 250, 261,
286, 306, 334, 485, 501,
502, 537
Creso, 476
criados, 83, 168, 173, 249,
369, 473, 534
crianças, 42-3, 46, 48, 72,
83-4, 87, 89-99, 101, 103,
105-7, 109, 111-5, 117, 119,
121, 123, 125-7, 129, 132,
151, 186, 221, 229, 242,

246, 251, 253, 257, 286-7,
407, 484, 499, 500, 512,
535, 555, 566, 574-5
crime, 63, 182, 206, 213, 242,
283, 393, 398, 439, 503, 518
Crísipo, 87, 150, 321, 408,
567
Critolau, 569
crueldade, 114, 139, 151,
189, 202, 224, 239, 254,
258, 261, 263, 265, 267, 269,
271, 273, 275, 277-9, 281,
287, 296, 298-9, 305, 308,
414, 436, 456, 466, 485, 488
Ctesifonte, 545
Cupido, 274, 375, 428, 463,
540, 541

Dejótaro, 155
Delfos, 106, 186, 254,
509, 523
Della Villa, 329
Demóstenes, 203, 290, 472
desejos, 174, 265, 270, 367,
371, 372, 381, 397, 446,
475, 539, 541, 581
Deus, 64, 71, 76, 82, 101,
103, 116, 133, 135, 149,
158-61, 164, 167-9, 172,
174, 180-90, 192, 202, 205,
227, 232, 237-8, 246, 262,
272, 276-7, 279, 306-7, 312,
316, 324, 330, 338, 340, 349,
356-8, 362, 367, 384, 390,
400, 416, 420, 423, 432,
434-5, 470, 485-6, 489, 497,
500-2, 504, 519-20, 530,
541, 544, 553, 560, 562, 577,
578, 580, 582

dietas, 314, 339, 551
Díocles, 321
Diógenes de Sínope, 117, 306, 316, 568
Diógenes Laércio, 563
Díon Cássio (historiador romano), 285
Díon Crisóstomo (filósofo sofista), 390, 463
Dionísio, o Velho, 474
Dioscórida, ilha de, 187
doenças, 70, 74, 117, 164, 209, 243, 246, 254, 306, 311, 314, 315, 321, 323, 329, 332, 333, 336, 340, 362, 383, 419, 497, 503, 530, 542, 543, 548-53, 563, 574; *ver também* males
dor/dores, 62, 64, 96, 104, 171, 174-5, 224-5, 232, 250, 259, 263, 265, 276, 287, 295, 298-9, 303, 308-9, 313, 334, 340, 348, 377, 387, 436, 459, 483, 488, 508, 546, 548, 550, 557, 570, 575, 577
Dordogne, rio, 143
druidas, 279
Druso, Júlio, 351
Du Bellay, Joachim, 121
Duras, Senhora de, 337

Édipo, 191
Eduardo, príncipe de Gales, 42
educação, 71, 84, 87, 89-91, 93-5, 97, 99, 101, 103, 105, 107, 109, 111, 113, 115, 117, 119, 121, 123-5, 127, 129, 216, 241-2, 270, 354, 355, 406, 446, 465, 536, 574

egípcios, 68, 73, 175, 277, 279, 281, 282, 287, 326, 335
embriaguez, 175, 212, 214, 215, 216, 217, 219, 221, 223, 225, 346, 575
enjoo, 540
Epaminondas, 44, 216, 259, 263, 572
Epícaris, 287
epicuristas, 93, 262, 263, 265
Epicuro, 87, 111, 123, 177, 224, 230, 259, 263, 271, 308, 313, 409, 469, 510, 513, 564
equidade, 79, 520
Erasístrato, 321
Erasmo de Roterdã, 353, 514
Esculápio, 318, 320, 544, 546
Esopo, 318, 323, 507, 514, 550, 581
Espanha, espanhóis, 53, 142, 143, 219, 257, 269, 412, 440, 485, 486, 490, 491, 534
espartanos *ver* lacedemônios
Ésquilo, 65
essênios, 437, 438
estações de águas, 303, 329
Estilpo (filósofo), 221
Estissac, senhora d', 234
estoicos, 43, 93, 213, 217, 224, 262, 263, 272, 357, 408, 518, 550, 579
Estratonice, 155
etiqueta, 372, 392, 538
Eudoxo, 575

ÍNDICE REMISSIVO

evacuação intestinal, 315
Eveno, 532
exército, 42, 56, 83, 141,
233, 447, 468, 571, 573, 574
experiência, 65, 133, 145,
193, 196, 311-2, 335, 468,
484, 492, 503, 508-9, 511,
513, 515-21, 523, 525, 527,
529-31, 533, 535-7, 539,
541, 543, 545, 547, 549, 551,
553, 555, 557-9, 561, 563,
565, 567-9, 571, 573,
575-9, 581, 583
êxtase, 41, 54, 162, 212,
226, 573

família, 97, 240, 246, 247,
252, 254, 270, 372, 396
fantasias, 92, 252, 254, 347,
411, 581
Fáulio de Argos, 423
Fédon, 390, 424
feitiçaria *ver* bruxaria
Fernando v, o Católico (rei
da Espanha), 511
fidalgos, 42, 51, 53, 56, 118,
123, 228, 237, 239, 240,
243, 245, 250, 324, 334,
345, 364, 377, 398, 421,
446, 471, 472, 506, 533,
537; *ver também* nobreza
Fídias, 260
Filipe Augusto, rei, 135
Filipe ii, rei da Macedônia,
216, 423, 477
filosofia, 94, 100, 103, 106,
107, 110, 112, 117, 146,
165, 178, 188, 201, 266,
267, 268, 272, 298, 307,

313, 319, 347, 371, 386,
437, 458, 500, 505, 507,
570, 574, 578, 579
Filotas, 232, 581
Fioravanti, Leonardo,
303, 322
Firmo, imperador de
Alexandria, 471
Fíton, 44, 45
Flamínio, Tito Quinto, 141,
286, 428, 561
Fócio, 178, 290, 359
Foix, Dianne de, condessa
de Gurson, 84, 89, 90
França, franceses, 42, 64,
102, 112, 116, 119, 124,
125, 127, 129, 139, 141, 237,
247, 322, 329, 331, 387,
431, 441, 493, 506, 510,
527, 534, 536
francês (língua francesa),
125, 294, 406, 433
Franget, senhor de, 53

Galba, Públio Sulpício
(imperador romano), 141,
462, 473
Galba, Sérvio (pretor), 424
Galo, Cornélio, 66
Gasconha, gascões, 151,
288, 352, 433
gauleses, 112, 242, 251, 279
Gaviac, senhor de, 312
Gaza (cidade palestina), 45
Gaza, Teodoro, 106
generosidade, 473, 474,
475, 476
Germânico, 56, 115, 506
gladiadores, 278, 477, 478

Gouveia, André de, 129
gramática, 94, 106, 119,
125, 188, 263, 433
Gramont, família, 339
Gregório XIII, papa,
473, 493
Grouchy, Nicholas, 125, 201
guardanapos, 537
Guelfo, duque da Baviera, 43
Guérente, Guillaume,
125, 129
guerra, 41, 51, 53-4, 57, 90,
105, 119, 149, 151, 157, 195,
208, 221, 225, 243, 257-8,
269, 271, 280, 291, 349,
369, 377, 401, 413, 420, 430,
446, 464, 470, 480, 484,
488, 537-8, 566, 568, 573
guerras de religião, 97, 158,
160, 227
Guerre, Martin, 500

Hegésias, 117
Heliodoro, 257
Heliogábalo, imperador
romano, 161, 471
Henrique II, rei da França,
65, 94, 542
Heráclides do Ponto, 117,
408
Heráclito, 514
herança, 151, 234, 253, 254,
338
Heródoto, 256, 315, 424
Hesíodo, 229, 261
Hidra de Lerna, 516
Hierófilo, 321
Hipócrates, 321, 392
Hipólito, 318

história, 41, 86, 144, 185,
243, 283, 466
histórias, 41, 64, 73, 100,
136, 216, 219, 247, 257, 277,
300, 330, 332, 352, 367,
472, 480, 502, 504, 558
Homero, 205, 335, 381, 421,
463, 533
honra, 86, 154, 155, 183,
236, 241, 245, 252, 269,
385, 402, 533, 555, 572
Horácio, 49, 62-3, 65, 67-8,
71, 75-6, 96, 104, 113, 116,
119-20, 133, 142, 159, 165,
167, 171, 173, 191-2, 204,
206-7, 213, 215, 217, 222,
244, 266, 270, 271, 274,
351, 369, 387, 389, 406,
408, 413, 426, 431, 436,
450, 455, 460, 462-3, 480,
530, 540, 556, 559, 569,
571, 582
huguenotes, 392
húngaros, 153, 207, 470

ignorância, 52-3, 132, 135-7,
159, 180, 185, 232, 249,
285, 310, 316, 323, 348,
367, 370, 422, 485, 495,
499-500, 507, 513, 521-2,
525, 553
impaciência, 334, 454,
543, 547
impotência, 244, 247, 289,
360, 449, 451
inconsistência, 201
inconstância, 201, 203, 204,
205, 207, 209, 211, 371,
448, 454, 526, 568

índios do Novo Mundo,
101, 139, 158, 466, 535
inveja, 147, 186, 244, 257,
320, 349, 363, 416, 476,
568, 573
Íscolas, 153
Isócrates, 112, 402, 472
Itália, italianos, 93, 100,
106, 125, 127, 135, 141,
142, 212, 220, 234, 269,
294, 329, 431, 434, 440,
442, 444, 461, 505, 506,
536, 537

Jaime, rei de Nápoles, 377
Jano, 384
Jerônimo, são, 414, 463
Jesus Cristo, 65
Joana, rainha de Nápoles,
448
João de Castela, rei, 135
jogos, 69, 103, 113, 114,
117, 126, 130, 188, 197,
385, 393, 430, 472, 476,
478, 499, 505
Jogos olímpicos, 243
juízes, 87, 186, 203, 231,
249, 276, 331, 447, 448,
510, 511, 513, 517, 518
Juliano, o Apóstata, 53
Júlio César, 74, 122, 265,
266, 275, 285
juramentos, 434
justiça, 103, 117, 181, 183,
186, 189, 190, 211, 233,
240, 252, 263, 275, 281,
295, 314, 355, 393-4, 402,
405, 428, 454, 474, 483,
488, 503-4, 517-9, 577

justiça divina, 183, 277, 279
juventude, 67, 74-5, 114,
122, 131, 184, 193, 196,
211, 221, 237, 240, 246,
247, 249, 356, 360, 368,
374, 376, 383, 385-6, 394,
407, 410, 424, 448, 450,
457, 460, 470, 482, 534,
544, 547, 553, 556, 562, 564

Kinge, rainha da Polônia,
405

La Rochelabeille, batalha
de, 160
Labieno, 257, 258, 291
lacedemônios, 100, 116,
117, 154, 260, 286, 287,
316, 412
ladrões, 175, 189, 276, 279,
356, 393, 413
Lahontan, 330
Laquete, 468, 469
latim, 61, 106, 124, 125,
127, 201, 303, 322, 336,
339, 354, 432, 433, 434
lealdade, 401, 428, 456,
483, 528
Lei sálica, 255
leis, 37, 52-3, 90, 97, 102,
146-7, 171, 186, 193, 195,
197, 205, 228, 238, 252,
254, 272, 277, 314, 329,
349-50, 386, 392, 400-1,
403, 406, 408, 413, 424,
428, 439, 448, 452, 464,
483, 510-1, 517, 518-20,
524, 544, 560, 572
Leônidas, 153, 560

Lépido, Marco Emílio, 66, 310, 417
leprosos, 305
liberalidade, 211, 239, 304, 473, 474, 475, 476, 477, 483, 519
liberdade, 37, 69, 75, 92, 94, 98-9, 104, 123, 126, 136-7, 152, 159, 163, 166, 168, 174, 185, 241, 245, 252, 257, 266, 274, 278, 281, 311, 318, 347, 371-2, 381, 389-90, 400, 411, 424, 445, 452-4, 464, 475, 484, 487, 510, 512, 516, 519, 528, 529, 536, 555, 560, 565, 571
Licurgo, 72, 146, 257, 291, 334, 403
língua francesa ver francês
língua latina ver latim
linguagem, 99, 117, 119, 122-5, 156, 183, 185, 188, 219, 228, 319, 369, 416, 430-2, 434, 511
Lisandro, 290, 291
livros, 73, 84, 86-7, 100, 105-6, 112, 117, 127-8, 130, 169, 174-6, 193, 219, 257-8, 283, 300, 320, 338, 347, 364, 366, 370-1, 377, 379-80, 393, 407, 432, 435, 492, 508, 512, 515, 533, 571
lógica, 105, 188
Lorraine, Charles de Guise, cardeal de, 283
Lucano, 49, 122, 190, 258, 354, 428, 520, 525, 578
Lúcio Piso, 215, 287

Lucrécio, 64, 69, 71, 72, 77-81, 131, 133-4, 166, 196, 204, 214, 222, 230, 273, 394, 426, 429-30, 440, 467, 480, 482
Lúculo, Lúcio, 206, 417

males, 67, 206, 225, 230, 258, 305-7, 312, 324, 326, 331, 339, 361, 383, 384, 389-91, 411, 522, 530, 540, 541, 543, 545, 548-9, 551-2, 565, 575
Manuel (comandante romano), 56
Manuel, rei de Portugal, 164, 187
Maomé II, sultão, 207
Marcelo, 100, 290, 291
Marcial, 49, 297, 307, 330, 385, 389, 405, 422, 440, 442, 444, 449, 461, 479, 528, 541
Margarida, rainha de Navarra, 463
Mário, Gaio, 537
Mecenas, 305, 424
medicina, médicos, 55, 65, 83, 85, 96, 151, 158-9, 164, 175, 206, 298, 303, 306, 308, 311-25, 329, 332-5, 339-40, 381, 397, 470, 508, 511, 518, 529-31, 538, 539, 541-4, 546, 553, 556
medo, 54-60, 75, 83, 126, 165, 205, 212, 223, 244, 277, 288, 295, 297, 299, 306, 384, 397, 428, 432, 446, 468-70, 486, 531, 547, 553, 555

ÍNDICE REMISSIVO

melancolia, 59, 234, 246
Melissa, 443
memória, 68, 92, 94, 100,
126, 150, 156, 161, 181,
192, 220, 243, 258, 298,
337, 348, 366, 384, 394,
435, 470, 472, 521, 522,
531, 541, 549, 568
mendigos, 156
Menon, 461
mentira, 121, 136, 137, 147,
190, 422, 495
mercúrio, 512, 568
Messalina, 322, 403, 428
Metelo, 264
metempsicose, 261, 279
Metrodoro de Lâmpsaco,
224
México, 483, 487, 489; ver
também Novo Mundo
milagres, 131, 133, 136, 310,
311, 335, 339, 404, 498,
507, 533
Minos, 257
moderação, 82, 109, 172,
203, 271, 292, 314, 369,
383, 384, 404, 446, 457,
458, 524, 531, 574
modéstia, 97, 117, 376, 404,
440, 446, 453, 524
monarcas, 471, 486
Montaigne, Léonor de,
241, 406
Montaigne, Pierre Eyquem
de, 124, 125, 126, 128, 212,
219, 234, 311, 312, 354,
560, 563, 566
Montluc, Blaise de, 250
morte, 46, 52, 58-60, 63,

65-9, 72, 75-8, 80, 82, 83,
105, 152, 161, 172, 174,
193, 208, 216, 267, 276,
297-301, 307, 323, 383,
439, 468-9, 483-4, 503, 539,
548-9, 551, 555, 563
moscas, 359, 390, 435, 534
Mulay-Hassan, rei de
Túnis, 243
mulheres, 42-3, 46, 48, 59,
66-7, 72, 83, 96, 132, 144,
147-9, 151, 155, 168-9, 186,
190, 219-20, 243, 248, 251,
255-6, 273, 288-9, 292, 294-
5, 308, 310, 327, 333, 355,
364, 369, 373, 377, 381,
391, 398, 402-4, 406, 409,
411-5, 418, 420-8, 438, 441,
443, 445, 447, 448, 453,
461, 463-5, 484, 505, 555,
560, 570, 579
Muret, Marc-Antoine,
125, 129
música, 85, 113, 115, 221,
555, 568

natureza, 52, 69, 74, 76-7,
108-9, 134, 145, 147, 154,
171, 223, 237, 244, 246,
258, 267, 272, 307, 314,
324, 337, 341, 349, 354,
366, 385, 387, 394, 407,
410, 426, 427, 432, 436-7,
439, 447-8, 450-1, 453,
456, 460, 462, 467, 470,
484, 508, 510-1, 521,
537-8, 541, 543, 549-51,
563, 569-71, 574, 576,
578-9

Nero, imperador romano,
95, 202, 258, 283, 284, 285,
287, 295, 298, 300, 322
Nícocles, 316, 319
Nicocreonte, 224
nobreza, 53, 84, 95, 128,
446; *ver também* fidalgos
Novo Mundo, 139, 143, 158

ociosidade, 47, 49, 126, 168,
169, 175, 177, 366, 400,
413, 456, 460, 571
Otávio, Sagila, 419
Ovídio, 72, 127, 231, 260,
278, 279, 280, 301, 374,
384, 387, 403, 416, 417,
428, 440, 445, 451, 462,
541, 544, 547, 557
ovos, 509

pais, 84, 95, 97, 234, 237,
239-41, 243, 245-7, 249,
251, 253, 255, 257, 259-60,
293, 303, 305, 307, 309,
311, 313, 315, 317, 319, 321,
323, 325, 327, 329, 331, 333,
335, 337, 339, 341, 399, 424
País Basco, 186
Panécio, 457
Paracelso, 322
Paulina, Pompeia, 297, 299,
300, 301, 302
Paulino, bispo de Nola, 167
Pausânias, 216
pedras renais *ver* cálculos
renais
Pelópidas, 44, 290
penitência, 61, 183, 209,
345, 355, 384, 459

Periandro, 443, 564
Péricles, 339, 340, 558
Perroset, 510
persas, 116, 217
Pérsia, 105, 277
Peru, 486, 490, 491
piedade, 42, 43, 46, 137,
150, 186, 261, 278, 461,
488, 517, 547
Pigmalião, 260
Pirro, 141, 286, 561
Pítaco, 427
Pitágoras, 103, 105, 278,
279, 280, 357, 434, 558, 570
Platão, 84, 90, 92-4, 100,
110, 113-4, 116, 124, 139,
141, 146, 159, 162, 181,
186, 192, 221, 225, 229,
242, 254, 257, 313, 316,
318, 335, 369-70, 375, 385,
389-90, 403, 407-8, 411-2,
415, 436-7, 446, 448, 463-5,
511, 523, 527, 530, 533,
544, 553, 555, 558, 563,
568, 570, 575, 581
Plauto, 127, 169
Plínio, o Moço, 173, 174,
294, 297
Plínio, o Velho, 339
Plutarco, 86, 100-1, 111,
135, 223, 227, 281-3, 285-7,
290-1, 315, 368, 394, 421,
431, 433, 467, 494, 533, 582
poesia, 86, 115, 121, 146,
156, 225, 259, 371, 381,
388, 394, 395
Pólemon, 405
Polícrates, 119
poligamia, 139

ÍNDICE REMISSIVO

Pompeia Paulina *ver*
Paulina, Pompeia
Pompeu, 41, 45, 57, 94, 257,
285, 290, 291, 417, 582
Portugal, portugueses, 129,
135, 150, 532
Praxíteles, 443
prazer, prazeres, 43, 60-2,
68, 74, 92, 108, 109, 111,
114, 127, 130, 145, 174-6,
218-20, 230, 245, 250-1,
263, 265-7, 272-4, 277-8,
295, 300, 304, 313-4, 329,
340, 349, 355, 360-1, 368,
371, 374-6, 378-80, 385-6,
390, 397, 402, 407-9, 416,
428, 429, 434, 436, 439,
441, 443, 455, 456, 458-9,
461, 472, 475, 505-6, 516,
529, 534-5, 540, 544, 547,
550, 553, 561, 565, 568-72,
574-7, 579, 581
Prestâncio, 503
Príapo, 409, 410
prisões, 75, 114
Probo, imperador romano,
477
profetas, 149, 212,
333, 352
progresso, 513
prostitutas, 412
Públio *ver* Galba, Públio
Sulpício (imperador romano)

Quartila, 541
Queilônis, 560
Quílon, 135, 564
quinta-essência, 335

razão, 57, 60, 93, 99, 133,
165, 171-2, 186, 238, 242,
254, 273, 311-2, 318, 348-9,
357, 401, 404-5, 455, 460,
494, 505, 509, 529, 558,
560, 575, 581
Rege, 44
reis, 65, 72, 84, 105, 142,
167, 373, 398, 405, 412,
471-5, 486, 489-90, 504,
528, 537-8, 554, 560; *ver
também* monarcas
religião, 76, 137, 145, 150,
160-1, 183-8, 219, 259, 279,
284, 286, 349, 381, 483,
485-6, 488, 581
remédios, 151, 317, 319,
323, 405, 539
retórica, 94, 105, 112, 119,
162, 188, 307, 371
riso, 385
Roma, romanos, 55-7, 64,
66, 93, 95, 112, 124, 136,
141, 195, 257-9, 264, 275-6,
278, 281, 283, 285, 290-1,
295-6, 298, 301, 310, 315,
403, 405, 408, 410, 419,
425, 429, 466, 471, 484,
490, 499, 534, 561, 568, 573
Ronsard, Pierre de, 121
roupas, 122, 219, 244, 277,
455, 472, 482, 491

sabedoria, 60, 107, 112,
126, 161-2, 203, 214, 222,
225, 313, 359, 362-3, 367,
384, 386-7, 389, 393, 400,
452, 464, 470, 508, 519,
521, 523, 526, 545, 558, 582

Saint-Michel, Senhor de, 312
Salústio, 173
saúde, 62, 70, 74, 107, 109,
116, 126, 151, 164, 168,
169, 174-5, 221, 225, 243,
294, 301, 306, 310-1, 313-6,
321, 323, 328, 332, 334,
340, 361, 366, 376, 383,
388, 397, 407, 419, 427,
439, 460, 529-31, 540, 543,
544, 546, 549-50, 556, 565,
568, 582, 583
Scanderberch, príncipe do
Épiro, 42
segredos, 105, 159, 186, 215,
230, 370, 391
Sêneca, 60, 70, 74, 77, 86,
92-3, 97, 115, 119, 121-3,
153, 177, 203, 211, 263,
277-8, 283-5, 287, 289,
291-2, 298-9, 305, 350, 366,
370, 379, 385, 388, 390,
430, 456, 468, 498, 512,
532, 534, 538, 544, 555,
559-60, 576, 578, 580
serenidade, 513
sereno, 332, 531, 537
sexo, 393, 438
Sexto Tarquínio, 206
Sila, 290, 291
sobrenatural, 502
Sócrates, 76, 91, 98, 101,
104, 109, 119, 165, 170,
186, 214, 217, 222, 263,
264, 267, 273, 353, 363,
367, 389, 392, 400, 408,
434, 436, 442, 458, 468,
503, 516, 523-5, 530, 534,
550, 558, 570, 573, 579, 581

Sófocles, 210
soldados, 42, 53, 54, 55,
135, 158, 206, 225, 369,
398, 447, 461, 504
solidão, 112, 162-3, 165,
167-9, 171, 173-5, 177-8,
236, 246, 371, 372, 377,
405, 570
Sólon, 141, 257, 313, 404,
424, 480, 562
sonhos, 49, 133, 230, 378,
390, 420, 435, 504, 506,
558, 577
Sorbonne, Paris, 572
suicídio, 258
sujeição, 69, 104, 155, 194,
332, 334, 488, 538, 541, 548

Tales de Mileto, 82, 169,
205, 242, 391
Talestris, 447
Tasso, Torquato, 243, 395,
506
Tebas, 46, 163, 310
Telesino, 291
temperança, 103, 110, 111,
117, 211, 221, 268, 362,
383, 384, 575, 579
Teófilo, imperador romano
do Oriente, 56
Teofrasto, 408, 472
Terâmenes, 506, 573
Terêncio, 127, 169, 223,
241, 247, 428, 438, 456
Termópilas, 153
testamentos, 64, 234, 253,
254, 298, 508, 512
Tibério, imperador romano,
215, 258, 337, 376, 529

Tirésias, 403
Tito Lívio, 100, 129, 231,
242, 365, 445, 469, 496, 503
tortura, 111, 224, 227, 231,
232, 261, 265, 275, 277,
287, 288, 487, 488
toupeiras, 316, 320
Trasônides, 442
Túlio, Sérvio, 195

Ulpiano, 512

Varrão, 568
velhice, 75, 79, 147, 162,
181, 194, 197, 220-1, 240-1,
245, 247-8, 254, 284, 298-9,
301-2, 305, 315, 336, 356,
358, 360-3, 375, 377, 381,
383-5, 388-9, 394, 432, 441,
450, 457, 459, 462-3, 527,
534, 546, 548, 552-4, 562,
563, 567, 582-3
Ventídio, 291
Vênus, 108, 202, 211, 273-4,
336, 375, 394-7, 403-4, 407,
427, 429, 436, 440, 443,
448, 505, 564, 570, 572
vergonha, 52-3, 75, 104,
114, 178, 186, 223, 231,
265, 287, 386, 393-4, 399,
413, 421, 425, 428, 438,
446, 451, 460, 465, 478,
504, 536
Vervins, senhor de, 52
viagens, 63, 83, 93, 109,
144, 147, 165, 212, 234,
271, 328, 378, 425, 435,
485, 497, 544
vício, 132, 145, 150, 164,

182-3, 190, 202-3, 208,
212-4, 217-8, 230, 240, 254,
265, 268, 270-3, 277, 285,
348-51, 354-7, 360-1, 363,
366, 383, 390-2, 394, 404,
413, 416, 424-5, 452, 456,
464, 520, 550, 559-60
vida, 62, 64, 71, 73, 77-8,
80, 82, 109-10, 152, 162-3,
194, 196, 242, 267, 293-5,
301, 305, 307, 313, 315, 334,
357, 364-5, 489, 522, 545,
562-3, 567, 571, 576, 578
Villegaignon, 141
vinho, 117, 147, 207, 212,
214-8, 221, 222, 273, 276,
313, 315, 332-5, 369, 388,
444, 494, 532, 536, 540,
542, 551, 564, 566, 567, 572
Virgílio, 48, 55, 71, 79, 104,
127, 129, 142, 147, 165,
215, 223, 225, 229, 269,
295, 309, 318, 381, 395-7,
407, 411, 417-8, 420, 429,
439-40, 449-50, 464, 506,
523, 526-7, 555, 577
virgindade, 243, 414, 423
virtude, 42, 44-5, 60-2, 84,
99, 107-9, 137, 140, 149, 151-
2, 154-5, 168, 171, 203, 206,
208-9, 217, 222-3, 237, 240,
261-8, 270, 284-5, 288, 290,
292, 295-6, 300, 313-4, 320,
325, 333, 350-4, 360, 389,
397, 399, 404, 412, 414-5,
419, 421-3, 426, 465, 473-4,
477, 483, 485, 516, 525, 533,
550, 572, 575
viúvas, 405, 409

Xantipo, 282
Xasan, 207
Xenofonte, 93, 173, 189,
461, 523, 558, 573
Xerxes, 568

Zenão (cidadão de
Messana), 45
Zenão de Cítio, 124, 150,
408, 434, 436, 438, 570
Zeuxidamo, 117

LEIA MAIS PENGUIN-COMPANHIA
CLÁSSICOS

Nicolau Maquiavel

O príncipe

Tradução de
MAURÍCIO SANTANA DIAS
Prefácio de
FERNANDO HENRIQUE CARDOSO

Àqueles que chegam desavisados ao texto límpido e elegante de Nicolau Maquiavel pode parecer que o autor escreveu, na Florença do século XVI, um manual abstrato para a conduta de um mandatário. Entretanto, esta obra clássica da filosofia moderna, fundadora da ciência política, é fruto da época em que foi concebida. Em 1513, depois da dissolução do governo republicano de Florença e do retorno da família Médici ao poder, Maquiavel é preso, acusado de conspiração. Perdoado pelo papa Leão X, ele se exila e passa a escrever suas grandes obras. *O príncipe*, publicado postumamente, em 1532, é uma esplêndida meditação sobre a conduta do governante e sobre o funcionamento do Estado, produzida num momento da história ocidental em que o direito ao poder já não depende apenas da hereditariedade e dos laços de sangue.

Mais que um tratado sobre as condições concretas do jogo político, *O príncipe* é um estudo sobre as oportunidades oferecidas pela fortuna, sobre as virtudes e os vícios intrínsecos ao comportamento dos governantes, com sugestões sobre moralidade, ética e organização urbana que, apesar da inspiração histórica, permanecem espantosamente atuais.

WWW.PENGUINCOMPANHIA.COM.BR

LEIA MAIS PENGUIN-COMPANHIA
CLÁSSICOS

Essencial Joaquim Nabuco

Organização e introdução de
EVALDO CABRAL DE MELLO

Joaquim Nabuco (1849-1910) foi um dos primeiros pensadores brasileiros a ver na escravidão o grande alicerce da nossa sociedade. Sendo ele um intelectual nascido e criado no ambiente da aristocracia escravista, a liderança pela campanha da Abolição não só causa espanto por sua coragem e lucidez como faz de Nabuco um dos maiores homens públicos que o país já teve.

A defesa da monarquia federativa, a campanha abolicionista, a atuação diplomática, a erudição e o espírito grandioso do autor pernambucano são apresentados aqui em textos do próprio Nabuco, na seleção criteriosa e esclarecedora feita pelo historiador Evaldo Cabral de Mello, também responsável pelo texto de introdução.

Selecionados de suas obras mais relevantes, como O Abolicionismo (1883), *Um estadista do Império* (1897), *Minha formação* (1900), entre outras, os textos permitem acompanhar não apenas a trajetória de Nabuco, a evolução de seu pensamento e de suas atitudes apaixonadas, mas sobretudo o tempo histórico brasileiro em algumas de suas décadas mais decisivas.

WWW.PENGUINCOMPANHIA.COM.BR

LEIA MAIS PENGUIN-COMPANHIA
CLÁSSICOS

O Brasil holandês

Seleção, introdução e notas de
EVALDO CABRAL DE MELLO

A presença do conde Maurício de Nassau no Nordeste brasileiro, no início do século XVII, transformou Recife na cidade mais desenvolvida do Brasil. Em poucos anos, o que era um pequeno povoado de pescadores virou um centro cosmopolita.

A história do governo holandês no Nordeste brasileiro se confunde com a guerra entre Holanda e Espanha. Em 1580, quando os espanhóis incorporaram Portugal, lusitanos e holandeses já tinham uma longa história de relações comerciais. O Brasil era, então, o elo mais frágil do império castelhano, e prometia lucros fabulosos provenientes do açúcar e do pau-brasil.

Este volume reúne as passagens mais importantes dos documentos da época, desde as primeiras invasões na Bahia e Pernambuco até sua derrota e expulsão. Os textos — apresentados e contextualizados pela maior autoridade no período holandês no Brasil, o historiador Evaldo Cabral de Mello — foram escritos por viajantes, governantes e estudiosos. São depoimentos de quem participou ou assistiu aos fatos, e cuja vividez e precisão remete o leitor ao centro da história.

WWW.PENGUINCOMPANHIA.COM.BR

LEIA MAIS PENGUIN-COMPANHIA
CLÁSSICOS

Essencial Jorge Amado

Seleção e introdução de
ALBERTO DA COSTA E SILVA

Além de ter se tornado um dos maiores nomes da nossa literatura e o escritor brasileiro mais difundido no exterior, Jorge Amado é um verdadeiro clássico das nossas letras. Seus romances, como *Jubiabá*, *Capitães da Areia*, *Terras do sem-fim*, *Gabriela, cravo e canela*, *Dona Flor e seus dois maridos*, *Tenda dos Milagres* e *Tieta do Agreste* se tornaram extremamente populares, foram traduzidos e publicados em mais de cinquenta países, viraram filmes e novelas. Seus personagens ganharam vida e construíram a imagem de um Brasil mestiço e marcado pelo sincretismo religioso, um país alegre e otimista, sem porém negar as profundas diferenças sociais e os conflitos que marcam a realidade brasileira.

Escritor profícuo, Jorge Amado também é dono de uma das obras mais vastas da literatura brasileira. Neste *Essencial Jorge Amado*, o historiador Alberto da Costa e Silva, que, ao lado de Lilia Moritz Schwarcz, coordena a Coleção Jorge Amado na Companhia das Letras, realizou uma seleção a fim de oferecer ao leitor um panorama geral desta obra. Como ocorre na coleção *Portable*, da Penguin, que inspirou a série, *Essencial Jorge Amado* dá um giro por toda a produção do autor: são trechos de romances, reportagens, contos e uma novela completa, *A morte e a morte de Quincas Berro Dágua*.

Cada trecho é precedido de um comentário de Alberto da Costa e Silva, que contextualiza a obra e a aproxima do leitor de hoje. Além disso, o historiador também assina a introdução do livro. Nesse texto, novos leitores de Jorge Amado encontrarão informações biográficas, análises e uma visão original sobre a obra de Amado. E os fãs de longa data poderão redescobrir, sob uma nova perspectiva, o trabalho deste que é um de nossos maiores autores.

WWW.PENGUINCOMPANHIA.COM.BR

1ª EDIÇÃO [2010] 5 reimpressões

Esta obra foi composta em Sabon e impressa em ofsete pela Geográfica sobre papel Pólen Soft da Suzano S.A. para a Editora Schwarcz em agosto de 2021

A marca FSC® é a garantia de que a madeira utilizada na fabricação do papel deste livro provém de florestas que foram gerenciadas de maneira ambientalmente correta, socialmente justa e economicamente viável, além de outras fontes de origem controlada.